HET OOG VAN DE TIJGER

D0767444

Wilbur Smith

Het oog van de tijger

Zesde druk

1991 – De Boekerij – Amsterdam

Oorspronkelijke titel: Eye of the Tiger
Vertaling: Johan van Wijk
Omslagontwerp: Anthon Beeke en Associates

CIP-GEGEVENS KONINKLIJKE BIBLIOTHEEK, DEN HAAG

Smith, Wilbur

Het oog van de tijger / Wilbur Smith ; [vert. uit het Engels door Johan van Wijk]. – Amsterdam : De Boekerij. – (Parel pockets)
Vert. van: Eye of the tiger. – Londen: Heinemann, 1975. – Nederlandse uitg. eerder verschenen: Baarn: Zuid-Hollandsche U.M., 1976. – (Cultuurserie).
ISBN 90-225-0881-1
UDC 82-31 NUGI 331
Trefw.: romans ; vertaald.

Het was een van die seizoenen dat de vis laat kwam. Ik vergde zowel van mijn boot als van mijn bemanning het uiterste, voer elke dag ver naar het noorden en kwam elke avond lang na het donker pas in de haven terug. Maar het werd niet voor zes november dat we de eerste grote vis vingen die op de wijnkleurige deining van de Mozambique stroomafwaarts kwam.

Ik zat gewoon om vis te springen. Mijn clientèle bestond op dat moment slechts uit één man, een belangrijk figuur uit de reclamewereld in New York, een zekere Chuck McGeorge. Hij was een van mijn vaste klanten, die elk jaar de pelgrimstocht van 6000 mijl naar St. Mary Eiland bracht om op marlins te vissen, een diepzeevis met een lange spitse bek. Hij was een kleine maar gespierde man, kaal als een biljartbal met wat grijs haar rond de slapen. Verder had hij een uitgedroogd bruin gezicht maar met bar stevige benen die zo dringend noodzakelijk zijn, wanneer men op grote vissen jaagt. Toen we eindelijk de vis zagen, lag hij hoog op het water en liet de volle lengte van zijn rugvin zien, langer dan de arm van een man en met de kromme boog die hem onderscheidt van de haai of de bruinvis. Angelo had de vis op hetzelfde ogenblik in de gaten als ik. Hij hing over de voordekstag en schreeuwde opgewonden. Zijn zigeunerkrullen bengelden langs zijn donkere wangen en zijn tanden glinsterden in het licht van de stralende tropische zon.

De vis rolde op de toppen van de deining, het water opende zich rondom hem, zodat hij er uitzag als een houtblok, donker, zwaar en massief. Zijn staartvin vormde een getrouwe nabootsing van de gracieuze kromming van zijn rug. Even later verdween hij in het volgende golfdal en het water sloot zich boven zijn brede glinsterende rug.

Ik draaide me om en keek woedend in de stuurhut. Chubby was al bezig Chuck in de grote, aan het dek vastgenagelde stoel te helpen. Hij maakte het zware leren harnas vast en voorzag hem van handschoenen. Hij keek op en ving mijn blik op. Chubby fronste diep zijn wenkbrauwen en spuwde over de railing. Hij vormde een volmaakte tegenstelling tot de opwinding die de rest van ons had aan-gegrepen. Chubby is een fors gebouwde kerel, even groot als ik, maar zijn schouders waren breder en zijn maag meer gespierd. Daarnaast is hij ook een van de onwrikbaarste en meest consequente pessimisten in ons beroep.

' 't Is een schuwe!' gromde Chubby en spuwde opnieuw. Ik keek hem grijnzend aan.

'Trek je van hem maar niets aan, Chuck,' riep ik. 'Ouwe Harry brengt je zonder mankeren die vis.'

'Ik heb hier duizend dollar die me vertellen dat het je niet lukt,' riep Chuck terug. De spieren van zijn gezicht hadden zich samengetrokken tegen de verblindende glans van de door de zon tot schittering gebrachte zee, maar zijn ogen fonkelden van opwinding.

'Aangenomen!' Ik accepteerde een weddenschap, die ik me beslist niet kon veroorloven en schonk nu al mijn aandacht aan de vis.

Chubby had natuurlijk gelijk. Na mij is hij de beste marlinvisser op de hele wereld. De vis was kolossaal, schuw en schrikaanjagend.

Vijf keer had ik het aas vlak voor zijn neus en ging ik hem met alle bedrevenheid en sluwheid die ik op kon brengen te lijf. Iedere keer opnieuw wendde hij zijn blik af en blies, wanneer ik met *Wave Dancer* een dusdanige koers stuurde dat de boot vlak voor zijn bek langs kruiste.

'Chubby, in de ijskast ligt vers dolfijnaas. Haal het lokaas binnen en dan gaan we hem met eerlijk aas te lijf!' schreeuwde ik wanhopig.

Ik bracht het stuk dolfijn voor de vis. Persoonlijk had ik het aas aangebracht en het gleed volkomen natuurlijk door het water. Ik herkende het ogenblik dat de marlin het aas accepteerde. Hij scheen zijn zware rug te krommen en even ving ik de glans van zijn buik op, die als een spiegel onder het wateroppervlak lag toen hij zich omwendde.

'Volg!' schreeuwde Angelo. 'Hij volgt 't!'

Kort na tien uur in de ochtend bracht ik Chuck in de juiste positie en ik leverde van heel kort bij slag. Wanneer je namelijk te veel lijn hebt lopen, maak je het voor de man aan de hengel veel moeilijker en dient hij veel meer kracht te gebruiken. Het karwei dat ik moest opknappen was oneindig veel moeilijker en eiste aanmerkelijk meer bedrevenheid, dan het tandenknarsen en het stevig in de hand houden van de zware uit fiberglas gemaakte hengel. Tijdens de eerste waanzinnige aanvallen en al even razende wegschietende sprongen, zat ik het dier met *Wave Dancer* voortdurend op 't lijf, totdat Chuck zich stevig in de stoel had schrap gezet. Hij maakte daarbij gebruik van zijn meer dan stevige en voor dit werk uiterst geschikte benen.

Kort na twaalf uur had Chuck de vis verslagen. Hij bleef nu aan de oppervlakte van het water en het dier begon nu wijde cirkels te beschrijven, die Chuck steeds kleiner maakte door de lijn in te halen, totdat we het dier tenslotte klaar hadden voor de visspeer.

'Hé, Harry!' riep Angelo plotseling, waardoor hij mijn concentratie verbrak.

'We hebben een bezoeker, man!'

'Wat is 't, Angelo?'

'Big Johnny komt stroomopwaarts.' Hij gebaarde met zijn hand. 'De vis bloedt en hij heeft 't geroken.'

Ik keek in de aangeduide richting en zag de haai naderbij komen. De stompe vin bewoog gestaag, aangetrokken als de haai was door het gevecht en de reuk van het bloed. Het was een knots van een hamerhaai en ik riep Angelo.

'Op de brug, Angelo,' zei ik en gaf het stuur over.

'Harry, als je die schooier mijn vis laat opvreten, kun je die duizend dollar wel goeiendag zeggen,' gromde Chuck, hevig transpirerend vanuit de stoel. Ik dook de grote kajuit in.

Ik liet me op mijn knieën vallen en sloeg de knevel weg die het luik naar de machinekamer dicht hield en schoof dit weg.

Liggend op mijn buik stak ik mijn arm onder het dek en greep de kolf van de FN karabijn die daar verborgen in speciaal uit binnenband gemaakte stroppen hing.

Toen ik weer aan dek kwam controleerde ik de kamers van het geweer en zette de kiezer op automatisch vuur.

'Angelo, breng de boot langszij van ouwe Johnny.'

Terwijl ik bij de boeg over de railing hing, keek ik omlaag naar de haai, terwijl Angelo de boot langszij bracht. Het was inderdaad een hamerhaai, een grote, minstens drie en een halve meter van kop tot staart. In het heldere water kon ik zijn bronskleurige huid duidelijk zien.

Ik mikte zorgvuldig tussen de beide monsterlijk uitziende ogen die de kop van de haai afplatten en misvormden. Ik vuurde een kort salvo.

De FN brulde, de lege koperen hulzen spuwden uit de kamer en het water spatte door de snelle opeenvolgende schoten omhoog.

De haai huiverde krampachtig toen de kogels in zijn kop sloegen en zijn griezelige schedel en kleine hersens verbrijzelden. Hij rolde op zijn rug en begon te zinken.

'Bedankt, Harry,' bracht Chuck hijgend, hevig transpirerend en rood aangelopen in zijn stoel uit.

'Dat is allemaal in de service inbegrepen,' zei ik grinnikend en ging toen terug om het stuurrad over te nemen.

Om tien minuten over een bracht Chuck de marlin tot vlak bij de visspeer en bewerkte hem, totdat die knoert van een vis op zijn kant lag. De sikkelvormige staartvin sloeg nog zwak en de lange spitse bek ging krampachtig open en dicht. Het verglaasde ene oog was even groot als een rijpe appel en het lange lijf sloeg en glansde met wel duizend overvloeiende schakeringen van zilver, goud en scharlaken rood.

'Doe het netjes, Chubby,' riep ik, terwijl ik een gehandschoende hand om de stalen zeel legde en de vis langzaam en voorzichtig naar de plek trok waar Chubby met de roestvrijstalen haak klaar stond.

Chubby keek me met een vernietigende blik aan alsof hij wilde zeggen dat hij al vissperen in marlins gestoken had, toen ik nog als kleine jongen in de goten van een Londense achterbuurt gespeeld had.

'Wacht tot het snoer strak staat,' waarschuwde ik hem, alleen maar om hem te pesten en Chubby krulde zijn lippen vanwege dit ongevraagde advies.

De deining bracht de vis dichter naar de boot en de wijde borst, die glansde als zilver tussen de uitgespreide vleugels van de borstvinnen, vertoonde zich.

'Nu!' riep ik en Chuck liet de visspeer diep in het lichaam verdwijnen. Terwijl het heldere rode bloed omhoog welde, begon de vis aan zijn doodsstrijd, sloeg met zijn staartvin het wateroppervlak tot een wit schuimende massa en doorweekte ons met liters omhoog geworpen zeewater.

Op de Admiraliteitswerf hing ik de vis aan de laadboom van een kraan. Benjamin, de havenmeester, tekende het certificaat waarop stond aangegeven dat het monster achthonderd en zeventien pond woog. Hoewel de heldere fluorescerende kleuren door de dood waren verbleekt tot een dof roetachtig zwart, was het niettemin een indrukwekkend geheel door zijn enorme omvang – ruim vier meter van zijn bek tot het puntje van zijn opzichtige zwaluwstaart.

'Mister Harry heeft een Mozes op de Admiraliteit hangen,' bazuinden de blootsvoets door de straten rennende kwajongens rond en de eilandbewoners grepen deze bekendmaking onmiddellijk aan als verontschuldiging om het werk neer te leggen en in feestelijke stoet naar de werf te komen.

Het verhaal bereikte zelfs het oude Government House op de klif en de Landrover van de president kwam gonzend langs de kronkelende weg omlaag, met de vrolijk aandoende kleine vlag wapperend op de motorkap. De wagen baande zich met enige moeite een weg door de menigte en zette de grote man op de werf af. Voor de onafhankelijkheid was Godfrey Biddle de enige advocaat op St. Mary geweest. Hij was op het eiland geboren en had in Londen gestudeerd.

'Mister Harry, wat een meer dan schitterend exemplaar,' riep hij verrukt uit. Een vis van deze afmetingen zal het zich steeds meer ontwikkelende toerisme nog meer aanmoedigen en hij kwam naar me toe om me een hand te geven. Zoals dit met presidenten in dit deel van de wereld 't geval is, was hij de voornaamste en belangrijkste figuur op het eiland.

'Dank u, mr. president, sir.' Zelfs met die zwarte deukhoed op zijn hoofd, kwam hij amper tot mijn oksel. Hij was gewoon een symfonie in zwart, zwart wollen kostuum, zwarte leren schoenen en zijn huid had de kleur van gepoetst antraciet. Alleen rond zijn oren had hij een randje opzienbarend wit pluizig krullend haar.

'U behoort echt gelukgewenst te worden.' President Biddle stond op zijn benen te wiebelen van opwinding. En ik was er zeker van dat ik dit seizoen opnieuw uitgenodigd zou worden om op het Government House met vele andere gasten te komen dineren. Het had ongeveer een tot twee jaar geduurd, maar uiteindelijk had de president mij aanvaard als iemand die op het eiland geboren was. Ik was een van zijn kinderen met alle voorrechten die een dusdanige positie met zich bracht.

Fred Coker was nu ook met zijn lijkauto ter plaatse verschenen, maar in dit geval gewapend met zijn foto-uitrusting en, terwijl hij zijn driepoot opstelde en onder de zwarte doek verdween om de ouderwetse camera in te stellen, poseerden wij voor hem naast het enorme karkas. Chuck in het midden met de hengel in zijn hand, terwijl wij ons rond hem groepeerden, de armen gevouwen als een stel voetballers. Angelo en ik grijnsden terwijl Chubby afschuwwekkend nijdig in de lens keek. De foto zou het bijzonder goed in mijn reclamebrochure doen – loyale bemanning en onverschrokken schipper wiens haar onder zijn uniformpet weg krulde en ook vanuit de V-hals van zijn hemd – dat zou ze het volgend seizoen hier zeker naar toe brengen.

Ik regelde dat de vis overgebracht zou worden naar het koelhuis van de ananas export maatschappij. Ik zou het dier overdragen aan Rowland Wards of London om het te laten verzenden met het eerstvolgende koelschip. Ik liet hierna Angelo en Chubby achter om de dekken van de *Dancer* te schrobben, haar aan de overkant van de haven bij de Shell opnieuw van de nodige brandstof te voorzien en haar dan naar haar ligplaats te brengen.

Toen Chuck en ik in de cabine van mijn gehavende oude Ford bestelauto stapten, dwaalde Chubby zo onopvallend als een tipgever op de paarderennen naar mijn kant van de wagen en sprak uit zijn mondhoek.

'Harry, wat dat extraatje voor die vis betreft –' Ik wist precies wat hij zou gaan zeggen. Dat gebeurde iedere keer en altijd weer hetzelfde verhaaltje.

'Mrs. Chubby hoeft er niets van te weten, klopt dat?' maakte ik de zin voor hem af.

'Precies,' stemde hij somber toe en hij schoof zijn smerige diepzeevispet achter op zijn hoofd.

Ik zette Chuck de volgende ochtend om negen uur op het vliegtuig, zong de hele weg terug van het plateau en toeterde tegen de meisjes die op de ananasplantage werkten. Ze keken met brede stralende glimlachjes van onder de randen van hun strooien hoeden en wuifden.

Op Coker's Reisbureau wisselde ik de American reischeques die Chuck me gegeven had om, en pingelde daarbij met Fred Coker over de wisselkoers. Hij was helemaal in pontificaal, pandjesjas en zwarte das. Hij had om twaalf uur een begrafenis. De camera en de driepoot waren voorlopig opzij gelegd en de fotograaf was weer begrafenisondernemer geworden.

Coker's rouwkamer lag achter het reisbureau dat men vanuit een opzij van het gebouw gelegen steeg binnenging. Fred gebruikte de lijkwagen ook om toeristen van het vliegveld naar de stad te brengen. Maar eerst haalde hij dan heel discreet zijn reclamebord van de wagen en zette de banken over de dwarshouten waar anders de kist op rustte.

Ik boekte al mijn cliënten via hem en hij pikte zijn tien procent commissie van de reischeques. Hij was ook de enige verzekeringsagent en hij trok de jaarlijkse premie voor *Dancer* eerst van het bedrag af, voor hij zorgvuldig het restant voor mij uittelde. Ik telde het geld al even nauwkeurig, want al ziet Fred er dan uit als een schoolmeester, lang, mager en vormelijk met net voldoende eilandbloed in zich om hem een gezonde bruine huidkleur over zijn hele lichaam te geven, hij kent alle knepen van het vak en dan nog een paar die niet in druk waren verschenen.

Hij wachtte geduldig terwijl ik het bedrag controleerde en hij voelde dit echt niet als een belediging. Toen ik tenslotte de rol bankbiljetten in mijn broekzak propte, glinsterde zijn gouden pince-nez en als een liefhebbende vader zei hij tegen me: 'Vergeet vooral niet dat je morgen een nieuwe groep hebt, mister Harry.'

'Dat is dik in orde, mr. Coker – maakt u zich maar geen zorgen, mijn bemanning zal in prima vorm zijn.'

'Ze zitten al in Lord Nelson,' vertelde hij me heel delicaat. Fred weet precies wat er op het eiland omgaat.

'Mr. Coker, ik exploiteer een charterboot en geen drankbestrijdingsgenootschap. Maakt u zich geen zorgen,' zei ik nogmaals, terwijl ik overeind kwam. 'Er is nog nooit iemand aan een goeie kater gestorven.'

Ik stak Drake Street over en liep Edward's Store binnen waar ik als een held werd verwelkomd. Ma Eddy kwam persoonlijk achter de toonbank vandaan en drukte me tegen haar warme pneumatische boezem.

'Mister Harry,' kirde ze, terwijl ze me een zoen gaf, 'ik ben naar de werf geweest om de vis te zien die u gisteren gevangen hebt.' Toen, terwijl ze me nog steeds stevig vasthield, wendde ze zich om en riep tegen een van de meisjes achter de toonbank: 'Shirley, breng mister Harry een lekker koud biertje, heb je me gehoord?'

Ik haalde mijn rol bankbiljetten te voorschijn. De kleine, bijzonder aantrekkelijke eilandmeisjes kwetterden als spreeuwen, toen ze al dat geld zagen en Ma Eddy rolde met haar ogen en klemde me nog vaster tegen zich aan.

'Wat ben ik u schuldig, missus Eddy?' Van juni tot november is een behoorlijke slappe periode. De vis gaat dan de rivier niet op en ma Eddy helpt me altijd door die slappe tijd heen.

Ik leunde tegen de toonbank met een blikje bier in mijn ene hand en koos de spullen, die op de planken stonden uit, die ik nodig had. Ik had dan het volle gezicht op de benen van de meisjes, wanneer zij in hun minirokken de ladder opliepen om het bestelde naar beneden te brengen. Ik kan niet anders zeggen dan dat ik me uitstekend voelde en trots als een pauw met die stevige rol dollars in mijn achterzak.

Daarna ging ik naar het dok van de Shell Maatschappij en de bedrijfsleider kwam me al bij de deur van zijn kantoor tussen de grote zilverkleurige olie- en benzinetanks tegemoet.

'Goeie God, Harry, ik heb de hele ochtend al op je zitten wachten. Het hoofdkantoor ging als een gek tegen me tekeer over je rekening.'

'Het wachten is voorbij, broer,' zei ik tegen hem. Maar *Wave Dancer* is zoals de meeste mooie vrouwen een kostbare liefde en toen ik weer in mijn bestelautootje klom, was die bobbel in mijn broekzak aanmerkelijk geslonken.

In de biertuin van Lord Nelson zaten ze op me te wachten. Het eiland is bijzonder trots op zijn associatie met de koninklijke marine, ondanks het feit dat het niet langer een Britse bezitting is, maar zich al zes jaar verkneukelt in het feit dat het onafhankelijk is. Maar daarvoor was het tweehonderd jaar lang een post geweest voor de Britse vloot. Oude prenten van reeds lang overleden kunstenaars versierden de bar. Afbeeldingen van grote schepen, die het kanaal opkruisten of in de grote haven opzij van de Admiraliteitswerf lagen – oorlogsschepen, koopvaardijschepen van de John Company sloegen hier proviand in of ondergingen bepaalde reparaties voor ze aan de lange zuidelijke tocht naar Kaap de Goede Hoop en de Atlantische Oceaan begonnen.

St. Mary had nooit de plaats vergeten die ze in de geschiedenis innam en evenmin de admiraals en de machtige schepen die hier landden. De Lord Nelson is nu niet meer dan een parodie van zijn vroegere pracht, maar ik geniet altijd van zijn vervallen en sjofele elegantie en zijn associaties met het verleden heel wat meer dan van de toren van glas en beton die Hilton op het heuvelgebied boven de haven heeft opgericht.

Chubby en zijn vrouw zaten naast elkaar op een bank tegen de muur aan de andere kant van de bar, beiden gekleed in hun zondagse kleren. Dat was de gemakkelijkste manier om hen van elkaar te kunnen onderscheiden. Het feit namelijk dat Chubby een driedelig kostuum droeg, dat hij destijds voor zijn huwelijk gekocht had – de knopen werd geweld aangedaan en er waren grote gapingen tussen de knopen onderling. Zijn diepzeevispet bevlekt met zoutkristallen en vissebloed achter op zijn hoofd. Zijn vrouw droeg een tot aan haar enkels reikende zwarte japon van zware wollen stof die door ouderdom groen uitgeslagen was en daaronder een paar zwarte knoopjeslaarzen. Maar hun mahoniekleurige gezichten waren praktisch identiek, hoewel Chubby zich net geschoren had en de bovenlip van zijn eega versierd werd door een klein snorretje.

'Hallo, missus Chubby, hoe gaat 't ermee?' vroeg ik.

'Dank u, mister Harry.'

'Dan wilt u misschien wel iets gebruiken?'

'Niet meer dan een klein glaasje orange gin, mister Harry, en een biertje om het weg te spoelen.'

Terwijl ze aan haar zoete likeurtje nipte, telde ik Chubby's loon in zijn hand uit en haar lippen bewogen zich, alsof ze stil met me mee telde. Chubby keek bezorgd toe en opnieuw vroeg ik me af hoe hij het klaar gespeeld had haar tien jaar lang voor de gek te houden wat zijn bonusgeld betreft. Missus Chubby dronk in een lange teug haar glas bier leeg en het schuim accentueerde haar snorretje.

'Ik zal maar weer gaan, mister Harry.' Majestueus kwam ze overeind en zeilde over de binnenplaats naar de uitgang. Ik wachtte totdat ze de Frobisher Street insloeg voor ik Chubby het kleine bundeltje bankbiljetten onder de tafel in handen speelde. Daarna liepen we samen de loungebar binnen.

Angelo had aan weerszijden van hem een meisje zitten en bovendien nog een op schoot. Zijn zwart zijden hemd stond tot aan zijn riem open waardoor zijn glanzende borstspieren voor iedereen zichtbaar waren. Zijn spijkerbroek zat meer dan nauw en wel zo dat

er over zijn geslacht niet viel te twijfelen. Zijn laarzen waren hand-
gemaakt, glimmend gepoetst en uit het westen afkomstig. Hij had
vet in zijn haar gedaan en het achterover gekamd in de stijl van de
jonge Presley. Hij liet zijn glimlach als een toneelvoetlicht door de
kamer flitsen en toen ik hem betaalde stopte hij een bankbiljet voor
in de jurken van de meisjes.
'Hé, Eleanor, ga jij nu bij Harry op schoot zitten maar wees voorzichtig. Harry is nog maagd – je behandelt hem netjes, afgesproken?' Hij brulde van het lachen en wendde zich tot Chubby.
'Hé, Chubby, houd op met dat voortdurende gegiechel! Dat staat
zo stom – al dat gegiechel en gegrinnik.' Chubby's frons werd dieper, zijn gehele gezicht vertrok zich in plooien en rimpels als de kop
van een bulldog. 'Hé, mister barman, breng ouwe Chubby een borrel. Misschien houdt hij dan op met dat stomme gegiechel.'
Om vier uur die namiddag had Angelo zijn vriendinnetjes wegge-
stuurd en zat nu aan tafel met zijn glas voor zich. Naast hem lag zijn
aasmes, gewet tot het zo scherp was als een scheermes en het glinsterde kwaadaardig in de lampen die aan de zoldering hingen. Hij
mompelde, dank zij een door te veel alcohol opgeroepen melan-
cholie, somber in zichzelf. Om de paar minuten beproefde hij met
zijn duim de scherpte van het mes en keek dan dreigend de bar
rond. Niemand nam enige notitie van hem.
Chubby zat naast me en grijnsde als een grote bruine pad – waarbij
hij een stel enorme, ongelooflijk witte tanden liet zien, gevat in ro-
zekleurig plastiek tandvlees.
'Harry,' vertelde hij me mededeelzaam, terwijl hij een dikke gespierde arm om mijn nek sloeg. 'Je bent een beste jongen, Harry.
Weet je wat, Harry, ik zal je nu maar zeggen wat ik je nog nooit
eerder verteld heb.' Hij knikte wijs, terwijl hij zich opmaakte voor
de bekendmaking die hij elke betaaldag herhaalde. 'Harry, ik houd
van je, kerel. Ik houd meer van je dan van mijn eigen broer.'
Ik tilde de gevlekte pet op en liefkoosde luchtig de kale bruine top
van zijn schedel. 'En jij bent mijn meest geliefde kale blondine,'
antwoordde ik hem.
Hij hield me een kort ogenblik op armafstand, keek me onderzoekend aan en barstte toen in een schaterlach uit. Dat werkte volmaakt aanstekelijk en we zaten nog te bulderen van het lachen toen
Fred Coker binnenkwam en bij ons aan tafel kwam zitten. Hij zette

zijn pince-nez recht en zei vormelijk: 'Mister Harry, ik heb zo juist een expresse-brief uit Londen ontvangen. Je groepje heeft afgezegd.' Mijn lachen verstomde.

'Wel verdomme!' antwoordde ik. Twee weken zonder klanten en dat midden in het seizoen en niet meer dan een luizige tweehonderd dollar voor bootreservering.

'Mr. Coker, u moet zorgen voor een groep.' Ik had van het geld van Chuck nog maar driehonderd dollar over.

'U moet gewoonweg voor een andere groep zorgen,' herhaalde ik. Angelo had zijn mes gepakt en dreef dit met een harde bons met de punt in het tafelblad. Weer nam niemand enige notitie van hem en hij keek boos met gefronst voorhoofd de bar rond.

'Ik zal mijn best doen,' antwoordde Coker, 'maar het is nu wel wat laat.'

'Telegrafeer de groepen die we af hebben moeten zeggen.'

'Wie betaalt die telegrammen?' vroeg Fred fijntjes.

'Barst, die betaal ik.' En hij knikte en liep naar buiten. Ik hoorde de lijkauto buiten starten.

'Maak je geen zorgen, Harry,' zei Chubby. 'Ik houd nog altijd van je.' Plotseling viel Angelo aan mijn andere kant in slaap. Hij viel voorover en zijn voorhoofd kwam met een harde bons op het tafelblad terecht. Ik draaide zijn hoofd zo dat hij niet in de plas gemorst likeur zou verdrinken, stopte het mes weer in de schede en nam hem zijn rolletjes bankbiljetten af om hem tegen de meisjes die vlak om hem heen fladderden te beschermen.

Chubby bestelde een nieuw rondje en begon een onsamenhangend murmelend matrozenliedje te zingen in het taaltje van het eiland, terwijl ik me zorgen zat te maken.

Opnieuw hadden ze me op een financiële folterbank genageld. Goeie God, wat haatte ik geld – of liever het gemis ervan. Die twee weken maakten al het verschil of we wel of niet – *Dancer* en ik – het slappe seizoen zouden kunnen overleven en ons aan onze goede voornemens zouden kunnen houden. Ik wist dat dit uitgesloten was. Ik wist dat we opnieuw aan onze nachtelijke tochten zouden moeten beginnen.

Wat kon het me eigenlijk verdommen. Indien we moesten, konden we net zo goed meteen beginnen. Ik zou laten weten dat Harry bereid was een overeenkomst te sluiten. Nu ik de beslissing eenmaal genomen had, voelde ik opnieuw dat plezierig aandoende samentrekken van de zenuwen, het lef dat nu eenmaal altijd samengaat met gevaar. Die twee afgezegde weken zouden achteraf misschien toch niet helemaal verspild zijn.

Ik begon met Chubby mee te zingen, ook al was ik er niet helemaal zeker van dat we hetzelfde liedje zongen, want het kwam mij voor dat ik al lang aan het einde van het refrein was voor Chubby.

Het was waarschijnlijk dit muzikale festijn dat de politie op de been bracht. Op St. Mary bestaat die uit een inspecteur en vier agenten; dat is voor het eiland meer dan voldoende. Afgezien van heel wat 'vleselijke kennis onder de bij de wet gestelde leeftijd' en wat mishandeling van echtgenotes, gebeuren er op het eiland geen misdrijven die de naam misdrijf waardig zijn.

Inspecteur Peter Daly was een nog jonge man met een blonde snor, een felle Engels blozende kleur op zijn gladde wangen en lichtblauwe ogen die te dicht bij elkaar stonden, net als bij een rioolrat. Hij droeg het uniform van de Britse koloniale politie, de pet met het zilveren embleem en glimmend leren klep en zijn kakipak was zo goed gesteven en gestreken dat het zacht knerpte wanneer hij liep, en dan tenslotte de gepoetste leren riem en Sam Browne-kruisbanden. Onder zijn arm droeg hij een malakka rotting, die ook al met glimmend gewreven leer bedekt was. Behalve de groen en gele St. Mary's schouderdistinctieven, zag hij eruit als de trots van het Empire, maar evenals het Empire zag de man die het uniform droeg er min of meer afgebrokkeld uit.

'Mr. Fletcher,' zei hij, toen hij bij onze tafel bleef staan en met het rottinkje luchtig tegen de palm van zijn hand sloeg, 'ik hoop dat we vanavond geen moeilijkheden krijgen.'

'Sir,' souffleerde ik hem. Inspecteur Daly en ik waren beslist geen vrienden. Ik houd niet van bullebakken of mensen die, wanneer zij een vertrouwenspositie bekleden, hun absoluut voldoende salaris proberen aan te vullen met steekpenningen en terugbetalingen. Hij had heel wat van mijn zuurverdiende geld in het verleden in zijn zak gestopt en dat was zijn meest onvergeeflijke zonde.

Zijn mond verstrakte zich onder de blonde snor en hij kreeg een kleur.

'Sir,' herhaalde hij met tegenzin.

Nu is het inderdaad zo dat in een ver verleden Chubby en ik een of twee keer toegegeven hadden aan een uitspatting van jeugdige overmoed, toen we juist een Mozes-vis hadden gevangen – maar dat gaf inspecteur Daly nog niet het recht om op die manier te praten. Tenslotte was hij niet meer dan een doodgewone banneling die hier een driejarig contract had – en dat, zoals de president mij persoonlijk verteld had, niet verlengd zou worden.

'Inspecteur, heb ik gelijk als ik van mening ben dat dit een openbare gelegenheid is – en dat noch mijn vrienden noch ik een overtreding begaan?'

'Inderdaad.'

'Heb ik eveneens gelijk wanneer ik van de gedachte uitga dat het zingen van welluidende en fatsoenlijke liedjes in een openbare gelegenheid niet een misdadige handeling vormt?'

'Ja, dat is inderdaad zo maar –'

'Inspecteur, lazer dan op,' vertelde ik hem vrolijk. Hij aarzelde en keek Chubby en mij aan. Met zijn tweeën vormen we een fikse hoeveelheid spieren en hij kon de goddeloze vechtlust in onze ogen duidelijk waarnemen. Je kon aan alles zien dat hij van harte wenste dat hij zijn agenten bij zich had. 'Ik zal jullie in de gaten houden,' zei hij en hij probeerde zich aan zijn waardigheid vast te klampen als een bedelaar aan zijn vodden toen hij ons achterliet.

'Chubby, je zingt als een engel,' zei ik en hij keek me stralend aan. 'Harry, ik ben van plan een borrel voor je te kopen.' En Fred Coker kwam juist op tijd terug om met dat rondje mee te doen. Hij dronk pils met limoensap en ik voelde hoe mijn maag in mijn lijf omdraaide, maar gelukkig vormden zijn mededelingen het juiste tegengif.

'Mister Harry, ik heb een groep voor u.'

'Mr. Coker, ik houd van u.'

'Ik ook,' zei Chubby, maar diep in mijn hart voelde ik een zekere teleurstelling. Ik had echt uitgekeken naar een nieuwe nachtelijke vaartocht.

'Wanneer komen ze aan?' vroeg ik.

'Ze zijn al hier – ze zaten op mijn kantoor te wachten toen ik daar aankwam.'

''t Zal wel.'

'Ze wisten dat de andere groep had afgezegd en vroegen en noemden je naam. Ze moeten met hetzelfde vliegtuig meegekomen zijn als die expressebrief.'

Op dat ogenblik waren mijn gedachten een tikkeltje beneveld, anders had ik misschien een ogenblikje stilgestaan bij het feit hoe de ene groep zich zo keurig had teruggetrokken en de andere groep hun plaats had ingenomen.

'Ze logeren in het Hilton Hotel.'

'Willen ze dat ik ze kom ophalen?'

'Nee, ze ontmoeten u morgenochtend om tien uur op de Admiraliteitswerf.'

Ik was hoogst dankbaar dat de groep zo laat in de ochtend van start wilde gaan. Die ochtend werd de *Dancer* bemand door een stel levende lijken. Angelo deed niets dan kreunen en elke keer dat hij zich voorover boog om een touw op te rollen of de hengels in elkaar te zetten, veranderde hij van donkerbruin in lichtbruin. Chubby zweette pure alcohol en de uitdrukking op zijn gezicht was werkelijk angstaanjagend. Hij had de hele ochtend nog geen woord gezegd.

Ik kan niet zeggen dat ik mezelf bepaald opgewekt voelde. *Dancer* lag keurig langs de werf gemeerd en ik leunde over de railing van de buitenbrug. Ik had mijn donkerste zonnebril opgezet en, hoewel mijn kop jeukte, dorst ik mijn pet niet af te nemen uit angst dat de punt van mijn schedel mee zou komen. Met andere woorden: ik barstte van de pijn in mijn kop.

De enige taxi die het eiland rijk was, een Citroën 1962, kwam uit Drake Street aanrijden en stopte aan het boveneinde van de werf, waar hij mijn gezelschap uitlaadde. De ploeg bleek uit twee man te bestaan en ik had er drie verwacht. Coker had duidelijk drie gezegd.

Ze begonnen de lange, met stenen geplaveide werf op te lopen, naast elkaar en terwijl ik ze gadesloeg, kwam ik langzaam overeind. Ik voelde hoe mijn fysieke angst verdween in het rijk van de onbelangrijkheid om opnieuw vervangen te worden door dat gevoel van lef, het langzaam ontrollen en weer opbollen van de spieren, dat kriebelige gevoel in mijn armen en achter in mijn nek.

De ene man was lang en liep op de losse, gemakkelijke manier van een atleet, een beroepsatleet wel te verstaan. Hij was blootshoofds en zijn lichtrode haar was zorgvuldig over een veel te vroeg kaal wordende kruin gekamd, maar niettemin was de roze huid duidelijk te zien. Rond zijn maag en heupen was hij echter mager en hij scheen voortdurend op zijn qui-vive. Dat was in feite het enige woord om het geladen gevoel dat hij klaar stond en dat duidelijk waarneembaar van hem uitstroomde te beschrijven. Alleen als je zelf zo was kon je het in een ander herkennen. Dit was een man, die er op getraind was met en door gevaar te leven. Hij was één bundel spieren, in de vaktaal noemde je zo iemand een *strijder*. Het maakte niet uit aan welke kant van de wet hij zijn vaardigheid uitoefende – voor het gezag of juist om dit gezag in moeilijkheden te brengen – hij was zonder meer slecht nieuws.

Ik had gehoopt dit soort roofvis nooit in de vredige wateren van St. Mary te zien. Het gaf me een meer dan misselijk gevoel te weten dat het me weer gevonden had. Snel wierp ik een blik op de andere man. Het was in hem niet zo duidelijk zichtbaar, de scherpe kantjes waren er al afgesleten. De omtrekken waren door de tijd en een te veel aan vlees verdoezeld. Maar niettemin was het aanwezig – meer slecht nieuws.

'Je staat er mooi op, Harry,' vertelde ik mezelf bitter. 'Dit en dan nog een pracht van een kater op de koop toe.'

Ik zag nu duidelijk dat de oudere man de leiding had. Hij liep ongeveer één pas voor de ander uit en de grotere, jongere man gaf hem de verschuldigde eerbied. Ook was hij enkele jaren ouder dan ik, vermoedelijk ergens achter in de dertig. Boven de uit krokodille-leer gemaakte riem zag ik dat hij een buikje begon te krijgen en ook langs zijn kaaklijn had zich vlees gevormd. Zijn haar was geknipt en gekamd in Bond Streetstijl en hij droeg zijn Sulka zijden hemd en zijn Gucci schoenen alsof het kentekenen van zijn rang waren. Terwijl hij langs de werf liep, bette hij zijn kin en zijn bovenlip met een witte zakdoek en ik vermoedde dat de diamant aan zijn pink minstens twee karaat was. Dat glinstertje was gevat in een gladde gouden ring en zijn polshorloge was eveneens van goud, waarschijnlijk afkomstig van Lanvin of Piaget.

'Fletcher?' vroeg hij, terwijl hij op de steiger bleef staan. Zijn ogen waren net donkere kraaltjes, zoals de ogen van een fret. De ogen van een roofdier, helder maar zonder enige warmte. Ik zag ook dat hij ouder was dan ik gedacht had en ik durfde met zekerheid te zeggen dat zijn haar geverfd was om zijn grijze haren te verbergen. De huid van zijn wangen was onnatuurlijk strak en ik kon bij de haargrens de littekens van een plastische operatie zien. Ze hadden hem een facelift gegeven, hij was dus een ijdel man en die wetenschap borg ik zorgvuldig in mijn geheugen op. Hij was een oudgediende en uit de rijen van de gewone strijders opgeklommen tot een bevelvoerende positie. Hij was de man met de hersenen en de man, die een stap achter hem kwam, was de man die voor de spierkracht zorgde. Iemand had een verkenningspatrouille uitgezonden en ik behoefde echt geen helderziende te zijn om me te realiseren waarom mijn oorspronkelijke klanten hadden afgezegd.

Een telefoontje, gevolgd door een bezoek van dit tweetal zou elke doorsneeburger voor de rest van zijn leven van het vissen op marlins doen afzien. Ze hadden zich vermoedelijk ernstig bezeerd in hun haast om hun trip af te zeggen.

'Mr. Materson? Welkom aan boord.' – Een ding was zeker. Ze waren niet gekomen om te vissen en ik besloot me daarom onderdanig te gedragen, totdat ik voor mezelf had vastgesteld wat het voordeligst uitkwam en dus haastte ik me wel wat laat er nog 'sir' aan toe te voegen. De krachtpatser sprong van de steiger op het dek en kwam zo zacht als een kat op zijn voeten terecht. Ik zag uit de manier waarop hij zijn opgevouwen jas over zijn arm heen en weer zwaaide dat hij iets zwaars in de zak van die jas had zitten. Hij stelde zich tegenover mijn bemanning op, duwde zijn kin naar voren en liet zijn blikken vlug over hen glijden. Angelo schonk hem een verwaterde versie van de zo geroemde glimlach en tikte tegen de rand van zijn pet. 'Welkom aan boord, sir.' En de dreigende blik van Chubby lichtte even op en hij mompelde iets dat klonk als een vloek, maar naar alle waarschijnlijkheid een warme begroeting moest voorstellen. De man negeerde hen en draaide zich om ten einde Materson aan boord te helpen. Deze bleef op het dek staan, terwijl zijn lijfwacht de grote kajuit van de *Dancer* aan een onderzoek onderwierp. Daarna ging ook hij de grote kajuit binnen en prompt liep ik hem achterna.

Onze accommodatie is bijzonder luxueus en aangezien de boot honderdvijfentwintigduizend dollar gekost had, mocht dat ook wel. De luchtverversing had de ergste hitte doen verdwijnen en Materson slaakte een zucht van opluchting en bette zich opnieuw met zijn zakdoek, terwijl hij zich op een van de gestoffeerde banken liet zakken.

'Dit hier is Mike Guthrie.' Hij maakte een gebaar in de richting van zijn gespierde metgezel die bezig was de patrijspoorten in de kajuit te controleren, deuren open en dicht deed en over het algemeen genomen sterk overdreef en probeerde de indruk te vestigen dat het met hem kwaad kersen eten was.

'Een waar genoegen, mr. Guthrie.' Ik riep al mijn jongensachtige charme op en grijnsde over heel mijn gezicht. Hij maakte een luchtig gebaar met zijn hand en keurde me geen blik waardig.

'Iets drinken, heren?' vroeg ik, terwijl ik het drankkastje open maakte.

Ze namen beiden een flesje Coca Cola, maar ik had wel iets sterkers nodig, ten eerste voor de opgelopen schok en ten tweede voor mijn kater. De eerste slok ijskoud bier gaf me nieuw leven.

'Wel, heren, ik geloof wel te kunnen zeggen dat ik u de nodige sport kan bieden. Eergisteren nog heb ik een beste vis gevangen en alle tekenen zijn aanwezig dat...'

Mike Guthrie ging voor me staan en keek me recht in mijn gezicht. Zijn pupillen hadden groene en bruine vlekken, zoals een met de hand geweven gekeperde wollen stof.

'Heb ik u niet al eens eerder ontmoet?' vroeg hij.

'Ik geloof niet dat ik ooit het genoegen gehad heb.'

'U bent een geboren Londenaar, is 't niet?' Hij had mijn accent waargenomen.

'Ik ben heel lang geleden uit Engeland vertrokken, vriend,' antwoordde ik grinnikend en legde het er dik boven op waar ik vandaan kwam. Hij glimlachte niet en liet zich op een bank tegenover me vallen. Zijn handen legde hij op de tafel die tussen ons in stond en spreidde zijn vingers wijd uiteen. Hij bleef me aanstaren. 't Was wat je noemt een keiharde jongen. 'Ik ben bang dat het voor vandaag al te laat is om te vertrekken,' babbelde ik opgewekt verder. 'Indien we werkelijk op de Mozambique willen gaan vissen dan moeten we voor zes uur 's ochtends uit de haven vertrekken. Maar we kunnen natuurlijk morgenvroeg vertrekken...'

Materson onderbrak mijn gebabbel. 'Controleer die lijst, Fletcher, en laat ons weten wat je tekort komt.' Hij reikte me een opgevouwen blad papier en ik wierp een blik over de met de hand geschreven lijst. Het was niets dan diepzee duikapparatuur met inbegrip van zuurstofcilinders en bergingsuitrusting.

'Bent u dan niet geïnteresseerd in het vangen van marlins?' Ik gaf blijk van grote verbazing en verrassing dat zulks ook maar 't geval zou kunnen zijn.

'We zijn hier naartoe gekomen om wat onderzoekwerk te doen – dat is alles.'

Ik haalde mijn schouders op. 'U betaalt en wij doen wat u wilt dat we doen.'

'Hebt u al dat spul?'

'Het meeste wel.' In de slappe periode vaar ik tegen gereduceerd tarief voor enthousiaste duikers en dat helpt me een handje wat mijn uitgaven betreft. Ik had een volledige collectie duikpakken en in de machinekamer van de *Dancer* was een luchtcompressor om de cilinders bij te laden. 'Ik heb alleen geen luchtzakken en evenmin al dat touw...'

'Kun je dat hier krijgen?'

'Tuurlijk.' Ma Eddy had een tamelijk goede selectie scheepsbenodigdheden en de vader van Angelo was een zeilmaker. Hij kon me in een paar uur die luchtzakken maken.

'Prima, zorg daar dan voor.'

Ik knikte. 'Wanneer wilt u vertrekken?'

'Morgenochtend. Er komt dan nog iemand met ons mee.'

'Heeft mr. Coker u verteld dat de prijs vijfhonderd dollar per dag is – en bovendien zal ik die extra uitrusting in rekening moeten brengen.'

Materson knikte en scheen van plan te zijn overeind te komen.

'Zou het mogelijk zijn dat ik een deel van dat geld vooruit betaald kreeg?' vroeg ik zacht en ze schenen beiden te bevriezen. Ik grinnikte beminnelijk. 'Ik heb een lange schrale winter achter de rug, mr. Materson, en ik moet die verschillende zaken kopen en mijn brandstoftanks laten bijvullen.'

Materson haalde zijn portefeuille te voorschijn en telde driehonderd dollar in vijf dollarbiljetten uit. Terwijl hij hiermee bezig was, zei hij op zachte murmelende toon – zo praatte hij altijd zou ik later ontdekken –: 'We hebben je bemanning niet nodig, Fletcher. Wij drieën zullen je wel helpen met het hanteren van je boot.'

Even was ik onaangenaam verrast. Dat had ik zeker niet verwacht. 'Ik zal ze hun volle loon moeten betalen als u ze tijdelijk vrijaf wilt geven. Ik kan mijn prijs hierdoor niet verlagen.'

Mike Guthrie zat nog steeds tegenover me en hij boog zich nu naar me toe. 'Je hebt gehoord wat de man zei, Fletcher. Zorg dat die zwarten van boord verdwijnen,' zei hij zacht.

Zorgvuldig vouwde ik het stapeltje vijf dollarbiljetten en borg ze in mijn borstzak op. Eerst daarna keek ik hem aan. Hij was ongetwijfeld bijzonder vlug, ik kon zien dat al zijn spieren gespannen waren en dat hij klaar voor me was. Voor het eerst sinds hij aan boord gekomen was, vertoonden die koude gespikkelde ogen enige uitdrukking. Het was een voorsmaakje van wat hij dacht dat komen zou. Hij wist dat hij me een slag had toegebracht en dat ik van plan was hem op de proef te stellen. Dat was wat hij wilde, hij wilde me even laten zien wie van ons tweeën de baas was. Zijn handen bleven op de tafel rusten, met de palmen naar beneden, de vingers gespreid. Ik dacht er even aan hoe ik de pinken van beide handen zou kunnen pakken en ze als een paar cocktailprikkers bij het gewricht in tweeën zou kunnen breken. Ik wist dat het me zou lukken, voordat hij ook maar één enkele beweging had kunnen maken en die wetenschap verschafte me veel genoegen, want ik was razend. Ik heb niet veel vrienden maar de paar die ik heb waardeer ik bijzonder.

'Heb je me gehoord, ventje,' siste Guthrie en weer slaagde ik erin die jongensachtige grijns op mijn gezicht te toveren en liet hem daar, zij het een tikje scheef.

'Ja, sir, mr. Guthrie,' zei ik. 'U betaalt het geld en ik doe wat u zegt.' Ik stikte bijna in mijn eigen woorden. Hij leunde weer achterover en ik zag dat hij teleurgesteld was. Hij was één bundel spieren en hij genoot ervan ze te gebruiken op de manier die hem geleerd was. Ik geloof dat ik op dat ogenblik wist dat ik hem zou doden en die gedachte alleen al verschafte me voldoende genoegen die grijns op mijn gezicht te houden. Materson sloeg ons met die heldere kraaloogjes gade. Zijn belangstelling was klinisch en objectief, zoals een wetenschapsman een paar laboratoriumexemplaren bestudeert. Hij zag dat de confrontatie voorlopig was weggenomen en zijn stem klonk weer zacht en spinnend.

'Uitstekend, Fletcher.' Hij liep terug naar het dek. 'Zorg dat je die uitrusting aan boord krijgt en zorg dat je morgenochtend om acht uur klaar staat om uit te zeilen.'

Ik liet ze zonder meer vertrekken en dronk peinzend het restant van mijn bier. Misschien kwam het alleen maar door die kater, maar ik begon een alleronprettigst gevoel te krijgen wat deze hele tocht betrof en ik realiseerde me dat het vermoedelijk inderdaad het allerbeste was Chubby en Angelo aan wal te laten. Ik liep naar ze toe om het ze te vertellen.

'We hebben een stel zonderlingen aan boord en het spijt me, maar ze schijnen een groot geheim te hebben. Daarom willen ze jullie niet aan boord.' Ik verbond de luchtcilinders met de compressor om ze bij te vullen. We lieten *Dancer* langs de steiger liggen. Ik begaf me op weg naar Ma Eddy's winkel en Angelo en Chubby namen mijn schets voor de luchtzakken mee naar de werkplaats van Angelo's vader.

De zakken waren om vier uur 's middags klaar. Ik haalde ze met mijn Ford op en stouwde ze in de zeilkist onder de bank in de stuurhut. Vervolgens bracht ik een uur zoet met het demonteren en opnieuw monteren van de aanvoerkranen van de cilinders en met een volledige controle van de overige duikuitrusting.

Bij zonsondergang bracht ik *Dancer* alleen naar haar boei. Ik stond op het punt de boot te verlaten en in de dinghy naar de wal te roeien, toen ik plotseling een goede inval kreeg. Ik liep terug naar de kajuit en schoof de grendels voor het luik naar de machinekamer weg.

Ik haalde het FN geweer uit zijn schuilplaats, schoof er een vol magazijn in, stelde het geweer in op automatisch vuur en stelde de veiligheidspal in voor ik het ding in zijn rubber stroppen hing.

Voor het helemaal donker was pakte ik mijn oude werpnet en waadde door de lagune naar het grote rif. Ik zag de maalstroom en het verloop onder de oppervlakte van het water dat door de ondergaande zon de kleur van koper en vuur had gekregen. Ik wierp het net hoog door een snelle draai van mijn arm en schouder in de richting van het wateroppervlak. Het bolde uit als een parachute en viel in een wijde cirkel over de school poonvis. Toen ik de sleepkabel aanhaalde en het net boven hen sloot zaten er vijf van die grote zilverachtige vissen, zolang als mijn onderarm, in het net opgesloten. Ze sloegen en sprongen in de ruwe natte plooien van het net heen en weer.

Ik bakte er twee en at ze op de veranda van mijn primitieve houten huis op. Ze smaakten eerlijk gezegd beter dan de forellen uit de bergstroom. Daarna trakteerde ik mezelf op een tweede glas whisky en bleef tot het volmaakt donker geworden was op de veranda zitten.

Gewoonlijk is dit de tijd dat het eiland me hulde in een intens gevoel van vredige rust en ik scheen te begrijpen wat in het leven eigenlijk het belangrijkste is. Die avond echter had ik dat gevoel niet. Ik was woedend dat deze mensen naar het eiland gekomen waren en hun eigen speciale merk vergif hadden meegebracht om ons allen te besmetten. Vijf jaar geleden was ik dit alles ontvlucht en had ik geloofd een plekje gevonden te hebben dat veilig was. Maar wanneer ik helemaal eerlijk was, diende ik te bekennen dat ik niettemin onder al die woede ook een zekere opwinding herkende, een prettige opwinding. Weer dat iets dat lef betekende en ik wist dat ik opnieuw in gevaar was. Ik was er nog niet helemaal zeker van wat de inzet was, maar het was me wel duidelijk dat die inzet niet gering was en dat ik opnieuw met de grote jongens in het een of andere spelletje betrokken was geraakt.

Ik liep opnieuw aan de verkeerde kant van de weg. De weg die ik gekozen had toen ik zeventien was. Toen ik weloverwogen besloten had mijn studiebeurs voor de universiteit er aan te geven en in plaats daarvan besloot uit het St. Stephan weeshuis in het noorden van Londen weg te lopen. Ik loog wat mijn leeftijd betreft en monsterde aan op een grote walvisvaarder, die op het punt stond naar de Zuidelijke IJszee te vertrekken. Daar aan de grenzen van de eeuwige ijsvelden verloor ik mijn laatste restje animo voor het academische leven. Toen het geld dat ik in de Zuidelijke IJszee verdiend had op begon te raken, nam ik dienst in een bataljon voor speciale opdrachten en daar leerde ik hoe geweld en plotselinge dood als een soort kunst in praktijk gebracht konden worden. Ik beoefende die kunst op Malakka en in Vietnam, later in de Kongo en Biafra – totdat ik op een dag plotseling in een afgelegen dorp, terwijl de rieten daken van de hutten fel brandden en golven teerachtige zwarte rook in de lege koperkleurige atmosfeer opstegen en de vliegen in gonzende blauwe zwermen op de doden afkwamen, misselijk van dit alles werd. Ik wilde weg.

In de Zuidelijke Atlantische Oceaan had ik van de zee leren houden en nu wilde ik niets anders dan een plekje bij die zee, met een boot en bovenal rust tijdens de lange stille avonden.

Maar eerst had ik geld nodig om die dingen te kunnen kopen – heel veel geld – zoveel zelfs dat de enige manier om het te krijgen daarin bestond dat ik opnieuw de mij geleerde kunst in de praktijk moest brengen. De laatste keer, zo dacht ik, en ik bereidde die laatste slag met de uiterste zorg voor. Ik had echter hulp nodig en ik koos hiervoor een man uit, die ik in de Kongo had leren kennen. Samen tilden we de volledige verzameling aan gouden munten uit het British Museum voor Numismatiek op Belgrave Square. Drieduizend zeldzame gouden munten die gemakkelijk in een doorsnee aktentas konden worden opgeborgen, munten van Romeinse keizers en keizers van het Byzantijnse Rijk, munten van de vroegste staten van Amerika en van de Engelse koningen – florijnen van Edward III, nobels van de Henry's en vijf-pondstukken van George III en Victoria – in totaal drieduizend munten en zelfs bij een geforceerde verkoop waren ze minstens twee miljoen dollar waard.

Toen maakte ik mijn eerste fout als beroepsmisdadiger. Ik vertrouwde een andere misdadiger. Toen ik mijn helper in een Arabisch hotel in Beiroet ontmoette, praatte ik met hem in tamelijk sterke bewoordingen en toen ik hem uiteindelijk de vraag stelde wat hij eigenlijk met die tas met munten gedaan had, haalde hij bliksemsnel een .38 Beretta onder zijn matras vandaan. Tijdens de daarop volgende schermutseling brak hij zijn nek. Dat was uiteraard een vergissing geweest. Het was niet mijn bedoeling de man te doden – maar het had nog minder in mijn bedoeling gelegen hem de kans te geven mij te doden. Ik hing het bordje 'S.V.P. NIET STOREN' op de deur van de kamer en nam het eerstvolgende vliegtuig. Tien dagen later vond de politie de aktentas met de munten in het bagagedepot van Paddington Station. Het nieuws haalde alle voorpagina's van de landelijke dagbladen.

Ik probeerde opnieuw mijn slag te slaan op een tentoonstelling van geslepen diamanten, deze keer in Amsterdam. Maar mijn vooronderzoek was niet helemaal volledig geweest, voor zover het 't elektronische alarmsysteem betrof en ik liep door een onzichtbare lichtstraal die ik over het hoofd gezien had. De in burger geklede mensen van de interne veiligheidsdienst renden regelrecht af op een groep geüniformeerde politiemensen, die door de hoofdingang naar binnen kwamen en een spectaculaire schietpartij was het directe gevolg. De volkomen ongewapende Harry Fletcher sloop weg in het nachtelijk duister onder het geluid van luide kreten en revolverschoten.

Ik was al halverwege Schiphol tegen de tijd dat er een wapenstilstand werd afgekondigd tussen de tegenover elkaar staande gezagsdragers – maar dit niet voordat een agent van de Nederlandse politie een kritieke borstwond had opgelopen.

Ik zat die avond op mijn kamer in Holiday Inn niet ver van het vliegveld van Zürich bezorgd op mijn nagels te bijten en ontelbare biertjes te drinken, terwijl ik op de TV het dappere gevecht van de politieman volgde die voor zijn leven vocht. Ik zou het gehaat hebben als de pest, wanneer ik opnieuw een noodlottige afloop op mijn geweten zou hebben en ik beloofde mezelf plechtig dat, indien de agent stierf, ik voor altijd mijn plekje in de zon zou vergeten.

De Hollandse agent herstelde echter en ik voelde me enorm trots op hem, toen hij uiteindelijk van de kritieke lijst werd afgevoerd. En toen hij gepromoveerd werd tot adjunct-inspecteur en een bonus ontving van vijfduizend gulden, overtuigde ik mezelf dat ik zijn beschermheilige was en dat de man mij eeuwige dankbaarheid verschuldigd was.

Deze twee mislukkingen hadden me echter zwaar geschokt en ik nam een baantje aan als onderwijzer aan een Outward Bound School voor de duur van zes maanden en in die tijd overdacht ik ernstig mijn toekomst. Toen die zes maanden voorbij waren, besloot ik nog éénmaal een kans te wagen. Deze keer bereidde ik alles angstvallig nauwgezet voor. Ik emigreerde naar Zuid-Afrika, waar ik gezien mijn bekwaamheden een baan wist te krijgen als bewaker bij een veiligheidsfirma verantwoordelijk voor bulkverschepingen van de South African Reserve Bank in Pretoria naar overzeese bestemmingen. Een jaar lang deed ik mijn werk in het transporteren van honderden miljoenen dollars aan goudstaven en ik bestudeerde het hele systeem tot in de kleinste bijzonderheden. Toen ik tenslotte de zwakke schakel in het systeem ontdekt had, bleek dit in Rome te zijn – maar opnieuw had ik hulp nodig.

Deze keer stelde ik me in verbinding met de beroepsjongens, maar ik stelde van tevoren mijn prijs op een dusdanig niveau dat het voor hen eenvoudiger was me uit te betalen dan me neer te schieten en ik dekte mezelf honderdvoudig in tegen elk mogelijk verraad.

De hele operatie verliep volgens plan en deze keer vielen er geen slachtoffers. Niemand kreeg een kogel of werd zijn hersenpan ingeslagen. We verwisselden een deel van de lading en vervingen die door met lood geladen kisten. Daarna brachten we twee en een halve ton aan goudstaven over de Zwitserse grens en gebruikten daarvoor een doodgewone verhuiswagen.

In Basel, gezeten in het privékantoor van een bankier dat gemeubileerd was met antiek van onschatbare waarde en dat hoog boven het brede voortsnellende water van de Rijn lag waarop statige witte zwanen majestueus zwommen, betaalden ze me uit. Manny Resnick tekende de overdracht naar mijn onder nummer staande rekening van een honderd en vijftig duizend pond sterling en hij lachte, een vette, hongerige lach.

'We zien je wel weer, Harry – je hebt nu bloed geroken en je komt wel weer. Prettige vakantie en kom dan weer bij me, wanneer je net zo iets hebt uitgedacht als nu.'

Maar hier was hij fout. Ik ging nooit meer terug. In een huurauto reed ik terug naar Zürich en vloog naar het vliegveld Orly niet ver van Parijs. In het herentoilet schoor ik mijn baard af, haalde uit het safeloket op het vliegveld de tas waarin een paspoort zat op naam van Harold Delville Fletcher en vloog met een toestel van de PanAm naar Sydney, Australië. *Wave Dancer* kostte me honderdvijfentwintigduizend pond sterling en ik bracht haar onder een deklading van olievaten naar St. Mary, een reis van tweeduizend mijl en op die reis leerden we van elkaar te houden. Eenmaal op St. Mary kocht ik vijfentwintig are rust en bouwde het houten huis met mijn eigen handen – vier kamers, een rieten dak en een brede veranda. Het geheel stond tussen palmbomen boven het strand. Behalve de keren dat ik, min of meer door de omstandigheden gedwongen, een nachtelijke tocht had moeten maken, had ik sindsdien de rechte weg bewandeld.

Toen ik klaar was met mijn overpeinzingen over het verleden, was het al knap laat en het tij liep in het licht van een volle maan hoog op het strand. Ik liep het houten huis binnen en sliep als een os.

Ze waren er de volgende ochtend precies op het afgesproken uur. Charly Materson regeerde met strakke hand. De taxi zette hen aan het begin van de werf af, terwijl ik *Dancer* aan boeg en achtersteven vastlegde en de beide motoren een zacht murmelend geluid lieten horen.

Ik zag ze aankomen en concentreerde me geheel op het derde lid van het groepje. Hij was niet wat ik verwacht had. Hij was lang en mager met een breed vriendelijk gezicht en donker golvend haar. In tegenstelling tot de beide anderen waren zijn gezicht en armen door de zon verbrand. Zijn tanden waren groot en glinsterend wit. Hij droeg een katoenen short en een witte sweater met korte mouwen. Hij had de brede schouders van een zwemmer en ook de machtige armen. Ik wist meteen wie de duikuitrusting zou gaan gebruiken.

Over zijn ene schouder droeg hij een zware groene, uit zeildoek gemaakte plunjezak. Hij droeg het ding met het grootste gemak, hoewel ik zo wel zien kon dat het niet bepaald licht was. Hij babbelde opgewekt met zijn twee metgezellen die hem met eenlettergrepige woorden antwoord gaven. Ze liepen als een stel bewakers naast hem.

Hij keek op toen ze op gelijke hoogte met de boot waren en ik zag dat hij nog jong en geestdriftig was. Ik zag opwinding en grote verwachting en dat herinnerde me sterk aan mijzelf, nu tien jaar geleden.

'Hei daar,' riep hij, terwijl hij tegen me grinnikte. Een gemakkelijke, vriendschappelijke grijns en ik realiseerde me dat het een buitengewoon knappe jongen was.

'Gegroet,' antwoordde ik en ik mocht hem onmiddellijk, hoewel het me intrigeerde hoe hij bij dit pak wolven terecht gekomen was. Onder mijn aanwijzingen haalden ze de meerlijnen binnen en tijdens dit korte ogenblik merkte ik dat de jongeman de enige was die vertrouwd was met kleine boten.

Toen we de haven verlaten hadden, kwamen hij en Materson naar de brug. Materson had iets meer kleur op zijn gezicht en zijn ademhaling was als gevolg van de geringe inspanning nogal onregelmatig. Hij stelde me aan het nieuwe lid van het gezelschap voor.

'Dit hier is Jimmy,' zei hij, toen hij weer wat op adem gekomen was. We gaven elkaar de hand en ik schatte hem op even in de twintig. Zo van dichtbij had ik geen enkele reden mijn eerste indruk te wijzigen. Zijn ogen keken je onschuldig en gelijkmatig aan en zijn handdruk was stevig en droog.

'Ze is een pracht van een boot, schipper,' zei hij en dat leek veel op de mededeling aan een moeder dat ze een pracht van een baby heeft.

'Ze is lang niet slecht.'

'Hoe lang is ze? Dertien en een halve, veertien meter?'

'Veertien,' antwoordde ik en mocht hem weer iets meer.

'Jimmy zal u vertellen welke koers u moet volgen,' zei Materson. 'U handelt naar zijn bevelen.'

'Prima,' antwoordde ik en Jimmy kleurde lichtelijk onder zijn bruine huid.

'Geen bevelen, mr. Fletcher. Ik zal u alleen vertellen waar we heen willen.'

'Uitstekend, Jim, ik zal je er naartoe brengen.'

'Wanneer we het eiland eenmaal achter ons hebben, draait u pal west.'

'Hoe ver wil je dat ik in die richting doorvaar?' vroeg ik.

'We zullen zoveel mogelijk langs de kust van het Afrikaanse vasteland kruisen,' viel Materson hem in de rede.

'Prachtig,' antwoordde ik, 'dat is verrukkelijk. Heeft iemand u al verteld dat ze daar echt geen ereboog met "Welkom" hebben opgericht voor vreemden?'

'We blijven behoorlijk uit de kust.'

Ik dacht een ogenblik na en aarzelde of ik niet beter regelrecht naar de Admiraliteitswerf kon terugkeren en het stel aan wal zetten.

'Welke kant wilt u uit – noord of zuid van de riviermond?'

'Noord,' antwoordde Jimmy en dat veranderde het hele voorstel ten goede. Zuidelijk van de rivier patrouilleerden ze met helikopters en waren ze bijzonder lichtgeraakt wanneer je je in hun territoriale wateren bevond. Ik zou daar zelfs bij daglicht niet willen binnenvaren.

In het noorden was maar weinig patrouilleactiviteit. Niet meer dan een enkele boot lag daar in Zinballa, maar wanneer de motoren in bruikbare staat verkeerden, en dat was slechts enkele dagen per week 't geval, dan was de bemanning meestal op het krankzinnige af dronken door de krachtige palmjenever die plaatselijk langs de kust gestookt werd.

Wanneer het geval zich voordeed dat èn motoren èn bemanning tegelijkertijd in goede staat waren, konden ze niet sneller varen dan vijftien knopen en *Dancer* kon elk ogenblik dat ik het haar vroeg een snelheid van tweeëntwintig knopen maken.

De laatste list in mijn voordeel was dat ik *Dancer* tijdens een razende moesson en op een donkere nacht door het doolhof van eilandjes en riffen voor de kust kon sturen en ondervinding had mij geleerd dat de commandant van de stormboot dit soort buitenissigheden het liefst vermeed. Zelfs op een stralende zonnige dag en bij windstilte gaf hij de voorkeur aan de rust en vrede van de Zinballa Baai. Ik had gehoord dat hij intens aan zeeziekte leed en dat hij zijn huidige post alleen maar hield, omdat Zinballa ver van de hoofdstad af lag waar de commandant als lid van de regering betrokken was geweest bij een minder plezierige gebeurtenis, namelijk de verdwijning van grote bedragen aan buitenlandse hulp.

Wat mij persoonlijk betrof was hij voor deze post de ideale figuur.

'Prima,' stemde ik in en wendde mij tot Materson. 'Maar ik ben alleen bang dat wat u me vraagt te doen u een tweehonderdvijftig dollar extra per dag gaat kosten – gevarengeld.'

'Daar was ik al bang voor,' antwoordde hij zacht.

Ik wendde de steven dicht langs het bakenlicht op Oyster Point.

Het was een stralende ochtend met een hoge heldere lucht, waarin de op dezelfde hoogte blijvende wolken, die de positie van elke groep eilanden aangaven, zich als verblindend witte hoogopstaande wollige gevaarten opstapelden.

De statige voortgang van de passaatwinden over de oceaan werd onderbroken door het bolwerk gevormd door het Afrikaanse continent waartegen deze winden opbotsten. We kregen op het dicht onder de kust liggende kanaal hiervan de terugslag en willekeurige windvlagen en uitschieters verspreidden zich donker over het lichtgroene water en vlekten de korte golfslag met witte kammen. *Dancer* hield hiervan en het gaf haar een excuus haar bodem op en neer te laten ploffen.

'Zoek je naar iets speciaals – of kijk je zo maar wat rond?' vroeg ik zo ongeïnteresseerd mogelijk en Jimmy draaide zich onmiddellijk om, om me dit eens haarfijn uit de doeken te doen. Hij barstte gewoon van opwinding en zijn grijze ogen straalden, toen hij zijn mond opendeed om zijn relaas te beginnen.

'Kijken zo maar wat rond,' onderbrak Materson hem. Er lag een eigenaardige klank in zijn stem en de uitdrukking in zijn ogen hield een duidelijke waarschuwing in.

Jimmy's mond klapte prompt dicht.

'Ik ken deze wateren. Elk eiland en elke rif. Ik zou u een hoop tijd kunnen besparen – en geld.'

'Dat is bijzonder vriendelijk van u,' bedankte Materson me, maar er lag mij te veel ironie in zijn stem. 'Ik geloof echter dat we onszelf wel kunnen redden.'

'Wel u bent de man van de centjes,' antwoordde ik schouderophalend. Materson keek zijdelings naar Jimmy en maakte een gebaar met zijn hoofd dat zoveel zeggen wilde als 'Wil je me maar even volgen' en hij ging hem voor naar de stuurhut. Ze stonden naast elkaar opzij van de achterrailing en Materson praatte rustig maar ernstig, twee minuten lang. Ik zag hoe Jimmy een diepe kleur kreeg en de uitdrukking op zijn gezicht veranderde van verslagenheid in jongensachtig chagrijn en ik vermoedde dat hem omstandig de les gelezen werd over de noodzakelijke geheimzinnigheid en veiligheid.

Toen hij weer op de buitenbrug terugkwam, kookte hij van woede en voor het eerst merkte ik de krachtige harde lijnen van zijn kaak op. Ik kwam tot de conclusie dat hij niet gewoon maar een aardige jongen was.

Klaarblijkelijk op bevel van Materson kwam Guthrie, de krachtpatser, uit de kajuit en draaide de grote gecapitonneerde visstoel zo dat hij de brug in de gaten kon houden. Hij ging er lui in zitten, maar zelfs die schijnbaar ontspannen houding was geladen met de belofte van gewelddadigheid, zoals een jager dat constateert bij een luipaard, en hield ons goed in de gaten. Hij had een been over de armleuning gelegd en zijn linnen jasje met het zware gewicht in een van de zijzakken plooide zich in zijn schoot.

Echt een blij en gelukkig schip, grinnikte ik inwendig en stuurde *Dancer* naar buiten tussen de eilanden door en baande een zuivere koers door het heldere groene water, waarin de riffen zich direct onder de oppervlakte duister als boosaardige monsters schuilhielden. De eilandjes werden omzoomd door koraalzand, even verblindend wit als een sneeuwbank en ze werden stuk voor stuk bekroond door een donkere dichte plantengroei, waarover de palmbomen zich gracieus bogen en waarvan de toppen zacht heen en weer bewogen in de zwakke laatste restjes van de passaatwind.

Dat naar willekeur rondkruisen maakte het tot een lange dag en ik probeerde enig idee te krijgen van het doel van deze expeditie. Jimmy, die zich nog steeds diep gekwetst voelde door de reprimande die hij van Materson te slikken gekregen had, hield zijn lippen opeengeklemd en keek grimmig. Zo nu en dan vroeg hij me de koers te wijzigen, nadat ik hem onze positie op de admiraliteitskaart duidelijk had gemaakt. Dat ding had hij uit zijn plunjezak te voorschijn gehaald.

Hoewel er geen bijzondere kentekenen op de kaart waren aangebracht, leerde een heimelijke bestudering van de kaart me dat we hoofdzakelijk geïnteresseerd waren in een gebied van dertig tot vijfenveertig kilometer ten noorden van de verschillende uitmondingen van de Rovuma rivier en ongeveer vierentwintig kilometer uit de kust.

Een allemachtig grote hooiberg om een naald in te vinden.

Ik voelde me daar hoog en droog op de brug van *Dancer* volkomen content en stuurde de boot rustig langs de vaarroute en genoot van het gevoel mijn geliefde boot onder mijn voeten te voelen, terwijl ik de tijd doorbracht met het kijken naar de activiteiten van de bewoners van de zee en de rondvliegende vogels. In de visstoel begon de kruin van Mike Guthrie er door de dunne laag haar uit te zien als het gestreepte oppervlak van een door een rood neonlicht beschenen gebied.

'Stoof maar lekker, schoft,' dacht ik ingenomen. Het kwam geen ogenblik bij me op hem te waarschuwen voor de gevaren van de tropische zon voordat we in de vallende schemering weer naar de haven terugvoeren. De volgende dag leed hij afschuwelijke pijn. Zijn opgezwollen en bloedrood gekleurde gelaatstrekken en ook zijn kruin waren bedekt met een dikke laag kleverig spul. Hij had nu een wit linnen hoedje op zijn hoofd, maar zijn gezicht vlamde als het bakboordlicht van een oceaanstomer.

De volgende dag tegen het middaguur verveelde ik me dood en Jimmy was, alhoewel hij zijn goede humeur min of meer had teruggekregen, maar armzalig gezelschap. Hij was zo van de noodzakelijke veiligheid voor alles doordrongen dat hij zelfs dertig seconden na moest denken alvorens hij mijn aanbod van een kop koffie aanvaardde.

Het was meer om iets te doen te hebben dan dat ik zo graag vis voor mijn diner wilde hebben, dat ik, toen ik een troep kleine paradijsvissen zag die achter een school sardines voor de boeg uit jaagden, het stuur aan Jimmy overgaf.

'Houd haar gewoon op deze koers,' zei ik hem en ging de stuurhut binnen. Guthrie hield me met zijn rood opgezwollen gezicht behoedzaam in de gaten, toen ik een blik in de kajuit wierp en zag hoe Materson mijn drankkastje had opengemaakt en zich een gin-tonic inschonk. Maar tegen een dagprijs van zevenhonderdvijftig dollar misgunde ik hem dat genoegen niet. Hij was al in geen twee dagen de kajuit uitgekomen.

Ik liep terug naar de kleine tuigkist, koos een paar pluimhaken uit en sloeg een van de haken in een paradijsvis en ik bracht hem spartelend en schitterend als goud in het felle zonlicht aan boord.

Ik wond de lijnen weer op en borg ze weg. Ik wette het lemmet van mijn zware aasmes over de wetsteen om de snee wat te polijsten en sneed de buik van de vis van achter naar voren open. Ik haalde een handvol bloederige ingewanden te voorschijn en wierp die achter overboord in ons kielwater.

Onmiddellijk schoten een paar zeemeeuwen die de hele dag al boven ons hoofd gezweefd hadden krijsend van hebzucht omlaag en plonsden in het water om het afval op te pikken. Hun opwinding bracht ook andere meeuwen naar het schip en binnen enkele minuten vloog er een menigte krijsende en fladderende meeuwen achter ons aan.

Hun gekrijs was niet zo hevig dat het 't metaalachtige klikken achter me overstemde. Het onmiskenbare geluid van de schuif van een automatisch pistool, die naar achteren getrokken wordt en weer vrijgelaten wordt om de loop te laden en de haan te spannen. Ik bewoog me volmaakt instinctief. Zonder er zelfs maar bij na te denken, draaide het zware aasmes zich in mijn rechterhand, terwijl ik mijn houding wijzigde voor een snelle gooi. Ik draaide me om en liet me plat op dek vallen. Dit gebeurde in het tijdsbestek van een seconde. Ik brak mijn val met mijn hielen en mijn linkerarm, terwijl het mes over mijn schouder naar achteren ging en ik begon aan mijn worp op hetzelfde ogenblik dat ik op mijn doelwit gericht had. Mike Guthrie had in zijn rechterhand een zware automatische revolver. Een ouderwetse marine .45, het typische wapen voor een moordenaar, zo'n ding dat een gat in je borst blaast, waardoorheen een Londense taxi kan rijden.

Twee dingen redden Guthrie ervan door het lange vlijmscherpe lemmet niet aan de rugleuning van de visstoel genageld te worden. In de eerste plaats het feit dat de .45 niet op mij gericht was en ten tweede de uitdrukking van komische verbazing op het vuurrode gezicht.

Ik weerhield mijzelf ervan het mes te gooien en verbrak de instinctieve actie slechts door een uiterste krachtsinspanning. We staarden elkaar aan. Hij wist op dat moment hoe dicht hij bij zijn einde geweest was en de grijns waartoe hij zijn gezwollen, door de zon verbrande lippen dwong, was beverig en weinig overtuigend. Ik kwam overeind en dreef de punt van het mes in het aashakbord. 'Bewijs jezelf een dienst,' zei ik heel kalm. 'Speel nooit met dat ding achter mijn rug.'

Hij begon te lachen, opnieuw snoevend en de harde jongen spelend. Hij vuurde twee maal en de schoten klonken luid boven de draaiende motoren van *Dancer* uit. De geur van cordiet verwaaide in de wind.

Twee van de rondfladderende zeemeeuwen ploften grotesk in een wirwar van bloed en veren uit elkaar, getroffen door de zware kogels. De rest van de zwerm vloog, krijsend in paniek, alle richtingen uit. De manier waarop de vogels als 't ware uit elkaar gespat waren, leerde me dat Guthrie de revolver geladen had met explosieve kogels, een wapen nog barbaarser dan een jachtgeweer met afgezaagde loop.

Hij draaide de stoel weer terug, zodat hij me recht in het gezicht kon kijken en blies als een tweede John Wayne in de loop van de revolver. Met dat zwaar kaliber wapen was dit zonder meer een staaltje kunstschieten.

'Flinke kerel,' gaf ik hem alle eer en draaide me om naar de trap die naar de brug voerde. Materson stond in de deuropening van de kajuit met de gin-tonic in zijn hand en toen ik langs hem liep, zei hij rustig:

'Nu weet ik wie je bent. Wat ons bezighield was het feit dat we dachten te weten wie je was.'

Ik keek hem recht in het gezicht en hij riep langs me heen tegen Guthrie: 'Je weet nu zeker wel wie hij is, of niet soms?' Guthrie schudde het hoofd. Ik geloof niet dat hij zijn eigen stem vertrouwde. 'Hij had in die tijd een baard. Denk even goed na – een politiefoto.'

'Goeie God,' zei Guthrie. 'Harry Bruce!' Ik voelde even een schok toen na al die jaren mijn naam hardop werd genoemd. Ik had gehoopt dat die naam voor altijd vergeten was.

'Rome,' zei Materson. 'De gouddiefstal.'

'Hij beraamde dat hele zaakje.' Guthrie knipte met zijn vingers. 'Ik was ervan overtuigd dat ik hem kende. Die baard bracht me in de war.'

'Ik geloof dat de heren aan het verkeerde adres zijn,' zei ik koel, maar in een wanhopige poging mijn ware identiteit verborgen te houden. Maar bij dit alles liet ik snel mijn gedachten gaan en probeerde het gewicht van deze nieuwe kennis te taxeren. Ze hadden een politiefoto gezien – waar? Wanneer? Waren het politiemensen of stonden ze aan de andere kant van de wet? Ik diende tijd te winnen om na te denken – en ik klauterde de ladder op naar de brug.

'Sorry,' mompelde Jimmy, toen ik het stuur van hem overnam. 'Ik had je moeten vertellen dat hij een revolver had.'

'Ja,' antwoordde ik. 'Dat zou vermoedelijk geholpen hebben.' Mijn gedachten gingen razendsnel en de eerste draai die ze namen was langs de destijds ingeslagen verkeerde weg. Ze dienden te verdwijnen. Ze hadden mijn dekmantel, die ik met zoveel zorg had opgebouwd, weggevaagd en er was slechts een zekere weg te bewandelen. Ze hadden me opgespoord. Ik keek weer naar de stuurhut, maar zowel Materson als Guthrie waren naar beneden, naar de kajuit gegaan.

Een ongeval, ze beiden in één keer uit de weg ruimen. Aan boord van een kleine boot waren er tal van mogelijkheden om een onbekende met zeilen op zee iets ergs te laten overkomen. Ze moesten verdwijnen.

Toen keek ik eens naar Jimmy die grinnikend terugkeek.

'U bent allemachtig snel,' zei hij. 'Mike deed het zowat in zijn broek. Hij dacht een ogenblik dat hij dat mes dwars door zijn strot zou krijgen.'

Dat jong ook? vroeg ik mezelf af – indien ik de twee anderen uit de weg ruimde, diende hij evengoed te verdwijnen. En plotseling kreeg ik hetzelfde gevoel van onpasselijkheid als ik toen daar in Biafra voor het eerst gevoeld had.

'Alles met u in orde, schipper?' vroeg Jimmy snel. Het was zeker op mijn gezicht te zien geweest.

'Met mij is alles in orde, Jim,' antwoordde ik. 'Waarom ga je voor ons niet een blikje bier halen?'

Terwijl hij beneden was nam ik mijn beslissing. Ik zou een overeenkomst zien te sluiten. Ik was ervan overtuigd dat ze hun zaakjes hier niet openbaar gemaakt wilden zien. Ik zou hun geheim voor het mijne ruilen. Naar alle waarschijnlijkheid waren ze beneden in de kajuit tot dezelfde conclusie gekomen.

De luchtverversingsinstallatie in de kajuit beneden kreeg zijn frisse lucht via een kanaal vlak boven de salontafel. Ik had ontdekt dat de ventilator een redelijk effectieve geluidsbuis vormde en dat elk geluid door die buis naar de brug gebracht werd.

Maar de doelmatigheid van dit afluisterapparaat hing weer van verschillende factoren af. De voornaamste hiervan was de richting en de kracht van de wind en de juiste positie van de spreker in de kajuit.

De wind stond dwars op de boot, stroomde recht in de opening van de ventilator en verwaaide hele stukken van het gesprek in de kajuit. Het kon haast niet anders of Jimmy stond recht onder de ventilator, want zijn stem kwam duidelijk door wanneer het gehuil van de wind het geluid niet smoorde.

'Waarom vraag je het hem nu niet?' Het antwoord kwam vertroebeld door, toen de wind uitschoot, en toen de wind weer even minder werd sprak Jim weer.

'Indien je het vanavond doet, waar wil je –' en weer loeide de wind, '– om de "dawn light" te krijgen, zullen we moeten –' Het hele gesprek scheen om tijden en plaatsen te draaien en toen ik me even afvroeg wat ze hoopten te winnen door de haven direct bij het aanbreken van de dag te verlaten, zei hij het opnieuw. '– Indien de "dawn light" is waar –' Ik spande me tot het uiterste in voor de nu volgende woorden, maar de wind smoorde alle geluid gedurende de volgende tien seconden, toen: '– ik zie niet in waarom we niet kunnen –' Jimmy scheen ergens tegen te protesteren en plotseling hoorde ik de stem van Guthrie, scherp en luid. Het kon haast niet anders of hij was naar Jim toegelopen, waarschijnlijk in een dreigende houding.

'Luister, Jimmy, laat die kant van de zaak maar aan ons over. Jouw werk is dat verdomde ding te vinden en tot nu toe heb je daar niet veel van terechtgebracht.'

Ze schenen zich weer verplaatst te hebben, want hun stemmen werden onduidelijk en ik hoorde hoe de deur naar de stuurhut openschoof. Snel keerde ik me weer naar het stuur en maakte de haak los waar ik het stuur mee had vastgezet, precies op het moment dat Jimmy's hoofd boven de rand van het dek verscheen toen hij de ladder opklom.

Hij overhandigde me het blikje bier en scheen wat meer op zijn gemak. Zijn terughoudendheid was uit zijn houding verdwenen. Hij glimlachte tegen me, op een vertrouwde, vriendschappelijke manier.

'Mr. Materson zegt dat het voor vandaag wel genoeg geweest is. We gaan weer op huis aan.'

Ik draaide *Dancer* en we naderden de haven vanuit het westen, langs de monding van de Turkse Baai. Ik kon mijn houten huis tussen de palmen zien staan. Ik kreeg een plotseling verkillend voorgevoel van een naderend verlies. De schikgodinnen, of zo u wilt het noodlot, hadden om een nieuw pak kaarten gevraagd. Het spel had een hogere inzet gekregen en die inzet was naar mijn zin veel te hoog, maar er was nu geen enkele mogelijkheid meer dat ik me kon terugtrekken.

Ik wist dat verkillende gevoel van wanhoop echter te onderdrukken en wendde me tot Jimmy. Ik zou proberen voordeel te trekken uit zijn plotseling gegroeide vertrouwen en zien wat ik aan inlichtingen kon verzamelen. We babbelden over koetjes en kalfjes op onze tocht door het kanaal naar de haven. Ze hadden hem klaarblijkelijk verteld dat ik niet langer als een melaatse behandeld diende te worden. Vreemd genoeg was alleen het feit dat ik een misdadig verleden had voldoende om me voor dat stel wolven aanvaardbaar te doen zijn. Ze konden nu de zaak van alle kanten beschouwen. Ze hadden een hefboom gevonden en wisten hoe ze me moesten aanpakken – maar aan de andere kant was ik ervan overtuigd dat ze het hele probleem niet aan de jonge James hadden uitgelegd.

Het was voor hem duidelijk een hele opluchting dat hij zich tegenover mij nu weer normaal kon gedragen. Hij was een vriendelijk en openhartig iemand en hij miste alle gevoel voor list en bedrog. Een duidelijk voorbeeld hiervan was dat men zijn achternaam als een militair geheim angstvallig voor mij verborgen had gehouden, maar rond zijn hals droeg hij een zilveren kettinkje en daaraan hing een medische waarschuwing dat J.A. NORTH, de drager, allergisch was voor penicilline.

Hij vergat zijn vroegere gereserveerdheid en voorzichtig ontfutselde ik hem met kleine beetjes inlichtingen, die ik mogelijk in de toekomst zou kunnen gebruiken. Het is mijn ervaring dat juist wat je niet weet je het ernstigst kan kwetsen.

Ik koos het onderwerp dat hem volgens mij het meest toegankelijk zou maken.

'Zie je dat rif daar, dwars over het kanaal, daar waar het water nu breekt? Dat is het Devil Fish Rif. Daar is aan de zeekant het water bijna dertig meter diep, loodrecht naar beneden. Dat is de schuilplaats voor een paar regelrechte oude en enorme diepzeevissen. Ik heb er daar verleden jaar een geschoten die meer dan tweehonderd kilo woog.'

'Tweehonderd –' riep hij uit. 'Goeie God, dat is bijna vierhonderdenvijftig pond.'

'Precies. Je kon je hoofd en schouders in zijn open bek stoppen.'

Zijn laatste terughoudendheid verdween als sneeuw voor de zon. Hij had in Cambridge geschiedenis en filosofie gestudeerd, maar te veel tijd op zee doorgebracht en had de universiteit moeten verlaten. Hij dreef nu een kleine maatschappij, die duikuitrusting leverde en alle benodigdheden voor bergingswerkzaamheden. Hij verdiende er zijn brood mee en het gaf hem tevens de kans het grootste deel van de week aan duiksport te geven. Hij werkte voor privédoeleinden en had ook enkele werkjes voor de regering en de marine opgeknapt.

Meer dan eens noemde hij de naam 'Sherry' en ik vroeg voorzichtig:

'Is dat een vriendinnetje of je vrouw?' en hij grinnikte.

'Zuster. Mijn grote zus, maar ze is zonder meer een schat van een meid – ze doet de boekhouding en past op de winkel en zo.' Hij zei dat op een toon die geen twijfel liet over wat hij van boekhouding en winkelwerk dacht.

'Ze is een vurig schelpkundige en ze zet met haar zeeschelpen zeker tweeduizend pond per jaar om.' Maar hij vertelde me niet hoe hij in het gezelschap geraakt was van dit twijfelachtige stel en evenmin wat hij hier, aan de andere kant van de aarde, kwam uitvoeren. Ik liet ze op de Admiraliteitswerf achter en bracht *Dancer* naar de Shell opslagplaats om haar brandstoftanks bij te laten vullen voor het donker werd.

Die avond bakte ik de paradijsvis boven een kolenvuur, roosterde een paar grote zoetsmakende aardappelen in de schil en spoelde dit alles weg met een blikje koud bier, terwijl ik op de veranda zat en luisterde naar de branding. Op dat moment zag ik de koplampen tussen de palmbomen door mijn richting uitkomen.

De taxi parkeerde naast mijn bestelauto en de chauffeur bleef achter het stuur zitten, terwijl zijn passagiers de trap naar de veranda opliepen. Ze hadden James in het Hilton Hotel achtergelaten en ik had dus alleen met hen beiden te maken: Materson en Guthrie.

'Iets drinken?' vroeg ik en gebaarde naar de flessen en ijs op een bijzettafeltje. Guthrie schonk voor hen beiden gin-tonic in. Materson had tegenover me plaats genomen en wachtte rustig tot ik klaar was met mijn vismaaltijd.

'Ik heb wat lui opgebeld,' zei hij, toen ik mijn bord van me afschoof. 'En ze hebben me verteld dat Harry Bruce in juni vijf jaar geleden van de aardbodem verdween en dat ze sindsdien niets meer van hem gehoord hebben. Ik vroeg wat verder en ontdekte dat Harry Fletcher drie maanden later Grand Harbour binnenvoer, afkomstig uit Sydney, Australië.'

'Is 't waarachtig?' Ik haalde een kleine visgraat tussen mijn tanden vandaan en stak vervolgens een lange zwarte, plaatselijk gemaakte cheroot op.

'Dan was er nog iets anders. Iemand, die Harry Bruce goed kende, vertelde me dat hij, Harry, een litteken, veroorzaakt door een mes, op zijn linkerarm had.'

Onwillekeurig wierp ik een blik op de dunne lijn littekenweefsel dat de spieren van mijn onderarm versierde. Het was met de jaren kleiner geworden en ook vlakker, maar stak nog steeds erg wit af tegen de donkerbruine huid.

'Dat is ook een verdomde toevalligheid,' zei ik en nam een trekje van mijn sigaar. Het ding was zwaar en geurig, smaakte naar de zee, de zon en kruiden. Ik maakte me nu geen zorgen – ze waren van plan een ruiltje te doen.

'Ja, vind je ook niet,' stemde Materson in en hij keek daarbij uitgebreid om zich heen. 'Je hebt hier een alleraardigst huis, Fletcher. Echt gezellig, vind je niet. Gezellig en alleraardigst.'

'Het verzoet de arbeid die je doen moet om aan de kost te komen,' gaf ik toe.

'En heel wat beter dan rotsblokken kloppen of postzakken naaien.'

'Ik kan me dat heel goed voorstellen.'

'Die jongen zal je morgen allerlei vragen stellen. Wees vriendelijk tegen hem, Fletcher. Wanneer wij weer vertrekken kun je vergeten dat je ons ooit gezien hebt en wij zullen tegen niemand iets zeggen over die grappige samenloop van omstandigheden.'

'Mr. Materson, sir, ik heb een allerberoerdst geheugen,' stelde ik hem gerust.

Na het gesprek dat ik in de kajuit van *Dancer* had afgeluisterd, verwachtte ik dat ze me zouden vragen om de volgende ochtend vroeg te vertrekken, want het eerste ochtendgloren scheen bijzonder belangrijk voor hun plannen. Maar dit werd niet gevraagd en toen ze vertrokken waren kon ik niet slapen. Daarom liep ik naar buiten door het zand langs de bocht van de baai naar Mutton Place, waar ik tussen de palmbomen door naar het opkomen van de maan keek. Ik bleef daar tot ver na middernacht zitten.

De kleine jol lag niet aan de steiger, maar Hambone, de veerman, roeide me naar de boei waar *Dancer* aanlag voor de volgende ochtend de zon opkwam. Toen we bij de boot aankwamen zag ik een vertrouwde gestalte rond de stuurhut scharrelen en de jol lag langszij.

'Hé, Chubby.' Ik sprong aan boord. 'Heeft je vrouw je het bed soms uitgeschopt?'

Zelfs in het slechte licht glom het dek van de *Dancer* als een spiegel en al het metaal was glimmend gepoetst. Hij was zeker al een paar uur bezig geweest. Chubby houdt bijna net zoveel van *Dancer* als ik.

'Ze zag eruit als een openbare pisbak, Harry,' gromde hij. 'Dat is maar een smerig stel dat je aan boord hebt,' hij spuwde luidruchtig over de railing. 'Ze hebben geen eerbied voor een boot, dat is 't.'

Hij had de koffie al klaar, zo sterk en zo prikkelend als alleen hij koffie kan zetten. We dronken samen een mok in de kajuit. Chubby keek dreigend in zijn mok en blies op de kokend hete zwarte vloeistof. Hij wilde me wat vertellen.

'Hoe staat het met Angelo?'

'Die is bezig de Rawano-weduwen op te vrolijken,' bromde hij. Het eiland verschafte niet voldoende werk voor alle jonge mannen – en daarom vertrokken velen van hen met een driejarig arbeidscontract naar het Amerikaanse controlestation voor satellieten en tevens luchtmachtbasis op het eiland Rawano. Ze laten hun jonge vrouwen achter, de Rawano-weduwen en de meisjes op het eiland zijn terecht beroemd om hun warme bloed en hun vriendelijke gezindheid.

'Die Angelo naait zich kapot. Sinds maandag is hij dag en nacht aan de gang.'

Ik ontdekte in zijn gegrom meer dan alleen maar afgunst. Missus Chubby houdt haar man knap kort – hij nam luidruchtig nog een slokje koffie.

'Hoe is je gezelschap?'

'Hun geld is prima.'

'Je bent niet aan het vissen, Harry.' Hij keek me aan. 'Ik heb je vanaf Coolie Peak gadegeslagen, man. Je komt niet eens in de buurt van het kanaal. Je vaart onder de kust.'

'Dat klopt, Chubby.' Hij gaf weer al zijn aandacht aan zijn koffie.

'Zeg, Harry. Je houdt ze goed in de gaten. Denk erom dat je voorzichtig bent. Het zijn slechte lui, vooral die twee. Wat de jonge kerel betreft, weet ik 't niet zo – maar die anderen zijn slecht.'

'Ik zal heel voorzichtig zijn, Chubby.'

'Je kent dat nieuwe meisje in het hotel, Marion? Die ene die alleen voor het seizoen kwam?' Ik knikte. Het was een nogal spichtig meisje met een paar prachtige lange benen, ongeveer negentien en met glanzend zwart haar, sproeten, een paar brutale ogen en een ondeugende glimlach. 'Wel, gisteravond ging ze uit met die blonde kerel, die met dat rode gezicht.'

Ik wist dat Marion soms zaken en genoegens combineerde en dat ze soms hotelgasten diensten bewees die haar plichten verre te boven gingen. Maar dit soort activiteiten wierp op het eiland geen blaam op iemand.

'Ja,' moedigde ik Chubby aan.

'Hij deed haar pijn, Harry. En goed pijn ook.' Chubby nam weer een slok koffie. 'En toen betaalde hij haar zoveel geld dat ze moeilijk naar de politie kon lopen.'

Ik mocht Guthrie nu nog minder. Alleen een beest zou van een meisje zoals Marion misbruik maken. Ik kende haar goed. Ze aanvaardde het leven op een onschuldige, kinderlijke manier en dat maakte haar seksuele inschikkelijkheid op een vreemde manier bijzonder aantrekkelijk. Ik herinnerde me hoe ik in gedachten besloten had dat er een dag zou komen, waarop ik Guthrie zou moeten vermoorden – en ik deed mijn best die gedachte levendig te houden.

'Het zijn slechte mensen, Harry. Ik dacht dat 't maar het beste was als je dat wist.'

'Bedankt, Chubby.'

'En zorg ervoor dat ze van *Dancer* geen troep maken,' voegde hij er min of meer beschuldigend aan toe. 'De kajuit en het dek leken wel een zwijnestal.'

Hij hielp me om *Dancer* naar de Admiraliteitswerf te brengen en ging toen naar huis, grimmig in zichzelf brommend en grommend. Hij kwam halverwege de werf Jimmy tegen die op weg was naar de boot en hij wierp hem een boosaardige blik toe, die hem op zijn minst had moeten doen verschrompelen. Jimmy was alleen, fris geschoren, gewassen en monter.

'Hallo, schipper,' riep hij, toen hij op het dek van *Dancer* sprong. Ik liep samen met hem naar de grote kajuit en schonk koffie in.

'Mr. Materson zei dat je me het een en ander te vragen had, klopt dat?'

'Luister, mr. Fletcher. Ik wil graag dat u goed weet dat het niet in mijn bedoeling lag u te beledigen door in het begin niet met u te praten. Dat was niet omdat ik niet wilde – maar die anderen wilden het niet.'

'Akkoord,' zei ik. 'Dat is dik in orde, Jimmy.'

'Het zou veel verstandiger geweest zijn als we al veel eerder uw hulp gevraagd hadden, in plaats van maar wat rond te varen zoals we tot nu toe gedaan hebben. Enfin, de anderen hebben nu besloten dat ik u alles kan vragen.'

Hij had me op deze manier al meer verteld dan hij zichzelf kon voorstellen. Ik wijzigde mijn mening over master James. Het was duidelijk dat hij over bepaalde inlichtingen beschikte en dat hij die inlichtingen niet met de anderen gedeeld had. Dat was zoveel als zijn persoonlijke levensverzekering en hij had er naar alle waarschijnlijkheid op gestaan mij alleen te spreken, zodat zijn verzekeringspolis zijn volle waarde behield.

'Schipper, we zoeken naar een eilandje, een heel speciaal eilandje. Tot mijn spijt kan ik u alleen niet vertellen waarom.'

'Vergeet 't, Jimmy. Dat is dik in orde.' Wat zal het jou brengen, James North, vroeg ik me plotseling af. Wat heeft dat wolvegebroed voor jou in 't vat, zodra je hen bij dat heel speciale eilandje gebracht hebt? Zou dat niet iets kunnen zijn dat heel wat minder plezierig is dan je allergie voor penicilline?

Ik keek naar het jonge aantrekkelijke gezicht en voelde een ongewone genegenheid voor hem – misschien was het zijn jeugd en zijn onschuld, het gevoel van opwinding, waarmee hij deze vermoeide en door en door slechte wereld bekeek. Ik benijdde hem om dit gevoel en mocht hem er des te meer om. En ik kon me er beslist niet in verheugen lijdelijk toe te zien hoe hij bij dit alles in het stof zou bijten.

'Jim, hoe goed ken je die vrienden van je eigenlijk?' vroeg ik hem heel kalm. Maar mijn vraag scheen hem te verrassen en praktisch onmiddellijk werd hij weer de voorzichtige jongen van eerst.

'Goed genoeg,' antwoordde hij omzichtig. 'Waarom?'

'Je kent hen korter dan een maand,' zei ik met een zekerheid, alsof ik dit wist en zag in de uitdrukking die plotseling op zijn gezicht verscheen dat ik gelijk had. 'En ik heb mensen zoals zij mijn hele leven gekend.'

'Ik zie niet goed in wat dat er mee te maken heeft, mr. Fletcher.' Hij scheen te verstijven, omdat ik hem als een kind behandelde en dat beviel hem niet.

'Luister, Jim. Vergeet deze hele zaak, wat het ook is. Stap er uit en ga terug naar je zaak en je bergingsmaatschappij.'

'Dat is gewoon krankzinnig,' zei hij. 'U begrijpt 't niet.'

'Ik begrijp het heel goed, Jim. Echt waar. Ik heb dezelfde weg bewandeld en ik ken die weg maar al te goed.'

'Ik kan best op mezelf passen. Maakt u zich over mij geen zorgen.' Onder zijn bruine gelaat bloosde hij en zijn grijze ogen keken me tartend aan. We bleven elkaar enkele ogenblikken aankijken en ik wist dat ik domweg mijn tijd en gevoelens aan hem verspilde. Indien iemand zo tegen mij gesproken had toen ik zijn leeftijd had, zou ik gedacht hebben dat die man kinds was.

'Uitstekend, Jimmy,' zei ik. 'Ik zal er niet meer over praten, maar je weet nu hoe de zaken staan. Speel het alleen met een koel hoofd en let op, dat is alles.'

'Prima, mr. Fletcher.' Hij scheen weer wat te ontspannen en op zijn gezicht kwam weer die charmante en innemende grijns. 'In ieder geval bedankt.'

'Vertel me nu eens wat meer over dat eilandje,' stelde ik voor en hij keek de kajuit rond.

'Laten we naar de brug gaan,' stelde hij voor en eenmaal buiten in de frisse lucht pakte hij een stompje potlood en een stuk papier uit de kaartenbak boven de kaarttafel.

'Ik vermoed dat het ergens negen à vijftien kilometer buiten de Afrikaanse kust ligt en vijftien à vijfenveertig kilometer ten noorden van de monding van de Rovuma-rivier –'

'Dat is me niet zo'n klein stukje, Jim – zoals je de laatste dagen wel opgevallen zal zijn. Wat weet je nog meer over dat eiland?'

Hij aarzelde wat langer voor hij met zekere tegenzin iets dieper in zijn spaarpot van gegevens tastte. Hij nam het potlood en trok over het papier een horizontale lijn.

'Dit moet de oppervlakte van de zee voorstellen –' zei hij en toen tekende hij boven die lijn een onregelmatig profiel, dat laag begon en toen ineens opklom en drie duidelijke pieken liet zien voor hij opeens ophield – 'en zo ziet het er van zee uit gezien uit. De drie heuvels bestaan uit vulkanische basalt, pure rots met praktisch geen plantengroei.'

'De Old Men –' ik herkende het onmiddellijk, '– maar je bent wat je berekeningen betreft goed mis. Dat eiland ligt op zijn minst genomen twintig mijl uit de kust –'

'Maar zichtbaar vanaf het vaste land?' vroeg hij snel. 'Het moet vanaf het vaste land te zien zijn.'

'Inderdaad. Je kunt vanaf die heuveltoppen aan land een heel eind in zee kijken,' wees ik hem terecht, terwijl hij het blaadje van de blocnote scheurde, dit vervolgens in snippers scheurde en deze in de haven liet vallen.

'Hoe ver noordelijk van de rivier?' Hij draaide zich om en keek me aan.

'Grof weg zou ik zeggen negentig à honderd kilometer.' Er kwam een peinzende blik in zijn ogen.

'Ja, het zou inderdaad zo ver naar het noorden kunnen zijn. Dat zou kunnen kloppen. Het hangt ervan af hoe lang het zou duren –' Hij maakte zijn zin niet af en nam kennelijk mijn raad ter harte het voorzichtig te spelen. 'Kunt u ons daar naar toe brengen, schipper?' Ik knikte. 'Maar het is een lange reis en we moeten er op voorbereid zijn dat we een nacht aan boord blijven.'

'Ik zal de anderen gaan halen,' zei hij opnieuw opgewonden en al te enthousiast. Maar eenmaal op de steiger keek hij om naar de brug. 'Wat dat eiland betreft, hoe het er uitziet en zo, praat daar niet met de anderen over. Afgesproken?'

'Afgesproken, Jim,' antwoordde ik glimlachend. 'Smeer 'm.' Ik ging naar beneden om de admiraliteitskaart wat nauwkeuriger te bestuderen. De Old Men vormde de hoogste punt op een basaltrichel, een lang, hard rif dat over een afstand van minstens driehonderd kilometer parallel met de kust liep. Het verdween onder water, maar dook bij tussenpozen weer uit de zee op en vormde zo een wisselend tafereel tussen de lukraak rondgestrooide koraal- en zandeilandjes en ondiepten.

Op de kaart stond aangegeven dat het onbewoond was en dat er geen water te vinden was. Peilingen gaven aan dat er een aantal diepe vaargeulen tussen het rif rondom het eiland liepen. Hoewel het veel noordelijker lag dan mijn normale vaargebied, had ik daar het vorig jaar nog een bezoek gebracht als gast van een biologische diepzee-expeditie van de UCLA, die bezig was met een studie van de teeltgewoonten van de groene schildpadden die daar in de buurt in overvloed voorkwamen.

We hadden drie dagen gekampeerd op een ander eiland aan de andere kant van de aan het tij onderhevige vaargeul van de Old Men. Op dat eiland was een ankerplaats waar men bij elk weertype voor anker kon gaan. Deze lag in een ingesloten lagune en tussen de palmbomen bevond zich een bron met brak, maar nog juist drinkbaar water. Vanaf die ankerplaats zag de Old Men er precies zo uit als Jim het getekend had en daarom had ik de plaats zo gemakkelijk herkend.

Een half uur later kwam het hele gezelschap bij het begin van de werf aan. Op het dak van de taxi lag een stevig vastgesjord lijvig pak dat toegedekt was met groen zeildoek. Ze huurden een stel lanterfantende eilandbewoners om het pak aan boord te brengen, evenals de slaapzakken die ze bij zich hadden.

Ze stouwden het lijvige, in zeildoek gehulde pak op het voordek zonder het open te maken en ik stelde geen vragen. Guthrie's gezicht was op een allergriezeligste manier begonnen te vervellen en op verschillende plekken zag men alleen maar rauw vlees. Hij had daar een witte crème overheen gesmeerd. Ik dacht eraan hoe hij de kleine Marion in zijn kamer afgeranseld had, en ik glimlachte tegen hem.

'Je ziet er zo aantrekkelijk uit dat ik me afvraag of je er wel eens aan gedacht hebt om aan een Miss Universe-verkiezing mee te doen.' Hij keek me dreigend van onder een brede rand van zijn hoed aan en liet zich in de visstoel zakken. Tijdens de tocht naar het noorden dronk hij zijn bier zo uit het blik en gebruikte de lege blikjes als doelwit. Hij schoot die grote revolver op die dingen leeg, waarna ze in het zog van *Dancer* vielen en daar op en neer dansten.

Tegen twaalf uur gaf ik het stuurrad over aan Jimmy en liep naar beneden om de lunch onder het dek te gebruiken. Ik ontdekte dat Materson de bar geopend had en de fles met gin te voorschijn had gehaald.

'Hoe lang nog?' vroeg hij en ondanks de luchtverversing transpireerde hij hevig en zag er opgeblazen uit.

'Nog een uur of zo,' zei ik hem en meende dat Materson, gezien de manier waarop hij midden op de dag dit geestrijke vocht aansprak, vandaag of morgen met een drankprobleem te kampen zou hebben. Maar de gin scheen hem wat zachtaardiger gestemd te hebben en – aangezien ik nu eenmaal een geboren opportunist ben – ontfutselde ik hem opnieuw driehonderd dollar als voorschot op mijn honorarium voor ik weer naar boven liep om het stuur van *Dancer* over te nemen voor het laatste stuk door het noordelijk tij-kanaal dat recht naar de Old Men leidde.

De drie pieken werden door de door warmte opgeroepen nevel heen zichtbaar, spookachtig grauw en onheilspellend en ze maakten de indruk alsof ze van hun lichaam ontdaan boven het kanaal hingen.

Jimmy bestudeerde de pieken door zijn kijker. Even later liet hij de kijker zakken en wendde zich verrukt naar me toe.

'Dat schijnen ze te zijn, schipper,' en met die woorden klauterde hij

47

omlaag en verdween in de stuurhut. Het drietal liep naar het voordek, langs de in zeildoek gehulde deklast en stonden naast elkaar bij de railing. Ze keken door de hier en daar uit zee opstekende stukken koraal naar het eiland, terwijl ik heel voorzichtig en heel langzaam door de vaargeul voer.

De vloed stuwde ons de vaargeul binnen en ik besloot hiervan gebruik te maken om de oostelijke punt van de Old Men te bereiken en het anker langs het strand direct onder de dichtstbijzijnde piek uit te werpen. Deze kust kende een tijval van ruim vijf meter bij springtij en het is hoogst onverstandig om zich bij laag water in de ondiepe gedeelten te begeven. Het kan dan maar al te gemakkelijk gebeuren dat je hoog en droog komt te zitten als bij laag water dit onder je kiel wegstroomt.

Jimmy leende mijn zakkompas en stopte het ding samen met zijn kaart, een thermosfles met ijswater en een flesje met zouttabletten uit de medicijnkast in zijn broodzak. Terwijl ik omzichtig op het strand aanstuurde, trokken Materson en Jimmy hun schoenen, kousen en broek uit.

Toen *Dancer* met haar kiel zacht tegen het harde witte zand stootte, schreeuwde ik tegen hen:

'Okay – over de railing,' en met Jimmy voorop klommen ze de touwladder af die ik langs de zijkant van *Dancer* had vastgemaakt. Het water kwam tot aan hun oksels en James hield de broodzak boven zijn hoofd toen zij door het water naar het strand waadden.

'Twee uur!' riep ik hen na. 'Indien je langer dan twee uur wegblijft kunnen jullie aan wal slapen. Ik kom niet binnen om jullie tijdens laag water op te pikken.'

Jimmy zwaaide begrijpend met zijn arm en grinnikte. Ik zette de motor van *Dancer* in z'n achteruit en voer bar voorzichtig terug, terwijl het tweetal het strand bereikte en op een allervreemdste manier rondhinkelde, terwijl ze hun broek en schoenen aantrokken en vervolgens in de richting van palmbosjes liepen en even later uit het gezicht verdwenen.

Na een minuut of tien rondgecirkeld te hebben en al die tijd omlaag in het water getuurd te hebben dat zo helder was als een bergbeek, zag ik op de bodem een donkere schaduw. Dat was waar ik naar gezocht had en ik liet een licht vooranker vallen.

Terwijl Guthrie met belangstelling toekeek, zette ik een masker op en trok een paar handschoenen aan. Vervolgens liep ik met een klein oesternet en een zware bandenlichter de touwladder af. Onder de kiel bevond zich ongeveer vijf meter water en het stemde me goed dat mijn adem nog steeds voldoende was om zo diep te duiken en in een keer een netvol grote dubbelschelpige mossels los te wrikken. Ik dopte ze op het voordek en wierp gedachtig Chubby's waarschuwingen de lege schalen overboord en zwabberde zorgvuldig het dek voor ik de emmer vol met het zoetsmakende vlees mee naar de kombuis nam. Ze gingen daar in een grote stoofpan met wijn en gesnipperde knoflook, zout en gemalen peper en een snuifje chili. Ik stelde de gasvlam zo in dat het geheel langzaam zou pruttelen en legde de deksel op de pan. Toen ik weer aan dek kwam zat Guthrie nog steeds in de visstoel.

'Wat is er aan de hand, grote schutter, verveel je je soms?' vroeg ik bezorgd. 'Geen kleine meisjes hier om overal te schoppen?' Zijn ogen vernauwden zich bedachtzaam. Ik kon zien dat hij mijn inlichtingenbron navorste.

'Je hebt een verdomd grote bek, Bruce. Vandaag of morgen komt er iemand die hem dichtslaat.' We wisselden nog enkele schertsende opmerkingen uit, en geen van deze kwam ver boven het oorspronkelijke niveau uit, maar het hielp de tijd door te komen totdat de twee gestalten weer op het strand verschenen, wenkten en hallo riepen. Ik haalde het anker op en ging ze halen.

Onmiddellijk toen ze aan boord kwamen riepen ze Guthrie bij zich en verzamelden ze zich op het voordek voor een van hun geheime bijeenkomsten.

Ze waren alle drie verschrikkelijk opgewonden, Jimmy het meest. Hij gesticuleerde en wees naar het kanaal en praatte al die tijd zacht maar onstuimig. Ze schenen het deze keer roerend met elkaar eens te zijn maar tegen de tijd dat ze uitgepraat waren, was er nog een uur daglicht over en ik weigerde aan Materson's eisen gehoor te geven dat ik nog diezelfde avond onze exploraties voort zou zetten. Ik had er beslist geen behoefte aan om in de duisternis en bij laag tij rond te kruipen.

Vastbesloten bracht ik *Dancer* naar de veilige ankerplaats in de lagune aan de overzijde van het kanaal en tegen de tijd dat de zon onder een brandende horizon ter kimme ging reed *Dancer* vredig aan twee ankers en zat ik op de brug waar ik van dit laatste deel van de dag genoot en van mijn eerste whisky. In de grote kajuit onder me weerklonk een eindeloos gemurmel. Ik negeerde het en maakte zelfs geen gebruik van de ventilator om de gesprekken, voor zoveel dat mogelijk was, af te luisteren, totdat de eerste muskieten hun weg over de lagune gevonden hadden en rond mijn oren begonnen te zoemen. Ik ging naar beneden en het gesprek verstomde toen ik binnenkwam.

Ik bond de saus en diende mijn pan met mosselen en gebakken aardappelen en ananas op. Ze aten in toegewijde stilte.

'Goeie God, dit is nog beter dan wat mijn zuster op tafel zet,' bracht Jimmy tenslotte voldaan uit. Ik keek hem grinnikend aan. Ik ben wat mijn culinaire bekwaamheden betreft tamelijk ijdel en het was duidelijk dat de jonge James een smulpaap was.

Kort na middernacht werd ik wakker en ging aan dek om *Dancer's* meertouwen te controleren. Alles was in orde en ik bleef even staan om te genieten van een stralende maan.

De nacht was intens stil en die stilte werd slechts verstoord door het zacht kabbelen van het tij tegen de romp van *Dancer* – en veel verder weg het dreunen van de branding tegen het buitenrif. Die branding kwam zwaar en hoog vanuit de open zee en brak met een donderend geluid en veel wit schuim op het koraal van Gunfire Rif. Die naam was goed gekozen en de zware schokkende bons klonk precies als het regelmatige saluut van een klein kanon.

De maan overspoelde het kanaal met een glanzend licht en belichtte sterk de kale toppen van de Old Men, waardoor zij glansden als ivoor. Onder hen kronkelden en draaiden de nachtelijke dampen die uit de lagune opstegen als gekwelde geesten.

Plotseling hoorde ik achter me een heel licht geluid. Ik draaide me razendsnel om. Guthrie was me zo onhoorbaar als een jachtluipaard gevolgd. Hij droeg niet meer dan een short en zijn lichaam stak wit, gespierd en mager tegen het maanlicht af. Hij droeg de grote zware .45 die op armslengte afstand langs zijn rechterdijbeen hing. We staarden elkaar enkele ogenblikken aan voor ik me ontspande.

'Weet je, lieverd, je dient het nu echt wel op te geven. Je bent in geen enkel opzicht mijn type,' zei ik tegen hem, maar er vloeide adrenaline door mijn bloed en mijn stem kraste.

'Wanneer de tijd komt om je van gaatjes te voorzien, zal ik van dit ding gebruik maken,' zei hij, terwijl hij de grote automatische revolver omhoog bracht. 'Van boven tot onder, ouwe jongen,' zei hij grijnzend.

Nog voor de zon opkwam zaten we aan het ontbijt. Ik nam mijn mok met hete koffie mee naar de brug om hem daar op te drinken, terwijl we het kanaal opvoeren in de richting van de open zee. Materson was beneden gebleven en Guthrie lag lui in de visstoel. Jimmy stond naast me en legde omstandig uit wat voor die dag zijn wensen waren.

Hij was een en al opwinding en dat deed hem trillen als een jonge jachthond bij de eerste reuk van een vogel in zijn neusgaten.

'Ik wil wat peilingen ten opzichte van de toppen van de Old Men maken.' Hij verklaarde dit nader: 'En ik zou daarvoor graag gebruik willen maken van je peilkompas en dan zal ik je de koers aangeven.'

'Geef me je peilingen, Jim, dan zet ik de zaak in kaart en zet je op de juiste plek,' stelde ik hem voor.

'Laten we het liever op mijn manier doen, schipper,' antwoordde hij niet op zijn gemak.

Ik kon een zekere geïrriteerdheid in mijn stem niet voorkomen.

'Vooruit dan maar, verkenner.' Hij kleurde en liep naar de railing aan bakboord en probeerde de pieken via de lens op het kompas in zicht te krijgen. Het duurde wel tien minuten voor hij weer sprak.

'Kunt u de boot twee graden naar bakboord sturen, schipper?'

'Natuurlijk kunnen we dat,' antwoordde ik grinnikend, 'maar dat zal betekenen dat we uiteindelijk boven op het uiteinde van Gunfire Rif terechtkomen – en dat betekent weer dat we over de bodem schuren.'

Het duurde nog eens twee uur, waarbij we ons tastend een weg zochten door het doolhof aan riffen voor ik *Dancer* weer via de vaargeul in open zee gebracht had en toen terugdraaide om vanuit het oosten Gunfire Rif te benaderen.

Het was net een kinderspelletje, waarbij Jimmy telkens 'warmer' of 'kouder' riep, zonder me de twee verwijzingen te geven die mij in staat zouden stellen *Dancer* precies op de plek te brengen die hij zocht.

Buitengaats liep de deining als in een majesteitelijke optocht landwaarts, waarbij de golven steeds langer en hoger werden naarmate de deining meer onderhevig was aan de zacht glooiende bodem. *Dancer* rolde en schommelde op de landwaarts rollende golven, toen we steeds dichter bij het buitenrif kwamen.

Waar de deining op het koraalrif stootte, veranderde haar waardigheid in een razende furie. Als gevolg van de explosieve schok van de botsing ziedde het water. Een reusachtig watergordijn van fijne deeltjes stortte zich over het koraalrif. Toen het water weer teruggezogen werd, waarbij de gemene donkere tanden van het koraal zichtbaar werden en waarbij het water wit schuimend omlaag stortte, kwam alweer een nieuwe hoge deining aan, die haar grote massieve rug scheen te krommen voor een nieuwe aanval.

Jimmy dirigeerde me steeds meer naar het zuiden via een geleidelijke convergerende koers met het rif en ik wist uit zijn gedragingen dat we heel dicht bij de plek gekomen waren die hij zocht. Door de lens van het kompas tuurde hij gretig naar de pieken van de Old Men, eerst naar de ene en dan naar de andere.

'Houd die koers, schipper,' riep hij. 'Stuur haar iets op die koers bij.'

Ik keek recht vooruit, scheurde als 't ware mijn ogen los van het dreigende koraal, niet meer dan een paar seconden. Ik keek hoe de volgende golf zijn aanval begon en kapot brak – behalve voor een smalle plek ongeveer vijfhonderd meter recht vooruit. Hier bleef de deining constant en liep ononderbroken door naar het strand. Aan weerszijden brak de golf op het koraal, maar precies op die plek was er een opening in het koraal. Plotseling herinnerde ik me hoe Chubby op een keer had zitten opscheppen.

'Ik was nog maar net negentien toen ik mijn eerste grote vis uit het gat bij Gunfire Break omhoog haalde. Niemand anders wilde daar met me gaan vissen – en ik kan niet zeggen dat ik het ze kwalijk nam. Zou voor geen geld nog eens de Break binnenvaren – heb nu mijn hersens beter bij elkaar.'

Gunfire Break. Plotseling wist ik dat we daar op af koersten. Ik probeerde me nauwkeurig te herinneren wat Chubby mij erover verteld had.

'Indien je vanuit zee naderbij komt, ongeveer twee uur voor hoogwater, stuur dan recht op het midden van de opening af, totdat je op gelijke hoogte komt met een grote bonk grijsachtig koraal aan stuurboord. Je weet precies wat ik bedoel op het ogenblik dat je het ziet. Vaar er zo dicht mogelijk langs en geef dan snel stuurboord. Dan zit je midden boven een groot gat keurig verborgen achter het grote rif. Hoe dichter je onder de achterkant van het rif vaart, hoe beter –' Ik herinnerde het me nu duidelijk. Chubby had die avond in de bar van de Lord Nelson een van zijn praatbuien gehad en had verschrikkelijk op zitten scheppen, omdat hij nu eenmaal een van de enkelingen was geweest die ooit door de Gunfire Break had gevaren. 'Geen anker kun je daar uitgooien, je moet gewoon op je riemen leunen om in dat gat op je plaats te blijven – dat gat daar in Gunfire Break is diep, man, ontzettend diep maar die vissen daar zijn groot, man, hartstikke groot. Op een dag heb ik daar vier vissen gevangen en de kleinste woog driehonderd pond. Had meer kunnen vangen – maar ik had geen tijd meer. Je kan daar op die plek bij Gunfire Break niet langer dan een uur na hoog water blijven – dan zuigt het water door de Break terug alsof ze aan die hele vervloekte zee een ketting gebonden hebben. Je komt dezelfde weg als die je gegaan bent weer terug, alleen moet je op de terugweg nog wat harder bidden – want je hebt een ton vis aan boord en drie meter minder water onder je kiel. Er is nog een andere weg naar open zee, door een vaargeul achter in het rif. Maar over die mogelijkheid praat ik liever niet eens. Heb dat slechts een enkele keer geprobeerd.'

En nu koersten we recht op de Break aan. Jimmy was van plan ons regelrecht naar het centrum te brengen.

'Okay, Jim,' riep ik. 'Verder gaan we niet.' Ik gaf wat meer gas en veranderde van koers en zocht de ruimte op, voordat ik me weer tot Jim wendde. Ik zag de woede die in zijn ogen brandde.

'We waren er bijna, vervloekt nog aan toe,' raasde hij. 'We hadden nog best wat dichterbij kunnen varen.'

'Heb je moeilijkheden, jong?' riep Guthrie vanuit de stuurhut.

'Nee, alles is in orde,' riep Jimmy terug en wendde zich toen weer woedend tot mij. 'U staat onder contract, mr. Fletcher –'

'Ik zou je graag wat willen laten zien, James –' en ik nam hem mee naar de kaarttafel. De Break stond op de admiraliteitskaart alleen maar aangegeven als een peiling van ruim zesenvijftig meter, geen enkele naam en geen vaarinstructie. Snel schreef ik de peilingen op van de twee buitenste pieken van de Old Men gemeten vanaf de

Break en maakte toen gebruik van de graadboog om de hoek te meten.

'Klopt dat?' vroeg ik hem. Hij staarde naar mijn gevonden getallen.

'Klopt precies, is 't niet?' drong ik aan, en met tegenzin knikte hij instemmend.

'Ja, dat is de plek,' gaf hij toe en ik vertelde hem toen alle bijzonderheden over de Gunfire Break.

'Maar we moeten daar naar binnen,' zei hij aan het eind van mijn verhaal, alsof hij er geen woord van gehoord had.

'Geen schijn van kans,' zei ik hem. 'De enige plek waar ik nu in geïnteresseerd ben is Grand Harbour, St. Mary Island,' en bracht *Dancer* op die koers. Jimmy verdween langs de trap en kwam enkele minuten later terug met zijn versterking – Materson en Guthrie. Beiden keken kwaad en diep verontwaardigd.

'Je zegt 't maar en ik draai die schoft een arm uit en sla hem met het bloederig einde hartstikke dood,' zei Guthrie bij voorbaat al genietend. 'Onze knul zegt dat je er tussenuit trekt?' wilde Materson weten. 'Dat is niet precies zoals het hoort, hè?'

Ik legde opnieuw uit, welke gevaren Gunfire Break zou opleveren en dat stemde hen onmiddellijk een stuk ernstiger.

'Breng me zo dicht mogelijk in de buurt – ik zwem de rest van de afstand wel,' vroeg Jimmy me, maar ik gaf direct aan Materson mijn antwoord.

'Je raakt hem kwijt, daar kun je donder op zeggen. Wens je dat risico te lopen?'

Hij gaf geen antwoord, maar het was me wel duidelijk dat Jimmy voor hem te waardevol was om dat risico te nemen.

'Laat 't me proberen,' bleef Jimmy aandringen, maar Materson schudde geprikkeld het hoofd.

'Indien we dan de Break niet kunnen binnenvaren, dan kunnen we toch in ieder geval met de slede langs het rif varen,' ging Jimmy door. Toen wist ik meteen wat ze daar onder dat zeildoek op het voordek verborgen hadden.

'Alleen maar een paar keer langs de voorkant van het rif voorbij de ingang naar het gat.' Hij bepleitte zijn zaak hartstochtelijk en Materson keek me vragend aan. Nu gebeurt het niet al te vaak dat de kansen je zo op een zilveren presenteerblad worden aangeboden. Ik wist dat ik *Dancer* zonder enig risico kort langs het rif kon brengen, maar ik fronste bezorgd mijn voorhoofd.

'Ik loop dan wel een allemachtig groot risico – maar als we het eens kunnen worden over wat meer gevarengeld –'

Ik had Materson precies waar ik hem hebben wilde en ik kreeg een dubbele dag huur los – vijfhonderd dollar boven de normale prijs en bij vooruitbetaling.

Terwijl we zaken deden hielp Guthrie bij het uitpakken van de slede en droeg samen met Jimmy het ding terug naar de stuurhut.

Ik stopte het bundeltje bankbiljetten veilig weg en liep toen terug om de sleeplijn aan te brengen. De slee was een prachtig geconstrueerde tobogan gemaakt uit roestvrijstaal en plastic. In plaats van glij-ijzers had hij stompe stuurvinnen, een roer en schoepen die via een korte stuurknuppel onder de uit perspex gemaakte bescherming voor de bestuurder aangebracht, bediend konden worden.

In de neus van het toestel was een ring aangebracht, waardoor de sleeplijn liep waardoor de slee achter *Dancer* kon worden gesleept. Jimmy zou op zijn buik achter het doorzichtige schild liggen en ademhalen door gebruik te maken van de samengeperste lucht van de twee tanks die aan weerszijden in het chassis waren gebouwd. Op het dashboard waren druk- en dieptemeters aangebracht, een gericht kompas en een klok die de tijd aangaf hoe lang iemand onder water was. Met de stuurknuppel kon Jimmy de diepte van de duik van de slede controleren en links of rechts van de achtersteven van *Dancer* gieren.

'Mooi stuk werk,' merkte ik op. Hij kleurde van genoegen.

'Dank je, schipper, heb hem zelf gebouwd.' Hij trok een duikerpak van dik neoprene rubber aan en, terwijl zijn hoofd in de nauwsluitende kap zat, bukte ik me en keek naar het naamplaatje van de fabrikant dat op het chassis van de slede geklonken zat en legde het opschrift in mijn geheugen vast.

"Gebouwd door North's Onderwater Wereld
5, Pavilion Arcade.
BRIGHTON. SUSSEX."

Ik kwam weer overeind toen zijn gezicht voor de opening kwam.

'Vijf knopen is een prima sleepsnelheid, schipper. Indien je ongeveer dertig meter uit het rif blijft, zal ik gemakkelijk in staat zijn naar buiten uit te wijken en de omtrek van het koraal te volgen.'

55

'Prima, Jim.'

'Indien ik een geel baken boven laat komen, negeer je dat, want dat ding geeft alleen maar aan dat ik iets gevonden heb en dan gaan we daar later wel weer naar toe terug – maar indien ik een rood baken naar boven stuur, betekent dat moeilijkheden. Probeer me dan van het rif af te halen en sleep me naar de boot.'

Ik knikte. 'Je hebt precies drie uur,' waarschuwde ik hem. 'Dan begint het laag tij te worden en de zee zuigt door het gat naar buiten. Dan moeten we zorgen dat we weg zijn.'

'Dat is meer dan voldoende,' stemde hij in.

Guthrie en ik tilden de slede over de kant en hij slingerde laag op het water. Jimmy klom omlaag en bracht zichzelf in positie achter het scherm. Hij controleerde de stuurinrichting en andere apparatuur, bracht zijn masker aan en klemde het mondstuk van de ademhalingsapparatuur in zijn mond. Hij ademde luidruchtig en stak toen zijn duim omhoog.

Ik klom snel op de brug en gaf gas. *Dancer* kwam snel op gang en Guthrie vierde de dikke nylondraad over de achtersteven en de slede viel nu snel achter ons. Honderdvijftig meter kabel werd over boord gebracht voor de slee schokte en achter *Dancer* aankwam.

Jimmy wuifde en ik bracht de snelheid van *Dancer* op vijf knopen. Ik beschreef een wijde boog en koerste toen in de richting van het rif en kreeg de zware deining nu van opzij, waardoor *Dancer* afschuwelijk slingerde.

Weer wuifde Jimmy en ik zag hoe hij de stuurknuppel van de slede naar voren duwde. Er volgde een warreling van schuimend water langs de stuurvinnen en plotseling stak ze haar neus omlaag en verdween onder de oppervlakte. De hoek van de nylonkabel veranderde snel, toen de slede omlaag ging en in de richting van het rif wegzwaaide.

De spanning die op de kabel stond deed hem trillen als een pijl die doel treft. Het water spatte van de nylonvezels.

Langzaam voeren we evenwijdig aan het rif, sloten de opening. Ik lette met alle verschuldigde eerbied op het koraalrif. Tenslotte was ik niet van plan enig risico te lopen. Ik kon me Jim nu voorstellen hoe hij daar ver onder de oppervlakte stil en langzaam over de bodem werd gesleept, zo dicht mogelijk langs de hoge koraalmuur stuurde om een goed zicht te hebben. Het moest een bijzonder opwindende belevenis zijn en ik benijdde hem erom. Ik besloot ook een tochtje op de slede te maken, indien zich de gelegenheid voordeed.

We waren nu precies tegenover de ingang, voeren voorbij en op datzelfde ogenblik hoorde ik hoe Guthrie een schreeuw gaf. Ik wierp snel een blik achterom en zag de grote gele ballon op ons kielwater dansen.

'Hij heeft iets gevonden,' schreeuwde Guthrie.

Jimmy had een met lood verzwaarde lijn losgelaten en een koolzuurcapsule had automatisch een ballon opgeblazen, die nu in ons kielwater op en neer danste en nauwkeurig de plaats van zijn vondst aangaf.

Ik bleef met gelijke snelheid langs het rif varen en ongeveer een vierhonderd meter verder werd de hoek van de kabel strak getrokken en ineens dook de slede uit het water omhoog en dreef nu achter *Dancer* aan. Ik zwenkte tot op veilige afstand van het rif vandaan en liep toen naar het dek om Guthrie te helpen de slede aan boord te brengen.

Jimmy klauterde in de stuurhut en toen hij zijn zuurstofmasker had weggenomen beefden zijn lippen en straalden zijn grijze ogen. Hij nam Materson bij de arm en sleepte hem mee naar de grote kajuit. Hij plaste zeewater over Chubby's geliefde dek.

Guthrie en ik rolden de kabel op en tilden de slede in de stuurhut. Ik liep terug naar de brug en bracht *Dancer* langzaam terug naar de ingang van Gunfire Break.

Materson en Jimmy kwamen al terug op de brug voor we de opening bereikt hadden. Materson was duidelijk aangestoken door Jimmy's opwinding.

'De jongen wilde graag proberen zijn vondst aan boord te brengen.' Ik vermeed het te vragen wat het was dat hij aan boord wilde brengen.

'Hoe groot is het?' vroeg ik in plaats daarvan en keek op mijn polshorloge. We hadden nog anderhalf uur voor het water door de opening in zee gezogen zou worden.

'Niet zo bar groot –' verzekerde Jimmy me. 'Hooguit vijftig pond.'

'Weet je 't zeker, James? Niet groter?' Ik verdacht hem ervan dat hij in zijn geestdrift om het ding, wat het ook was, boven te brengen het tot een kleinigheid reduceerde.

'Eerlijk waar.'

'Ben je van plan er een luchtzak aan vast te maken?'

'Ja, ik breng het met een luchtzak naar boven en sleep het dan van het rif vandaan.'

Ik voer achteruit in de richting van de gele ballon die luchtig tussen de boosaardige klauwen van de Break danste.

'Dichter ga ik niet,' schreeuwde ik omlaag naar de stuurhut.

Jimmy gaf met een handgebaar te kennen dat het zo goed was.

Hij liep met schommelende gang naar de achterplecht en bracht zijn uitrusting in orde. Hij had twee luchtzakken bij zich en ook de lap zeildoek, die oorspronkelijk rond de slede gezeten had. We bonden het dikke nylonkoord aan zijn gordel vast.

Ik zag hoe hij peiling nam van de gele ballon met het kompas aan zijn pols en opnieuw wierp hij mij op de brug een blik toe voor hij zich achterover in het water liet vallen en onder de oppervlakte verdween.

Zijn regelmatige ademhaling kwam in borrelende luchtbellen achter de boot aan en bewoog zich toen in de richting van het rif. Guthrie liet langzaam de kabel over de railing vieren.

Ik hield *Dancer* op zijn plaats door beurtelings kort gas vooruit en dan weer achteruit te geven en hield de boot in een positie ongeveer honderd meter van de zuidelijke punt van de Break.

Langzaam naderden de luchtbellen van Jimmy de gele ballon en bleven toen op gelijke hoogte. Hij was onder die ballon aan het werk en ik stelde me hem voor hoe hij daar onder water de lege luchtzakken met nylonkoorden aan het voorwerp vastmaakte. Het zou hem met die zuiging van het tij aan de lijvige zakken niet meevallen. Wanneer hij de koorden had vastgemaakt kon hij een begin maken de zakken met samengeperste lucht uit zijn cilinders te vullen.

Indien Jimmy's schatting van de grootte en het gewicht juist was geweest, zou er niet al te veel lucht nodig zijn om het geheimzinnige voorwerp van de bodem te lichten. En wanneer het eenmaal vrij hing konden we het naar een veiliger plaats slepen voor het aan boord gebracht werd.

Veertig minuten lang hield ik *Dancer* op zijn plaats en toen braken plotseling twee opgeblazen groene glanzende bolvormige gevallen door het wateroppervlak. De luchtzakken waren boven gekomen –

Jimmy had zijn prijs omhoog gebracht.

Onmiddellijk daarna kwam naast de met lucht gevulde zakken zijn door een rubberkap omhulde hoofd boven water. Hij stak zijn rechterarm omhoog. Het teken dat we konden beginnen te slepen.

'Klaar?' schreeuwde ik naar Guthrie in de stuurhut.

'Klaar!' Hij had de kabel stevig vastgemaakt en ik kroop langzaam en uiterst voorzichtig weg om te voorkomen dat ik de luchtzakken onderste boven zou keren, zodat de lucht die hen naar boven gebracht had, uit de zakken zou stromen.

Op ongeveer vijfhonderd meter afstand van het rif nam ik gas terug en zette de motor in neutrale stand. Ik liep naar de railing om de zwemmer en zijn bolstaande groene luchtzakken aan boord te helpen.

'Blijf waar je bent,' snauwde Materson, toen ik bij de touwladder was aangekomen. Ik haalde mijn schouders op en liep terug naar de brug.

Laat ze barsten, dacht ik en stak de brand in een cheroot – maar ik kon toch niet verhinderen dat ik me opgewonden voelde, toen ze de luchtzakken langszij haalden en langs het schip naar de boeg sleepten.

Ze hielpen Jimmy aan boord en met een paar forse bewegingen van zijn schouders ontdeed hij zich van de luchtcilinders en liet ze op het dek vallen, terwijl hij met zijn andere hand zijn gezichtsmasker op zijn voorhoofd schoof. Zijn stem, schel en hard, drong duidelijk tot me door, toen ik over de railing van de brug hing.

'De jackpot!' riep hij uit. 'Het is de...'

'Voorzichtig! Let op je woorden!' waarschuwde Materson hem en James zweeg onmiddellijk. Allen keken naar me, hun gezichten opgeheven in de richting van de brug.

'Besteed alsjeblieft geen aandacht aan mij, jongens,' riep ik grinnikend en wuifde opgewekt met mijn cheroot. Ze keerden zich met hun ruggen naar me toe en gingen dicht bij elkaar staan. Jimmy fluisterde iets en Guthrie zei duidelijk: 'Jezus Christus!' en sloeg Materson op de rug. Toen riepen ze van alles door elkaar en lachten terwijl ze zich langs de railing opstelden en de luchtzakken en het zware pak aan boord brachten. Ze deden het bepaald onhandig. *Dancer* slingerde hevig en ik boog me met een nieuwsgierigheid die een gat in mijn maag vrat naar voren.

Mijn teleurstelling en ergernis waren niet gering, toen het tot me doordrong dat Jimmy de voorzorg genomen had zijn prijs in het zware zeildoek te wikkelen. Het kwam aan boord als een doornatte, slordige bundel zeildoek, dichtgebonden met nylonkoorden.

Dat het zwaar was kon ik wel zien aan de manier waarop ze het hanteerden – maar het was niet lijvig, had meer weg van een klein koffertje.

Ze legden het op het dek en stonden er blij en onbezorgd om heen. Materson keek glimlachend omhoog.

'Okay, Fletcher. Kom nu maar eens kijken.'

Het was prachtig opgezet en hij bespeelde mijn nieuwsgierigheid als een geboren concertpianist. Plotseling verlangde ik er verschrikkelijk naar te weten wat ze uit zee hadden opgevist. Ik stak de cheroot tussen mijn tanden, klom langs de trap omlaag en begaf mij naar het groepje op de voorplecht. Ik was halverwege het voordek, nergens enige dekking, toen Materson, die nog steeds glimlachte, zacht zei: 'Nu!'

Eerst op dat ogenblik begreep ik dat het een valstrik was geweest en mijn gedachten gingen zo snel dat al het andere een vertraagde opname scheen. Ik zag de boosaardige zwarte massa van de .45 in Guthrie's vuist en langzaam kwam de loop omhoog en richtte zich op mijn buik. Mike Guthrie had de ineengedoken houding aangenomen van de scherpschutter, de rechterarm volledig gestrekt en hij grinnikte, toen hij met die koude gespikkelde ogen langs de zware loop keek.

Ik zag ook in die luttele seconde hoe het aantrekkelijke gezicht van Jimmy North vol afschuw vertrok, zag hoe hij zijn arm uitstrekte om de arm met het pistool te grijpen, maar Materson, die nog steeds dezelfde grijns op zijn gezicht had, duwde hem ruw opzij en hij wankelde achteruit door de volgende slingering van *Dancer*.

Ik dacht op dat ogenblik helder en snel. Het waren geen achtereenvolgende gedachten, maar een reeks gelijktijdige beelden. Ik dacht eraan hoe keurig ze me in de val hadden laten lopen, bijzonder beroepsmatig.

Ik dacht eraan hoe arrogant ik in feite geweest was in mijn poging met dat wolvegebroed een slag te slaan, een handeltje op te zetten. Het was voor hen veel eenvoudiger te schieten dan te onderhandelen.

Ik dacht er ook aan dat nu Jimmy dit met eigen ogen gezien had, ze ook met hem zouden afrekenen. Dat moest – het kon haast niet anders – vanaf het begin hun bedoeling geweest zijn. Dat speet me meer dan ik zeggen kon. Ik begon de jongen te mogen.

Ik dacht aan de zwaar kaliber explosieve loden kogel die de .45 uitspuwde, hoe het 't doelwit volmaakt open zou scheuren, hoe de kogel me zou treffen met een schok.

Guthrie's wijsvinger kromde zich om de trekker en ik maakte op datzelfde ogenblik aanstalten me opzij naar de kant van de railing te werpen met de cheroot nog steeds in mijn mond. Maar ik wist dat ik te laat was.

De revolver in Guthrie's hand schoot omhoog en ik zag de loop in het felle licht van de zon glanzen. De enorme knal van de ontploffing en de zware loden kogel troffen me gelijktijdig. Het lawaai verdoofde me totaal en sloeg mijn hoofd achterover.

De cheroot schoot hoog de lucht in en liet daarbij een regen van vonken achter.

De inslag van de kogel deed me dubbel slaan en dreef alle lucht uit mijn longen. De inslag was zo hevig dat ik als 't ware opgetild werd en achterstevoren werd gesmeten, totdat de railing me in het onderste deel van mijn rug opving.

Ik voelde geen pijn, alleen die enorme verdovende schok. Het was in mijn borst, daar was ik van overtuigd. Ik wist ook dat de kogel mijn borst had opengereten. Het was een dodelijke wond. Ook daarvan was ik overtuigd en ik verwachtte half en half dat ik mijn bewustzijn zou verliezen. Ik verwachtte weg te zinken in een volslagen duisternis.

In plaats daarvan trof de verschansing mij onder in de rug en ik maakte een volledige salto en sloeg met mijn hoofd omlaag over de kant. Ik voelde hoe de koude omhelzing van de zee mij omvatte. Het gaf me mijn bewustzijn terug. Ik opende mijn ogen en zag de zilverkleurige belletjes en het door het zonlicht zachtgroen gekleurde oppervlak van de zee.

Mijn longen waren leeg. Alle lucht was er door de inslag van de kogel uitgedreven en mijn instinct zei me naar de oppervlakte te klauwen en mijn longen vol te pompen. Maar tot mijn grote verbazing werkten mijn hersenen volkomen helder en ik wist dat Mike Guthrie mij mijn kop van mijn romp zou schieten op hetzelfde ogenblik dat ik boven water zou komen. Ik rolde me om en dook, trapte onhandig met mijn voeten en zakte onder de romp van *Dancer*.

Met een paar lege longen was het een lange reis. *Dancer's* gladde witte buik ging langzaam over me en ik deed wanhopig mijn best, verbaasd dat ik nog steeds kracht in mijn benen had.

Plotseling werd ik door duisternis overvallen, een zachte donker-rood gekleurde wolk en ik raakte bijna in paniek. Ik dacht dat mijn gezichtsvermogen verdwenen was – totdat het plotseling tot me doordrong dat dit mijn eigen bloed was. Grote golvende wolken van mijn eigen bloed kleurden het water. Kleine als zebra's ge-streepte vissen schoten wild door de wolk en deden zich begerig te goed.

Ik sloeg met mijn armen, maar mijn linkerarm weigerde te gehoor-zamen. Die hing slap omlaag en als een rookgordijn golfde mijn bloed om me heen. Er was echter voldoende kracht in mijn rech-terarm en ik baande me gestadig een weg onder *Dancer*, gleed nu onder haar kiel door en steeg dankbaar aan de andere kant van de boot naar haar verre waterlijn omhoog.

Toen ik boven water kwam, zag ik het nylonkoord over de achter-plecht in het water hangen, gedeeltelijk aan de oppervlakte en dankbaar greep ik er naar. Ik was onder de achterplecht bovenge-komen en ik zoog, zij het uiterst pijnlijk, mijn longen vol. Deze voelden gekneusd en de lucht smaakte als oud koper maar niette-min slokte ik als 't ware de lucht naar binnen. Mijn hersenen werk-ten nog steeds. Ik was onder de achterplecht en dat wolvegebroed bevond zich voor op het dek. Mijn karabijn zat onder het luik naar de machinekamer in de grote kajuit.

Ik verhief me zo hoog mogelijk boven water en sloeg het nylon-koord rond mijn rechterpols, tilde vervolgens mijn knieën omhoog en zette mijn tenen op de ruwe huidgang van de boot direct langs de waterlijn.

Ik wist dat ik voldoende kracht had voor een enkele poging, meer ook niet. Die poging zou dus moeten slagen. Ik hoorde hun stem-men op het voordek, boze stemmen. Stemmen die tegen elkaar schreeuwden, maar ik schonk er geen aandacht aan, en verzamelde mijn laatste krachten.

Ik bracht mezelf met beide benen en een hand omhoog. Ik zag sterretjes voor mijn ogen door de enorme inspanning. Een gevoel van totale verdoving had zich over mijn borst gelegd, maar ik wist uit het water te komen en viel half over de achterrailing. Daar hing ik als een lege zak over een prikkeldraadversperring.

Secondenlang bleef ik daar hangen totdat ik weer duidelijk kon zien. Ik voelde het kleffe warme bloed langs mijn zij en buik lopen. Die stroom aan bloed bracht me tot mezelf. Ik besefte hoe weinig tijd ik had voor een verder bloedverlies me opnieuw in duisternis zou doen wegzinken. Ik schopte wild om me heen en viel voorover op de vloer van de stuurhut. Ik sloeg daarbij hard met mijn hoofd tegen de rand van de visstoel en gromde als gevolg van deze nieuwe pijn.

Ik lag op mijn zij en keek langs mijn lichaam. Wat ik zag joeg me een dodelijke angst aan. Grote druppels bloed stroomden langs mijn lichaam en vormden zich tot een plas direct onder me.

Ik klauwde aan dek, sleepte mezelf naar de grote kajuit en bereikte de kap naast de toegang. Met een volgende vertwijfelde poging trok ik mezelf overeind en hing daarbij aan een arm, gesteund door een paar benen die reeds zwak en wiebelig begonnen te worden. Ik wierp snel een blik om de hoek van de kajuit in de richting van het voordek waar de drie mannen nog steeds bij elkaar stonden.

Jimmy North worstelde met zijn samengeperste luchtcilinders om die weer op zijn rug vast te binden. Op zijn gezicht lag een uitdrukking van afgrijzen en woede. Zijn stem klonk schel toen hij tegen Materson schreeuwde:

'Jullie smerige, vervloekte moordenaars. Ik ga het water in om hem te zoeken. Ik ga zijn lichaam uit het water halen – en, zo helpe mij God, ik zal ervoor zorgen dat jullie allebei aan de galg komen –'

Zelfs in mijn eigen wanhopige positie voelde ik plotseling grote bewondering voor de moed van de jongen. Ik geloof niet dat het ooit tot hem doordrong dat hij het volgende slachtoffer op het lijstje was.

'Dat was moord, niet meer en niet minder dan een koelbloedige moord,' schreeuwde hij en wendde zich naar de railing. Hij bracht zijn ademhalingsmasker in orde. Op dat ogenblik keek Materson naar Guthrie. De rug van de jongen was naar hen toegekeerd en Materson knikte.

Ik probeerde een waarschuwing te roepen, maar die bleef halverwege mijn keel steken. Guthrie ging direct achter Jimmy staan. Deze keer maakte hij geen fout. Hij legde de loop van de .45 tegen de achterkant van Jimmy's hoofd en het geluid van het schot werd gesmoord door de neoprene rubberkap van het duikkostuum.

Jimmy' schedel barstte open, verbrijzeld door de inslag van de zware kogel. Hij kwam door de glasafsluiting van het masker weer naar buiten en de glassplinters vielen glinsterend in het water. De kracht van de inslag sloeg hem over de verschansing en zijn lichaam viel langszij in zee. Er volgde een stilte, waarin de herinnering van het revolverschot scheen te weerkaatsen met het geluid van de wind en het water.

'Hij zinkt wel,' merkte Materson rustig op. 'Hij had een verzwaringsgordel om – maar we doen er beter aan wanneer we proberen Fletcher te vinden. We zouden niet graag willen dat hij aan land spoelde met dat kogelgat in zijn borst.'

'Hij dook onder – de schooier – ik raakte hem niet goed genoeg,' protesteerde Guthrie en meer hoorde ik niet. Mijn benen begaven het en ik lag languit op het dek van de stuurhut: Ik was misselijk van de opgelopen schok en het snelle bloedverlies.

Ik heb een gewelddadige dood in allerlei vermommingen gezien, maar de dood van Jimmy had me meer getroffen dan wat ook ooit tevoren. Plotseling was er slechts een ding dat ik wilde voor mijn eigen gewelddadige dood zich van mijn lichaam meester maakte.

Ik begon naar het luik van de machinekamer te kruipen. Het witte geschuurde dek scheen zich als de Sahara voor mij uit te strekken en ik begon de loden hand van oververmoeidheid op mijn schouder te voelen.

Ik hoorde hun voetstappen op het dek boven me en het gemompel van stemmen. Ze waren op weg naar de stuurhut.

'Alsjeblieft God, geef me nog tien seconden,' fluisterde ik. 'Dat is al wat ik nodig heb.' Maar ik wist dat het allemaal nutteloos was. Ze zouden de kajuit bereikt hebben lang voordat ik het luik kon bereiken – maar niettemin sleepte ik me met de moed der wanhoop voort.

Plotseling hoorde ik geen voetstappen meer, maar de stemmen bleven. Ze waren blijven staan en zetten hun gesprek op dek voort. Ik voelde me een beetje opgelucht, want ik had het luik bereikt.

Nu worstelde ik met de knevels. Ze schenen onwrikbaar vast te zitten en ik besefte hoe zwak ik in feite was. Maar door al mijn vermoeidheid heen voelde ik hoe mijn woede mij nieuwe kracht gaf. Ik kronkelde me in tegenovergestelde richting en schopte tegen de pinnen.

Deze keer vlogen ze achteruit. Ik vocht met mijn steeds toenemende verzwakking en wist op mijn knieën te komen. Toen ik over het luik leunde voelde ik hoe opnieuw fris bloed op het witte dek spatte. 'Spuw je gal, Chubby,' dacht ik, niet bepaald toepasselijk en lichtte het luik op. Het kwam allemachtig pijnlijk en langzaam omhoog en het scheen zwaarder dan de aarde zelf. Ik voelde nu de eerste scherpe pijn in mijn borst, toen gekneusd weefsel begon te scheuren.

Het luik viel met een zware klap en onmiddellijk zwegen de stemmen die ik zoëven nog aan dek gehoord had. Ik kon hen in mijn verbeelding zien staan luisteren.

Ik liet me op mijn buik vallen en tastte wanhopig onder het dek en toen sloot mijn rechterhand zich rond de kolf van het geweer.

'Kom eens hier!' Er volgde een luide uitroep en ik herkende de stem van Materson, onmiddellijk gevolgd door het geluid van voortrennende voeten langs het dek naar de stuurhut.

Ik trok doodmoe als ik was aan de karabijn, maar het ding scheen klem te zitten in de stroppen en bood weerstand aan mijn herhaalde pogingen.

'Goeie God! Overal op het dek ligt bloed,' schreeuwde Materson. 'Dat is van Fletcher,' gilde Guthrie. 'Hij is over de achterplecht aan boord geklommen.'

Op datzelfde ogenblik schoot de karabijn los en ik liet het ding bijna in de machinekamer vallen, maar slaagde er Goddank in het lang genoeg vast te houden om van het gat vandaan te rollen.

Ik ging met de karabijn op mijn schoot rechtop zitten en duwde de veiligheidspal met mijn duim weg. Zweet en zout water stroomden in mijn ogen en verduisterden mijn gezichtsvermogen, toen ik naar de ingang van de kajuit tuurde. Materson rende drie passen de kajuit binnen voor hij me zag, bleef staan en gaapte me aan. Zijn gezicht was rood gekleurd door de inspanning en de opwinding. Hij hief zijn handen omhoog en spreidde ze uit als in een beschermend gebaar, toen ik de karabijn omhoog bracht. De diamant aan zijn pink flonkerde vrolijk.

Ik tilde de karabijn met een hand uit mijn schoot en het onmetelijke gewicht ontzettc me. Toen de loop op Materson's knieën gericht was, haalde ik de trekker over. Met een aanhoudend verbrijzelend, brullend geluid spuwde de karabijn een compacte regen aan kogels uit en de terugslag sloeg de loop omhoog, zodat de stroom kogels van Materson's kruis via zijn buik omhoog liep tot in zijn borst.

De enorme kracht van de inslag sloeg hem tegen het waterdichte schot van de kajuit en spleet hem open als de snede van het mes dat de buik van een vis openlegt en danste daarbij een groteske en hortende doodshorlepijp.

Ik wist dat ik de karabijn niet leeg moest schieten, want daar was nog altijd Mike Guthrie, met wie ik diende af te rekenen. Maar op de een of andere manier scheen ik niet bij machte mijn greep op de trekker te verslappen en de kogels sloegen dwars door Materson's lichaam in het houtwerk van het waterdichte schot en versplinterden dit volkomen.

Maar plotseling tilde ik mijn vinger op. De waterval aan kogels stokte en Materson viel met een bons voorover.

De kajuit stonk naar verbrand cordiet en de zoetige zware lucht van bloed. Guthrie dook de kajuittrap in, kruipend met zijn rechterarm uitgestrekt en hij vuurde een enkel schot op me af, terwijl ik in het midden van de kajuit zat.

Hij had al de tijd van de wereld om een gericht schot af te vuren, maar hij was al te haastig, een en al paniek en niet volledig in balans. De ontploffing trof mijn trommelvliezen en de zware kogel scheurde de lucht toen de kogel langs mijn wang vloog. De terugslag sloeg de revolver omhoog en toen het ding omlaag kwam voor een tweede schot liet ik mij opzij vallen en tilde de karabijn op. Er moest nog een enkel salvo in de kamer van de karabijn zitten, maar het was een voor mij allergelukkigst salvo. Ik richtte de karabijn niet, maar trok alleen aan de trekker toen de loop omhoog kwam.

Het schot raakte Guthrie in de kromming van zijn arm, verbrijzelde het gewricht en de revolver vloog naar achteren over zijn schouder, gleed over het dek en plofte tegen een van de spuigaten in de achterplecht.

Guthrie draaide door de inslag opzij weg. De arm hing in een groteske draai aan het stukgeschoten gewricht en op hetzelfde ogenblik sloeg de hamer van de karabijn op een lege kamer.

We staarden elkaar aan, beiden ernstig gewond, maar de oude vijandschap bestond nog steeds tussen ons. Die vijandschap gaf mij de kracht overeind te komen en op mijn knieën naar hem toe te kruipen. De nu ongeladen karabijn viel uit mijn hand.

Guthrie gromde, wendde zich van mij af en terwijl hij met zijn goede hand de verbrijzelde arm ondersteunde, liep hij wankelend naar de plek waar de .45 tegen de spuigaten geploft was.

Ik zag dat er geen enkele manier was om hem tegen te houden. Hij was dodelijk getroffen en ik wist dat hij naar alle waarschijnlijkheid evengoed met zijn linkerhand kon schieten. Niettemin deed ik een laatste poging, sleepte mezelf over het lichaam van Materson en vandaar buiten de stuurhut. Juist was ik zover gevorderd, toen Guthrie zich bukte om de revolver op te rapen. Toen kwam *Dancer* me te hulp. Ze steigerde als een wild paard toen een grillige golf haar optilde. Dit bracht Guthrie uit zijn evenwicht en de revolver gleed een eind verder over het dek. Hij keerde zich om en liep er achteraan. Maar zijn voet gleed uit op het bloed dat ik over de hele stuurhut gemorst had en hij viel languit.

Hij viel zwaar en zijn verbrijzelde arm lag nu onder zijn lichaam geklemd. Hij schreeuwde het uit, rolde zich op zijn knieën en begon zo snel als hij kon naar de glinsterende, zwarte revolver te kruipen. Tegen de buitenkant van het waterdichte schot van de stuurhut stond een reeks lange werpsperen in hun rek als een stel biljartstokken. Drie meter lang met van boven de grote roestvrij stalen haken. Chubby had de punten gevijld totdat ze scherper en gemener waren dan de punt van een stiletto. Ze waren ontworpen om diep in het lichaam van een diepzeevis binnen te dringen en de schok van de inslag zou de haak van de speer losmaken. De vis kon dan aan boord gesleept worden met de zware nylondraad die aan de haak vast zat.

Guthrie had de revolver nu bijna bereikt, toen ik de knevel van het rek opensloeg en een van de speren te voorschijn haalde.

Guthrie pikte het ding met zijn linkerhand op en goochelde er mee tot het ding goed in zijn hand lag. Hij concentreerde zijn hele aandacht op het wapen en, terwijl hij hier druk mee bezig was, hief ik me weer op mijn knieën en tilde de speer met één hand op. Ik wierp hem hoog en trachtte hem boven Guthrie's gebogen rug te brengen. Toen de scherpe haak op hem neer flitste dreef ik het staal voor de volle lengte door zijn ribben en begroef het glanzende staal tot waar de kromming begon in zijn lichaam. De schok drukte hem tegen het dek en opnieuw viel de revolver uit zijn hand en een volgende slingering van de boot bracht hem buiten zijn bereik.

Hij gilde het uit, een hoog schel gejammer van pijn, het staal diep begraven in zijn rug. Ik duwde nog harder, met één hand en probeerde het staal door zijn hart of zijn longen te boren. De haak kwam los van de steel. Guthrie rolde over het dek in de richting van de revolver. Hij deed zijn uiterste best het ding te grijpen. Ik liet de schacht van de speer vallen en greep even koortsachtig naar het touw dat aan de haak vastzat om hem terug te houden.

Ik heb eens twee vrouwen in een modderbad, ergens in een nachtclub in het Sankt Pauli-district van Hamburg zien worstelen. Guthrie en ik gaven nu een zelfde voorstelling weg, maar wij vochten in een grote plas van ons eigen bloed. We gleden en rolden over het dek, genadeloos rondgeslingerd door de deining van *Dancer* op de steeds aanrollende golven.

Eindelijk namen Guthrie's krachten af. Hij klauwde met zijn goede hand aan de grote haak die in zijn lichaam begraven zat en toen er weer een golf kwam, slaagde ik erin het touw rond zijn nek te wikkelen en met een voet houvast te krijgen tegen het onderstuk van de visstoel. Toen trok ik met al mijn nog overgebleven kracht en vastberadenheid.

Plotseling kwam zijn tong, na een laatste explosieve ademstoot, kokhalzend uit zijn mond en zijn lichaam verslapte. Zijn ledematen strekten zich slap uit en zijn hoofd rolde met elke beweging van *Dancer* heen en weer. Ik was zo moe dat dat me niets meer kon schelen. Mijn hand opende zich automatisch en het touw gleed tussen mijn vingers vandaan. Ik bleef achterover liggen en mijn ogen vielen dicht. De duisternis legde zich als een doodskleed over mij heen.

Toen ik weer tot bewustzijn kwam voelde mijn gezicht aan alsof het door een of ander scherp zuur verschroeid was geworden. Mijn lippen waren gezwollen en de dorst teisterde me als een bosbrand. Ik had met mijn gezicht omhoog zes uur lang onder een tropische zon gelegen en deze had me onbarmhartig verbrand.

Langzaam rolde ik me op mijn zij en een zwakke kreet ontsnapte me vanwege de ontzaglijke pijn in mijn borst. Ik bleef een tijdje stil liggen om de pijn te laten zakken en begon toen mijn wond te onderzoeken.

De kogel was door mijn biceps gegaan, had gelukkig het been gemist en had via de driehoofdige armspier mijn linkerarm weer verlaten en daar was de verwonding het grootst. Vandaar had de kogel zich in de zijkant van mijn borst geboord.

Snikkend van inspanning probeerde ik met een vinger de grootte van de wond en de richting te onderzoeken. De kogel was over een rib gegleden en ik kon voelen dat de nu blootliggende rib was gebroken en versplinterd op de plaats waar de kogel het been had geraakt. Vandaar was hij van zijn baan afgeweken en had schilfers lood en been in het omgewoelde vlees achtergelaten. De kogel was hierna door de zware rugspier gegaan en had direct onder mijn schouderblad mijn lichaam weer verlaten. Maar had daar een gat achtergelaten ter grootte van een schoteltje van een mokkakopje.

Ik liet me weer op het dek terugvallen. Hijgend vocht ik tegen opnieuw opkomende golven van een duizeligmakende misselijkheid. Mijn onderzoek had de wond opnieuw aan het bloeden gebracht. Maar ik wist nu in ieder geval dat de kogel niet mijn borstkas was binnengedrongen. Ik had dus nog altijd een kleine kans het er levend vanaf te brengen.

Terwijl ik wat uitrustte, keek ik met doffe en betraande ogen om me heen. Mijn haren en ook mijn kleren waren stijf van het opgedroogde bloed. Ook de stuurhut zat vol bloed, donker en glanzend opgedroogd of gestold. Guthrie lag op zijn rug. De gassen in zijn darmen hadden hem al opgeblazen en deden hem eruitzien als een zwangere vrouw.

Ik werkte mezelf op mijn knieën en begon langzaam te kruipen. Het lichaam van Materson blokkeerde min of meer de ingang naar de grote kajuit, opengereten door de kogels uit de karabijn, alsof hij toegetakeld was geworden door een woest dier.

Ik kroop over hem heen en bemerkte dat ik gewoonweg jankte toen ik achter de bar de ijskast zag.

Ik dronk drie blikjes coca cola. Mijn gretigheid deed me er bijna in stikken en ik hijgde naar adem. Het ijskoude vocht liep hierbij over mijn borst en na iedere mondvol kreunde ik en snoof door mijn neus lucht naar binnen. Daarna ging ik weer liggen om wat uit te rusten. Ik sloot mijn ogen en op dat ogenblik was het mijn enige wens voor altijd te kunnen slapen.

'Waar zitten we verdomme ergens?' Die vraag trof me in een schok van bewustwording. *Dancer* was aan haar lot overgelaten en dit langs een verraderlijke kust, bezaaid met koraalriffen en ondiepten.

Ik sleepte mezelf overeind en bereikte met veel moeite de met bloed overdekte stuurhut.

Onder ons stroomde het donkerpaarsblauwe water van de Mozambique en overal om ons heen was de eindeloze horizon. Boven ons reikte een keten van massieve wolken naar de hoge blauwe hemel. Eb en wind hadden ons ver buiten de kust gebracht. We hadden alle ruimte.

Mijn benen begaven het en ik zakte op de grond. Misschien heb ik een tijdlang geslapen. Toen ik weer wakker werd was mijn hoofd veel helderder, maar de wond was als 't ware verstijfd. Iedere beweging was je reinste foltering. Op handen en knieën bereikte ik tenslotte de doucheruimte waar de medicijnkist stond. Ik scheurde mijn hemd open en goot een onverdunde oplossing ontsmettingsmiddel in de gapende wonden. Daarna stopte ik ze zo goed mogelijk vol met steriel gaas en verbond mezelf zo goed en zo kwaad als ik daartoe bij machte was. Maar al die inspanning was teveel geweest.

Een gevoel van duizeligheid overweldigde me en ik sloeg bewusteloos tegen de met zeil bedekte vloer.

Licht in het hoofd en zo zwak als een pasgeboren baby werd ik weer wakker. Het kostte me enorme inspanning om een soort draagband voor de gewonde arm te maken en de tocht naar de brug vormde een eindeloze processie van duizeligheid, pijn en misselijkheid.

De motoren van *Dancer* sloegen bij de eerste poging aan, zoals altijd in prima conditie.

'Breng me thuis, lieveling,' fluisterde ik en stelde de automatische stuurinrichting in werking. Ik gaf haar een ten naaste bij juiste koers. *Dancer* wendde de boeg in de gevraagde richting en opnieuw maakte een diepe duisternis zich van mij meester. Ik zakte met armen en benen uitgestrekt op het dek neer en verwelkomde het gevoel van totale vergetelheid, toen dit zich over mij heen legde.

Misschien was het de wijziging in de gang van *Dancer* die mij weer tot bewustzijn bracht. Ze ging niet langer door de zware deining van de Mozambique op en neer, rolde niet langer, maar dreef kalm over een beschutte zee. De schemering viel snel.

Verstijfd sleepte ik me naar het stuur. Ik was precies op tijd, want recht voor me zag ik in het snel verdwijnende licht land op me afkomen. Ik nam gas terug en schopte de versnelling in neutrale stand. De boot reageerde en schommelde nu kalm op ondiep water. Ik herkende de vorm van het land – het was Big Gull Eiland.

We hadden het kanaal van Grand Harbour gemist. Mijn ingestelde koers was iets teveel zuidelijk geweest en we waren de zuidelijkst gelegen verspreide groep kleine atollen binnengevaren, die tezamen de St. Mary's groep vormden. Terwijl ik mezelf aan het stuur overeind hield, rekte ik mijn hals uit en keek over het voordek. De in zeildoek gewikkelde bundel lag daar nog steeds – en plotseling wist ik dat ik diende te zorgen dat dit pak verdween. De redenen van die plotselinge ingeving waren me niet helemaal duidelijk. Vaag besefte ik dat het een belangrijke troefkaart in het spel was waarin ik betrokken was geraakt. Ik wist dat ik het niet kon wagen het pak op klaarlichte dag Grand Harbour binnen te brengen. Drie mannen waren er al door gedood – en bij mij was mijn halve borst weggeschoten. Wat het ook was, het moest wel iets heel bijzonders zijn dat daar in dat zeildoek gewikkeld zat.

Het kostte me een kwartier om het voordek te bereiken en tweemaal onderweg verloor ik het bewustzijn. Toen ik tenslotte tot vlakbij de bundel zeildoek gekropen was, snikte ik bij elke beweging die ik maakte hardop. Het volgende halfuur probeerde ik met mijn zwakke krachten de dikke knopen in het nylonkoord los te maken en het zeildoek weg te slaan. Maar met die ene hand en vingers die zo gevoelloos en verzwakt waren dat ik ze niet eens behoorlijk kon sluiten, was dit een hopeloze opgave en steeds weer werd ik door een gevoel van duisternis overvallen. Ik was bang dat ik het bewustzijn zou verliezen, terwijl dat pak nog steeds aan dek lag. Liggend op mijn zij maakte ik van de laatste stralen van de zon gebruik om een peiling te maken van de punt van het eiland. Ik maakte daarbij gebruik van een groepje palmen en een hoog gelegen punt van de grond – ik duidde de plek zorgvuldig aan.

Daarna maakte ik het hek in de railing open waardoor we gewoonlijk de gevangen grote vissen aan dek brachten en kroop toen rond het in zeildoek gehulde pak. Ik zette na veel moeite mijn beide voeten tegen de zijkant en duwde het over boord. Het viel met een zware plons in het water en een regen van waterdruppels viel op mijn gezicht.

Mijn inspanningen hadden de wonden opnieuw aan het bloeden gemaakt en die doorweekten mijn verstijfde kleren. Ik begon over het dek terug te kruipen, maar haalde het niet. Ik verloor voor de laatste keer het bewustzijn toen ik de opening van de stuurhut bereikte.

De vroege ochtendzon en een rauw gekras deden me de ogen openen, maar toen ik zover was scheen de zon verduisterd als was er een gehele of gedeeltelijke zonsverduistering. Mijn zicht was verdoezeld. Toen ik probeerde om me te bewegen had ik daar de kracht niet voor. Ik lag volkomen verpletterd door het gewicht van de pijn die me volkomen verzwakt had. *Dancer* helde over in een potsierlijke hoek en was naar alle waarschijnlijkheid door het tij hoog en droog op het strand gezet.

Ik staarde naar het want boven me. Drie zwartgerugde zeemeeuwen, zo groot als kalkoenen, zaten op een rij op het kruis. Ze draaiden hun koppen opzij om naar me te kijken en hun snavels waren helder geel en machtig. Het bovenstuk van hun snavel eindigde in een kromme punt die helder rood was. Met glinsterende oogjes bekeken ze me en sloegen ongeduldig met hun vleugels.

Ik probeerde tegen ze te schreeuwen om ze te verdrijven, maar mijn lippen weigerden te bewegen. Ik was volmaakt hulpeloos en wist dat ze spoedig hun aanval op mijn ogen zouden inzetten. Ogen waren altijd het eerste waar ze op afdoken.

Een van de zeemeeuwen boven me gedroeg zich stoutmoedig en spreidde zijn vleugels uit en zweefde langzaam naar het dek, niet ver van me vandaan. Hij vouwde zijn vleugels en waggelde enkele stappen dichterbij. We keken elkaar aan. Weer probeerde ik te schreeuwen, maar er kwam geen geluid over mijn lippen en weer deed de zeemeeuw enkele stappen en strekte toen zijn nek uit. Hij opende de venijnige bek en liet een dreigend gekrijs horen. Ik voelde hoe mijn hele afschuwelijk mishandelde lichaam zich van het dier wegboog.

Plotseling veranderde het geluid van de krijsende vogels en het luchtruim vulde zich met het geluid van hun vleugelslagen. De vogel die ik in het oog gehouden had, krijste opnieuw, nu van teleurstelling en begon aan zijn vlucht. De luchtstroom van zijn vleugels gleed langs mijn gezicht toen het dier omhoog vloog.

Er volgde nu een lange stilte terwijl ik daar op het zwaar hellende dek lag. Ik vocht tegen de steeds terugkerende golven van bewusteloosheid, die probeerden me te overstelpen. Plotseling hoorde ik langszij een schuifelend geluid.

Ik draaide mijn hoofd opnieuw en op datzelfde ogenblik verscheen er boven de rand van het dek een donkerbruin gezicht dat me van een afstand van niet meer dan een halve meter aanstaarde.

'Goeie God!' zei een bekende stem. 'Bent u dat, mister Harry?'

Later kwam ik te weten dat Henry Wallace, een van St. Mary's schildpadjagers de nacht op de atollen had doorgebracht en toen hij van zijn bed van stro overeind gekomen was, had hij *Dancer* gezien, gestrand door de eb op de zanderige drempel van de lagune, terwijl een wolk van zeemeeuwen boven de boot krioelde. Hij was door het water naar de drempel gewaad en langs de zijkant van de boot omhooggeklommen en tuurde vandaar naar de slachtplaats, de stuurhut van *Dancer*.

Ik wilde hem zeggen hoe dankbaar ik was hem te zien. Ik wilde hem beloven dat hij voor de rest van zijn leven gratis bier kon drinken – maar in plaats daarvan begon ik te huilen, tranen die ergens diep van binnenuit kwamen. Ik had zelfs de kracht niet meer om te snikken.

'Zo'n klein schrammetje,' merkte MacNab verbaasd op. 'Waar maak je eigenlijk zo'n drukte over?' en hij onderzocht de wond nogal vastberaden. Ik snakte naar adem toen hij iets anders met mijn rug deed. Als ik de kracht had gehad, zou ik van dat ziekenhuisbed gekomen zijn en die sonde in de meest passende opening van zijn lichaam geduwd hebben, maar in plaats daarvan kreunde ik alleen maar zwak.

'Kom, doc, hebben ze je in die tijd dat je eigenlijk voor je examen had moeten zakken niet het een en ander geleerd over het gebruik van morfine en dat soort spul?'

MacNab liep om me heen om me eens goed aan te kijken. Hij was kort en dik en had een rood gezicht, was ergens in de vijftig en zijn haar en snor begonnen te grijzen. Zijn adem moest al voldoende geweest zijn om me volledig te verdoven.

'Harry, mijn jongen, dat spul kost geld – wat ben je eigenlijk, fondspatiënt of particulier?'

'Ik heb zo juist mijn status gewijzigd – particulier.'

'Dat is heel verstandig,' stemde MacNab in. 'Een man in jouw positie in deze gemeenschap,' en hij knikte tegen de zuster. 'Uitstekend. Zuster, geef mr. Harry een morfine-injectie voor we met het onderzoek verder gaan.'

Terwijl hij wachtte tot ze de injectie klaar had, ging hij verder in een poging me op te vrolijken. 'We hebben je gisteravond een bloedtransfusie van wel drie liter gezond bloed moeten geven. Je was praktisch leeggelopen. Je zoog het op als een spons.'

Wel, je kon tenslotte niet verwachten hier op St. Mary een van de grote jongens uit de medische wereld te vinden. Ik was haast geneigd het gerucht voor waar aan te nemen dat hij een deelgenoot vormde met lijkbezorger en eigenaar van de rouwkamer Fred Coker.

'Hoe lang ben je van plan me hier te houden, doc?'

'Niet langer dan een maand.'

'Een maand!' Ik worstelde om in een zittende positie te komen, maar twee verpleegsters schoten op me toe om me tegen te houden en dat kostte hun eerlijk gezegd niet al te veel moeite. Ik kon nog altijd zelfs nauwelijks mijn hoofd optillen. 'Ik kan me geen maand nietsdoen veroorloven. Goeie God, we zitten midden in het seizoen. Volgende week heb ik weer een nieuwe groep die me gecontracteerd heeft.'

De zuster haastte zich naar me toe, gewapend met een injectienaald.

'Harry, ouwe jongen, je kunt dit seizoen echt wel vergeten. Je vist voorlopig niet meer.' Hij begon nu de beensplinters en loodschilfertjes uit mijn vlees te plukken, terwijl hij opgewekt een liedje neuriede. De morfine verdoofde de pijn – maar niet mijn wanhopige gevoel. Indien *Dancer* en ik het halve seizoen zouden missen, zouden we ons domweg niet op de been kunnen houden. Opnieuw hadden ze me op de financiële folterbank gelegd. Goeie God, wat haatte ik dat vervloekte geld.

MacNab verbond me met schoon wit verband en bracht me daarna nog wat meer van zijn zonneschijn.

'Je zal in de toekomst je linkerarm vermoedelijk wat minder goed kunnen gebruiken, Harry. Zal vermoedelijk wel wat stijvig blijven

74

en zwakker dan je andere arm en je zult er wellicht een stel littekens van overhouden om aan de meisjes hier te laten zien.' Hij was nu klaar met verbinden en wendde zich tot de verpleegster. 'Verschoon elke zes uur het verband, maak de wonden schoon met eusol en geef hem iedere vier uur zijn gebruikelijke dosis Aureomycytin. Vanavond drie mogadons en ik kom morgen, wanneer ik mijn ronde doe, wel even kijken.' Hij draaide zich om en grinnikte tegen me. Ik zag een stel slechte tanden onder een onverzorgde snor. 'De hele politiemacht staat hier buiten voor de deur. Ik zal ze nu binnen moeten laten.' Hij begon naar de deur te lopen, maar bleef plotseling grinnikend staan. 'Je deed wat die twee andere kerels betreft een best karwei. Alsof je ze met een schop over het hele dek verspreid had. Prima schot, Harry, jongen.'

Inspecteur Daly had zich in een onberispelijk kaki-uniform gestoken, gesteven en vlekkeloos. Zijn leren riem en schouderbedekking glommen je gewoon tegemoet.

'Goeiemiddag, mr. Fletcher. Ik ben hier naartoe gekomen om een verklaring van u op te nemen. Ik hoop dat u zich sterk genoeg voelt.'

'Ik voel me uitstekend, inspecteur, Niets zo goed als een kogel door je borst om je in de juiste stemming te brengen.'

Daly wendde zich tot de politieman die hem gevolgd was en gebaarde hem een stoel te pakken en die naast het bed te zetten. Toen deze zijn plaats had ingenomen en zijn stenoblok had klaargelegd, zei hij zacht tegen me: 'Het spijt me dat u gewond geraakt bent, mister Harry.'

'Bedankt, Wally, maar je had die twee anderen eens moeten zien.' Wally was een van Chubby's neven en zijn moeder deed mijn was. Hij was een grote, sterke, donkere knappe jongeman.

'Ik heb ze gezien,' zei hij grinnikend. 'Goeie genade!'

'Indien u zo ver bent, mr. Fletcher,' onderbrak Daly vormelijk, geërgerd ons gesprek, 'dan kunnen we meteen beginnen.'

'Steek van wal,' antwoordde ik. Ik had mijn verhaal heel goed voorbereid. Zoals alle goede verhalen was het de waarheid en niets dan de waarheid, al had ik hier en daar wel wat weggelaten. Ik maakte bijvoorbeeld geen melding van de prijs die James North van de bodem van de zee gelicht had en die ik later buitengaats van Big Gull Eiland weer in zee had laten verdwijnen. En evenmin maakte ik

Daly wijzer wat de plek betreft waar we gezocht hadden. Natuurlijk wilde hij dat weten. Hij kwam er steeds weer op terug.

'Waar zochten ze eigenlijk naar?'

'Geen idee. Ze waren wel zo voorzichtig me dit niet te vertellen.'

'Waar precies gebeurde dit allemaal?' bleef hij aandringen.

'In het gebied even voorbij Herring Bone Rif en ten zuiden van Rastafa Point.' Dit was ongeveer vijfenzeventig kilometer van Gunfire Rif vandaan.

'Zou je in staat zijn de juiste plek waar ze doken te herkennen.'

'Ik dacht van niet, althans niet op enkele kilometers nauwkeurig. Ik volgde alleen maar de instructies op die ze me gaven.'

Daly kauwde teleurgesteld op zijn zijdeachtige snor.

'Goed. Je zei dat ze je zonder enige voorafgaande waarschuwing aanvielen.' Ik knikte bevestigend. 'Waarom deden ze dat – waarom zouden ze willen proberen jou te vermoorden?'

'Daar hebben we het eigenlijk nooit over gehad. Ik kreeg eerlijk gezegd niet de kans het hun te vragen.' Ik begon me opnieuw erg moe en zwak te voelen en ik had geen zin dit gesprek verder voort te zetten en de kans te lopen een fout te maken. 'Toen die Guthrie met dat kanon van hem op me begon te schieten, had ik niet de indruk dat hij met me wilde praten.'

'Dit is echt geen grapje, Fletcher,' merkte hij stijfjes op en ik drukte prompt op het belletje naast mijn bed. Het kon haast niet anders of de verpleegster had direct achter de deur staan wachten.

'Zuster, ik voel me echt niet best.'

'U zult nu moeten gaan, inspecteur.' Ze wendde zich als een kloek tot de beide politiefunctionarissen en stuurde ze regelrecht de kamer uit. Toen kwam ze terug om mijn kussens wat op te schudden. Het was een aantrekkelijk klein ding met enorme grote donkere ogen en haar smalle taille scheen wel extra ingesnoerd om haar prachtig gevormde boezem, waarop ze haar insignes en medailles droeg, meer te accentueren. Glanzende kastanjebruine krullen gluurden onder haar vlotte kleine kapje vandaan.

'Hoe heet je?' fluisterde ik schor.

'May.'

'Zuster May, hoe komt het dat ik je hier in St. Mary niet eerder gezien heb?' vroeg ik toen ze zich over me heen boog om het laken in te stoppen.

'Ik vermoed dat u gewoon niet goed gekeken hebt, mister Harry.'
'Goed, maar nu kijk ik wel.' De voorkant van haar gesteven witte uniformblouse was niet meer dan enkele centimeters van mijn neus verwijderd. Ze kwam vlug overeind.

'Ze zeggen hier op het eiland dat u een duivel van een man bent,' zei ze. 'En ik weet nu ook dat ze beslist geen leugens vertelden.' Maar desondanks glimlachte ze. 'Maar nu gaat u slapen. U moet weer gauw zien op krachten te komen.'

'U slaat de spijker op de kop. En dan praten we wel weer,' zei ik en ze lachte luidkeels.

De volgende drie dagen had ik tijd genoeg om na te denken, want ik mocht geen bezoekers ontvangen totdat de officiële lijkschouwing voltooid was. Daly had voor de deur van mijn kamer een agent op wacht gezet. Er was geen twijfel over dat ik van een afschuwelijke moord beschuldigd werd. Althans duidelijk onder verdenking stond.

Mijn kamer was koel en luchtig, met een prettig uitzicht over de grasvelden en op de hoge donkerbladige bananebomen, met daarachter de massieve stenen muren van het fort met de kanonnen achter de geschutspoorten. Het eten was prima, ruim voldoende vis en fruit en zuster May en ik werden goede, alhoewel niet direct intieme vrienden. Ze smokkelde zelfs een fles Chivas Regal mijn kamer binnen die we in de beddepan verstopten. Van haar hoorde ik hoe het hele eiland gek van opwinding was over de lading die *Wave Dancer* Grand Harbour had binnengebracht. Ze vertelde me dat ze Materson en Guthrie op de tweede dag na aankomst op de oude begraafplaats ter aarde besteld hadden. Een lijk blijft op die breedtegraad bepaald niet lang in goede conditie. In die dagen kwam ik tot het besluit dat de bundel die ik even buiten Big Gull Eiland in zee had laten vallen daar zou blijven. Ik vermoedde en vermoedelijk niet ten onrechte dat van nu af aan er heel wat ogen me zouden gadeslaan en ik verkeerde wat je noemt in een bijzonder nadelige positie. Ik wist niet wie het waren die me in de gaten zouden houden. Ik wist al evenmin waarom. Ik zou zorgen uit het gezicht te blijven, totdat ik wist waar de volgende kogel naar alle waarschijnlijkheid vandaan zou komen. Ik kon dit spelletje echt niet op prijs stellen. Ze zouden me er wel eens buiten kunnen houden en ik hield me maar het liefst tot het soort actie die ik zelf kon oproepen en vooral ook zelf kon hanteren.

Ik dacht ook veel na over Jimmy North en iedere keer dat ik het gebeurde dat niet nodig was geweest, betreurde, probeerde ik me zelf wijs te maken dat hij tenslotte een vreemde voor me was, dat hij niets voor me betekend had, maar dat had weinig of geen resultaat. Dat is nu eenmaal een van mijn zwakke punten waar ik altijd voor moet waken. Ik voel me te gemakkelijk emotioneel met andere mensen verbonden. Ik probeer alleen mijn pad te volgen, probeer alles verre van me te houden en na dit jarenlang in praktijk te hebben gebracht, kan ik niet anders zeggen als dat ik enig succes bereikt heb. Het is tegenwoordig een zeldzaam voorkomend verschijnsel dat anderen door mijn wapenrusting kunnen dringen op de manier waarop dit Jimmy lukte.

De derde dag voelde ik me heel wat sterker. Ik kon mezelf in een zittende houding brengen zonder geholpen te worden en met niet meer dan dragelijke pijn.

Ze hielden het officiële onderzoek in mijn kamer in het ziekenhuis. Het was een besloten zitting, slechts opgeluisterd door de chefs van de wetgevende, gerechtelijke en bestuursafdelingen van de regering van St. Mary. De president zelf, zoals gewoonlijk in het zwart gekleed met een gesteven wit overhemd en een krans van sneeuwwitte wol rond zijn kale schedel, zat de vergadering voor. Rechter Harkness, lang en mager en door de zon donkerbruin verbrand, stond hem terzijde – terwijl inspecteur Daly de uitvoerende macht vertegenwoordigde.

De eerste zorg van de president was mijn welzijn. Ik was tenslotte een van zijn jongens.

'Zorg er vooral voor dat u zich niet teveel vermoeit, mister Harry. Als er ook maar iets is dat u wilt vragen, vraag dan, afgesproken? We zijn hier alleen maar bijeen om uw lezing van de zaak te horen, maar ik wil u nu al zeggen dat u zich geen zorgen hoeft te maken. Er zal niets met u gebeuren.'

Inspecteur Daly keek bedroefd, nu hij beleefde dat zijn gevangene al onschuldig werd verklaard nog voor het proces begonnen was.

Ik vertelde mijn verhaal dus opnieuw en daarbij hielp de president me een handje door behulpzame of bewonderende opmerkingen, telkens wanneer ik even wachtte om op adem te komen. Toen ik tenslotte klaar was met mijn verhaal schudde hij van pure verbazing het hoofd.

'Al wat ik kan zeggen, mr. Harry, is dat er geen man op de hele wereld is die de kracht en de moed zou kunnen opbrengen om datgene tegen deze misdadigers te doen wat u gedaan hebt. Klopt dat, heren?'

Rechter Harkness stemde hier volledig mee in, maar inspecteur Daly zei niets.

'En het waren inderdaad misdadigers,' ging de president verder. 'We hadden hun vingerafdrukken naar Londen gestuurd en we hoorden vandaag dat die mannen onder een valse naam hier naartoe gekomen zijn en dat van allebei bij Scotland Yard een lang strafregister ligt. Misdadigers, allebei.'

De president keek naar rechter Harkness. 'Nog vragen, rechter?'

'Ik geloof van niet, mr. president.'

'Prima.' De president knikte blij. 'En wat u betreft, inspecteur?'

Daly haalde een met de schrijfmachine geschreven lijst met vragen te voorschijn. De president deed geen enkele poging zijn ergernis te verbergen.

'Mister Fletcher is nog steeds ernstig ziek, inspecteur. Ik hoop dat uw vragen echt belangrijk zijn.'

Inspecteur Daly aarzelde en de president ging bruusk verder: 'Goed, dan zijn we het dus allemaal eens. De uitspraak luidt dood als gevolg van ongeluk. Mister Fletcher handelde uit zelfverdediging en wordt hierbij vrijgesproken van enige schuld. Er zullen tegen hem geen criminele tenlasteleggingen worden ingebracht.' Hij wendde zich nu tot de stenograaf die in een hoek van de kamer zat. 'Hebt u dat genoteerd? Tik het dan uit en stuur een kopie naar mijn kantoor ter tekening.' Hij stond op en kwam naar mijn bed.

'En nu zorgt u dat u snel beter wordt, mister Harry. Ik verwacht u voor het diner op Government House, zodra u zich goed genoeg voelt. Mijn secretaris zal u een officiële uitnodiging sturen. Ik wil het hele verhaal nog wel een keertje horen.'

Wanneer ik de volgende keer weer voor een gerechtelijk lichaam moet verschijnen en dat zal ongetwijfeld gebeuren, hoop ik dat ze evenveel consideratie met me zullen hebben. Nu ik officieel onschuldig was verklaard, mocht ik weer bezoek ontvangen.

Chubby en mrs. Chubby kwamen samen in hun beste kleren. Mrs. Chubby had een van haar verrukkelijke bananencakes gebakken, want ze wist dat ik daar een zwak voor had.

Chubby op zijn beurt voelde zich erg opgelucht dat hij me nog steeds levend aantrof en was razend over wat ik met *Dancer* gedaan had. Hij ging hevig tegen me tekeer en keek hoogst vertoornd, toen hij me begon te vertellen over hoe en wat hij van me dacht.

'Krijg van zijn leven dat dek niet meer schoon. Het is er helemaal ingetrokken, man. Die vervloekte ouwe karabijn van je heeft het waterdichte schot van de kajuit finaal weggereten. Angelo en ik zijn er nu al drie dagen mee bezig en ik denk dat we nog wel een paar dagen nodig hebben.'

''t Spijt me, Chubby, de volgende keer dat ik iemand neer moet schieten, zal ik hem eerst vragen bij de verschansing te gaan staan.' Ik wist maar al te goed dat wanneer Chubby eenmaal klaar was met de reparatie de schade aan het houtwerk niet meer te vinden zou zijn.

'Wanneer kom je eigenlijk je bed weer uit? Er zit zat vis in de rivier, Harry.'

'Dat duurt niet lang meer, Chubby. Hoogstens een week.'

Chubby snoof. 'Heb gehoord dat Fred Coker alle mensen voor het nog overgebleven seizoen getelegrafeerd heeft – heeft hun verteld dat je ernstig gewond was en hij heeft nu alle boekingen overgedragen aan mister Coleman.'

Op dat moment verloor ik werkelijk mijn goede humeur. 'Vertel jij Fred Coker dat hij zorgt als de gesmeerde bliksem hier naartoe te komen,' schreeuwde ik.

Dick Coleman had een overeenkomst met het Hilton Hotel. Ze hadden de aankoop van twee visboten gefinancierd en daar had Coleman een paar geïmporteerde schippers op gezet. Geen van zijn boten ving veel vis. Ze hadden er domweg het gevoel niet voor. Hij had het vervloekt moeilijk om klanten voor zijn boten te krijgen en ik vermoedde dat ze Fred Coker behoorlijk betaald hadden om de boekingen aan hem over te dragen. Coker kwam de volgende ochtend.

'Mister Harry, doctor MacNab vertelde me dat je het hele seizoen niet meer in staat zou zijn om te gaan vissen. Ik kon mijn boekingen niet teleurstellen. Ik kon ze hier niet naar toe laten vliegen – negenduizend kilometer – om jou in het ziekenhuis te vinden. Dat kon ik echt niet doen! Ik moest aan mijn reputatie denken.'

'Mr. Coker, je reputatie stinkt nog harder dan welke van de lijken ook die je daar achter in die rouwkamer wegstopt,' vertelde ik hem. Hij glimlachte van achter zijn goudomrande brilleglazen vriendelijk tegen me, maar in feite had hij gelijk. Het zou nog lange tijd duren, voordat ik in staat was *Dancer* achter de grote diepzeevissen te brengen.

'Maak je nu maar niet zenuwachtig, mister Harry. Zodra je weer beter bent, regel ik wel een paar winstgevende vrachtjes voor je.'

Vanzelf doelde hij weer op die nachtelijke tochtjes. Zijn commissie voor een enkele tocht kon rustig oplopen tot zevenhonderdvijftig dollar. Ik kon dat zelfs in mijn huidige allerberoerdste toestand nog wel aan. Het vroeg niet meer dan *Dancer* naar buiten en weer naar binnen te koersen – zolang we tenminste niet in moeilijkheden kwamen.

'Dat kun je rustig vergeten, mr. Coker. Ik heb je gezegd dat ik van nu af aan alleen maar vis, dat is alles,' en hij knikte en ging verder alsof ik geen woord gezegd had.

'Had aanhoudend vragen te beantwoorden van een van je oude klanten.'

'Body? Box?' vroeg ik. Body was de benaming van onwettige vrachtjes naar en van het Afrikaanse vasteland van mensen, vluchtende politici met de gebruikelijke troep woestelingen achter hen aan – of mogelijk ook eerzuchtige politici, die erop uit waren een radicale verandering in het huidige regime te brengen. Boxes, dozen, hielden gewoonlijk levensgevaarlijke ijzerwaren in en het was altijd, in alle drie de gevallen een eenrichtingstocht. Vroeger noemden ze dat wapensmokkel.

Coker schudde het hoofd en zei: 'Five, six' – van het oude kinderrijmpje: 'Five, six. Pick up sticks.' In zijn wijze van uitdrukken waren sticks olifantstanden. Een groots opgezette, bijzonder goed georganiseerde strooptocht vernietigde systematisch de Afrikaanse olifant uit de wildparken en de stamlanden van Oost-Afrika. Het oosten was een onverzadigbare en hoog in prijs staande markt voor alle ivoor. Een snelle boot en een goeie schipper waren nodig om de kostbare lading uit de trechtervormige monding van de rivier te krijgen via de gevaarlijke kustwateren naar een plaats, waar een van die grote zeewaardige kustvaartuigen op de stroom van de Mozambique lag te wachten.

'Mr. Coker,' zei ik vermoeid. 'Ik ben ervan overtuigd dat je moeder zelfs de naam van je vader niet kende.'

'Die heette Edward, mister Harry,' antwoordde hij glimlachend. 'Ik heb onze cliënt verteld dat de gangbare prijs omhoog was gegaan. Gezien de inflatie en de prijs van dieselolie.'

'Hoeveel?'

'Zevenduizend dollar per tocht,' en dat was echt niet zoveel als het leek, nadat Coker zijn vijftien procent had gepikt, inspecteur Daly hetzelfde bedrag had gekregen om zijn gezichtsvermogen te verdoezelen en zijn gehoor te bewolken. Daarenboven kregen Chubby en Angelo altijd een gevarentoelage van vijfhonderd elk voor een nachtelijke tocht...

'Vergeet 't maar, mr. Coker,' zei ik niet bepaald overtuigend. 'U regelt voor mij gewoon een paar vistochtjes.' Maar hij wist dat ik niet tegen hem opkon. Onder de huidige omstandigheden, wel te verstaan.

'Zodra je weer fit genoeg bent om te gaan vissen, regelen we dat. Maar intussen zou ik graag willen weten wanneer je je eerste nachtelijke tocht kunt maken. Zal ik ze zeggen, over tien dagen, morgen te beginnen? Dan is het niet alleen hoog tij maar bovendien een goeie maan.'

'Oké,' stemde ik gelaten toe. 'Over tien dagen.'

Nu ik eenmaal een positieve beslissing genomen had, scheen het wel of het herstel van mijn verwondingen versneld werd. Ik was voor het gevecht in prima conditie geweest en dat droeg er ontegenzeggelijk toe bij. De gapende gaten in mijn arm en rug begonnen op een wonderbaarlijke manier te krimpen. Op de zesde dag van mijn verblijf in het ziekenhuis bereikte ik in mijn algemeen herstel een ware mijlpaal. Zuster May was bezig me een bad te geven, met een kom vol zeepsop en een washandje, toen ik plotseling een monumentale demonstratie weggaf van mijn lichamelijk welzijn. Zelfs ik, die toch echt geen vreemde was wat dit fenomeen betreft, was er van onder de indruk, terwijl zuster May zo onder de indruk was, dat haar stem slechts als een hees gefluister tot mij doorkwam.

'Goeie genade!' zei ze. 'Uit alles blijkt dat u uw krachten weer volledig hebt teruggekregen.'

'Zuster May, vindt u dat we dit ongemerkt voorbij moeten laten gaan?' vroeg ik en als antwoord schudde ze heftig met haar hoofd.

Vanaf dat moment begon ik mijn situatie met een vrolijker blik te bekijken. Wat me beslist niet verraste was het feit dat het in zeildoek gewikkelde geheim dicht bij Big Gull Eiland me begon te treiteren. Ik voelde hoe mijn goede voornemens begonnen af te zwakken.

'Ik ga alleen maar een keertje kijken,' maakte ik mezelf wijs. 'Wanneer ik ervan overtuigd ben dat alle belangstelling echt verdwenen is.'

Ik mocht nu al een paar uur per dag op en ik voelde me rusteloos en erg verlangend om aan de slag te gaan. Zelfs zuster May's toegewijde pogingen konden mijn ontwaakte energie niet doen verdwijnen. MacNab was diep onder de indruk.

'Je geneest bijzonder goed, Harry, ouwe jongen. De wonden gaan keurig dicht – nog een week...'

'Een week! Vergeet dat maar rustig!' vertelde ik hem vastbesloten. Over zeven dagen zou ik die nachttocht maken. Coker had het zonder enige moeilijkheid van de andere kant allemaal keurig geregeld. Daar kwam nog bij dat ik praktisch gesproken blut was. Ik had dat nachtelijke tochtje hard nodig. Mijn bemanning kwam me elke avond opzoeken en bracht dan rapport uit over de vorderingen van de reparatie van *Dancer*. Op een avond kwam Angelo eerder dan gewoonlijk 't geval was. Hij had de kleren aan waar hij gewoonlijk de meisjes gek mee maakte – zijn rodeolaarzen en al – maar hij was op een eigenaardige manier gedwee en niet alleen.

Het meisje dat hij bij zich had was het jonge onderwijzeresje van de kleuterschool, niet ver van het fort. Ik kende haar goed genoeg om op straat met haar een groet en een glimlach te wisselen. Missus Eddy had me op een keer haar karakter uit de doeken gedaan.

'Het is een goed meisje, die Judith. Niet wispelturig, geen flirt zoals sommige andere meisjes. Is te zijner tijd voor de een of andere gelukkige kerel een prachtvrouw.'

Ze zag er bovendien aantrekkelijk uit en had een lang, lenig lichaam. Ze was keurig, zij het wat ouderwets gekleed en ze groette me verlegen.

'Hoe gaat 't ermee, mister Harry?'

'Dag Judith. Aardig van je me te komen opzoeken.' Ik keek naar Angelo, niet bij machte mijn grijns te verbergen. Hij kon het niet opbrengen me aan te kijken. Terwijl hij naar woorden zocht, kreeg hij een steeds heftiger kleur.

'Ik en Judith zijn van plan te gaan trouwen,' flapte hij er tenslotte uit.

'Wilde dat u het wist, baas.'

'Denk je dat je hem onder de duim kunt houden, Judith?' Ik lachte verheugd.

'Let u maar eens op,' zei ze met een schittering van haar donkere ogen en die maakte de vraag op zichzelf overbodig.

'Dat is machtig – ik zal op jullie bruiloft een toespraak houden,' verzekerde ik hen. 'Je vindt het toch wel goed dat Angelo voor mij blijft werken?'

'Zou zelfs nooit proberen hem tegen te houden,' stelde ze me gerust.

'Hij heeft bij u goed werk.'

Ze bleven nog een uur. Toen ze tenslotte vertrokken waren, voelde ik een steek van afgunst. Het moest een prettig gevoel zijn iemand te hebben – los van jezelf. Ik dacht dat er misschien een dag zou komen, als ik ooit de juiste vrouw trof, dat ik het zelf zou willen proberen. Maar ik zette die gedachte weer van me af, nam mijn waakzame houding weer aan. Er waren allemachtig veel vrouwen – en geen enkele garantie dat je er de goeie uitpikte.

MacNab ontsloeg me uit het ziekenhuis twee dagen voor de afgesproken nachtelijke tocht. Mijn kleren hingen om mijn gebeente. Ik had bijna 15 kilo aan gewicht verloren en mijn bruine gelaatskleur was vervaagd tot een vuil gelig bruin. Onder mijn ogen had ik diepe wallen en ik voelde me zo slap als wat. De arm droeg ik in een draagband en de wonden waren nog altijd niet dicht, maar ik kon nu zelf het verband verwisselen.

Angelo bracht het bestelwagentje naar het ziekenhuis en wachtte voor de ingang, terwijl ik afscheid nam van zuster May.

''t Was prettig u te leren kennen, mister Harry.'

'Kom maar eens gauw een avondje naar mijn huis. Braad ik een lekkere portie rivierkreeft en dan drinken we daarbij een glas wijn.'

'Mijn vriendje komt volgende week terug uit Rawano,' zei ze fijngevoelig. Weer voelde ik die steek van afgunst.

'Zorg ervoor dat je gelukkig wordt,' zei ik tegen haar.

Angelo reed me naar de Admiraliteitswerf en samen met Chubby brachten we een uur door op *Dancer* en namen de reparaties in ogenschouw. Haar dekken waren zo wit als sneeuw en ze hadden samen al het houtwerk in het waterdichte schot van de kajuit vervangen, een prachtig stukje schrijnwerk, waar zelfs ik geen fout in kon ontdekken.

We voeren het kanaal af tot aan Mutton Point en het was een prettig gevoel haar luchtig onder mijn voeten te voelen bewegen en het lieflijke gegons van de motoren te horen. Het was al schemer toen we terugkwamen. We legden haar vast aan haar boeien en bleven tot donker op de brug zitten. Al die tijd dronken we bier uit blik en kletsten we wat.

Ik vertelde hun dat we een tochtje hadden voor de eerstvolgende nacht en zij vroegen waar naartoe en wat de lading was. Dat was alles – het was geregeld en er werd niet geargumenteerd.

'Tijd om te vertrekken,' zei Angelo tenslotte. 'Moet Judith van avondschool halen.' We roeiden in de jol naar de wal.

Naast mijn oude bestelautootje stond een Land Rover van de politie geparkeerd achter de ananasschuur en Wally, de jonge agent, klom uit de cabine toen we het bestelautootje naderden. Hij begroette zijn oom en wendde zich toen tot mij.

''t Spijt me u lastig te moeten vallen, mister Harry, maar inspecteur Daly wil dat u naar het fort komt. Hij zegt dat het dringend is.'

'Goeie God,' bromde ik. 'Dat kan wel wachten tot morgen.'

'Hij zegt van niet, mister Harry.' Wally verontschuldigde zich en terwille van hem ging ik mee.

'Goed dan. Ik rijd in de bestelauto wel achter je aan – maar eerst moeten we Chubby en Angelo afzetten.'

Ik dacht dat naar alle waarschijnlijkheid Daly nog wat wilde zeuren over zijn afrekening. Gewoonlijk regelde Fred Coker dat, maar ik vermoedde zo half en half dat Daly van plan was de koopprijs van zijn eer op te schroeven.

Rijdend met één hand, terwijl ik het stuur met mijn knie in positie hield, als ik overschakelde, volgde ik de rode achterlichten van Wally's Land Rover terwijl deze ratelend over de ophaalbrug reed en parkeerde naast hem op de binnenplaats van het fort.

De massieve stenen muren waren in het midden van de achttiende eeuw door slaven gebouwd en de lange zesendertig ponder-kanonnen op de wallen bestreken het kanaal en de ingang tot Grand Harbour.

Een vleugel vormde het hoofdkwartier van de politie op het eiland en verder was binnen het fort de gevangenis en het arsenaal. De rest van het fort werd ingenomen door regeringskantoren en de presidentiële en staatsappartementen.

We klommen de treden naar de verhoorkamer op en Wally leidde me door een zijdeur, langs een gang, weer enkele treden af, weer een gang en nog meer stenen treden.

Ik was hier nooit eerder geweest en het intrigeerde me. Die stenen muren moesten op zijn minst zes meter dik zijn, vermoedelijk was het de oude kruitopslagplaats. Ik verwachtte half en half dat achter de dikke deur het monster van Frankenstein op de loer stond. Aan het einde van de laatste gang was er een deur, met ijzer beslagen en verweerd. We liepen die deur binnen.

Het was Frankenstein niet maar iets dat er ten naaste bij op leek. Inspecteur Daly zat met een van zijn andere agenten op ons te wachten. Ik merkte onmiddellijk op dat ze allebei een revolver droegen. Op een houten tafel en vier stoelen na was de kamer leeg. De stenen muren waren kaal en ongeverfd; de vloer bestond uit plavuizen.

Achter in de kamer leidde een gewelfde doorgang naar een rij cellen. De verlichting bestond uit een paar honderd watt bolletjes zonder enige versiering en ze hingen aan een elektrische kabel, die langs de met balken bedekte zoldering liep. Ze wierpen scherpe donkere schaduwen in alle hoeken van de onregelmatig gebouwde kamer.

Op de tafel lag mijn FN karabijn. Ik staarde vol onbegrip naar het wapen. Achter me deed Wally de eiken deur dicht.

'Mr. Fletcher, is dit uw geweer?'

'Dat weet je verdomd goed,' antwoordde ik nijdig. 'Vertel me liever wat je precies op je lever hebt, Daly.'

'Harold Delville Fletcher, ik arresteer je wegen het onwettig in bezit hebben van categorie A vuurwapenen. Te weten, het zonder vergunning in het bezit hebben van een automatisch geweer, type Fabrique Nationale Serial No. 4163215.'

'Je bent niet goed snik,' antwoordde ik en lachte. Hij stelde dat lachje beslist niet op prijs. De slappe, smalle lippen onder zijn snor trokken zich samen als die van een pruilerig kind en hij knikte tegen de beide agenten. Ze waren al geïnstrueerd en verdwenen door de eiken deur.

Ik hoorde hoe ze de grendels sloten en Daly en ik waren alleen. Hij stond aan de andere kant van de kamer, ver genoeg van me vandaan. De klep van de revolvertas was los.

'Weet Zijne Excellentie hiervan af, Daly?' vroeg ik nog steeds glimlachend.

'Zijne Excellentie is vanmiddag om vier uur uit St. Mary vertrokken om de vergadering van de hoofden van de Common Wealth in Londen bij te wonen. Hij komt pas over veertien dagen terug.'

De glimlach verdween van mijn gezicht. Ik wist dat dit waar was.

'Intussen heb ik redenen om aan te nemen dat de veiligheid van de staat in gevaar is.'

Nu was het zijn beurt om te glimlachen, zwakjes en alleen met zijn mond.

'Voor we verder gaan wil ik dat je ervan overtuigd bent dat ik dit ernstig meen.'

'Ik geloof je,' zei ik.

'Ik ben hier nu twee weken met jou alleen, Fletcher. Deze muren zijn behoorlijk dik en je kunt net zoveel herrie schoppen als je wilt.'

'Je bent een kleine gedrochtelijke schoft, werkelijk.'

'Er zijn twee manieren waaruit je kan kiezen hoe je deze kamer wilt verlaten. Of jij en ik treffen een overeenkomst, of ik vraag Fred Coker hier te komen en een lijkkist voor je mee te brengen.'

'Laat maar eens horen wat dat voor een overeenkomst is, kereltje.'

'Ik wil precies weten – en ik bedoel heel precies – waar dat groepje mannen aan boord van *Dancer* hun duikoperaties hielden voor het schieten begon.'

'Dat heb ik je al verteld – ergens in de omgeving van Rastafa Point. Ik kan niet nauwkeurig vertellen waar het was.'

'Fletcher, je weet dat plekje tot op een decimeter nauwkeurig. Daar wil ik *jouw* leven onder verwedden. Je zou een dergelijke kans niet graag mislopen. Je kent die plaats. Ik weet het, en zij wisten 't. Daarom probeerden ze je uit te schakelen.'

'Inspecteur, loop naar de hel,' zei ik.

'En bovendien was het beslist niet in de buurt van Rastafa Point. Jullie werkten veel meer naar het noorden, in de richting van het vasteland. Ik was geïnteresseerd en kreeg enkele rapporten binnen over je vaarroute.'

'Het was ergens in de omgeving van Rastafa Point,' hield ik koppig vol.

'Goed,' knikte hij. 'Ik hoop dat je niet zo hard bent als je je voordoet, Fletcher, want in dat geval wordt het een langdurige vieze geschiedenis. Voor we echter beginnen wil ik je alleen nog zeggen dat je niet onze tijd moet verspillen met verkeerde gegevens. Ik houd je namelijk hier totdat ik alles gecontroleerd heb. Ik heb tenslotte twee weken tot mijn beschikking.'

We keken elkaar recht in de ogen en ik kreeg kippevel. Peter Daly was, en dat besefte ik maar al te goed, van plan van de hem gegeven tijd voor honderd procent te genieten. Er lag om die smalle lippen een wellustige uitdrukking en zijn ogen kregen iets wazigs.

'Ik deed op Malakka wat verhoor betreft heel wat ervaring op, weet je. Fascinerend onderwerp. Het heeft zoveel kanten. En meestal zijn het de harde, krachtige figuren die het eerst bezwijken. De kleinere goden houden het naar het schijnt eeuwig vol.'

Hij deed dit voor het plezier dat hij erin had. Ik zag duidelijk dat het vooruitzicht iemand pijn te doen hem bijzonder aanstond. Zijn ademhaling was veranderd, was nu sneller en dieper en er was kleur op zijn wangen gekomen.

'Logischerwijs ben je op dit ogenblik lichamelijk lang niet in conditie, Fletcher. Naar alle waarschijnlijkheid is de hoeveelheid pijn die je na je laatste tegenslagen kunt verdragen niet zo bar groot meer. Ik geloof dan ook niet dat het veel tijd zal vragen.'

Dat scheen hem te spijten. Ik maakte me gereed, spande mijn spieren om een poging te wagen.

'Nee,' beet hij me toe. 'Doe het niet, Fletcher.' Hij legde zijn hand op de greep van de revolver. Hij stond een goede vier meter van me vandaan. Ik had maar één arm tot mijn beschikking, voelde me nog zwak en achter me was een gegrendelde deur met twee gewapende agenten. Mijn schouders zakten omlaag toen ik mij ontspande.

'Zo is 't beter.' Hij glimlachte weer. 'Ik denk dat we je nu maar de handboeien om moesten doen en je aan de tralies van je cel moesten vastmaken. Dan kunnen we daarna aan 't werk gaan. Wanneer je denkt genoeg gehad te hebben, dan zeg je 't maar. Ik denk dat je mijn kleine elektrische bouwwerk heel eenvoudig, maar bijzonder effectief zult vinden. Het is niet meer dan een twaalf volts autoaccu – en ik maak de klemmen aan bijzonder interessante onderdelen van het lichaam vast.'

Hij stak zijn hand naar achteren en eerst toen merkte ik de knop van een elektrische bel op die in de muur was aangebracht. Hij drukte erop en ik hoorde de bel zwak overgaan aan de andere kant van de eiken deur. De grendels werden weggeschoven en de twee politiemannen kwamen weer naar binnen.

'Breng hem naar de cel,' beval Daly. De beide agenten aarzelden. Ik vermoedde dat zij in dit soort werk nieuwelingen waren.

'Schiet op,' snauwde Daly. Ze gingen nu aan weerskanten van me staan. Wally legde voorzichtig een hand op mijn gewonde arm en ik stond hem toe mij in de richting van de cellen te duwen. En ook in de richting van Daly. Ik wilde graag een kansje wagen, al was het maar één enkele kans.

'Hoe is het met je moeder, Wally?' vroeg ik terloops.

'Met haar gaat 't best, mister Harry,' mompelde hij lichtelijk verward.

'Heeft ze het cadeau dat ik haar voor haar verjaardag stuurde nog ontvangen?'

'Ja, dat heeft ze gekregen.' Hij voelde zich onzeker en dat was nu precies de bedoeling.

We waren nu op gelijke hoogte met Daly gekomen. Hij stond bij de ingang van de cellen en wachtte tot we langs liepen. Hij sloeg met de malakka rotting tegen zijn dijbeen.

De beide politiemannen hielden me eerbiedig maar losjes vast, niet zeker van zichzelf. Ik deed een stapje opzij en bracht Wally hierdoor min of meer uit zijn evenwicht – toen draaide ik me razendsnel om en brak los.

Geen van beiden waren daar op voorbereid en ik nam de drie passen naar Daly voor ze zich realiseerden wat ik deed. Ik bracht mijn rechterknie met volle kracht omhoog. Ik trof hem keihard in zijn kruis, een prachtige, stevige stoot. Wat voor prijs ik hier ook voor zou moeten betalen, voor dit enorme plezier dat ik er aan had, dan nog zou die prijs laag zijn.

Daly werd finaal van de grond getild, minstens enkele decimeters van de vloer. Hij vloog achteruit en kwakte tegen de tralies van een cel. Hij vouwde dubbel en drukte allebei zijn handen tegen zijn onderlichaam. Hij liet een schril geluid horen, net het geluid van ontsnappende stoom uit een kokende ketel. Toen hij omviel maakte ik me klaar om hem in het gezicht te schoppen. Ik wilde niet meer dan hem met één schop al zijn tanden uit zijn mond trappen. Maar de beide politiefiguren hadden zich van de schok hersteld en sprongen naar voren om me weg te sleuren. Ze waren nu niet zo zachtaardig en draaiden mijn goede arm om.

'Dat had u echt niet moeten doen, mister Harry,' riep Wally boos. Zijn vingers boorden zich in mijn biceps en ik knarste op mijn tanden.

'De president heeft me persoonlijk vrijgesproken, Wally. Dat weet je heel goed,' schreeuwde ik terug. Daly was weer overeind gekomen. Zijn gezicht vertrokken van pijn en nog steeds hield hij beide handen tegen zijn lichaam gedrukt.

'Dit is een komplot.' Ik wist dat ik niet meer dan een paar seconden had om te vertellen wat ik vertellen wilde. Daly kwam wankelend op me af, zwaaiend met zijn rotting, zijn mond wijd open alsof hij wilde proberen zijn stem terug te vinden.

'Indien hij me in die cel weet te krijgen, vermoordt hij me, Wally!'

'Houd je bek!' schreeuwde Daly.

'Hij zou dit niet durven wagen, als de president –'

'Houd je bek! Houd je bek!' Hij zwaaide met de rotting als met een zwaard. Hij had het op mijn wonden gemunt en de soepele rotting boog zich met het geluid van een revolverschot om mijn arm en schouder.

De pijn die ik voelde ging alle geloof te boven. Ik schokte krampachtig en verzette me onwillekeurig tegen hun greep. Maar ze hielden me vast.

'Houd je bek!' Daly was gewoon hysterisch van pijn en woede. Weer zwaaide hij de rotting en de stok beet diep in mijn slechts half genezen vlees. Deze keer schreeuwde ik het uit.

'Ik zal je vermoorden, jij schooier.' Daly wankelde achteruit, nog steeds in elkaar gedoken van de pijn. Hij tastte naar zijn geholsterde revolver.

Waarop ik gehoopt had, gebeurde nu. Wally liet me los en sprong naar voren.

'Nee,' riep hij. 'Dat in geen geval.'

Hij torende veruit boven Daly's magere ineengedoken gestalte en met zijn geweldige bruine hand blokkeerde hij Daly's arm.

'Ga opzij. Dat is een bevel,' schreeuwde Daly, maar Wally maakte het koord dat aan de greep van de revolver zat los en ontwapende hem. Hij deed een stap achteruit, de revolver in zijn hand.

'Hiervoor zul je boeten,' snauwde Daly. 'Het is je plicht –'

'Ik ken mijn plicht, inspecteur,' zei Wally met een eenvoudige waardigheid. 'En dat is onder andere gevangenen niet te vermoorden.' Toen wendde hij zich tot mij. 'Mister Harry, u kunt hier maar het beste weggaan.'

'Je stelt een gevangene op vrije voeten –' Daly snakte naar adem. 'Man daar zul je voor boeten.'

'Heb geen bevelschrift gezien,' viel Wally hem in de rede. 'Zodra de president een bevelschrift getekend heeft, zal ik mister Harry weer hier brengen.'

'Jij smerige zwarte rotzak,' bracht Daly hijgend uit. Wally keerde zich nu naar mij.

'Verdwijn!' zei hij. 'En vlug!'

Het was een lange rit naar huis en iedere hobbel van de landweg deed me pijn. Maar wat ik van die aardigheidjes van die avond geleerd had, was dat mijn oorspronkelijke gedachten juist waren geweest – wat er ook in dat pak vlak bij Big Gull Eiland zat, zeker was dat het een vredelievend mens in grote moeilijkheden kon brengen. Ik vertrouwde er geen ogenblik op dat inspecteur Daly zijn laatste poging ondernomen had mij te ondervragen. Zo gauw als hij van die schop tegen zijn huwelijkscadeau die ik hem gegeven had bekomen was, zou hij een nieuwe poging ondernemen mij met dat verlichtingssysteem te verbinden. Ik vroeg me alleen af of Daly op eigen houtje werkte of dat hij deelgenoten had. Ik vermoedde dat hij alleen was en gebruik maakte van de gelegenheid zoals deze zich nu voordeed.

Ik parkeerde de bestelauto op het erf en liep door naar de veranda van mijn houten huis. Missus Chubby had tijdens mijn afwezigheid het huis schoongehouden. Er stonden verse bloemen in een jampot op de tafel in de eetkamer. Maar belangrijker was dat er eieren en bacon waren, water, brood en boter, alles in de ijskast.

Ik trok mijn met bloed bevlekte hemd uit en verwijderde het verband. Rond mijn borst had ik dikke gezwollen striemen. Die had de rotting daar achtergelaten en met mijn wonden was het een rotzooitje.

Ik nam een douche en verbond opnieuw mijn wonden. Terwijl ik naakt over het fornuis leunde, bakte ik een pan vol eieren en bacon. Terwijl dit opstond schonk ik mezelf een heel stevige whisky in en dronk dat als een medicijn. Ik was te moe om tussen de lakens te kruipen en toen ik languit op bed viel, vroeg ik me af of ik fit genoeg zou zijn om de nachtelijke tocht volgens plan te volbrengen. Het was mijn laatste gedachte voor zonsopgang.

Nadat ik weer een douche genomen had en twee verdovingstabletten tegen de pijn geslikt had, dit met behulp van een glas ananassap, en weer een pan vol roereieren als ontbijt genuttigd had, dacht ik dat het antwoord ja was. Ik voelde me stijf en alles aan me deed zeer, maar ik kon werken.

Omstreeks twaalf uur reed ik naar de stad en hield stil bij de winkel van missus Eddy om het een en ander in te slaan en reed toen door naar de Admiraliteitswerf.

Chubby en Angelo waren al aan boord. *Dancer* lag opzij van de werf gemeerd.

'Ik heb de reservetanks gevuld, Harry,' zei Chubby tegen me. 'Ze kan er nu weer even tegen.'

'Heb je de ladingnetten te voorschijn gehaald?' vroeg ik en hij knikte.

'Die heb ik weggestouwd in de grootzeilkist.' We zouden de netten gebruiken om de lijvige lading ivoor op het dek vast te maken.

'Vergeet niet een jas mee te brengen – het zal op de rivier met die wind wel koud zijn.'

'Maak je geen zorgen, Harry. Jij bent de man die moet oppassen. Man, je ziet er even beroerd uit als tien dagen geleden. Je ziet er echt ziek uit.'

'Ik voel me uitstekend, Chubby.'

'Zal wel,' gromde hij, 'net als mijn schoonmoeder,' en hij veranderde van onderwerp. 'Wat is er met je karabijn gebeurd, man?'

'Die heeft de politie in beslag genomen.'

'Bedoel je daarmee dat we uitvaren zonder een vuurwapen aan boord?'

'We hebben dat ding tot nu toe nooit nodig gehad.'

'Er is altijd een eerste keer,' gromde hij. 'Ik denk dat ik me allemachtig naakt voel zonder dat ding aan boord.'

Chubby's obsessies voor vuurwapens amuseerde me altijd weer opnieuw. Ondanks alle bewijzen die ik aanvoerde tot het tegendeel, kon Chubby zich nooit helemaal losmaken van de gedachte dat de snelheid en het bereik van een kogel afhing van het feit hoe hard je aan de trekker trok. Het was Chubby's bedoeling dat zijn kogels heel snel en heel ver zouden gaan. De woeste kracht waarmee hij ze afschoot, zou een minder robuust wapen dan de FN hebben doen omkrullen. Hij leed ook aan de ziekte dat hij totaal niet in staat was zijn ogen open te houden wanneer hij de trekker overhaalde. Ik heb hem op een afstand van niet meer dan drie meter en met een magazijn met twintig salvo's een vier en een halve meter lange tijgerhaai zien missen. Chubby Andrews zou het nooit van zijn leven tot Bisley brengen, maar op een volkomen natuurlijke manier hield hij van schietwapens en van alle dingen die een knal gaven.

'Het is een doodsimpel geval, gewoon een pleziertochtje, Chubby. Je zult het zien.' Hij kruiste zijn vingers om alle ongeluk af te wenden. Hij slofte weg om het glanzende koper van *Dancer* nogmaals een beurt te geven, terwijl ik aan wal ging.

Het kantoor aan de voorkant waarin Fred Coker's reisbureau gevestigd was, was verlaten en ik drukte op de bel op het bureau. Hij stak zijn hoofd vanuit de achterkamer om de hoek van een deur.

'Welkom, mr. Harry.' Hij had zijn jas uitgetrokken en zijn das afgedaan. Ook had hij zijn hemdsmouwen opgerold. Rond zijn middel droeg hij een rood rubberschort. 'Doe alsjeblieft de voordeur op slot en kom verder.'

De achterkamer vormde een grote tegenstelling tot het kantoor van het reisbureau met zijn opzichtig behang en kleurrijke reisreclames. Het was een lange sombere schuur. Langs een muur stonden goedkope lijkkisten van dennehout op elkaar gestapeld. De lijkauto stond vlak achter de dubbele deuren aan het eind van de schuur. Achter een vies uit zeildoek gemaakt scherm in een hoek van de schuur was een marmeren platte tafel met langs de randen een soort goot en een waterpijp om de vloeistof vanuit de goot in een emmer te kunnen laten lopen.

'Kom binnen en ga zitten. Daar staat een stoel. Neem me niet kwalijk als ik doorga met mijn werk, terwijl we praten. Ik moet dit klaar hebben voor vanmiddag vier uur.'

Ik wierp een blik op het broze naakte lichaam op de marmeren tafel. Het was een klein meisje van ongeveer zes jaar met lang donkerhaar. Eén blik was genoeg. Ik bracht mijn stoel achter het scherm, zodat ik alleen de kale schedel van Fred Coker kon zien en ik stak een cheroot op. Er hing in de kamer een zware geur van balsemvloeistof en het stokte in mijn keel.

'Je raakt eraan gewend, mister Harry.' Fred Coker had mijn afkeer gezien.

'Heb je alles in orde gemaakt?' Ik had er geen behoefte aan zijn gruwzame ambacht te bespreken.

'Alles is in orde,' stelde hij me gerust.

'Heb je 't geregeld met onze vriend op het fort?'

'Ook dat.'

'Wanneer heb je hem gesproken?' drong ik aan, want ik wilde wel het een en ander over Daly weten. Het interesseerde me bijzonder hoe hij zich voelde.

'Ik sprak hem vanochtend, mister Harry.'

'Hoe voelde hij zich?'

'Voor zover ik kon zien voelde hij zich best.' Coker hield even met zijn griezelige werk op en keek me vragend aan.

'Stond hij overeind, liep hij rond, danste hij de horlepijp, zong hij?'

'Nee. Hij zat en hij was in een niet al te beste stemming.'

'Dat is te begrijpen.' Ik lachte en mijn eigen kwetsuren schenen nu niet zo erg. 'Maar hij nam het geld aan?'

'Dat deed hij inderdaad.'

'Prima, dan hebben we dus nog altijd een transactie.'

'Zoals ik je al vertelde, alles is geregeld.'

'Vertel 't me maar, mr. Coker.'

'De lading bevindt zich aan de mond van de Salsa rivier waar deze in de vaargeul van het grote Duza estuarium uitmondt.' Ik knikte. Dat was acceptabel. Het was een prima vaargeul en de ankergrond buiten de Salsa was goed.

'Twee lantarens vormen het herkenningssignaal – de een boven de ander, geplaatst op de oever van de dichtstbijzijnde monding. Jij flitst twee maal met een lantaren, dat wordt na dertig seconden herhaald en wanneer de onderste lantaren gedoofd wordt ga je voor anker. Heb je dat begrepen?'

'Afgesproken.' Het was allemaal bijzonder voldoening gevend.

'Zij zullen voor werkkrachten zorgen om de lading van de lichters in je boot te laden.'

Ik knikte en vroeg toen: 'Weten ze dat het om drie uur dood tij is, en dat ik voor die tijd uit de vaargeul moet zijn?'

'Ja, mister Harry. Ik heb ze gezegd ervoor te zorgen dat ze voor twee uur klaar zijn met lossen.'

'Dat is dan in orde. Maar waar moet ik de lading overbrengen?'

'Vijfendertig kilometer pal west van de vuurtoren op Rastafa Point.'

'Prachtig.' Ik kon mijn peiling dus trekken op de vuurtoren op Rastafa. Het scheen doodeenvoudig.

'Je brengt je lading over op een Arabisch getuigde schoener, een grote. Je krijgt precies hetzelfde signaal. Twee lantarens in de mast. Je seint twee maal met dertig seconden tussenruimte en dan wordt de onderste lamp gedoofd. Je kunt dan met lossen beginnen. Ook daar zorgen ze voor voldoende werkkrachten. Bovendien zullen ze olie op het water storten, zodat je kalm water hebt. Ik geloof dat dit alles is.'

'Behalve dan het geld.'

'Uiteraard, behalve het geld.' Hij haalde een enveloppe uit de zak van zijn schort. Ik pakte het ding voorzichtig met duim en wijsvinger beet en wierp een blik op zijn berekeningen die hij met een balpoint op de enveloppe gekrabbeld had.

'De helft vooruit, zoals gewoonlijk, en de rest na aflevering,' duidde hij aan.

Dat betekende dus vijfendertighonderd en daar ging vanaf eenentwintighonderd voor Coker en Daly. Bleef er veertienhonderd over en daaruit moest ik dan nog de bonus voor Chubby en Angelo betalen – duizend dollar – en dan bleef er niet veel over.

Ik grijnsde. 'Ik sta morgenochtend om negen uur voor de deur van je kantoor te wachten, mr. Coker.'

'Ik zal zorgen dat de koffie klaar is, mister Harry.'

'Als je maar zorgt dat dit niet alles is dat op me wacht.' Hij lachte en boog zich opnieuw over het marmeren tafelblad.

Laat in de middag voeren we Grand Harbour uit en ik koerste, om eventuele nieuwsgierigen om de tuin te leiden, de geul uit in de richting van Mutton Point. Er mocht eens iemand met een kijker op Coolie Peak staan.

Toen de duisternis viel, zette ik de boot op de juiste koers en we voeren terug door de langs de kust lopende vaargeul en de eilanden en vandaar naar de brede getijmonding van de Duva rivier.

Het was nieuwe maan maar de sterren stonden groot aan de hemel en de branding schitterde als gevolg van fosforescentie, spookachtig groen in het avondrood van de ondergaande zon.

Ik liet *Dancer* snel inlopen en lette nauwkeurig op mijn opeenvolgende markeringspunten – het plotseling opdoemen van een atol in het licht van de sterren, de branding op een rif en de gang en de korte golfslag van het water brachten me door de verschillende vaargeulen en waarschuwde mij voor zandbanken en ondiepe gedeelten.

Angelo en Chubby stonden dicht bij elkaar naast me tegen de railing van de brug. Zo nu en dan ging een van hen naar beneden om nog wat meer van die sterke zwarte koffie klaar te maken. We dronken uit dampende mokken en tuurden in de nacht waakzaam voor een opduikende bleekmatte vorm en dat was dan geen branding maar de romp van een patrouilleboot.

Een keer verbrak Chubby de stilte. 'Hoorde van Wally dat je gisteravond op het fort wat moeilijkheden had.'

'Een beetje,' gaf ik toe.

'Wally moest hem later naar het ziekenhuis brengen.'

'Heeft Wally nog steeds zijn baan?' vroeg ik.

'Scheelde niet veel. De man wilde hem opsluiten, maar Wally was net even te groot voor hem.'

Angelo mengde zich in het gesprek. 'Judith was omstreeks lunchtijd op het vliegveld. Ging daar naar toe om een kist schoolboeken te halen en zag hem daar op een vliegtuig voor het vasteland stappen.'

'Wie?' vroeg ik.

'Inspecteur Daly, hij nam het vliegtuig van twaalf uur.'

'Waarom heb je me dat niet eerder verteld?'

'Dacht niet dat het erg belangrijk was, Harry.'

'Nee,' gaf ik toe. 'Misschien is 't dat ook niet.'

Er waren tientallen redenen waarom Daly naar het vasteland zou kunnen vliegen en geen zou ook maar het minste verband houden met mijn zaken. Toch voelde ik me min of meer onbehaaglijk – ik hield niet van dat soort gerommel en gescharrel in het duister wanneer ik bezig was risico te lopen.

'Zou wel graag gewild hebben dat je dat schietwerktuig van je had meegebracht, Harry,' herhaalde Chubby spijtig een vorige opmerking. Ik gaf geen antwoord, maar was dezelfde mening toegedaan. De stroming van het tij had de gebruikelijke maalstroom bij de zuidelijke geul van de Duza gladgestreken en ik zocht in den blinde naar de ingang. De modderbanken aan weerszijden stonden vol visvallen, daar neergezet door visserslui van de stam en die hielpen me tenslotte de geul te bepalen.

Toen ik er zeker van was dat we de juiste ingang waren binnengevaren, zette ik de beide motoren af en we gleden langzaam op het binnenstromende tij verder. Volkomen geconcentreerd stonden we te luisteren of we soms het geluid van de motor van de patrouilleboot konden horen, maar het enige geluid kwam van een nachtreiger en het geplas van vis dat uit de ondiepe gedeelten omhoog sprong.

Het was spookachtig stil toen we de geul binnen werden gestuwd. Aan weerszijden sloten de donkere mangrovebomen ons in en de geur van de modderige moerassen rook in de met vocht bezwangerde atmosfeer sterk en smerig.

De sterren dansten als lichtvlekken op het donkere woelige water van de vaargeul en een keer gleed een lange smalle boomkano als een krokodil langs ons heen. We zagen de fosforescerende glans van het water op de peddels van twee vissers, die van de monding van de rivier terugkwamen. Ze hielden hun peddels even stil om ons gade te slaan en voeren toen weer verder zonder een groet te wisselen. Snel verdwenen ze in het halve duister.

'Dat was een slecht voorteken,' zei Angelo.

'We zitten al lang in de Lord Nelson een biertje te drinken, voor zij het tegen een belangrijk iemand hebben kunnen vertellen.' Ik wist dat de meeste vissers hier langs de kust hun geheimen voor zich hielden en dat zij, zoals de meesten van hun soort, karig met woorden waren. Het feit dat ze ons gezien hadden, maakte me beslist niet ongerust.

Toen ik voor me uitkeek, zag ik de eerste bocht recht vooruit opdoemen. De stroom begon *Dancer* naar de andere kant van de oever te drukken. Ik draaide het contactsleuteltje om en de beide motoren kwamen zacht tot leven. Ik bracht de boot weer terug in diep water.

Langzaam stuurden we de boot de kronkelende vaargeul binnen en kwamen tenslotte terecht op een vreedzaam stil en tamelijk breed rak waar de mangrovebomen ophielden en waar aan weerskanten van de geul stevige grond zacht uit het water oprees.

Ongeveer een goede kilometer voor ons uit zag ik, als een donkere onderbreking in de oever, de zijrivier van de Salsa gemaskeerd door hoge opstanden van gepluimd riet. Daarachter gloeiden zachtgeel de beide lantarens die als signaal zouden dienen, de een boven de ander.

'Wat heb ik je gezegd, Chubby. Een zacht eitje.'

'We zijn nog niet thuis,' zei Chubby, de eeuwige optimist.

'Kom, Angelo. Naar de voorplecht. Ik zal je wel zeggen wanneer je moet ankeren.'

Langzaam voeren we verder de geul binnen en ik herinnerde me de woorden van het kinderrijmpje, toen ik het stuur vastzette en mijn zaklantaren uit het kastje onder de railing te voorschijn haalde.

'Three, four, knock at the door. Five, six, pick up sticks.'

Ik dacht heel even aan de honderden grote grauwgrijze dieren, die terwille van hun tanden het leven gelaten hadden – ik voelde heel even een huivering van schuld over mijn ruggegraat lopen. Tenslotte was ik in zekere zin medeplichtig aan deze slachtpartij. Maar ik gaf mijn gedachten een andere richting door de zaklantaren op te lichten en het overeengekomen signaal op de beide brandende lantarens te richten.

Drie keer flitste ik het codesignaal, maar ik was praktisch op gelijke hoogte met de twee boven elkaar aangebrachte lampen voor de onderste plotseling uitging.

'Okay, Angelo, laat gaan,' riep ik zacht, terwijl ik de motoren afzette. Het anker viel met een geplas omlaag en de ketting ratelde luidruchtig in de stilte. *Dancer* hield plotseling in en zwaaide rond door de trek van het anker en had nu haar voorsteven weer naar de uitgang van de vaargeul gericht.

Chubby verdween om de netten klaar te leggen voor de lading, maar ik bleef bij de railing staan, en tuurde naar het signaallicht. De stilte was volmaakt, behalve dan het geplas en gekwaak van de moeraskikvorsen op de met riet bedekte oevers van de Salsa.

Het is een absolute onmogelijkheid je te vergissen in de slag van een Allison diesel. Ik wist dat de Rolls-Royce-motoren van de Tweede Wereldoorlog uit de Zinballa-snelboten gehaald waren en vervangen door Allisons en op dit ogenblik voelde ik dat het geluid voortgebracht werd door de vrijloop van een Allisonmotor.

'Angelo,' riep ik zo zacht mogelijk, maar tegelijkertijd probeerde ik in de toon mijn dringende haast naar hem over te brengen. 'Laat het anker schieten. In Gods naam! Zo snel je kunt.'

Juist voor zulke noodsituaties had ik een ankersluiting in de ketting laten aanbrengen en daarvoor dankte ik onze Lieve Heer, terwijl ik als de weerlicht naar de stuurinrichting dook.

Terwijl ik de motoren startte, hoorde ik de zware bons van de vier-pondshamer waarmee Angelo de ankersluiting verbrak. Drie keer sloeg hij en toen hoorde ik het uiteinde van de ketting van boord gaan.

'Ze is verdwenen, Harry,' riep Angelo. Ik gooide *Dancer* in zijn eerste versnelling en zette de gashendel wijd open. Ze brulde woedend en de golfslag van haar schroeven kwam witschuimend van onder haar schroef vandaan toen ze als 't ware naar voren sprong. Hoewel we stroomafwaarts voeren had *Dancer* niettemin een tegenstroom van zeker vijf knopen te overwinnen en ze sprong lang niet bijdehand genoeg vooruit.

Zelfs boven het geluid van onze eigen motoren hoorde ik de Allisons aanslaan en vanuit de door riet afgeschermde monding van de Salsa maakte zich een lange, dodelijke gestalte los.

Zelfs bij het licht van de sterren herkende ik haar onmiddellijk. De wijde naar buiten afgeronde boeg en de verrukkelijke drijvende lijnen, getailleerd als een hazewindhond en die vierkante afgeplatte achtersteven – een van de kanonneerboten van de koninklijke marine die haar beste dagen in het Kanaal had doorgebracht en nu haar laatste dagen langs deze, door koortsen geteisterde, kust sleet. De duisternis kwam haar uiterlijk ten goede, bedekte de roestvlekken en het gestreepte verfwerk, maar ze was nu een oude vrouw. Ontdaan van haar meer dan uitstekende Rolls-Royce-motoren – en met te gering vermogen vanwege de meer economische Allisons. Op een eerlijke vaart zou *Dancer* met haar gespeeld hebben. Maar dit was geen eerlijke vaart en ze had alle snelheid en vermogen die ze nodig had, toen ze de vaargeul binnenkwam om ons de pas te kunnen afsnijden. En toen ze haar zoeklichten aandeed, trof ze ons hard.

Twee dreigende witte lichtstralen die door hun grote intensiteit mij verblindden, zodat ik een hand omhoog moest brengen om mijn

99

ogen te beschermen.

Ze lag recht voor ons uit en blokkeerde de vaargeul. Op haar voordek kon ik de wazige gestalten van de geschutsploeg zien, die op de brede draaischijf van de drieponder neerhurkten. De loop scheen recht in mijn linkerneusgat te kijken – en ik voelde een wilde, verschrikkelijke wanhoop. Het was een angstvallig nauwgezet beraamde en uitgevoerde hinderlaag. Ik dacht er een ogenblik aan haar te rammen. Ze had tenslotte een uit triplex gemaakte romp, die naar alle waarschijnlijkheid verrot was en de uit fiberglas gemaakte boeg van *Dancer* zou vermoedelijk de schok kunnen weerstaan, maar met stroom tegen had *Dancer* lang niet de daarvoor benodigde snelheid.

Plotseling bulderde een megafoon elektronisch vanuit het duister achter de verblindende zoeklichten.

'Draai bij, mr. Fletcher. Anders zal ik genoodzaakt zijn u onder vuur te nemen.'

Een granaat uit die drieponder zou ons in stukken scheuren en die drieponder kon allemachtig snel vuren. Op deze afstand zou ze ons binnen tien seconden veranderen in een brandend wrak.

Ik sloot het gas af.

'Een verstandig besluit, mr. Fletcher. Wees nu zo vriendelijk op die plaats voor anker te gaan,' krijste de megafoon.

''t Is goed, Angelo,' riep ik vermoeid en lusteloos. Ik wachtte, terwijl hij het reserve-anker aanbracht en liet vallen. Plotseling deed mijn arm weer verschrikkelijke pijn. Ik was die arm de laatste paar uur finaal vergeten.

'Ik zei nog dat we dat schietijzer mee hadden moeten brengen,' mompelde Chubby naast me.

'Zeg dat, ik had maar wat graag gezien hoe je het met dat smerig grote kanon uitgeschoten had, Chubby. Wat zou dat een gelach hebben opgeleverd.'

De snelboot kwam met weinig kennis van zaken langszij, maar het kanon en de zoeklichten waren nog steeds op ons gericht. We stonden daar volmaakt hulpeloos in het verblindende licht van de zoeklichten en wachtten af. Ik wilde gewoon niet denken, ook probeerde ik niets te voelen – maar een hatelijke stem binnen in me sprak spottend tegen me.

'Zeg *Dancer* maar gedag, Harry, ouwe sportmakker. Hier scheiden jullie van elkaars gezelschap.'

Er was een hele grote kans dat ik in de zeer nabije toekomst tegen-over een vuurpeloton zou komen te staan, maar dat baarde me lang niet zoveel zorg als de gedachte mijn boot te verliezen. Met *Dancer* was ik mister Harry, de man op St. Mary die alles aandurfde en een van de beste diepzeevissers op de hele idiote wereld. Zonder haar was ik niet meer dan de een of andere nozem, die probeerde zijn volgende maaltijd bijeen te schrapen. Ik was nog liever dood.

De snelboot botste tegen ons aan, boog een stuk van de railing krom en schuurde minstens een meter verf van onze boot, voordat ze kon vasthaken.

'Smerige schoften,' gromde Chubby, toen een zestal gewapende en in uniform gestoken gestalten over de railing klommen. Een babbe-lende, ongedisciplineerde troep gespuis. Ze droegen marineblau-we matrozenbroeken en korte jasjes met witte kragen achter in hun nek, wit en blauw gestreepte hemden en witte baretten met rode kwasten, maar de snit van hun uniformen was kennelijk Chinees en ze zwaaiden met lange AK.47 automatische geweren met naar voor gebogen magazijnen en houten kolven.

Onder elkaar vechtend voor een kans om een van ons een schop of een klap met de houten kolf te geven, dreven ze ons de grote salon binnen en sloegen ons letterlijk op de bank tegen het naar de plecht gekeerde waterschot. We zaten daar schouder aan schouder, ter-wijl twee wachten boven ons uit torenden, hun machinegeweren slechts enkele centimeters verwijderd van onze neuzen en hun vin-gers hoopvol om de trekker gekromd.

'Ik begin nu te begrijpen waarom je me die vijfhonderd dollar be-taalde, baas.' Angelo probeerde van de hele zaak een grapje te ma-ken. Een van de bewakers schreeuwde tegen hem en sloeg hem met de kolf van zijn geweer in het gezicht. Hij veegde met de rug van zijn hand langs zijn mond en smeerde bloed over zijn kin. Maar vanaf dat ogenblik probeerde niemand van ons meer een grapje te maken.

De andere gewapende matrozen begonnen *Dancer* te vernielen. Ik veronderstel dat dit als een onderzoek bedoeld was, maar ze gingen als gekken door het schip en sloegen moedwillig kasten open of ver-brijzelden de houten wanden.

Een van hen ontdekte de drankkast en hoewel er slechts twee flessen stonden, steeg er een gebrul van goedkeuring op. Ze kibbelden luidruchtig als zeemeeuwen over een stuk weggeworpen afval en gingen toen verder om onder grote hilariteit en losbandigheid de keukenvoorraden te roven. Zelfs toen hun bevelvoerend officier, daarbij geassisteerd door vier leden van zijn bemanning, de gevaarlijke reis over de vijftien centimeter open ruimte tussen de beide schepen maakte, nam het volume van het geschreeuw, het gelach en het lawaai van verbrijzelend houtwerk en brekend glas niet af.

De commandant kwam zwaar hijgend langs de stuurhut en boog zich voorover om de salon binnen te kunnen komen. Eenmaal daar bleef hij even staan om op adem te komen.

Hij was een van de grootste mannen die ik ooit gezien heb, minstens twee meter en enorm dik; een zwaar gezwollen lichaam met een buik die als een versperringsballon onder zijn witte uniformjasje opbolde. Het jasje trok verschrikkelijk aan de koperen knopen en het zweet had de oksels doorweekt. Op zijn borst droeg hij een glanzende reeks sterren en onderscheidingen en te midden van hen herkende ik het American Naval Cross en de 1918 Victory Star.

Zijn hoofd had de vorm en de kleur van een gepolijste zwarte ijzeren pot, het soort dat ze gewoonlijk gebruiken om zendelingen in te koken en daarop een marinepet beladen met goud borduursel. Het ding stond in een zwierige stand op dat hoofd – als je het zo noemen kon. Over zijn gezicht liepen straaltjes glinsterend zweet en al die tijd worstelde hij luidruchtig met zijn ademhaling. Hij bette zijn bezwete gezicht en staarde me met uitpuilende ogen aan.

Langzaam begon zijn lichaam uit te zetten, zelfs nog massaler te worden, als dat van een grote brulkikvors, totdat ik werkelijk angstig begon te worden – in de verwachting dat hij uit elkaar zou barsten.

De purperkleurige lippen, zo dik als een stel tractorbanden, kwamen nu van elkaar en een ongelooflijk volume kwam uit de roze spelonk, zijn mond.

'Houd jullie smoelen dicht!' brulde hij en onmiddellijk verstomde zijn ploeg vernielers. Een van hen hield de kolf van zijn geweer nog steeds omhoog om het houtwerk achter de bar te vernielen.

De enorme gestalte kwam verder de kajuit binnen en scheen met zijn massieve vorm de hele salon te vullen. Langzaam liet hij zich in de met leer beklede stoel zakken. Opnieuw bette hij zijn gezicht en

keek me toen aan. Langzaam trok er een allervriendelijkste glimlach over zijn gezicht, als bij een enorme mollige, beminnelijke baby. Zijn tanden waren groot en hagelwit en zijn ogen verdwenen
bijna in de rollen glimlachend zwart vlees.

'Mr. Fletcher, ik kan niet vertellen wat een genoegen me dit doet.'
Zijn stem was donker, zacht en vriendelijk. Zijn uitspraak van het
Engels was gelijk aan dat uit de hogere Britse kringen – vrij zeker
aangeleerd op een van de beroemde Engelse kostscholen. Zijn Engels was heel wat beter dan het mijne.

'Ik heb al een aantal jaren uitgekeken naar een ontmoeting met u.'
'Het is bijzonder vriendelijk van u me dit te zeggen, admiraal.' Met
dat uniform aan kon hij Godsonmogelijk een lagere rang hebben.
'Admiraal,' herhaalde hij verrukt. 'Ik mag dat wel.' Hij lachte luid.
Dat begon met het schudden van zijn massieve buik en het eindigde
met het snakken naar adem. 'Helaas, mr. Fletcher, u wordt door
mijn uiterlijke verschijning misleid.' Hij streek hier en daar zijn
uniform glad, corrigeerde waar nodig de stand van zijn onderscheidingstekens en zette tenslotte zijn uniformpet recht. 'Ik ben niet
meer dan een nederige en eenvoudige kapitein-luitenant-ter-zee.'
'Dat is gewoon misdadig, kapitein.'
'Nee, nee, mr. Fletcher – verspil uw medeleven beslist niet aan me.
Ik heb alle gezag dat ik me wensen kan.' Hij zweeg om enkele
ademhalingen te doen en om even een nieuw stroompje zweet weg
te vegen. 'Ik bezit de macht over leven en dood, geloof me.'
'Ik geloof u, sir,' antwoordde ik even ernstig. 'Krijg alstublieft niet
het idee uw standpunt wat dat betreft te bewijzen.'
Hij brulde opnieuw van het lachen, stikte bijna, hoestte slijm op en
spuwde dit op de vloer uit. Toen zei hij: 'Ik mag u wel, mr. Fletcher.
Echt waar. Ik voor mij ben van mening dat wat gevoel voor humor
bijzonder belangrijk is. Ik geloof dan ook dat u en ik hele goeie
vrienden zouden kunnen worden.' Ik op mijn beurt twijfelde daar
sterk aan, maar glimlachte aanmoedigend.
'Als bewijs van mijn achting voor u sta ik u toe een meer vertrouwe-
lijke vorm van aanspraak te gebruiken – Suleiman Dada.'
'Ik stel dat bijzonder op prijs – werkelijk waar, Suleiman Dada en
noemt u me dan graag Harry.'
'Harry,' zei hij. 'Laten we samen een glas whisky drinken.' Op dat
ogenblik kwam een andere gestalte de salon binnen. Een slanke

jongensachtige gestalte, niet gekleed in zijn gebruikelijke koloniale politieuniform maar in een uit zijde vervaardigd kostuum. Voorts droeg hij een citroenkleurig overhemd, een daarbij passende das en schoenen gemaakt van krokodilleleer.

Het lichtblonde haar was keurig gekamd, naar voren wel te verstaan en een lok hing over zijn voorhoofd. De pluizige snor was zoals altijd keurig verzorgd, maar hij liep wat moeilijk en scheen ergens last van te hebben. Ik keek hem grinnikend aan.

'Zo, zo, en hoe staat het met je zak, Daly?' vroeg ik vriendelijk, maar hij gaf geen antwoord en ging in een stoel tegenover kapitein-luitenant-ter-zee Suleiman Dada zitten.

Dada stak een enorme zwarte hand uit en bevrijdde een van zijn manschappen van de fles whisky die hij in zijn hand had – een deel van mijn persoonlijke voorraad – en wenkte een andere man enkele glazen uit het verbrijzelde drankkastje te brengen.

Toen hij ons allen een half glas whisky had ingeschonken, bracht Dada een toast uit.

'Op een langdurige vriendschap en wederzijdse voorspoed.' We dronken, Daly en ik min of meer voorzichtig, Dada een fikse teug en met duidelijk zichtbaar genoegen. Terwijl hij zijn hoofd achterover hield en zijn ogen sloot, deed een van zijn mensen een poging de fles whisky van de tafel te nemen en zich weer in het bezit van zijn prijs te stellen.

Zonder zelfs zijn glas neer te zetten of maar te bewegen, gaf Dada hem met open hand een enorme klap tegen de zijkant van zijn hoofd. Een klap, die 's mans hoofd achterover deed schieten en hem dwars door de salon deed vliegen, waar hij tenslotte tegen het reeds verbrijzelde drankkastje tot rust kwam. Hij gleed langs het waterdichte schot omlaag en zat nu verbijsterd op de vloer. Half verdoofd schudde hij het hoofd. Suleiman Dada was ondanks zijn enorme omvang een razendsnelle en angstaanjagend sterke man. Dat werd mij op dat ogenblik wel duidelijk.

Hij dronk zijn glas leeg, zette het op tafel en schonk het opnieuw halfvol.

Hij keek me nu recht in mijn gezicht en hij veranderde van uitdrukking. De clown in hem was plotseling verdwenen en, ondanks de opzwellende rollen zwart vlees, werd ik nu geconfronteerd met een uitgeslapen, gevaarlijke en volmaakt meedogenloze tegenstander.

'Harry, ik heb begrepen dat jij en inspecteur Daly tijdens een kort geleden gehouden gesprek gestoord werden.' Ik haalde mijn schouders op.

'Wij allen hier zijn, naar ik mag aannemen, redelijke mensen, Harry.' Ik gaf geen antwoord maar keek aandachtig naar de whisky in mijn glas.

'En dat is maar heel gelukkig – want laten we even stilstaan bij wat er met een onredelijk mens in jouw positie zou kunnen gebeuren.' Hij zweeg en gorgelde een slokje whisky in zijn keel. Het zweet stond als kleine blaasjes op zijn neus en kin. Hij veegde dit weg. 'In de allereerste plaats zou een onredelijk man mogelijk toe moeten zien hoe zijn mannen een voor een naar buiten gebracht werden en vervolgens geëxecuteerd. We gebruiken hier voor zulke executies de stelen van houwelen. Dat is een bijzonder afmattende bezigheid en inspecteur Daly hier heeft me verzekerd dat je bijzonder aan deze beide mannen gehecht bent.' Naast me schoven Chubby en Angelo wat ongemakkelijk op hun zitplaats heen en weer. 'Vervolgens zou het gebeuren dat de boot van deze onredelijke man naar Zinballa Bay gebracht werd. Wanneer dat eenmaal gebeurd is, bestaat er geen enkele mogelijkheid dat die boot ooit weer aan hem zou worden teruggegeven. Ze zou officieel in beslag worden genomen en dan uit mijn nederige handen verdwijnen.' Hij zweeg en liet die onderdanige handen zien. Stak ze mij toe en naar mijn mening pasten ze uitstekend bij een mannetjesgorilla. Beiden keken we enkele ogenblikken naar die handen. 'En dan zou die onredelijke man in de Zinballa-gevangenis worden opgesloten – zoals je je ongetwijfeld bewust bent is dat een maximaal beveiligde politieke gevangenis.'

Ik had het een en ander over de Zinballa-gevangenis gehoord, zoals trouwens iedereen langs de kust. Zij die ooit de gevangenis verlieten waren of dood of geestelijk en lichamelijk volkomen gebroken. Ze noemden het ding de 'Leeuwekooi'.

'Suleiman Dada, ik wil graag dat je weet dat ik een van 's werelds meest oorspronkelijke, redelijke mensen ben,' verzekerde ik hem en opnieuw begon hij te lachen.

'Daar was ik van overtuigd,' zei hij. 'Dat kan ik altijd al op een kilometer afstand van iemand zeggen.' Maar hij werd weer doodernstig. 'Als we hier onmiddellijk vertrekken, voor het tij keert, dan kunnen we nog voor middernacht deze langs de kust lopende vaargeul uit zijn.'

'Ja,' stemde ik met hem in, 'dat zouden we inderdaad kunnen.'

'Dan zou je ons naar de plek waarvoor zoveel belangstelling bestaat kunnen brengen, daar wachten totdat we voldoende bewijs hebben verkregen van je goede trouw – waaraan ik persoonlijk geen ogenblik twijfel – en dan zijn jij en je bemanning vrij om in die prachtige boot van je weg te varen en dan zou je morgenavond alweer in je eigen bed kunnen slapen.'

'Suleiman Dada – je bent een edelmoedig en beschaafd mens. Ik heb geen enkele reden om aan je goede trouw te twijfelen – evenmin als aan de goede trouw van Materson en Guthrie, zo kwalificeerde ik zwijgend zijn verklaring – en ik heb een bijzonder diep verlangen morgenavond in mijn eigen bed te slapen.'

Voor het eerst nam Daly nu het woord en gromde kalm onder zijn snor.

'Ik geloof dat je dient te weten dat een schildpadvisser je boot geankerd zag in de lagune aan de andere kant van de vaargeul tussen de Old Men en Gunfire Rif en wel op de avond voor de schietpartij. We verwachten dus daar naar toe gebracht te worden.'

'Ik heb niets tegen een man die steekpenningen aanneemt, Daly – God weet dat ik dit zelf gedaan heb – maar ik vraag me wel af waar het eergevoel tussen dieven, dat door de dichters altijd zo bezongen wordt, gebleven is.' Ik was bijzonder in Daly teleurgesteld, maar hij negeerde mijn verwijten.

'Probeer niet nogmaals enkele van je kunstjes uit te halen,' waarschuwde hij me.

'Je bent werkelijk een kampioen van een drol. Ik zou prijzen met je kunnen winnen, Daly.

'Kom, heren.' Dada stak bezwerend zijn handen omhoog om mijn welsprekendheid tot staan te brengen. 'Laat ons vrienden zijn. Nog een klein glaasje whisky en dan neemt Harry ons mee op een belangwekkend tochtje.' Dada schonk onze glazen bij en zweeg even om een slok te nemen. 'Ik meen,' zo begon hij, 'je te moeten waarschuwen, Harry – ik heb een hekel aan ruwe zee. Dat kan ik niet al te best verdragen. Als je me niettemin in ruwe zee brengt, zal ik beslist heel boos worden. Hebben we elkaar begrepen?'

'Alleen terwille van jou zal ik het water bevelen rustig te zijn, Suleiman Dada,' stelde ik hem gerust en hij knikte ernstig, alsof dat wel het minste was dat hij van me verwachtte.

De dageraad was als een beminnelijke vrouw die oprijst van haar zeebed, zoete vleeskleuren en parelend licht. De wolkenflarden als haar haarvlechten, golvend en verward, blond getint door het vroege zonlicht.

We voeren in noordelijke richting en koesterden ons in de rustige wateren van de parallel met de kust lopende stroom. Onze opdracht bracht *Dancer* in de voorhoede en ze gleed vooruit als een raspaardje met het bit in de mond. Een halve mijl achter ons kwam schommelend en slingerend de kanonneerboot, toen de Allisonmotoren probeerden haar in lijn met *Dancer* te brengen. We voeren nu in de richting van de Old Men en Gunfire Rif.

Aan boord van *Dancer* had ik het roer in handen, stond alleen aan het stuur op de open brug. Achter me stond Peter Daly en een gewapende matroos van de kanonneerboot.

In de grote kajuit onder ons zaten Chubby en Angelo nog altijd op de bank met drie andere matrozen, die gewapend met hun machinegeweren er wel voor zorgden dat ze bleven waar ze waren.

Dancer was van al haar proviand beroofd en zodoende hadden we geen van allen ontbijt, zelfs geen kop koffie.

Het eerste verlammende en wanhopige gevoel gevangen te zijn was nu verdwenen. Ik dacht nu hartstochtelijk na over een poging een uitweg te vinden uit het net waarin ik gevangen zat.

Ik wist dat als ik Daly en Dada de opening in Gunfire Rif zou laten zien, ze daar of een onderzoek zouden instellen en niets vinden – dat laatste was al heel waarschijnlijk, omdat wat er ook gelegen had nu verpakt en wel op de bodem bij Big Gull Eiland lag – of ze zouden daar in die opening ander bewijsmateriaal vinden. In beide gevallen stond me weinig plezierigs te wachten. En als ze totaal niets vonden, zou vriend Daly het genoegen smaken mij te verbinden met dat elektrische systeem van hem en proberen me zo aan 't praten te krijgen. Als ze aan de andere kant iets bepaalds vonden dan zou mijn aanwezigheid overbodig worden en een tiental naar mijn smaak al te gretige matrozen zou naar het baantje van beul dingen. Ik ben beslist niet gesteld op het geluid van houweelstelen – het beloofde een knap smerige boel te worden.

Niettemin schenen de kansen voor een ontsnapping erg gering Hoewel de kanonneerboot een zevenhonderd meter achter ons lag, hield Dada's drieponder op het voordek ons aardig in bedwang. Bovendien hadden we vier van Dada's woestelingen, plus Daly aan boord.

Ik stak de brand in mijn eerste cheroot van die dag en de uitwerking was bewonderenswaardig. Bijna onmiddellijk scheen ik aan het einde van de lange donkere tunnel een lichtpuntje te zien. Ik dacht er nog wat langer over na, terwijl ik rustig aan de lange zwarte sigaar trok. Het scheen een poging waard – maar eerst diende ik met Chubby te overleggen.

'Daly,' zei ik half over mijn schouder. 'Je kunt beter aan Chubby vragen om boven te komen en het stuur over te nemen. Ik moet echt even naar beneden.'

'Waarom?' vroeg hij achterdochtig. 'Wat moet je daar doen?'

'Laten we gewoon zeggen dat, wat het ook is, het iedere ochtend omstreeks deze tijd plaatsvindt en niemand anders kan het voor me doen. Als je me dwingt in bijzonderheden te treden, breng je me beslist aan het blozen.'

'Je had bij het toneel moeten gaan, Fletcher. Je laat me gewoon doodlachen.'

'Grappig eigenlijk dat je dit zegt. Het kwam ook bij me op dit te doen.'

Hij stuurde de gewapende matroos naar beneden om Chubby uit de kajuit te halen en ik gaf hem het stuur.

'Blijf in de buurt, ik wil iets met je bepraten,' mompelde ik uit mijn mondhoek en klauterde toen uit de stuurhut naar beneden. Angelo's gezicht klaarde wat op, toen ik de kajuit binnenkwam en geurde met een goede imitatie van zijn oude opgewekte grijns, maar de drie bewakers, duidelijk oneindig verveeld, richtten geestdriftig hun machinegeweren op me en ik stak haastig mijn handen omhoog.

'Rustig, jongens, rustig,' zei ik kalmerend en liep zijdelings langs hen heen in de richting van de kajuittrap. Twee van hen kwamen echter achter me aan. Toen ik bij de wc was aangekomen, schenen ze van plan met me mee naar binnen te willen en me gezelschap te houden. 'Heren,' protesteerde ik, 'als jullie doorgaan om die dingen gedurende de volgende kritieke ogenblikken op me te richten, zullen jullie naar alle waarschijnlijkheid de stoot geven tot de on-overtroffen geneeswijze voor constipatie.'

Ze keken me dreigend maar wat onzeker aan en toen ik de deur achter me dicht deed, voegde ik er nog aan toe: 'Maar jullie willen niet echt voor een Nobelprijs in aanmerking komen, is 't wel?'

Toen ik de deur weer open deed, stonden ze in precies dezelfde houding te wachten, alsof ze zich totaal niet bewogen hadden. Met het gebaar van een samenzweerder wenkte ik hen me te volgen. Onmiddellijk toonden ze belangstelling. Ik bracht ze naar de kapiteinshut. Ik had er heel wat uren aan besteed om onder die dubbele kooi een verborgen kast te bouwen. Het ding had ongeveer de grootte van een lijkkist en was voorzien van de nodige luchtgaten. Er was voldoende ruimte voor een man om er plat in te kunnen liggen. Gedurende de tijd dat ik menselijke lading vervoerde was het een schuilplaats geweest voor 't geval er een onderzoek werd ingesteld – maar nu gebruikte ik het als opslagplaats voor dingen van waarde en onwettige of gevaarlijke lading. Op dit ogenblik zaten er vijfhonderd patronen voor mijn FN-karabijn in, een houten kist vol handgranaten en twee kisten Chivas Regal, een Schotse whisky.

Met kreten van verrukking slingerden de twee bewakers hun machinegeweren over hun schouders en sleepten de kisten naar buiten. Ze hadden me totaal vergeten en ik slipte rustig weg en liep terug naar de brug.

Ik stond naast Chubby en stelde het ogenblik dat ik het roer zou overnemen zoveel mogelijk uit.

'Je trok daar behoorlijk tijd voor uit,' gromde Daly.

'Een goede zaak moet je nooit overhaasten,' legde ik hem uit. Hij verloor alle belangstelling en wandelde terug om over ons kielzog naar de achter ons aan varende boot te kijken.

'Chubby,' fluisterde ik. 'Gunfire Break. Je hebt me een keer verteld dat er vanaf het land een doorgang door het rif was.'

'Bij hoog tij, voor een walvisboot en een uitstekend man met een ijzeren zenuwgestel,' gaf hij toe. 'Ik deed het toen ik nog jong en stapelgek was.'

'Over drie uur is het hoogtij. Zou ik *Dancer* door het gat kunnen brengen?' vroeg ik.

Chubby's gelaatsuitdrukking veranderde. 'Jezus!' fluisterde hij en hij keek me ongelovig aan.

'Kan ik het?' drong ik rustig aan. Hij zoog luidruchtig op zijn lip, keek naar de opkomende zon en krabde de baardstoppels op zijn kin.

Plotseling scheen hij tot een conclusie gekomen te zijn en hij spuwde over de railing.

'Jij zou het kunnen klaarspelen, Harry – maar verder niemand anders die ik ken.

'Geef me de richting aan, Chubby, vlug.'

'Het was lang geleden, maar,' hij schetste me de toegang en de doorgang, 'er zitten in die doorvaart drie bochten, links, rechts en dan weer links. Dan is er een nauwe hals met aan weerskanten koraal – *Dancer* kan er mogelijk net door maar zal wel wat verf kwijtraken. Dan bevind je je in het grote bassin achter het grote rif. Je hebt daar genoeg ruimte om te draaien en om dan op de juiste zee te wachten voor je om via de opening terug in open zee te komen.'

'Bedankt, Chubby,' fluisterde ik. 'Ga nu naar beneden. Ik heb de bewakers onze reservewhisky gegeven. Tegen de tijd dat ik op de opening afkoers, zullen ze vrijwel zeker zo dronken zijn als een kanon. Ik zal door drie maal met mijn voet te stampen het sein geven en dan is het aan jou en Angelo om ze die machinegeweren af te nemen en ze stevig te binden.'

De zon was nu helemaal boven de horizon gekomen en het driepuntige silhouet van de Old Men rees een paar kilometer recht voor me uit de zee op. En op dat ogenblik hoorde ik het eerste schorre gelach en het breken van meubilair van beneden komen. Daly schonk er geen aandacht aan en we voeren door het rustige kustwater naar de tegenoverliggende kant van Gunfire Rif. Ik kon de getande richels van het rif al zien. Ze staken als zwarte tanden van een oude haai omhoog. Er achter schitterde wit de hoge branding, toen deze op het rif brak en daarachter weer lag de open zee. Ongemerkt schoof ik meer in de richting van het rif en gaf iets meer gas. Het geluid van *Dancer's* motoren veranderde, maar niet in die mate om Daly te waarschuwen. Hij leunde tegen de verschansing, verveeld en ongeschoren en naar alle waarschijnlijkheid miste hij zijn ontbijt. Ik kon nu duidelijk het gedreun van de branding tegen het koraal horen en van beneden kwam een geluid, dat me vertelde dat de braspartij nog steeds aan de gang was. Daly merkte dit tenslotte ook op, fronste het voorhoofd en vertelde de bewaker naar bene-

den te gaan en een onderzoek in te stellen. De man, al even verveeld, verdween maar al te bereidwillig en keerde niet meer terug.
Ik wierp een blik naar achteren. Mijn toegenomen snelheid vergrootte langzaam de afstand tussen *Dancer* en de kanonneerboot
en gestaag stuurde ik meer op het rif af.

Begerig keek ik voor me uit en trachtte de markeringspunten en de
peiling die Chubby me verstrekt had op te pikken. Voorzichtig gaf
ik nog iets meer gas. De boot raakte iets meer achter.

Plotseling zag ik ongeveer duizend meter voor mij de ingang tot
Gunfire Break. Twee punten oud verweerd koraal gaven de plek
aan. Ik kon ook duidelijk het kleurverschil van het heldere zeewater zien dat door het gat in de koraalafsluiting naar binnen stroomde.

Van beneden hoorde ik het gegier van een nieuwe wilde lachbui en
een van de bewakers wankelde dronken de stuurhut binnen. Hij
bereikte de railing net op tijd en braakte overvloedig in het kielzog.
Toen begaven zijn benen het en hij zakte op het dek in elkaar en lag
daar als een aan zijn lot overgelaten hoop.

Daly slaakte een woedende kreet en rende de ladder af. Ik nam de
gelegenheid te baat om nog wat meer gas te geven.

Ik keek voor me uit, verzamelde al mijn krachten voor de poging
om door het gat te komen. Ik moest proberen de afstand tussen
Dancer en de haar begeleidende boot wat groter te maken. Elke
centimeter zou helpen om de kanonniers in verwarring te brengen.
Ik was van plan om op gelijke hoogte te komen met de stroom en
dan *Dancer* met vol gas aan de stroom over te geven. Ik riskeerde
liever de onder water liggende koraaluitsteeksels dan de schotvaar-
digheid van de kanonniers uit te proberen die daar aan boord van de
kanonneerboot zeer zeker hun best zouden doen. De smalle marte-
lende geul door het koraal was ongeveer een goede halve kilometer
lang voor we open water konden bereiken. Voor het grootste deel
daarvan zou *Dancer* gedeeltelijk verborgen worden door het uit het
water omhoogrijzende koraal. Bovendien zou het doorlopend
zwenken van de geul helpen de schietafstand van de drieponder in
verwarring te brengen. Ik hoopte daarnaast ook dat de branding die
zich door het gat werkte *Dancer* voldoende deinende beweging zou
geven, zodat ze op de meest onverwachte ogenblikken zou rijzen of
dalen, net als die eenden waarop je in een schiettent op de kermis

mag schieten.

Eén ding was zeker. Die onverschrokken zeeman, kapitein-luitenant-ter-zee, Suleiman Dada, zou niet het risico nemen door de geul een achtervolging in te zetten en daardoor zou het voor mij mogelijk zijn z'n richter een snel groeiende afstand te geven om mee te worstelen.

Ik schonk verder geen aandacht aan het door alcohol veroorzaakte lawaai benedendeks en ik zag nu hoe de mond van de geul snel naderbij kwam. Ik hoopte dat de zeemanskunst van de bemanning van de kanonneerboot en zijn bevelvoerder een getrouwe indicatie zou geven van hun scherpschutterskunst.

Plotseling hoorde ik Peter Daly de ladder opstormen en even later stond hij tegenover me. Zijn gezicht zag rood van woede en zijn snor probeerde de zijdeachtige haren overeind te zetten. Zijn lippen bewogen zich alvorens hij in staat was een woord uit te brengen.

'Jij hebt hun die sterke drank gegeven, Fletcher. Jij sluwe rotzak.'

'Ik?' vroeg ik verontwaardigd. 'Zo iets zou ik nooit doen.'

'Ze zijn zo dronken als wat – allemaal,' schreeuwde hij. Toen draaide hij zich om en keek over de achtersteven. De kanonneerboot lag nu een anderhalve kilometer achter ons en de afstand werd steeds groter.

'Je bent iets van plan,' schreeuwde hij tegen me en tastte in de zijzak van zijn zijden jasje. Op datzelfde ogenblik kwamen we op gelijke hoogte met de toegang tot de vaargeul.

Ik gaf nu vol gas. *Dancer* brulde het uit en schoot naar voren.

Nog steeds met zijn hand in zijn zak verloor Daly zijn evenwicht. Hij liep wankelend achteruit, nog steeds schreeuwend.

Ik draaide het stuurrad zover ik kon naar stuurboord en *Dancer* draaide rond als een balletdanseres. Daly veranderde de richting van zijn wankelende gang en door de plotselinge wending dwars over het dek geworpen, sloeg hij hard tegen de zijrailing, toen *Dancer* in haar plotselinge bocht sterk overhelde. Op dat ogenblik trok Daly een kleine en vernikkelde automatische revolver uit zijn zak. Het ding zag er uit als een .25, het soort revolver dat dames hanteren en in hun tasje meenemen.

Ik liet *Dancer* even aan haar lot over. Me bukkend legde ik mijn hand rond een van Daly's enkels en tilde hem met alle kracht omhoog. 'Verlaat ons nu maar, kameraad,' zei ik, toen hij ruggelings over de railing verdween, drie en een halve meter omlaag viel, waarbij hij op zijn weg naar het water nog een harde slag in de rug kreeg van de verschansing van het lager gelegen dek toen hij als een wanordelijke hoop in het water viel.

Ik sprong terug naar het stuur en wist *Dancer* op te vangen voor ze afviel en tegelijkertijd stampte ik drie maal op het dek.

Toen ik *Dancer* precies in lijn met de toegang had gebracht, hoorde ik benedendeks de kreten van het plotseling gerezen geschil en ik huiverde toen een machinegeweer met het geluid van scheurend goed begon te vuren – barapp – en kogels drongen door het dek achter me, waar ze een versplinterd gat achterlieten. Ze waren in ieder geval op het dak gericht en het was weinig waarschijnlijk dat ze Chubby of Angelo geraakt hadden.

Direct voordat ik tussen de beide koraaluitsteeksels doorvoer, wierp ik nogmaals een blik achter me. De kanonneerboot voer nog rustig door, ongeveer op anderhalve kilometer afstand. Daly's hoofd deinde op en neer in het kolkende, witte zog. Ik vroeg me nieuwsgierig af of zij hem zouden kunnen bereiken, voordat de haaien hem ontdekt hadden.

Maar er was nu geen tijd voor ijdele speculatie. Terwijl *Dancer* regelrecht de natuurlijke vaargeul inschoot, schrok ik me ongelukkig door de taak die ik mijn boot gesteld had.

Ik zou me voorover hebben kunnen buigen en de koraaluitsteeksels aan beide kanten met mijn hand hebben kunnen aanraken en ik kon nu ook de vormen van nog meer onheilspellend koraal onder het ondiepe kolkende wateroppervlak zien. Het water had het grootste deel van zijn woestheid op de lange reis door de kronkelende vaargeul verloren, maar hoe verder we de vaargeul binnenvoeren, hoe wilder het water werd en het was dan ook niet te voorspellen in hoeverre *Dancer* aan het roer zou gehoorzamen.

De eerste bocht in de vaargeul werd zichtbaar. Ik stuurde *Dancer* rond de eerste bocht. Ze deed dit gewillig genoeg, zwaaide haar bodem rond en met niet meer dan geringe gier die haar enigszins naar buiten drukte in de richting van het dreigende koraal.

Terwijl ik de boot rechttrok voor het nu volgende rechte stuk, kwam Chubby de ladder op. Hij grijnsde over zijn hele gezicht. Er waren slechts twee dingen die hem in een dergelijke stemming konden brengen – en een ervan was die goeie knokpartij. Hij was wat vel van zijn rechterknokkels kwijtgeraakt.

'Alles is rustig beneden, Harry. Angelo past op ze.' Hij wierp een blik om zich heen. 'Waar is die politieagent?'

'Die is een stukje gaan zwemmen.' Ik verslapte geen ogenblik mijn aandacht voor de te volgen route. 'Waar zit die kanonneerboot ergens? Wat voeren ze uit?'

Chubby tuurde achter zich naar de boot. 'Geen enkele verandering. Het schijnt nog niet tot ze doorgedrongen te zijn – wacht even –' zijn stem veranderde '– ja, ze komen in beweging. Ze bemannen het geschut.'

We voeren snel verder en ik riskeerde een snelle blik achterom. Op dat moment zag ik een lange witte sliert kruitdamp die als een veer uit de drieponder omhoog dwarrelde en even daarna het schelle geluid van een granaat, die hoog over ons heenging, onmiddellijk gevolgd door de knal van het schot.

'Ben je klaar, Harry. De linkse bocht is in aantocht.'

We schoten de volgende bocht binnen en het volgende schot was te kort. De granaat barstte in een regen van scherven en blauwe rook uiteen op een van de koraaluitsteeksels ongeveer vijftig meter opzij van ons.

Ik bracht *Dancer* vlot door de volgende bocht en toen we ongeveer halverwege waren, viel een volgende granaat in ons kielzog. De ontploffing bracht een zuil schuimend water tot hoog boven de brug en de achterkomende wind blies een waar watergordijn van druppels over ons heen.

We waren nu halverwege de vaargeul en de golven die ons tegemoet snelden, waren zeker bijna twee meter hoog en woest door de tegenwerking die ze ondervonden van de koraalmuur.

De bemanning van het kanon op de boot bracht er in de praktijk verontrustend weinig van terecht. Een volgend salvo kwam op vijfhonderd meter afstand achter de boot in het water terecht en de volgende schoot tussen mij en Chubby door en de verbijsterend snelle passage van de granaat en daarop volgende zuiging van de verscheurde lucht wierp me achterover.

'Nu komt de hals,' riep Chubby bezorgd. Ik verloor bijna alle moed, toen ik zag hoe de geul zich vernauwde en hoe de hals door tot aan de brug reikend koraal bewaakt werd.

Het leek onmogelijk dat *Dancer* door die smalle opening kon komen.

'Daar gaan we dan, Chubby, duim voor ons,' en nog steeds met vol gas bracht ik *Dancer* in de hals. Ik zag hoe Chubby met beide handen de railing vastgreep en ik verwachtte half en half dat het roestvrije staal door de kracht van zijn greep zou verbuigen.

We waren halverwege door de hals toen we met een krassend scheurend gekraak op het koraal stootten. *Dancer* slingerde en scheen te aarzelen.

Op hetzelfde ogenblik ontplofte er een granaat opzij van de boot. Het overdekte de brug met splinters koraal en gonzende granaatscherven, maar ik merkte het nauwelijks op, terwijl ik alles in het werk stelde om *Dancer* door de opening te brengen.

Ik gierde af van de muur en het scheurende schrapende geluid kwam nu van stuurboord. Even, heel even maar, zaten we muurvast. Toen stormde een andere enorme groene golf water op ons af en tilde de boot vrij van het koraal en we waren door de hals. *Dancer* schoot naar voren.

'Ga omlaag, Chubby,' schreeuwde ik. 'Controleer of de romp onder water lek geslagen is.' Bloed droop van zijn kin waar een scherf hem geraakt had, maar hij schonk er geen aandacht aan en schoot vliegensvlug de ladder af. Met een behoorlijk stuk open water voor me uit kon ik het me nu veroorloven achter me te kijken om de positie van de kanonneerboot op te nemen. Ze was, dank zij het tussenliggende brok koraal, nauwelijks zichtbaar, maar nog steeds werd er wild en snel geschoten. Ze scheen bij de ingang van de vaargeul bijgedraaid te liggen, vermoedelijk om Daly op te pikken – maar ik wist dat ze het niet zou wagen ons nu te volgen. Het zou haar vier uur kosten om terug te varen naar het grote kanaal voorbij de Old Men.

De laatste bocht in de geul doemde nu voor ons op en weer raakte de bodem van *Dancer* het koraal en het geluid alleen al scheen mijn ziel te verscheuren. Maar tenslotte schoten we het diepe bassin achter de grote koraalwand binnen, een tamelijk ronde ruimte met diep water en een middellijn van ongeveer driehonderd meter, afgesloten door muren van koraal en alleen via de Gunfire Break open naar de wilde branding van de Indische Oceaan. Chubby kwam weer naast me staan. 'Geen lek te bespeuren, Harry. Laat geen druppel water door.' Zwijgend applaudisseerde ik voor mijn lieveling.

We bevonden ons nu voor het eerst in het volle gezicht van de bemanning van het kanon, op ongeveer een zevenhonderd meter afstand over het koraalrif en de door mij ingezette bocht in het bassin bracht *Dancer* dwarszij. Alsof ze voelden dat dit hun laatste kans was schoten ze de ene granaat na de andere op ons af.

Ze vielen in grote waterfonteinen rondom ons in het water, maar naar mijn smaak veel te dicht bij om me veel tijd voor een beslissing te gunnen. Weer zwaaide ik *Dancer* rond, richtte de boeg op de smalle opening en liet haar op volle snelheid op het gat door Gunfire Rif afstormen.

Ik gaf haar over en toen we het punt gepasseerd waren waarna elke terugkeer onmogelijk was, voelde ik mijn buikwand samenkrimpen van afgrijzen toen ik voor me uit door de opening keek en de open zee zag. Het leek alsof de hele oceaan zich daar voor me verhief, alsof al het water zich verzamelde om zich als een dolzinnig monster op het kleine broze schip te storten.

'Chubby,' riep ik geveinsd. 'Zou je daar even naar willen kijken.'

'Harry,' fluisterde hij, 'dit is een goed ogenblik om te bidden.'

En *Dancer* stormde dapper naar buiten om deze buitenissige Goliath van de zee het hoofd te bieden.

Het water kwam, scheen zijn monsterlijke schouders te krommen toen het de aanval inzette, hoger en hoger rees het water, een doorzichtige groene muur en ik kon het horen ruisen – als vuur door droog gras.

Een volgende granaat schoot vlak over ons heen, maar ik merkte het nauwelijks op toen *Dancer* de kop omhoog wierp en tegen de op een berg lijkende golf omhoog begon te klimmen.

Langs de kam ver boven ons veranderde de golf in lichtgroen, begon nu om te krullen en *Dancer* ging omhoog alsof ze in een lift zat. Het dek helde enorm en we klemden ons hulpeloos aan de railing vast.

'Ze slaat ruggelings over,' schreeuwde Chubby, toen de boot op haar staart ging staan. 'Man, ze slaat om!'

'Ga erdoor,' riep ik tegen *Dancer*. 'Boor je dwars door het groen!'

En alsof ze het gehoord had boorde ze haar scherpe boeg in de krul van de golf, een onderdeel van een seconde voor de overslaande golf bovenop ons kon vallen en de romp kon verpletteren.

De golf kwam overboord als een brullend groen monster. Massieve watergordijnen zweepten van boeg tot achtersteven over *Dancer*, zeker twee meter hoog en ze slingerde alsof haar een dodelijke slag was toegebracht.

Maar plotseling braken we door de achterkant van de golf heen en onder ons zagen we een gapend dal, een peilloze afgrond, waarin *Dancer* zich stortte als in een vrije val, een gewaagde neerschietende val in het golfdal. We raakten het wateroppervlak met een misselijkmakende klap, die de boot scheen te verdoven en die Chubby en mij tegen het dek sloeg.

Maar toen ik mezelf weer overeind hees, ontdeed *Dancer* zich van de vele tonnen water die over boord gekomen waren en ze snelde verder om aan de volgende golf het hoofd te bieden.

Deze was aanmerkelijk kleiner en *Dancer* bereikte de golf juist voordat deze oversloeg en dook er als een bruinvis over heen.

'Braaf gedaan,' schreeuwde ik tegen haar en haar snelheid nam weer toe en de derde golf nam ze als een ervaren springpaard.

Ergens niet ver van ons vandaan ontplofte er in de lucht een nieuwe granaat, maar toen waren we al op de uitgestrekte zee en snelden de lange horizon van de oceaan tegemoet. We hoorden geen enkel schot meer.

De bewaker, die in de stuurhut bewusteloos geslagen was door een overmatig gebruik van whisky, moest door de enorme golf over boord gespoeld zijn, want we konden van hem geen enkel spoor meer ontdekken. De andere drie lieten we op een klein eiland veertig kilometer ten noorden van St. Mary achter waar ik wist dat een wel was met brak water en dat zeer zeker door vissers van het vasteland bezocht zou worden.

Ze waren tegen die tijd volkomen ontnuchterd en hadden alleen nog maar last van een knoert van een kater. Ze vormden daar op het strand een groepje van drie ellendig uitziende gestalten, toen we zuidwaarts wegvoeren, de schemering tegemoet. Het was donker toen we langzaam Grand Harbour binnenkropen. Ik legde de boot aan een stel boeien, want ik voelde er niets voor haar aan de Admiraliteitswerf te meren. Ik wilde onder geen beding dat de sterk opvallende kwetsuren van *Dancer* het onderwerp van allerlei speculaties zouden worden.

Chubby en Angelo roeiden met de kleine jol naar de wal, maar ik was te moe om die poging op te brengen en zonder iets te eten liet ik me op de dubbele kooi in de kapiteinshut vallen en sliep zonder me te bewegen, totdat Judith me de volgende ochtend om negen uur wakker maakte.

Angelo had haar met een emmer viskoekjes en bacon naar me toe gestuurd.

'Chubby en Angelo zijn naar de winkel van missus Eddy gegaan om voorraden in te slaan die ze nodig hebben om de boot te repareren,' vertelde ze me. 'Ze zullen wel gauw komen.'

Ik slokte mijn ontbijt naar binnen en ging me vervolgens scheren en een douche nemen. Toen ik terugkwam was ze er nog. Ze zat op de rand van de kooi. Het was duidelijk dat ze het ergens over wilde hebben.

Ze stopte mijn onhandige pogingen om mijn wond te verbinden en dwong me te gaan zitten waarna zij het verband aanlegde.

'Mister Harry, u bent toch niet van plan mijn Angelo te laten vermoorden of in de gevangenis terecht te laten komen, is 't wel?' vroeg ze. 'Als u op deze manier doorgaat, ben ik van plan hem te dwingen aan wal te komen.'

'Dat is gewoonweg prachtig, Judith.' Ik lachte om haar bezorgdheid. 'Waarom stuur je hem niet voor drie jaar naar Rawano, terwijl jij hier op het eiland blijft.'

'Dat klinkt niet erg vriendelijk, mister Harry.'

'Het leven is nu eenmaal niet vriendelijk, Judith,' zei ik nu wat vriendelijker. 'Angelo en ik doen zo goed mogelijk ons best. Om mijn boot varende te houden moet ik zo nu en dan wat risico nemen. Sommige met Angelo. Hij vertelde me laatst dat hij genoeg geld gespaard had om een mooi klein huisje te kopen, niet ver van de kerk. Hij heeft dat geld bij elkaar gekregen door met mij te varen.'

Ze zweeg totdat ze het verband had omgedaan en toen ze zich omdraaide met de bedoeling weg te gaan, pakte ik haar hand en trok haar terug. Ze weigerde me aan te kijken, totdat ik haar bij de kin pakte en haar gezicht omhoog duwde. Het was een allerliefst meisje, met grote wazige ogen en een zacht zijden huid.

'Wind je vooral niet op, Judith. Angelo is voor mij als een kleinere broer. Ik zal wel op hem passen.'

Ze keek me lang en onderzoekend aan. 'U meent dat echt, is 't niet?' vroeg ze.

'Inderdaad doe ik dat.'

'Ik geloof u,' zei ze tenslotte en glimlachte. Haar tanden staken helder wit af tegen de amberkleurige huid. 'Ik vertrouw u.'

Vrouwen zeggen dat altijd tegen me. 'Ik vertrouw je.' Over vrouwelijke intuïtie gesproken.

'Je noemt een van je kinderen naar mij, afgesproken?'

'De eerste, mister Harry.' Haar glimlach straalde en haar donkere ogen schitterden. 'Dat is een belofte.'

'Ze zeggen altijd dat, als je van een paard valt, je onmiddellijk weer op zijn rug moet klimmen en een ritje maken – om niet de moed te verliezen, mister Harry.' Fred Coker zat achter zijn bureau op het reisbureau. Achter hem een aanplakbiljet met een lid van de oude lijfwacht en de Big Ben – 'England Swings' stond er onder. We hadden zojuist uitgebreid onze wederzijdse zorg over inspecteur Daly's onbetrouwbare houding besproken. Hoewel ik Fred Coker ervan verdacht dat zijn bezorgdheid aanmerkelijk geringer was dan de mijne. Hij had zijn commissie vooruitbetaald gekregen en niemand had hem in een val gelokt en evenmin hadden ze bijna van zijn schip een wrak gemaakt. We bespraken nu het onderwerp of we wel of niet onze zakelijke overeenkomst zouden continueren.

'Ze zeggen ook, mr. Coker, dat een man die geen nagels aan zijn vingers heeft om zijn kont te krabben niet al te pietluttig moet zijn,' antwoordde ik en Coker's brilleglazen schitterden van voldoening. Hij knikte.

'En dat, mister Harry, is naar alle waarschijnlijkheid de verstandigste van de twee gezegden,' stemde hij in.

'Ik neem domweg alles, mr. Coker. Menselijke lading, wapens of ivoor. Alleen één ding, de prijs van doodgaan is opgelopen tot tienduizend dollar per keer en bij vooruitbetaling.'

'Zelfs tegen die prijs zullen we genoeg werk voor je vinden,' beloofde hij en ik besefte dat ik vroeger veel te goedkoop geweest was.

'En gauw,' drong ik aan.

'Heel gauw,' stemde hij mee in. 'Je boft. Ik geloof niet dat inspecteur Daly nu nog naar St. Mary terug zal komen. Dat bespaart je de commissie die je hem gewoonlijk moest betalen.'

'Dat is hij me op zijn minst genomen ook wel schuldig,' meende ik.
Tijdens de volgende zes weken maakte ik drie nachtelijke tochten.
Twee met menselijke lading en een wapenhandeltje – en alle drie
beneden de rivier en in Portugese wateren. De menselijke ladingen
bestonden in beide gevallen uit één persoon, zwijgende zwarte
mannen gekleed in oerwoudkleding. Ik bracht ze ver naar het
zuiden, het binnenland in. Ze waadden aan afgelegen stranden aan
land en ik vroeg me even af wat voor goddeloze opdracht ze hadden
– hoeveel verdriet en dood door deze heimelijke ladingen veroorzaakt zouden worden.
Het wapenhandeltje bestond uit achttien lange houten kisten met
Chinese merktekens. We namen ze over van een onderzeeboot in
een diepe vaargeul en losten ze weer in een riviermonding in een
stel boomkano's die om een grotere stabiliteit te krijgen naast elkaar vastgebonden lagen. We spraken tegen niemand en niemand
riep ons aan of daagde ons uit.
Het waren stuk voor stuk zachte eitjes en ik verdiende achttiendui-
zend dollar – genoeg om mij en mijn bemanning door het slechte
seizoen heen te helpen en wel in de stijl waaraan we gewend waren.
Wat echter belangrijker was, was het feit dat deze rustperioden voldoende waren om mijn wonden te helen en mij mijn krachten terug
te geven. In het begin lag ik urenlang in een hangmat onder de palmen, beurtelings lezend en slapend.
Toen ik voelde dat mijn krachten terugkeerden, ging ik zwemmen,
vissen en lag in de zon te bakken. Ik ving oesters en krabben en ik
hield dit alles vol, totdat ik weer sterk en mager was en weer door de
zon gebruind.
De wond heelde tot een verdikt, onregelmatig litteken, een hulde-
blijk aan MacNab's operationele bekwaamheden. Het liep in allerlei kronkels rond mijn borst en verder naar mijn rug als een soort
woedende purperen draak. In één ding had hij gelijk, de aanzienlijke schade aan mijn linker bovenarm was er de oorzaak van dat deze
wat stijf bleef en minder sterk. Ik kon mijn elleboog niet boven
schouderhoogte brengen en ik verloor mijn titel in Indiaas worstelen in de bar van Lord Nelson aan Chubby. Ik hoopte maar dat veel
zwemmen en regelmatig oefenen de kracht weer terug zouden
brengen en de stijfheid zouden doen verdwijnen.
Met mijn krachten keerden ook mijn nieuwsgierigheid en zin voor

avontuur weer terug. Ik begon te dromen over dat in zeildoek verpakte geval even buiten de kust van Big Gull Eiland. In een van die dromen zwom ik naar de bodem en maakte daar het pak open – het bevatte een kleine vrouwelijke gestalte, ter grootte van een Dresden porseleinen pop, een gouden zeemeermin met het lieflijke gezicht van zuster St. Mary en een waarlijk schrikbarende boezem. De staart had de gracieuze sikkelvorm van een marlin. De kleine zeemeermin glimlachte verlegen en stak haar hand naar me uit. Op de palm van die hand lag een glanzende zilveren shilling. 'Seks, geld en diepzeevis –' dacht ik, toen ik wakker werd. '– die goeie ouwe ongecompliceerde Harry, echt voer voor Freud.' Ik wist dat het niet al te lang meer zou duren voordat ik naar het Big Gull Eiland zou gaan.

Het was al heel laat in het seizoen voor ik Fred Coker kon overhalen weer een viscontract voor me te sluiten. Maar dat werd een geweldige tegenvaller. De charter bestond uit twee veel te zware pafferige Duitse industriëlen met dikke, met juwelen behangen vrouwen. Ik werkte hard voor ze en wist beide mannen een vis te laten vangen. De eerste was een beste zwarte marlin, maar de man sloeg vast op zijn eerste vis, zette de haspel vast, terwijl de vis nog fris was en klaar om aan de haal te gaan. Hij trok het enorme achterwerk van de Duitser finaal uit de stoel omhoog en voor ik die knaap van een vis voor hem kon vrijmaken, steunde mijn driehonderd dollar kostende hengel op het dolboord. De uit fiberglas vervaardigde hengel knapte als een luciferhoutje.

Het andere lid van het groepje, nadat hij twee behoorlijke vissen verspeeld had, hijgde en zweette drie volle uren om een heel jonge blauwe marlin binnen te halen. Toen hij het dier eindelijk bij de speer gebracht had, kon ik mezelf er nauwelijks toe brengen de stalen punt in het lichaam te stoten en ik voelde me te beschaamd om hem op de Admiraliteitswerf op te hangen om te wegen. We namen foto's aan boord van *Dancer* en ik smokkelde het dier gewikkeld in zeildoek aan wal. Evenals Fred Coker heb ik ook een reputatie in stand te houden. De Duitse industrieel was echter zo verrukt met zijn vangst dat hij me een extra vijfhonderd dollar in mijn hebzuchtige hand liet glijden. Ik vertelde hem dat het een pracht van een vis was en dat was een duizend-dollar-leugen. Ik geef altijd waar voor mijn geld. Toen draaide de wind naar het zuiden, de temperatuur van het water daalde vier graden en de vis verdween. Tien dagen lang visten we ver naar het noorden, maar het had geen zin. Weer een seizoen voorbij.

We haalden al de viswerktuigen van boord, maakten ze schoon en zetten alles dik in het vet. Ik bracht *Dancer* op de helling van het dok waar we gewoonlijk brandstof innamen en we liepen haar romp na, maakten die grondig schoon en vervingen de tijdelijke reparaties op de plekken waar ze tijdens de strijd op Gunfire Rif getroffen was.

Daarna verfden we haar tot ze glom, glanzend en verrukkelijk en lieten haar weer te water. We legden haar aan haar boeien. Eenmaal daar werkten we tamelijk lusteloos aan haar bovenwerk, verwijderden het lakwerk, bewerkten haar met schuurpapier, lakten opnieuw, controleerden het elektrische circuit, soldeerden hier en daar opnieuw een verbinding en vervingen ergens anders weer de bedrading.

Ik had geen haast. Pas over drie weken kwam mijn volgende charter – een expeditie zeebiologen van een Canadese universiteit.

Intussen werden de dagen koeler en ik voelde opnieuw de oude gloed die samengaat met een goede gezondheid en lichamelijk welzijn. Ik at op Government House, soms zelfs éénmaal per week en iedere keer opnieuw moest ik het hele verhaal van die schietpartij met Materson en Guthrie vertellen. President Biddle kende het verhaal uit zijn hoofd en corrigeerde me als ik ook maar de kleinste bijzonderheid wegliet. Het eindigde er altijd mee dat de president opgewonden uitriep: 'Laat ze je litteken zien, mister Harry,' en dan kon ik het gesteven front van mijn overhemd aan tafel openmaken. Het waren heerlijke luie dagen. Het leven op het eiland gleed vreedzaam voorbij. Peter Daly kwam nooit meer naar St. Mary terug – en na zes weken werd Wally gepromoveerd tot dienstdoend inspecteur en bevelvoerend officier van de politiestrijdmacht. Een van zijn eerste daden was mij mijn FN karabijn teruggeven.

Deze rustige tijd werd echter gekruid door de heimelijke tinteling van een zekere voorsmaak die ik had. Ik wist dat ik nu spoedig een keer naar Big Gull Eiland zou gaan en naar dat stukje onafgemaakt werk dat daar in dat ondiepe heldere water lag – en ik plaagde mezelf met die wetenschap.

Op een vrijdagavond sloot ik met mijn bemanning in de bar van de

Lord Nelson de week af. Judith was bij ons en zij had nu de plaats ingenomen van het troepje dat zich vroeger op zulke vrijdagavonden rond Angelo verzamelde. Ze was meer dan goed voor hem en hij dronk zich niet langer doodziek.

Chubby en ik waren juist aan ons eerste duet van de avond begonnen en waren niet meer dan enkele maten van elkaar verwijderd, toen Marion, het nichtje van Chubby, zich op de stoel naast me liet glijden.

Ik legde mijn arm rond haar schouders en hield mijn bierkroes aan haar lippen waarvan ze dorstig dronk, maar de verwarring was er de oorzaak van dat ik Chubby nog enkele maten meer voorkwam.

Marion werkte aan het schakelbord van het Hilton Hotel. Ze was een parmantig klein ding met een sexy mopshondegezicht en lang sluik, zwart haar. Zij was het meisje geweest dat Mike Guthrie indertijd als boksbal gebruikt had.

Toen Chubby en ik nogal op onregelmatige wijze aan het einde van het refrein gekomen waren, zei Marion tegen me: 'Er is een dame die naar u vraagt, mister Harry.'

'Wat voor een dame?'

'In het hotel. Een van de gasten. Ze kwam met het ochtendvliegtuig. Ze wist uw naam en alles. Ze wil u spreken. Ik zei tegen haar dat ik u vanavond zou ontmoeten en dat ik dan de boodschap aan u door zou geven.'

'Hoe ziet ze eruit?' vroeg ik Marion belangstellend.

'Ze is erg mooi, mr. Harry. Een echte dame.'

''t Klinkt precies of het mijn type is,' gaf ik toe en bestelde voor Marion een kroes bier.

'Gaat u nu naar haar toe?'

'Met jou naast me, Marion, kunnen alle mooie vrouwen van de wereld wachten tot morgen.'

'Oh, mister Harry, u bent een echte vrouwenjager,' antwoordde ze giechelend en kroop wat dichter naar me toe.

'Harry,' zei Chubby die aan de andere kant van me zat, 'ik ga je nu iets vertellen dat ik je nog nooit eerder verteld heb.' Hij nam een grote slok bier en, terwijl de tranen van gevoel zijn ogen deden zwemmen, zei hij: 'Harry, man, ik houd van je. Ik houd meer van je dan van mijn eigen broer.'

Enkele minuten voor twaalven de volgende dag ging ik naar het Hilton Hotel. Marion kwam uit haar hokje achter de balie naar me toe. Ze had haar koptelefoon om haar nek.

'Ze zit op het terras op u te wachten.' Ze wees over de ruime ontvangsthal met zijn namaak Hawaiiaans decor. 'Die blonde dame daar in die gele bikini.'

Ze lag op haar buik op een van die verstelbare zonnestoelen een weekblad te lezen. Ze lag met haar rug naar me toe en daardoor was mijn eerste indruk een massa blond haar, dik glanzend, omhoog gekamd als de manen van een leeuw om dan als een vloeiende gouden waterval omlaag te vallen.

Ze hoorde mijn voetstappen op de plavuizen van het terras. Ze wierp een blik achterom, duwde haar zonnebril boven op haar hoofd en stond toen op om me eens goed op te nemen. Ik realiseerde me dat ze klein was en naar het scheen niet veel hoger dan mijn borst reikte. De bikini was ook al klein en liet een platte gladde buik bloot met een diepliggende navel, stevige schouders die licht gebruind waren, kleine borsten en een smalle taille. Haar benen waren bijzonder goed van vorm en haar keurige kleine voetjes staken in een paar open sandalen. De nagels van haar tenen waren rood gelakt, zodat ze pasten bij haar lange vingernagels. Toen ze tegen haar kapsel duwde zag ik dat haar handen klein en goed gevormd waren. Ze was overmatig opgemaakt maar droeg het bijzonder bekwaam, waardoor haar huid een zachte parelachtige glans had en haar wangen en lippen glansden subtiel door de aangebrachte kleur. Ze droeg lange donkere aangeplakte wimpers en haar oogleden waren zodanig opgemaakt met kleur dat ze een exotisch oosterse indruk maakte.

'Smeer 'm, Harry!' Iets diep in me schreeuwde die waarschuwing en bijna gaf ik er gehoor aan. Ik kende dit type maar al te goed. Er waren anderen net zo als zij geweest – klein en spinnend katachtig – ik had de littekens om dit te bewijzen, zowel lichamelijke als geestelijke littekens.

Eén ding kan echter niemand van ouwe Harry zeggen en dat is dat hij dekking zoekt wanneer de kansen slecht staan.

Moedig stapte ik naar voren, rimpelde mijn ooghoeken en vertrok mijn mond tot de grijns van een ondeugende kleine jongen en gewoonlijk brengt ze dat volkomen in de vernieling.

'Hallo,' zei ik. 'Mijn naam is Harry Fletcher.'

Ze keek me aan, begon bij mijn voeten en liep toen de hele ruim een meter negentig af waar haar blikken een ogenblik bespiegelend verwijlden.

Ze stak haar onderlip vooruit.

'Hallo,' antwoordde ze. Haar stem klonk hees, ademloos – en zorgvuldig gerepeteerd. 'Ik ben Sherry North, Jimmy North's zuster.'

We zaten 's avonds op de veranda van mijn houten huis. Het was koel en de zonsondergang gaf een spectaculaire demonstratie van vuurwerk, dat opvlamde en boven de palmen weer vervaagde.

Ze dronk een Pimms No. 1 gevuld met fruit en ijs – een van mijn zeer speciale verleidingsdrankjes. Ze droeg een kaftan van licht zwevende stof, waardoor haar lichaam zich vaag vertoonde, toen ze tegen de balustrade stond en van achteren door de ondergaande zon verlicht werd. Ik was er niet helemaal zeker van of ze nu onder die kaftan wel iets of helemaal niets droeg – dit en het tinkelen van ijs in haar glas leidden mijn aandacht af van de brief die ik bezig was te lezen. Ze had me die brief getoond als deel van haar introductiebrieven. Het was een brief, die Jimmy North enkele dagen voor zijn dood geschreven had. Ik herkende het handschrift en de zinswending was typisch voor deze schrandere en enthousiaste jongeman. Terwijl ik verder las vergat ik door de herinnering aan het verleden de tegenwoordigheid van de zuster. Het was een lange, bruisende brief, alsof hij naar een teerbeminde vriendin schreef, met verhulde verwijzingen ten opzichte van de taak die hij zich gesteld had en het succesvolle resultaat, de belofte van een toekomst, waarin rijkdom, blijdschap en alle andere goede dingen van deze wereld de boventoon zouden voeren.

Ik voelde even een steek van spijt en persoonlijk verlies voor deze jongen die daar in zijn eenzame zeegraf lag, voor de verloren gegane dromen die nu gelijk rottend zeewier met hem meedreven.

Plotseling sprong mijn eigen naam mij vanaf het blad in 't oog '– je kunt er gewoon niets aan doen, Sherry, maar je mag die man gewoon. Hij is groot en maakt een keiharde indruk, vol met littekens en afgeranseld als een oude kater, die iedere avond op stap is geweest en het in stegen en sloppen heeft uitgevochten met anderen van zijn soort. Maar daaronder, achter dat harde uiterlijk durf ik te beweren dat er een heel zacht plekje zit. Hij schijnt mc wcl te mogen. Geeft me soms zelfs vaderlijke raad! –'

Er volgde meer in die geest dat me tenslotte zo in verwarring bracht dat 't mijn keel dichtkneep en ik gauw een slok whisky nam die mijn ogen deed tranen en de woorden deed zwemmen. Ik las de rest van de brief en vouwde hem weer op.

Ik overhandigde hem aan Sherry en liep naar het einde van de veranda.

Ik bleef daar een tijdje staan en keek uit over de baai. De zon gleed weg achter de horizon en plotseling was het donker en kil.

Ik liep terug en stak een lamp aan, die ik hoog neerzette, zodat de gloed niet direct in onze ogen zou vallen. Ze sloeg me zwijgend gade, totdat ik een tweede glas whisky had ingeschonken en ik me in mijn rieten leunstoel had laten zakken.

'Goed,' zei ik, 'u bent Jimmy's zuster. U bent naar St. Mary gekomen om mij te spreken. Waarom?'

'U mocht hem graag, is 't niet?' vroeg ze, terwijl ze bij de balustrade vandaan liep en naast me kwam zitten.

'Ik mag tal van mensen graag. Dat is een van mijn zwakheden.'

'Stierf hij – ik bedoel, was het net zo als ze het in de kranten schreven?'

'Ja,' antwoordde ik. 'Precies zo.'

'Heeft hij u ooit verteld wat ze daarginds deden?'

Ik schudde het hoofd. 'Ze waren bijzonder voorzichtig – en ik stel geen vragen.'

Ze had hierop geen commentaar en ze stak haar lange spits toelopende vingers in haar glas om het schijfje ananas eruit te halen. Ze knabbelde er stukjes af en likte daarna haar lippen met het roze spitse tongetje van een kat.

'Omdat Jimmy u graag mocht en vertrouwde en omdat ik denk dat u meer weet dan u aan iemand verteld hebt en ook omdat ik uw hulp nodig heb, zal ik u nu een verhaal vertellen – goed?'

'Ik ben gek op verhalen,' antwoordde ik.

'Hebt u ooit wel eens gehoord van de "pogo stick" – je zou het een wentelschroef kunnen noemen?' vroeg ze.

'Natuurlijk, dat is een soort speelgoed voor kinderen.'

'Ja, maar het is ook de codenaam voor een Amerikaans experimenteel, verticaal opstijgend marine gevechtsvliegtuig, geschikt voor alle soorten weer.'

'Oh ja, nu herinner ik het me. Ik las een artikel in Time Magazine. Vragen in de senaat. De bijzonderheden ben ik vergeten.'

'Er was nogal wat oppositie tegen een toewijzing van vijftig miljoen om het toestel verder te ontwikkelen.'

'Ja, ik herinner me zo iets.'

'Twee jaar geleden, om precies te zijn op 2 augustus, steeg een prototype van de "pogo stick" op van de militaire vliegbasis op Rawano in de Indische Oceaan. Het was bewapend met vier air-to-surface "killer whale", absoluut dodelijke projectielen met atoomkoppen.'

'Dat moet dan wel een behoorlijk dodelijke verpakking geweest zijn.'

Ze knikte. 'De "killer whale" is ontworpen als een totaal nieuwe gedachte wat dit soort raketten betreft. Het is een anti-duikbootinstrument, dat aan de oppervlakte varende of ondergedoken duikboten opspoort en achterna gaat. Het kan een vliegdekschip tot zinken brengen of het kan zijn element veranderen – lucht voor water – en een diepte bereiken van wel tweeduizend meter en vijandelijke onderzeeboten vernietigen.'

'Goeiendag,' merkte ik op en nam nog een slokje whisky. We hadden het wat je noemt over behoorlijk onstuimig spul.

'Herinnert u zich nog de 16de augustus van dat jaar – was u toen hier?'

'Ik was inderdaad hier, maar dat is wel bar lang geleden. Als u mijn herinnering eens wat opfriste.'

'Cycloon Cynthia,' zei ze.

'Goeie God, natuurlijk.' Ze was met brullend geweld over het eiland gekomen, windstoten van tweehonderdvijftig kilometer per uur. Het ding had 't dak van mijn huis meegenomen en *Dancer* bijna van haar boeien in Grand Harbour tot zinken gebracht. Dit soort cyclonen waren in deze omgeving niet ongewoon.

'De "pogo stick" startte enkele minuten voor de wervelstorm toesloeg van Rawano. Twaalf minuten later maakte de piloot gebruik van zijn vliegstoel en het vliegtuig stortte met zijn vier atoomkoppen en zijn "zwarte doos", waarin alle koersgegevens worden geregistreerd, in zee. De radarapparatuur op het vliegveld van Rawano was door de wervelstorm uitgeschakeld. Ze konden het vliegtuig dus niet op het scherm volgen.'

Eindelijk begon het verhaal wat meer tekening te krijgen.

'Maar op welke manier past Jimmy in deze hele geschiedenis?'

Ze maakte een gebaar van ongeduld. 'Wacht,' zei ze en ging toen verder: 'Heb je enig idee hoeveel die lading op de vrije markt zou kunnen opbrengen?'

'Ik veronderstel dat jezelf het bedrag op de cheque zou kunnen invullen en een paar miljoen meer of minder zal weinig uitmaken.'

Die goeie ouwe, maar o zo slechte Harry kreeg nu wat meer belangstelling. Hij had de laatste tijd aan de nodige lichaamsontwikkeling gedaan en was aanmerkelijk sterker geworden.

Sherry knikte. 'De testpiloot van de "pogo stick" was een commandant bij de Amerikaanse marine, een zekere William Bryce. Het vliegtuig kreeg een defect op een hoogte van vijftigduizend voet, vrijwel op hetzelfde moment dat het door de bovenste laag van de cycloon zou vliegen. Hij probeerde de hele weg omlaag het vliegtuig onder controle te houden. Hij was wat je noemt een bijzonder plichtsgetrouwe officier, maar op een hoogte van ongeveer vijfhonderd voet wist hij dat hij het vliegtuig niet naar de basis terug kon brengen. Hij maakte gebruik van zijn schietstoel en keek toe hoe het vliegtuig in zee stortte.'

Ze sprak bijna angstvallig voorzichtig en de keuze van haar woorden was nogal vreemd, veel te technisch voor een vrouw. Ze had dit allemaal van Jimmy gehoord – daar was ik van overtuigd. Of misschien van iemand anders. Luister en leer, Harry, zei ik in mezelf.

'Billy Bryce dreef drie dagen in die wervelstorm op een rubbervlot op zee voor de reddingshelikopters van Rawano hem vonden. Hij had tijd genoeg gehad om rustig na te denken. Een van de dingen waaraan hij dacht was de waarde van de lading – en hij vergeleek die waarde met zijn salaris als commandant. Zijn getuigeverklaring voor het hof van onderzoek vertelde niet dat de "pogo stick" kort onder het vasteland in zee gestort was en evenmin dat onze vriend Bryce in staat was geweest vrij nauwkeurig te bepalen waar de kist in zee was gestort voor hij van zijn vliegstoel gebruik had gemaakt.'

Ik kon in haar verhaal geen enkele zwakke plek ontdekken. Het scheen allemaal juist – en bijzonder interessant.

'Het hof van onderzoek kwam tot de uitspraak dat de vlieger een fout gemaakt had en dit betekende voor Bryce het einde. Zijn carrière werd door die uitspraak volkomen vernietigd. Hij besloot zijn eigen pensioen te gaan verdienen en tevens zijn naam van alle blaam te zuiveren. Hij was van plan de Amerikaanse marine te dwingen zijn "killer whale"-projectielen terug te kopen en de bewijzen van de "zwarte doos" zonder meer te accepteren.'

Ik stond op het punt enkele vragen te stellen, maar weer snoerde Sherry me met een gebaar van haar hand de mond. Ze wenste blijkbaar niet dat haar verhaal onderbroken werd.

'Jimmy had voor de Amerikaanse marine wat karweitjes opgeknapt – een inspectie van de romp van een van hun vliegdekschepen – en in die tijd had hij kennis gemaakt met Bryce. Ze waren vrienden geworden en het was dus vrij logisch dat Bryce zich tot Jimmy wendde. Maar samen beschikten ze niet over voldoende kapitaal voor de expeditie die ze beraamd hadden en dus besloten ze financiële steun te zoeken. Maar het was niet bepaald iets waarmee je in The Times kon adverteren en ze waren druk bezig hun plannen in die richting verder uit te werken, toen Billy Bryce in zijn Thunderbird op de M4 niet ver van Heathrow werd gedood.'

'Er schijnt de een of andere vloek op die zaak te rusten,' merkte ik op.

'Ben je bijgelovig, Harry?' vroeg ze. Ze keek me met die schuinstaande tijgerogen nadrukkelijk aan.

'Ik maak er over het algemeen geen grapjes over,' gaf ik toe en instinctief wreef ik met mijn vingers over het verdikte litteken onder mijn overhemd.

'Vanzelf met uitzondering van de plaats van de vliegramp.'

We staarden elkaar aan.

'Vertelde hij je die?' vroeg ik, maar ze schudde het hoofd.

'Wel, het was een machtig interessant verhaal.' Ik keek haar grinnikend aan. 'Het is alleen jammer dat we niet kunnen ontdekken of het al of niet waar is.'

Ze stond abrupt op en liep naar de balustrade van de veranda. Ze omklemde haar armen en ze was zo kwaad dat, als ze een staart had gehad, ze het ding als een leeuwin heen en weer gezwiept had.

Ik wachtte totdat ze zich voldoende hersteld had en dat ogenblik kwam toen ze haar schouders ophaalde en zich weer naar me toewendde. Haar glimlach was luchtig.

'Wel, dat is 't dan! Persoonlijk dacht ik recht op een deel van de beloning te hebben. Jimmy was mijn broer – en ik heb een hele reis gemaakt, omdat hij je mocht en vertrouwde. Ik dacht dat we samen zouden kunnen werken. Maar ik vermoed dat, als je alles voor je zelf wilt houden, ik daar niet veel aan veranderen kan.'

Ze schudde haar blonde lokken en het ruiste en glansde in het lamplicht.

Ik kwam overeind.

'Ik zal je nu thuis brengen,' zei ik en raakte haar arm aan. Ze stak allebei haar armen uit en haar vingers strengelden zich in elkaar in de massa krullend haar achterin mijn nek.

'Het is een heel eind, naar huis,' fluisterde ze. Ze trok, terwijl ze zich op haar tenen uitstrekte, mijn hoofd omlaag.

Haar lippen waren zacht en vochtig en haar tong drong zich rusteloos in mijn mond. Na een tijdje trok ze haar hoofd terug en keek me glimlachend aan. Haar ogen stonden wazig en haar ademhaling was kort en snel.

'Misschien is het toch niet helemaal een verspilde reis geweest.'

Ik tilde haar op en ze was zo licht als een klein meisje. Ze had haar armen om mijn nek geslagen, drukte haar wang tegen de mijne, toen ik haar naar binnen droeg. Ik leerde heel lang geleden dat het 't beste is smakelijk en goed te eten wanneer er voedsel beschikbaar was, omdat je tenslotte nooit kunt weten wanneer de hongersnood toeslaat.

Zelfs het zachte licht van de dageraad was wreed tegenover haar, zoals ze daar slapend op het grote tweepersoonsbed onder het muskietengaas uitgestrekt lag. Haar make-up had haar gezicht besmeurd en scheen gekoekt te zijn en daar kwam nog bij dat ze met haar mond open sliep.

Haar blonde manen vormden nu een verwarde massa en het paste in geen enkel opzicht bij de driehoek van donker krullend haar op haar onderlichaam. Ik voelde me die ochtend gewoon afgestoten, want tijdens de nacht was het me meer dan duidelijk geworden dat miss Sherry een krankzinnige sadiste was.

Ik gleed uit bed en boog me enkele ogenblikken over haar heen. Ik bestudeerde tevergeefs haar slapende gezicht in de verwachting enige gelijkenis te zien met Jimmy North. Ik liet haar achter en liep nog steeds naakt het huis uit en vandaar naar het strand.

Het was hoogtij en ik dook in het frisse koele water en zwom naar de ingang van de baai. Ik zwom snel in een geforceerde vrije slag. Het zoute water beet in de diepe schrammen op mijn rug.

Het was een van mijn gelukkige ochtenden. Oude vrienden lagen als 't ware achter het rif op me te wachten. Een school dikke stompneuzige bruinvissen die onmiddellijk kwamen aanschieten toen ze me in de gaten kregen. Hun hoge vinnen sneden door de wateroppervlakte toen ze over de deining sprongen. Ze cirkelden om me heen, fluitend en blazend. De blaasgaten boven op hun hoofden maakten dezelfde soort slikbewegingen als kleine mondjes, en hun eigen enorme monden vertrokken in de allervreemdste grijnzen van plezier. Ze plaagden me tien minuten lang, voordat een van de oude en grotere mannetjesbruinvissen me toestond hem bij zijn rugvin te pakken en me op sleeptouw te nemen. Het was een adembenemende rit en het water schoot schuimend over mijn borst en hoofd. Hij nam me wel vele honderden meters ver in zee, totdat de enorme kracht van het water me domweg van zijn rug losscheurde. Het was terug een hele zwem. De mannetjesvis draaide almaar om me heen en zo nu en dan gaf hij me een vriendschappelijk duwtje in de rug, waarmee hij te kennen scheen te geven dat ik best nog een ritje op zijn rug mocht maken. Bij het rif floten ze hun afscheid en gleden gracieus weg. Ik voelde me echt gelukkig toen ik weer naar het strand waadde. Mijn arm deed wat zeer, maar het was de gezonde pijn van iets dat bezig was volkomen te genezen en in kracht toe te nemen.

Het bed was leeg en de badkamerdeur op slot. Ze was naar alle waarschijnlijkheid bezig haar oksels te scheren en dat met mijn scheermes. Ik voelde me even geërgerd. Een ouwe hond als ik houdt er niet van als zijn gebruikelijke routine in de war gestuurd wordt. Ik maakte gebruik van de douche in de logeerkamer om het zout van me af te spoelen en mijn ergernis verminderde onder de gestadige stroom heet water. Verfrist maar ongeschoren en hongerig als een paard liep ik nu naar de keuken. Ik stond gerookte ham met schijven ananas te bakken en dik boter op al even dikke stukken toast te smeren toen Sherry de keuken binnenkwam.

Opnieuw was ze onberispelijk verzorgd. Ze had ongetwijfeld, dat kon haast niet anders, een volledige uitrusting schoonheidsmiddelen in haar Gucci handtas en haar haren waren opnieuw gekapt en bespoten tot de coiffure waarin ze de vorige dag ten tonele was verschenen.

Een stralende glimlach lag op haar gezicht. 'Goedemorgen, minnaar,' zei ze en ze liep op me af en kuste me langdurig. Ik was de wereld en al zijn schepselen nu welgezind. Ik voelde me niet langer door deze flonkerende vrouw afgestoten. Het verrukkelijke humeur dat ik gekregen had, nadat ik de bruinvissen getroffen had, was teruggekeerd en mijn vrolijkheid scheen aanstekelijk te werken. Tijdens ons ontbijt lachten we heel wat af en daarna nam ik de koffiepot mee naar de veranda.

'Wanneer gaan we de "pogo stick" zoeken?' vroeg ze plotseling. Zonder te antwoorden schonk ik opnieuw een kop zwarte sterke koffie in. Sherry North was klaarblijkelijk tot de conclusie gekomen dat een nacht in haar gezelschap mij voor de rest van mijn leven tot haar slaaf had gemaakt.

Nu ben ik misschien geen kenner van vrouwen, maar aan de andere kant had ik wel wat ervaring achter de rug – ik bedoel dat ik niet bepaald een maagdelijke ouwe jongeman was – en ik schatte de charmes van Sherry North niet zo hoog dat ze vier "killer whale"-projectielen en een "zwarte doos" van een geheim gevechtsvliegtuig waard waren.

'Zodra je me vertelt waar ik het ding vinden kan,' antwoordde ik voorzichtig. Het is een ouderwets vrouwelijk waandenkbeeld dat, indien een man hen met bekwaamheid en zelfverzekerdheid amuseert hij ertoe gebracht moet worden hiervoor te betalen. Het is heel lang mijn geloof geweest dat het juist andersom diende te zijn.

Ze stak haar hand uit en greep mijn pols. De tijgerogen waren plotseling groot en vol gevoel.

'Na gisteravond,' fluisterde ze hees, 'weet ik dat er nog veel vóór ons ligt, Harry. Jij en ik, samen.'

Ik had die nacht urenlang wakker gelegen en was tot een besluit gekomen.

Wat er ook in dat pak zat, was in geen geval een volledig vliegtuig, maar waarschijnlijk een onderdeel van het gezochte vliegtuig – iets dat het duidelijk identificeerde en elke vergissing uitsloot. Ook was het wel zeker dat het niet de "zwarte doos" was en evenmin een van de projectielen met atoomkop. Jimmy North had die keer in geen geval tijd genoeg gehad om dat doosje uit de romp los te maken, zelfs als hij geweten had waar het precies bevestigd was en de juiste gereedschappen bij zich had gehad. Maar aan de andere kant had het hele pak de verkeerde vorm en grootte voor een projectiel. Het was een plat rond voorwerp en niet aërodynamisch ontworpen. Vrijwel zeker was het ook iets dat niet uiterst belangrijk kon zijn. Indien ik Sherry North dus met me meenam om het omhoog te halen, zou ik slechts een lage troefkaart op tafel leggen. Hoewel het de indruk zou maken op zijn minst een troefkoning te zijn.

Ik zou er niets mee verraden, niet de plaats waar de kist in zee gestort was, daar bij Gunfire Rif en evenmin een van de waardevolle voorwerpen die daar nog in moesten zitten.

Aan de andere kant zou het de tijger op mijn spoor zetten. Het zou bijzonder leerzaam zijn te zien hoe mademoiselle North precies zou reageren, wanneer eenmaal de gedachte bij haar postvatte dat ze nu de plaats van het ongeval kende.

'Harry,' fluisterde ze. 'Alsjeblieft.' Ze leunde dichter naar me toe. 'Je moet me geloven. Ik heb me nog nooit zo gevoeld. Vanaf het eerste ogenblik dat ik je zag – ik wist gewoon –'

Ik schudde mezelf wakker uit mijn berekeningen en leunde naar haar toe in de verwachting een uitdrukking van eenvoudige hartstocht en verlangen op haar gezicht te zien.

'Lieveling –' begon ik maar mijn stem scheen te verstikken. In plaats van iets te zeggen, sloot ik haar krachtig in mijn armen en ik voelde hoe ze geërgerd verstijfde toen ik haar lippenstift over haar gezicht smeerde en haar keurig verzorgde kapsel in de war maakte. Ik voelde hoeveel inspanning het haar kostte met gelijke hartstocht mijn liefdesbetuiging te beantwoorden.

'Voel je het net zo?' vroeg ze ergens uit de omknelling van mijn omhelzing, half gesmoord tegen mijn borst en voor de grap en vooral om te zien hoe ze de rol, die ze zichzelf aangemeten had, verder zou spelen, tilde ik haar op en droeg haar naar het slordige onopgemaakte bed.

'Ik zal je laten zien wat ik voor je voel,' mompelde ik schor.

'Lieveling,' protesteerde ze wanhopig, 'nu niet.'

'Waarom niet?'

'We hebben zo'n hoop te doen. Er is later nog tijd genoeg – alle tijd van de wereld.' Met een goed vertoonde tegenzin zette ik haar neer, alhoewel ik om de waarheid te zeggen hoogst dankbaar was, want ik wist dat ik bovenop dat enorme ontbijt van gerookte ham en drie koppen koffie zeer zeker het zuur zou krijgen.

Het was enkele minuten na twaalf toen ik Grand Harbour verliet en in zuidoostelijke richting koers zette. Ik had mijn bemanning verteld een dag aan de wal te bijven aangezien ik niet van plan was te gaan vissen.

Chubby keek naar Sherry North die in bikini languit op het dak van de stuurhut lag en fronste zijn voorhoofd zonder verder enig commentaar te geven, maar Angelo rolde veelzeggend met zijn ogen en vroeg: 'Wordt het een pleziertochtje?' maar de speciale toon waarop hij dit vroeg beviel me niet.

'Je zit vol smerige gedachten,' wees ik hem terecht en hij lachte verrukt, alsof ik hem het grootste compliment van de wereld gemaakt had. Het stel liep daarna de steiger op en de werf langs.

Dancer dartelde langs de ketting van atollen en eilandjes totdat ik, kort na drie uur, de diepe vaargeul tussen Little Gull Eiland en Big Gull Eiland bereikt had. Ik draaide de boot het ondiepe water tussen de oostkust van Big Gull en het blauwe water van de Mozambique binnen.

Er stond voldoende lichte wind om de dag plezierig koel te doen zijn en toch hier en daar wat witte golfkammen te veroorzaken.

Ik manoeuvreerde uiterst voorzichtig en wierp een blik naar Big Gull toen ik *Dancer* in de juiste koers bracht. Toen ik de juiste plaats bereikt had, stuurde ik de boot tegen de wind in, zodat *Dancer* de gelegenheid kreeg iets terug te vallen. Daarna zette ik de motoren af en liep haastig naar de voorplecht om het anker te laten vallen.

Dancer zwaaide nu rond en kwam, zoals het een goed opgevoede dame betaamt, tot rust.

'Is het hier?' Sherry lette op alles wat ik deed en dit met een paar ontstellende katachtige ogen.

'Dit is de plek.' Ik riskeerde dat ik mijn rol als de volkomen verdwaasde minnaar overdreef door haar precies mijn peilingen te wijzen.

'Ik trok een lijn tussen die twee palmbomen, die twee die zo overhellen en die enkele palm daar aan de horizon. Zie je ze?'

Ze knikte zwijgend en weer ving ik die blik op alsof de gegeven inlichting zorgvuldig opgeborgen werd.

'En wat gaan we nu doen?' vroeg ze.

'Hier precies nam Jimmy die duik,' legde ik uit. 'Toen hij weer terug aan boord kwam, was hij verschrikkelijk opgewonden. Hij praatte vertrouwelijk met de beide anderen – Materson en Guthrie – en zijn opwinding scheen aanstekelijk te werken. Jimmy dook opnieuw, maar nam deze keer een touw en een stuk zeildoek mee. Hij bleef lang onder water – en toen hij weer bovenkwam, begon het – 't schieten bedoel ik.'

'Ja,' knikte ze gretig en de verwijzing naar de dood van haar broer scheen haar onberoerd te laten. 'We dienen nu wel weg te gaan, voordat iemand anders ons hier ziet.'

'Weggaan?' vroeg ik, terwijl ik haar verbaasd aankeek. 'Ik dacht dat we een kijkje zouden nemen?'

Ze begreep onmiddellijk dat ze een fout gemaakt had. 'We dienen dat behoorlijk te organiseren. We moeten niet eerder terugkomen voor we volledig voorbereid zijn en alles geregeld hebben om dat pak naar boven te brengen en te vervoeren.'

'Lieverd,' zei ik grinnikend, 'ik ben hier echt niet helemaal naar toe gevaren om niet op zijn minst even een kijkje te nemen.'

'Ik geloof niet dat je dit doen moet, Harry,' riep ze me achterna, maar ik was al bezig het luik naar de machinekamer te openen.

'Laten we een andere keer terugkomen,' hield ze vol, maar ik liep de ladder af naar het rek waar ik de zuurstofflessen had liggen en pakte een Draeger dubbelstel. Ik monteerde het ademhalingsmondstuk en controleerde de afsluiting, nadat ik eerst de lucht uit het rubbermondstuk gezogen had.

Ik wierp snel een blik omhoog om me ervan te vergewissen dat ze me niet gadesloeg, stak toen mijn hand uit en zette de verborgen schakelaar van het elektrische circuit af. Nu kon niemand zolang ik in zee was de motoren aanzetten.

Ik gooide de duikladder over de achterplecht en kleedde me toen in de stuurhut aan – het neoprene duikpak met de korte mouwen en de kap, de verzwaarde riem en het mes, de nemrod gezichtsplaat en de vinnen.

Ik slingerde de zuurstofcilinders over mijn schouders op mijn rug, raapte een lang nylontouw op en maakte dit vast aan mijn riem.

'Wat gebeurt er als je niet terugkomt?' vroeg Sherry en voor het eerst gaf ze blijk van een zekere mate van bezorgdheid. 'Ik bedoel wat moet het dan met mij?'

'Je kwijnt dood,' antwoordde ik en stapte over de railing. Niet opvallend via een achterwaartse buiteling maar heel eenvoudig door gebruik te maken van de treden van de ladder en dat was meer in overeenstemming met mijn leeftijd en mijn waardigheid.

Het water was zo helder als de ijle lucht boven op een bergtop en toen ik voorover het water indook kon ik, vijftien meter onder me, elke bijzonderheid op de bodem opnemen.

Het was een koraallandschap, opgelicht door gespikkeld licht en een wonderlijke kleur. Ik liet me er langs glijden en de als 't ware gebeeldhouwde oppervlakte van het koraal werd verzacht en hier en daar vervaagd door zeewier en allerlei groene aanslag. Daar tussen was het een rusteloos gewoel en geschitter van talloze tropische vissen. Ik zag diepe geulen en omhoogrijzende torens van koraal, met daartussen uitgestrekte stukken zeegras, afgewisseld door open stukken met verblindend wit koraalzand.

Mijn peiling was bijzonder accuraat geweest, vooral als men in aanmerking neemt dat ik na mijn bloedverlies net bij kennis gekomen was. Ik had het anker bijna boven op het in zeildoek gewikkelde pak laten vallen. Het lag op een van de open plekken koraalzand. Het had veel weg van een afzichtelijk zeemonster, groen en gedrongen en de losse einden van het nylontouw dreven als tentakels omhoog.

Ik hurkte naast het pak en hele scholen van kleine goudzwart, zeebragestreepte visjes verzamelden zich in zulke aantallen om me heen dat ik gewoon gedwongen werd luchtbellen naar ze toe te blazen om ze weg te jagen, zodat ik met mijn werk kon beginnen.

Ik maakte het nylonkoord los van mijn riem en bond een uiteinde met een reeks halve knopen stevig aan het pak vast. Daarna steeg ik langzaam omhoog en vierde de lijn. Ik kwam ongeveer vier meter achter *Dancer* aan de oppervlakte, zwom naar de ladder en klauterde de stuurhut in. Ik maakte het andere uiteinde van de lijn vast aan een arm van de aan de vloer vastgenagelde visstoel.

'Wat heb je gevonden?' vroeg Sherry begerig.

'Dat zou ik nog niet kunnen zeggen,' antwoordde ik. Ik had de verleiding weten te weerstaan het pak op de bodem aan een nader onderzoek te onderwerpen. Ik hoopte eerlijk gezegd dat het de opoffering waard zou zijn haar gezichtsuitdrukking te zien wanneer ik het pak openmaakte.

Ik ontdeed me van mijn duikpak en waste al het zoute water af, voordat ik het allemaal weer zorgvuldig opborg. Ik wilde dat de spanning nog wat langer aan haar vrat.

'Verdomme, Harry. Laten we het omhoog halen,' barstte ze tenslotte uit.

Ik herinnerde me dat het pak destijds verschrikkelijk zwaar geweest was, maar ik moet daarnaast toegeven dat ik in die tijd niet veel kracht meer over had gehad. Ik zette me schrap tegen het dolboord en begon de lijn binnen te halen. Het was inderdaad zwaar, maar bij lange na niet iets onmogelijks. Ik wond de lijn op al naarmate die binnenboord kwam en deed dit met die speciale polsbeweging van een oude tonijnvisser.

Het groen uitgeslagen zeildoek brak door het zeeoppervlak opzij van de boot, het water gutste omlaag. Ik boog over de railing en sloeg mijn hand stevig om het nog vastgeknoopte touw. Met een enkele zwaai tilde ik het geval aan boord en het viel zwaar klinkend op de vloer van de stuurhut – metaal op hout.

'Maak het open,' beval Sherry ongeduldig.

'Direct, madam,' zei ik en trok mijn aasmes uit de schede aan mijn riem.

Het was vlijmscherp en ik sneed de touwen elk met een enkele haal door.

Sherry boog zich gretig voorover, toen ik de stijve natte plooien van het zeildoek wegtrok en ik bestudeerde aandachtig haar gezicht.

De begerige verwachtingsvolle uitdrukking op haar gezicht veranderde plotseling in een triomfantelijke uitdrukking toen ze het voorwerp herkende.

Ze herkende het nog eerder dan ik en onmiddellijk gleed er een uitdrukking van onzekerheid over haar gezicht.

Het was prachtig gespeeld, een actrice waardig. Indien ik er niet aandachtig op gelet had, zou ik die plotseling opkomende emotie niet hebben opgemerkt.

Ik keek naar het bescheiden voorwerp, waarvoor al zoveel mensen waren vermoord of verminkt en ik werd heen en weer geslingerd tussen verrassing en verbijstering – en teleurstelling. Het was niet wat ik verwacht had.

Ongeveer de helft was weggevreten, alsof het blootgesteld geweest was aan een zandstraalmachine. Het brons was ruw en glanzend en

diep geëtst. De bovenste helft was volkomen gaaf, maar zwaar aan-
geslagen door een dikke laag kopergroen. Maar het uitsteeksel
voor de ankersluiting was nog volkomen intact, evenals de versiering duidelijk door de corrosie heen zichtbaar was – een heraldisch
helmteken, of een deel ervan – en verder een opschrift in een
bloemrijke stijl. Het opschrift was slechts fragmentarisch en het
grootste gedeelte ervan was in een vreemd onregelmatig lopende
lijn weggevreten en had daar het heldere uitgesleten metaal achtergelaten.
Het was een scheepsbel, van brons gegoten en het ding moest op
zijn minst wel honderd pond gewogen hebben. Het had een gewelfde en van een ring voorziene top en een brede uitwaaierende opening.
Nieuwsgierig rolde ik het ding om. De tong was volledig weggevreten en eendemossel en andere schelpdieren hadden de binnenkant
van de bel met een korst bedekt. Wat me vooral intrigeerde was dat
de buitenzijde zo versleten en aangevreten was, totdat plotseling de
oplossing daarvoor tot me doordrong. Ik had andere metalen voorwerpen gezien die zo lang onder water gelegen hadden. De bel had
half begraven in het zand gelegen en de rest van de bel was doorlopend blootgesteld geworden aan het in- en uitstromend tij van Gunfire Break en de fijne korrels koraalzand hadden ongeveer een centimeter van de buitenkant van het metaal afgeschuurd.
Het deel dat echter begraven had gelegen in de zanderige bodem
was hiertegen beschermd geworden en ik bestudeerde de overgebleven letters wat nauwkeuriger.

'VVN L'

Een uitgerekte 'V' of een afgebroken 'W' werd onmiddellijk gevolgd door een volmaakte 'N' – dan een open ruimte en een volledige 'L'.
Voor de rest waren de letters weer totaal uitgewist.
Het wapen dat aan de tegenoverliggende kant van de bel was gegra-
veerd, vormde een ingewikkelde tekening van twee klimmende
dieren – vermoedelijk leeuwen – die een schild en een gehelmd
hoofd ondersteunden.
Op de een of andere manier kwam het me bekend voor en ik vroeg

me af waar ik het eerder gezien had.

Ik liet me weer op mijn hurken zakken en keek Sherry North aan. Ze was niet bij machte mijn blik te beantwoorden, zelfs niet te ont-moeten.

'Grappig ding,' mijmerde ik hardop. 'Een jetvliegtuig met een hart-stikke grote koperen bel aan zijn neus.'

'Ik begrijp er niet veel van,' zei ze.

'Ik evenmin.' Ik kwam overeind en liep naar de salon om een che-root te halen. Ik stak er de brand in en liet me in de visstoel zakken.

'Kom, laat me jouw theorie maar eens horen.'

'Ik weet 't niet, Harry. Ik weet 't echt niet.'

'Laten we eens een paar gissingen maken,' stelde ik voor. 'Ik zal beginnen.'

Ze keerde zich naar de verschansing.

'Dat jetvliegtuig veranderde in een pompoen,' opperde ik. 'Wat dacht je van die veronderstelling?'

Ze wendde zich weer naar me toe. 'Harry, ik voel me niet al te best. Ik geloof dat ik echt misselijk ga worden.'

'Wat moet ik dan doen?'

'Laten we nu teruggaan.'

'Ik had gedacht nog een duik te nemen – nog wat meer daar in de omgeving rond te neuzen.'

'Nee,' antwoordde ze vlug. 'Nu alsjeblieft niet. Ik voel me er echt niet toe in staat. Laten we gaan. We kunnen als 't moet altijd nog teruggaan.'

Ik keek haar onderzoekend aan of ik soms enig bewijs voor een na-derende misselijkheid kon waarnemen, maar ze zag eruit als een wandelende advertentie voor gezond voedsel.

'Goed,' gaf ik toe. Het had niet veel zin nogmaals een duik te ne-men, maar dat wist ik alleen. 'Laten we dan maar naar huis gaan en proberen eruit te komen.'

Ik stond op en begon de koperen bel weer in te pakken.

'Wat ben je van plan ermee te doen?' vroeg ze ongerust.

'Het weer in zee deponeren, op dezelfde plaats,' antwoordde ik. 'Ik ben in geen geval van plan het mee terug te nemen naar St. Mary en het daar op het marktterrein tentoon te stellen. 't Is zoals je zei, we kunnen altijd terugkomen.'

'Ja,' stemde ze onmiddellijk toe. 'Natuurlijk heb je gelijk.'

Ik liet het geval opnieuw over de verschansing vallen en liep toen naar voren om het anker binnen te halen.

Op de thuisreis merkte ik dat Sherry's aanwezigheid op de brug me irriteerde. Ik had heel wat om ernstig over na te denken. Ik stuurde haar naar beneden om koffie te zetten.

'Sterke koffie,' zei ik tegen haar, 'met vier schepjes suiker. Dat is heel goed tegen je zeeziekte.'

Binnen twee minuten was ze weer terug op de brug.

'Ik kan het fornuis niet aankrijgen,' klaagde ze.

'Je moet ook eerst de gascilinders opendraaien.' Ik legde haar uit waar ze de kranen kon vinden. 'En vergeet vooral niet ze weer dicht te draaien wanneer je klaar bent, anders verander je de boot in een drijvende bom.'

Ze zette allemachtig slechte koffie.

Het was al laat in de avond toen ik in Grand Harbour het schip vastlegde en compleet donker toen ik Sherry bij de ingang van het hotel afleverde.

Ze nodigde me zelfs niet uit voor een borrel, maar kuste me wel op mijn wang en zei: 'Lieveling, laat me vanavond maar alleen. Ik ben volkomen uitgeput. Ik ga regelrecht naar bed. Laat me over dit alles nadenken en wanneer ik me dan wat beter voel kunnen we een duidelijk plan maken.'

'Ik kom je morgenochtend hier halen – om hoe laat?'

'Nee,' antwoordde ze. 'Ik ontmoet je wel op de boot. Vroeg. Acht uur. Wacht aan boord op me, dan kunnen we in alle afzondering praten. Alleen wij tweeën, niemand anders – goed?'

'Ik zal zorgen dat *Dancer* om acht uur aan de steiger ligt,' beloofde ik.

Het was wat je noemt een dorstige dag geweest en onderweg naar huis liep ik even de Lord Nelson binnen.

Angelo en Judith maakten deel uit van een luidruchtig groepje van hun eigen leeftijd en zaten in een afgeschoten ruimte. Ze riepen me en maakten plaats voor me tussen twee meisjes.

Ik bracht hun elk een glas bier en Angelo boog zich vertrouwelijk naar me toe. 'Zeg, schipper, gebruik je vanavond de bestelauto nog?'

'Ja,' antwoordde ik. 'Om thuis te komen.' Ik wist wat er volgen zou, natuurlijk. Angelo gedroeg zich soms alsof hij een aandeel in de wagen had.

'Er is vanavond een groot feest in South Point, baas.' Hij was plotseling bijzonder gul met zijn "baas" en "schipper". 'Ik dacht zo dat als ik je naar Turtle Bay rijd, wij dan de wagen konden krijgen. Dan haal ik je morgenochtend vroeg weer op. Eerlijk.'

Ik nam een slok uit mijn bierkroes en ze staarden me allemaal met verlangende hoopvolle gezichten aan.

'Het is een groot feest, mister Harry,' zei Judith. 'Mogen we?'

'Je komt me morgenochtend om precies zeven uur ophalen, Angelo, verstaan?' en nu volgde een spontane uitbarsting van opgelucht gelach. Ze legden botje bij botje om een glas bier voor me te kopen.

Ik had een zeer onrustige nacht. Rusteloze slaap afgewisseld met lange periodes dat ik klaarwakker was. Ik had weer die droom toen ik dook voor dat in zeildoek gehulde pak. Opnieuw bevatte het een kleine porseleinen zeemeermin, maar deze keer had ze het gezicht van Sherry North en ze bood me het model aan van een straaljager, die in een gouden pompoen veranderde toen ik er mijn hand naar uitstak. De pompoen was geëtst met de letters:

'– W N L –'

Na middernacht begon het te regenen, enorme hoeveelheden water en bliksem tekenden de omtrekken van de palmbomen tegen de nachtelijke hemel af. Het regende nog steeds toen ik naar het strand liep. Grote druppels ontploften als kleine bomexplosies van fijne waterdeeltjes op mijn naakte lichaam. In het slechte licht maakte de zee een donkere indruk en de regenvlagen reikten tot aan de horizon. Ik zwom deze keer alleen, tot ver voorbij het rif, maar toen ik naar het strand terugzwom, had het uitstapje niet zoals gebruikelijk mijn stemming verbeterd. Mijn lichaam zag blauw en ik rilde van de kou. Een vaag maar doordringend gevoel van naderend onheil en neerslachtigheid maakte zich van mij meester.

Ik had net mijn ontbijt op toen het bestelwagentje langs het pad door de palmbomen aan kwam rijden. Ploeterend door de plassen, met modder bespat en de grote lichten nog steeds aan.

Eenmaal op het erf toeterde Angelo en schreeuwde: 'Ben je klaar, Harry?'

Ik rende met een zuidwester op mijn hoofd naar buiten.

Angelo was niet naar bed geweest. Hij was praatziek en zijn ogen stonden bepaald waterig.

'Ik rijd,' zei ik tegen hem. Terwijl we over het eiland reden, lichtte hij me uitvoerig in over het grote feest en uit wat hij vertelde leek het me meer dan waarschijnlijk dat er op St. Mary over precies negen maanden een geboortegolf zou uitbreken.

Ik luisterde maar half naar hem, want toen we de stad naderden nam mijn ongerustheid steeds meer toe.

'Zeg, Harry, de jongens hebben me gevraagd je hartelijk te bedanken voor het lenen van de bestelauto.'

'Dat zit wel goed, Angelo.'

'Ik heb Judith naar de boot gestuurd. Ze zou de boel wat opruimen, Harry, en koffie zetten voor je kwam.'

'Dat had ze echt niet hoeven te doen.'

'Ze wilde het erg graag, als een soort dank, begrijp je?'

'Judith is een lief meisje.'

'Dat is ze zeker, Harry. Ik houd echt van haar,' en Angelo barstte los in een liedje genaamd 'Devil Woman' en hij bracht het in de Mick Jaggerstijl. Toen we de kam overstaken en op het punt stonden in het dal af te dalen, kreeg ik plotseling een ingeving. In plaats van regelrecht via Frobisher Street naar de haven door te rijden, sloeg ik linksaf en nam de rondweg boven het fort en het ziekenhuis en reed nu de laan met bananebomen op die naar het Hilton Hotel leidde. Ik parkeerde de bestelauto onder de luifel en liep de ontvangsthal binnen.

Er was niemand achter de balie te zien, zeker niet zo vroeg in de ochtend, maar ik leunde over de balie en gluurde in Marions kleine telefoonhokje.

Ze zat achter het schakelbord en toen ze me zag, lichtte haar gezicht op in een brede grijns. Ze deed haar koptelefoon af.

'Morgen, mister Harry.'

'Dag Marion, liefje.' Ik keek haar grijnzend aan. 'Is miss North op haar kamer?'

Haar uitdrukking veranderde. 'Oh nee,' antwoordde ze. 'Die is een uur geleden vertrokken.'

'Vertrokken?' Ik staarde haar niet begrijpend aan.

'Ja, ze ging met de hotelbus naar het vliegveld. Ze was van plan het vliegtuig van 7.30 uur te pakken.' Marion wierp een blik op haar goedkope Japanse polshorloge. 'Als 't goed is zijn ze tien minuten geleden gestart.'

Ik werd door die mededeling volkomen uit mijn evenwicht gebracht. Dit was wel het laatste dat ik verwacht had. Enkele ogenblikken kon ik de zin van dat plotselinge vertrek niet begrijpen. Toen plotseling drong het tot me door en ik voelde me ziek.

'Oh, grote God,' zei ik. 'Judith!' Ik rende naar de bestelauto. Angelo zag de uitdrukking op mijn gezicht toen ik kwam aanrennen. Hij kwam recht overeind op het stoeltje en hield op met zingen.

Ik sprong achter het stuur en startte de motor. Ik duwde het gaspedaal tot op de plank en met gierende banden nam ik op twee wielen de bocht.

'Wat is er aan de hand, Harry?' vroeg Angelo.

'Judith?' antwoordde ik grimmig. 'Je hebt haar naar de boot gestuurd. Om hoe laat was dat?'

'Toen ik van huis wegging om jou te halen.'

'Ging ze meteen?'

'Nee, ze zou eerst een bad nemen en zich kleden.' Hij vertelde het eerlijk en probeerde niet het feit te verbloemen dat ze bij elkaar geslapen hadden. Hij voelde dat het hier een dringende zaak gold. 'Daarna moest ze dus vanaf de boerderij door het dal lopen.' Angelo had een paar kamers bij een boerenfamilie niet ver van de bron. Dat betekende een wandeling van circa vijf kilometer.

'Lieve God, laten we alsjeblieft nog op tijd zijn,' fluisterde ik. De bestelauto reed loeiend over de laan en ik schakelde alsof ik in een racewagen zat toen we door de poort kwamen. Ik maakte een haakse bocht, schakelde opnieuw en trok de wagen met alle beschikbare kracht uit de slip.

'Wat is er verdomme aan de hand, Harry?' vroeg hij opnieuw.

'We moeten proberen te voorkomen dat ze aan boord stapt,' zei ik op grimmige toon, toen we met brullende motor over de rondweg boven de stad reden. Toen we voorbij het fort reden, zagen we Grand Harbour onder ons liggen. Hij verknoeide geen tijd met zinloze vragen. Daarvoor hadden we te lang samengewerkt en als ik iets zei, dan accepteerde hij dit zonder meer.

Dancer lag nog steeds aan de boei tussen de andere boten en halverwege zagen we Judith de dinghy roeien. Zelfs vanaf die afstand kon ik de kleine vrouwelijke gestalte herkennen en ook haar korte efficiënte halen met de riemen. Ze was een meisje van het eiland en roeide als een man.

'We halen het nooit,' zei Angelo. 'Ze is bij de boot voor wij op de werf zijn.' Aan het begin van Forbisher Street legde ik de muis van mijn hand op de claxon en constant toeterend probeerde ik ruim baan te maken.

Maar het was zaterdagochtend, marktdag en de straten begonnen zich al te vullen. De mensen van het land waren in hun ossewagens naar de stad gekomen. Trouwens met allerlei voertuigen, van karren tot ouderwetse rammelkasten. Vloekend uit louter teleurstelling dat ik niet vlugger vooruit kon komen, bleef ik toeteren en forceerde me een doorgang.

Het kostte ons drie minuten om de zevenhonderd meter van het begin van de straat tot aan de werf af te leggen.

'Oh, mijn God,' zei ik, terwijl ik voorover leunde, toen ik door de uit ijzerdraad gevlochten poort reed en over de spoorrails schoot.

De dinghy lag nu opzij van *Dancer* vastgebonden en Judith klom juist over de verschansing. Ze droeg een smaragdgroene blouse en een korte broek van gekeperd katoen. Haar haren hingen in een lange vlecht langs haar rug.

Glijdend bracht ik de auto tot staan naast de schuren waarin de ananas werd opgeslagen. Angelo en ik sprongen de werf op en begonnen onmiddellijk te hollen als gekken.

'Judith!' gilde ik, maar mijn stem kon de afstand niet overbruggen. Zonder achterom te kijken verdween Judith in de salon. Angelo en ik renden naar het einde van de steiger. We schreeuwden allebei als gekken maar de wind woei in ons gezicht en *Dancer* lag wel vijfhonderd meter uit de steiger.

'Daar ligt een dinghy!' Angelo greep mijn arm. Het was een ouderwetse overnaadse makreelboot, maar het ding zat met een ring aan de stenen steiger vast.

We sprongen erin, maar het was een sprong van ruim twee meter diep en we vielen als een hoopje vuil over het dolboord. Ik klauterde naar de meerketting. Die bestond uit ongeveer een centimeter dikke gegalvaniseerde stalen schakels. Een zwaar koperen hangslot vormde de verbinding tussen de ketting en de ring in de stenen muur.

Ik draaide de ketting twee slagen rond mijn pols, zette een voet schrap tegen de steiger en trok. Het hangslot sprong open en ik viel achterover in de dinghy.

Angelo had de riemen al in de roeiklampen.

'Roei!' schreeuwde ik tegen hem. 'Roei als een idioot.'

Ik stond voorin de boot en had mijn handen als een megafoon om mijn mond gelegd, toen ik Judith probeerde te praaien. Ik deed mijn uiterste best mijn stem boven de wind uit te laten komen.

Angelo roeide als een bezetene, bracht de roeibladen vlak achteruit en trok met alle kracht, zodra ze in het water beten. Bij iedere haal kwam zijn adem als een hees gegrom uit zijn keel.

Halverwege de afstand tot *Dancer* werden we in een nieuwe regenbui gehuld, die over de hele Grand Harbour een rouwkleed van water legde.

De regen sloeg in mijn gezicht en ik moest mijn ogen half dichtknijpen.

De omtrek van *Dancer* vervaagde in de grijze regenvlagen, maar we kwamen dichterbij. Ik begon de hoop te koesteren dat Judith begonnen was met de kajuit uit te vegen en op te ruimen. Voor ze een lucifer aanstreek onder de gasring van het fornuis. Ik begon ook te hopen dat ik me vergist had, dat Sherry geen afscheidscadeau voor me achtergelaten had. Maar niettemin hoorde ik mezelf de vorige dag nog tegen Sherry North zeggen: 'Je moet eerst de kranen van de gascilinders opendraaien – en vergeet ze vooral niet dicht te draaien wanneer je klaar bent, anders verander je de boot in een drijvende bom.'

We naderden *Dancer* steeds dichter en ze maakte de indruk alsof ze aan strengen regen hing. Spookachtig wit en onwerkelijk in de golvende mist.

'Judith,' schreeuwde ik en het kon haast niet anders of ze moest me nu horen – zo dicht waren we *Dancer* genaderd. Er waren aan boord twee vijftig pond butaangascilinders, genoeg om een groot uit steen opgetrokken huis te vernielen. Het gas was zwaarder dan de lucht en wanneer het uit de cilinders ontsnapte, zou het zich eerst langs de grond nestelen, via reten de romp van *Dancer* vullen met een moorddadig explosief mengsel van gas en lucht. Het had niet meer dan een enkele vonk nodig. Hetzij van een accu of een lucifer. Ik bad dat ik me vergist had en schreeuwde opnieuw. En toen vloog *Dancer* plotseling de lucht in.

Het was een flitsexplosie, een angstaanjagend blauw licht dat door de hele boot schoot. Het spleet haar romp open, alsof deze door een machtige hamerslag getroffen was en toen barstte de bovenbouw open en werd als een deksel opgetild.

Dancer steigerde onder deze dodelijke slag en de ontploffing trof ons als een stormvlaag. Onmiddellijk rook ik de elektrische stank van de ontploffing, scherp als een door de lucht klievende bliksemschicht die tegen ijzerhoudend gesteente slaat.

Dancer stierf, terwijl ik toekeek, een afschuwelijke gewelddadige dood, toen haar verscheurde en levenloze romp terugviel. De koude grijze zee nam bezit van haar. De zware motoren trokken haar snel omlaag en ze was even later verdwenen in de grijze wateren van Grand Harbour.

Angelo en ik waren verstijfd van afgrijzen. We hurkten neer in de heftig schommelende dinghy en we staarden naar het onrustige water dat nu bezaaid was met losgeslagen wrakstukken – alles dat was overgebleven van een verrukkelijke boot en een lieftallig meisje. Ik voelde hoe een onmetelijke wanhoop zich van mij meester maakte. In mijn folterend gevoel van smart wilde ik het alleen maar hardop uitschreeuwen, maar ik was als verlamd.

Angelo was de eerste die zich bewoog. Hij sprong met een schreeuw in zijn keel als van een gewond dier overeind. Hij probeerde zich over de zijkant van de dinghy te gooien, maar ik ving hem op en hield hem tegen.

'Laat me gaan,' schreeuwde hij. 'Ik moet naar haar toe.'

'Nee.' Ik vocht met hem in de krankzinnig schommelende dinghy. 'Het heeft geen zin, Angelo.'

Zelfs als hij de twaalf meter water, waarin de verscheurde romp van *Dancer* lag, kon doorkomen, zou dat wat hij daar zou aantreffen hem krankzinnig maken. Judith had daar in het centrum van de ontploffing gestaan en ze zou op de kortst mogelijke afstand blootgesteld zijn geweest aan al de afschuwelijke verwondingen die het gevolg zouden zijn geweest van deze enorme flitsende explosie.

'Laat me gaan, verdomme.' Angelo wist een arm vrij te maken en sloeg me hard in mijn gezicht, maar ik zag het aankomen en bracht mijn hoofd tijdig opzij. De slag schaafde de huid van mijn wang en ik wist dat ik hem op de een of andere manier tot bedaren moest brengen.

De dinghy stond op het punt om te slaan. Hoewel hij veertig pond lichter was dan ik, vocht Angelo met de kracht van een krankzinnige. Hij riep nu almaar haar naam.

'Judith, Judith.' Er lag een hysterische omhoog gaande klank in zijn stem. Ik maakte mijn rechterhand los van de greep rond zijn schouder, draaide hem iets van me vandaan en bracht hem voorzichtig in de juiste positie. Ik raakte hem met een rechtse slag en daarbij legde mijn vuist hoogstens een afstand van tien centimeter af. Ik raakte hem zuiver op het plekje onder zijn linkeroor en hij zakte zonder meer in elkaar, bewusteloos.

Ik liet hem op de bodem zakken en legde hem zo gemakkelijk mogelijk neer. Ik voelde me volledig verlamd, alsof alle kracht uit me weggevloeid was.

Ik droeg Angelo naar de steiger en ik voelde nauwelijks zijn gewicht. Ik reed hem naar het ziekenhuis. MacNab had dienst.

'Geef hem iets om hem suf in bed te houden, voor minstens vierentwintig uur,' zei ik tegen MacNab. Deze begon onmiddellijk te argumenteren.

'Luister, jij geruïneerd oud whiskyvat,' zei ik heel rustig, 'ik zou het verrukkelijk vinden als je me een excuus gaf om je kop in elkaar te rammen.'

Hij verbleekte tot de gebroken aderen op zijn neus en in zijn wangen krachtig te voorschijn traden.

'Luister – Harry, ouwe jongen,' begon hij. Ik deed een stap in zijn richting en onmiddellijk stuurde hij de dienstdoende verpleegster naar de kast met verdovende middelen.

Ik trof Chubby achter zijn ontbijt en ik had niet meer dan een minuut nodig om hem uit te leggen wat er gebeurd was. We reden in de bestelauto naar het fort en Wally Andrews reageerde snel. Hij wuifde alle noodzakelijke invulling van papieren en de hele verdere politieprocedure in zulke gevallen opzij en in plaats daarvan brachten we de duikuitrusting van de politie in de auto en tegen de tijd dat we de haven bereikt hadden, had de halve bevolking van St. Mary zich in een bezorgd zwijgen langs de werf verzameld. Sommigen hadden gezien wat er gebeurd was en allen hadden de ontploffing gehoord.

Hier en daar riep een stem een betuiging van deelneming, toen we de duikuitrusting naar de makreelboot droegen.

'Laat iemand Fred Coker gaan halen,' vertelde ik hun. 'Zeg hem hier naar toe te komen met stoffer en blik.' Er volgde een gegons van op- en aanmerkingen.

'Zeg, mister Harry, was er iemand aan boord?'

'Ga Fred Coker nu maar halen,' zei ik nogmaals en we roeiden naar de ligplaats van *Dancer*.

Terwijl Wally de dinghy op zijn plaats hield, verdwenen Chubby en ik in het modderige water van Grand Harbour.

Dancer lag dertien meter diep op haar rug. Ze was blijkbaar omgeslagen toen ze zonk, maar we hoefden ons geen zorgen te maken hoe we naar binnen konden komen. De romp was langs de hele kiel opengereten. De hoop haar drijvende te krijgen was voorbij.

Chubby wachtte bij het gat in de romp, terwijl ik naar binnen ging. Wat er nog van het kombuis over was, had zich gevuld met opgewonden in alle richtingen zwemmende scholen vis. Ze waren als krankzinnigen aan het vreten geslagen. Ik stikte bijna en kokhalsde in het mondstuk van mijn ademhalingsslang, toen ik zag waarmee ze bezig waren zich te voeden.

De enige aanwijzing dat ik wist dat het Judith was, waren de flarden smaragdgroene blouse, die aan stukken vlees vastgeplakt zaten. In drie grote stukken wisten wij haar naar buiten te brengen en plaatsten die in de zak van zeildoek, die Fred Coker naar de werf gebracht had.

Ik dook onmiddellijk opnieuw en baande me een weg door de verbrijzelde romp naar de ruimte onder het kombuis, waar de twee lange ijzeren cilinders nog steeds in hun klampen vastzaten. Beide kranen stonden wijd open en iemand had de slangen losgemaakt, zodat het gas vrijelijk kon ontsnappen.

Ik had nooit eerder zo'n intense woede gevoeld als op dat ogenblik. Die woede was zo hevig, omdat ze bovendien nog gevoed werd door het verlies dat ik persoonlijk geleden had. *Dancer* was verdwenen – en *Dancer* had mijn halve leven uitgemaakt. Ik draaide de kranen dicht en verbond de gasslang met de tuit van de fles. Dit was een privé-aangelegenheid – ik zou deze kwestie persoonlijk afhandelen.

Toen ik langs de steiger en de werf naar de bestelauto terugliep, was het feit dat *Dancer* verzekerd was het enige dat mij enigszins kon opbeuren. Er zou een andere boot komen; niet even mooi en even geliefd als *Dancer*, maar niettemin een boot.

In de menigte merkte ik het glanzende zwarte gezicht van Hambone Williams op, de havenveerman. Veertig jaar lang had hij zijn boot voor drie pennies per keer heen en weer gevaren.

'Hambone,' riep ik en hij kwam naar me toe. 'Heb je gisteravond iemand naar *Dancer* gebracht?'

'Nee, mister Harry.'

'Helemaal niemand?'

'Alleen die dame waar u mee was. Ze had haar horloge in de kajuit laten liggen. Ik heb haar naar *Dancer* gebracht om het op te halen.'

'De dame?'

'Ja, de dame met dat gele haar.'

'Om hoe laat, Hambone?'

'Om ongeveer negen uur. Was ik fout, mister Harry?'

'Nee, 't is wel goed. Vergeet 't maar.'

We begroeven Judith de volgende dag vóór twaalf uur. Ik was erin geslaagd de plaats naast haar vader en moeder te bemachtigen. Angelo vond dat erg prettig. Hij zei dat hij niet wilde dat ze daar eenzaam op de heuvel lag. Angelo was nog steeds half verdoofd en daar bij het graf gedroeg hij zich rustig en dromerig.

De volgende dag begonnen we met ons drieën aan het bergingswerk van *Dancer*. Tien dagen lang werkten we hard en we ontdeden haar van alles wat ook maar enigszins waarde had: van de vishengels tot aan de FN karabijn en de twee bronzen schroeven. De romp en de bovenbouw waren zo verschrikkelijk toegetakeld dat ze geen enkele waarde meer hadden.

Aan het einde van die periode was *Wave Dancer* tot een herinnering geworden. Ik heb veel vrouwen gehad en nu zijn die vrouwen slechts plezierige gedachten, wanneer ik een bepaald liedje hoor of een speciale parfum ruik. Evenals die vrouwen begon *Dancer* reeds in het verleden te verzinken.

Die tiende dag was ik op weg naar Fred Coker en op hetzelfde ogenblik dat ik zijn kantoor binnenging, wist ik dat er iets fout zat. Hij glom van transpiratie, zenuwen. Zijn ogen bewogen zich sluw achter zijn brilleglazen en zijn handen schoten als verschrikte muizen alle kanten uit – dan weer over zijn vloeiblad of omhoog om zijn das te schikken of om het beetje haar op zijn schedel glad te strijken. Hij wist dat ik over de verzekering kwam praten.

'Raak alsjeblieft niet in paniek, mister Harry,' raadde hij me aan. Wanneer mensen zo iets tegen me zeggen, raak ik juist bijzonder opgewonden.

'Wat is er, Coker. Kom! Voor de dag ermee!' Ik sloeg met mijn vuist op het blad van zijn bureau en hij sprong uit zijn stoel, waardoor zijn goudomrande bril langs zijn neus omlaag gleed.

'Mister Harry, alsjeblieft...'

'Vooruit! Jij misselijke kleine wurm...'

'Mister Harry – het gaat over de premies voor *Dancer*.' Ik staarde hem aan.

'Zie je – je had nooit eerder een schadeclaim ingesteld – het scheen zo'n verspilling –'

Ik vond mijn stem terug. 'Je hebt de premies in je eigen zak gestopt,' fluisterde ik. Mijn stem begaf het. 'Je hebt die premies niet aan de verzekeringsmaatschappij overgemaakt.'

'U begrijpt 't,' antwoordde Fred Coker, knikkend met zijn bijna kale hoofd. 'Ik wist dat u het zou begrijpen.'

Ik probeerde over het bureau heen te klimmen om tijd te sparen. Maar ik struikelde en viel. Fred Coker sprong op uit zijn stoel, gleed tussen mijn uitgestrekte handen door, rende naar de achterdeur en sloeg die hard achter zich dicht.

Ik rende recht door de deur, trok het slot daarbij in stukken en liet de deur scheef in zijn scharnieren hangend achter.

Fred Coker rende alsof hij door twintig duivels achtervolgd werd en dat zou voor hem ongetwijfeld beter zijn geweest. Ik kreeg hem bij de grote deuren achter in de steeg te pakken en tilde hem bij zijn keel omhoog. Ik hield hem met één hand vast en drukte hem met zijn rug tegen een stapel goedkope dennehouten lijkkisten.

Hij had onderweg zijn bril verloren en huilde van angst. Grote dikke tranen welden omhoog uit de hulpeloze bijziende ogen.

'Je weet dat ik je ga vermoorden,' fluisterde ik en hij kreunde. Zijn voeten trappelden ongeveer vijftien centimeter boven de grond.

Ik haalde mijn rechtervuist naar achteren en zette me stevig schrap op de ballen van mijn voeten. Ik zou zijn hoofd van zijn romp geslagen hebben, maar ik kon het gewoon niet. Ik moest iets raken, hard raken. Ik sloeg met mijn vuist tegen de kist direct naast zijn rechteroor. De planken versplinterden over de volle lengte. Fred Coker gilde het uit als het een of andere hysterische meisje op een popfestival. Ik liet hem vallen. Zijn benen konden hem niet dragen en hij zakte op de betonnen vloer in elkaar.

Ik liet hem daar liggen, steunend en kreunend van angst. Ik liep de straat in, dichterbij een totaal faillissement dan ik de laatste tien jaar ooit was geweest. Mister Harry veranderde in één klap in Fletcher, een zwerfrat en een aan het land gebonden schooier. Het was een klassiek geval van terugkeer tot de oorspronkelijkheid. Voor ik de Lord Nelson had bereikt dacht ik op dezelfde manier als ik tien jaar geleden gedaan had. Ik was al bezig de percentages te berekenen, opnieuw op onderzoek naar mijn beste en grootste kans.

Chubby en Angelo waren de enige gasten in de bar. Het was nog vroeg in de middag. Ik vertelde hun alles en ze waren stil. Er viel niet veel te zeggen. Ons eerste glas dronken we zwijgend leeg, toen vroeg ik Chubby: 'Wat ben je nu van plan te gaan doen?' Hij haalde zijn schouders op.

'Ik heb nog altijd die oude walvisboot –' Dat was een zes meter lange boot, een admiraliteitsontwerp, open dek, maar uitermate zeewaardig en niet nukkig. 'Ik denk dat ik maar weer stompjes ga vissen.' Stompjes waren de grote rivierkreeften. Er was goed geld te verdienen met de bevroren staarten. Daarmee had Chubby altijd de kost verdiend, voordat *Dancer* en ik naar St. Mary kwamen.

'Je zult nieuwe motoren nodig hebben. Die ouwe Sea Gulls hebben 't gehad.'

We dronken nog een glas, terwijl ik in gedachten mijn financiële omstandigheden in ogenschouw nam – verdomme nog an toe, een paar duizend dollar zou wat mij betreft niet zoveel verschil maken. 'Ik zal twee splinternieuwe, twintig paardekracht Evinrudes voor die boot kopen, Chubby,' bood ik ongevraagd aan.

'Dat zou ik niet willen, Harry.' Hij fronste verontwaardigd het voorhoofd en schudde het hoofd. 'Ik heb zolang ik voor jou gewerkt heb genoeg opgespaard.' Hij was niet te vermurwen.

'En wat ga jij doen, Angelo?' vroeg ik.

'Ik denk dat ik mijn ziel en mijn zaligheid verkoop in een Rawano-contract.'

'Nee,' zei Chubby al woedend bij de gedachte aan zoiets. 'Ik zal een bemanning voor die kreeftenboot nodig hebben.'

En zo werd alles geregeld. Ik voelde me opgelucht, want ik meende voor hen beiden verantwoordelijk te zijn. Ik was vooral blij dat Chubby er was om voor Angelo te zorgen. De jongen had zich de dood van Judith heel erg aangetrokken. Hij was stil en teruggetrokken, niet langer meer de pralende Romeo. Ik had hem hard aan het werk gezet bij de berging van *Dancer* en dat alleen scheen hem de tijd gegeven te hebben die hij nodig had om zich van de toegebrachte slag te herstellen.

Maar desondanks begon hij weer stevig te drinken, glazen goedkope cognac afgewisseld door glazen donker bier. En dit is de beste manier om je lichamelijk naar de bliksem te helpen, behalve dan het drinken van methyl-alcohol. Chubby en ik deden het rustig aan, draalden lang met ons glas bier, maar onder al die scherts lag de wetenschap verborgen dat we een kruispunt bereikt hadden en dat we, morgen te beginnen, niet langer samen zouden reizen. Het schonk de avond het zuivere schrijnende gevoel van een ophanden zijnd verlies.

Er lag die avond in de haven een Zuidafrikaanse trawler, die binnen was komen vallen om te bunkeren en wat reparaties te verrichten. Toen uiteindelijk Angelo stomdronken in elkaar gezakt was, begonnen Chubby en ik te zingen. Zes leden van de gespierde bemanning van de trawler staken hun afkeuring niet onder stoelen en banken en gebruikten daarvoor bijzonder lasterlijke uitdrukkingen. Uiteraard konden Chubby en ik dergelijke beledigingen niet onopgemerkt aan ons voorbij laten gaan. We gingen allemaal naar buiten om elkaar dit op de binnenplaats afdoende duidelijk te maken. Het was zonder meer een glorierijke uiteenzetting en toen Wally Andrews met zijn oproerpolitie ten tonele kwam, arresteerde hij ons allemaal, zelfs zij, die in de strijd gevallen waren.

'Mijn eigen vlees en bloed –' zei Chubby almaar, toen we arm in arm naar de cellen wankelden. 'Hij keerde zich tegen me. De zoon van mijn eigen zuster –'

Wally was menselijk genoeg om een agent naar de Lord Nelson te sturen om iets te halen dat onze gevangenschap wat dragelijker zou maken.

Chubby en ik werden bijzonder vriendschappelijk met de mannen van de trawler, in de cel naast de onze, gezet. De fles die Wally voor ons had laten halen, werd steeds heen en weer door de tralies aangegeven.

Toen we de volgende ochtend werden vrijgelaten, weigerde Wally Andrews een aanklacht tegen ons in te dienen. Ik reed direct naar Turtle Bay om mijn huis te sluiten. Ik overtuigde me er wel van dat al het aardewerk schoon was. Wierp vervolgens een handjevol motteballen in de kasten en maakte me geen zorgen om de deuren op slot te doen. Op St. Mary bestaat niet zo iets als diefstal.

Voor de laatste keer zwom ik tot ver voorbij het rif en een half uur lang leefde ik in de stille hoop dat de bruinvissen zouden komen. Dat gebeurde echter niet en ik zwom terug naar het strand, nam een douche en kleedde me aan. Ik pakte mijn oude zeildoeken en leren tas van het bed en liep naar buiten, naar de plek waar de bestelauto geparkeerd stond. Ik keek niet om toen ik door de palmbomenaanplant reed, maar ik beloofde mezelf wel dat ik weer deze kant zou uitkomen.

Ik parkeerde de wagen voor het hotel en stak een cheroot op. Toen Marion klaar was met haar dienst om twaalf uur, kwam ze de hoofdingang uit en begon de oprit af te lopen, waarbij haar billen bijna brutaal onder haar minirokje heen en weer gingen.

Ik floot en ze zag me. Ze liet zich naast me op de voorbank glijden. 'Mister Harry, het spijt me zo van uw boot –' We babbelden enkele minuten voor ik haar eindelijk de vraag kon stellen.

'Miss North maakte tijdens haar verblijf in het hotel vermoedelijk wel enkele keren gebruik van de telefoon. Heeft ze soms ook een telegram verzonden?'

'Ik zou het u echt niet kunnen zeggen, mister Harry, maar ik kan het wel voor u opzoeken.'

'Nu?'

'Natuurlijk,' stemde ze toe.

'Nog iets anders. Zou je bij Dicky kunnen nagaan of hij een foto van haar heeft?' Dicky was de ronddolende hotelfotograaf en er bestond een goede kans dat hij in zijn dossier een foto van Sherry North had.

Marion bleef bijna drie kwartier weg, maar kwam met een triomfantelijke glimlach op haar gezicht terug.

'Ze heeft een telegram verzonden,' zei Marion en ze overhandigde me een nietig stukje papier, een afschrift van het telegram. 'U kunt dit afschrift wel houden,' zei ze, terwijl ik het bericht las.

Het was geadresseerd aan: 'MANSON FLAT 5 CURZON STREET 97 LONDON W.L.' en de boodschap luidde: 'CON-TRACT GETEKEND AANKOMST HEATHROW BOAC FLIGHT 316 ZATERDAG.' Er stond geen ondertekening onder.

'Dicky moest al zijn dossiers doorlopen – maar hij vond er een.' Ze gaf me een afdruk van zes bij vier. Het was een foto van Sherry North achterover geleund op een zonnestoel op het terras van het hotel. Ze droeg haar bikini en zonnebril, maar het was een goed gelijkende foto.

'Bedankt, Marion.' Ik gaf haar een biljet van vijf pond.

'Gossie, mister Harry,' zei ze en keek me grinnikend aan, terwijl ze het biljet voor in haar BH stopte. 'Voor die prijs kunt u nemen waar u zin in hebt.'

'Ik moet een vliegtuig halen, lieverd.' Ik gaf haar een zoen op haar kleine wipneus en een zacht tikje op haar billen, terwijl ze uit de wagen klom.

Chubby en Angelo kwamen naar het vliegveld. Chubby zou voor de bestelauto zorgen. We waren allemaal erg mak en gaven elkaar bij de uitgang nogal onbeholpen een hand. Er viel niet veel te zeggen. We hadden het allemaal de vorige avond al gezegd.

Ik moest in Nairobi drie uur wachten voor ik het vliegtuig naar Lon-den kon pakken. Ik deed tijdens de lange nachtelijke vlucht geen oog dicht.

Het was heel wat jaren geleden dat ik voor het laatst naar mijn ge-boorteland terugkeerde. En nu was ik op een grimmige wraakne-ming uit. Ik wilde bijzonder graag enkele woorden met Sherry North wisselen.

Als je helemaal blut bent, is dat het juiste moment om een nieuwe auto en een pak van vijfhonderd gulden te tonen. Zie er zwierig en welvarend uit en de mensen zullen zonder meer geloven dat je dat ook bent.

Ik schoor me en verkleedde me op het vliegveld en in plaats van een Hillman huurde ik bij de firma Hertz een Chrysler. Ik gooide mijn bagage in de koffer en reed naar de dichtstbijzijnde Courage Pub.

Ik bestelde een dubbele portie ham met eieren, spoelde dit weg met een groot glas Courage en bestudeerde intussen een landkaart. Het was allemaal zo lang geleden dat ik niet helemaal zeker was welke richting ik in moest slaan.

Het weelderige Engelse landschap was na Malakka en Afrika een tikkeltje te tam en te groen. De herfstzon had een licht gouden glans en ik was meer gewend aan een meer stralende en brandende zon. Maar niettemin was de tocht naar Brighton over de grasrijke heuvels beslist plezierig.

Ik parkeerde de Chrysler op de boulevard tegenover Grand Hotel en dook het doolhof van The Lanes binnen. Zelfs zo laat in het seizoen was het vol toeristen.

Pavilion Arcade was het adres dat ik nu lang geleden op de onderwaterslede van Jimmy North gelezen had, maar het kostte me bijna een vol uur om de plaats te vinden. Het lag ergens verborgen op een met kinderhoofdjes geplaveide binnenplaats en de meeste ramen en deuren waren met luiken gesloten en op slot.

'North's Underwater World' stond er op een bord van ongeveer drie meter naar het weggetje gekeerd. Het was eveneens gesloten en voor het enkele raam was een luik aangebracht. Zonder enig succes probeerde ik langs de zijkant van het luik te gluren maar het was binnen aardedonker en daarom besloot ik maar eens hard op de deur te bonzen. Binnen was geen enkel geluid te horen en ik stond op het punt me om te draaien, toen ik een stukje karton opmerkte dat vroeger vermoedelijk tegen het raam had gezeten, maar dat nu binnen op de grond gevallen was. Door mijn hoofd op een hoogst acrobatische manier te draaien, was ik in staat de met de hand geschreven boodschap te lezen. 'Inlichtingen bij Seaview, Downers Lane, Falmer, Sussex. Ik liep terug naar de wagen en haalde de wegenkaart te voorschijn.

Het begon te regenen toen ik de Chrysler door de smalle straatjes stuurde.

De ruitenwissers bewogen zich traag over de voorruit om de druppels weg te vegen. Ik tuurde in de al te vroeg vallende duisternis van een vroege avond. Twee keer raakte ik de weg kwijt, maar uiteindelijk stopte ik voor een toegangspoort in een brede heg. Het bord dat op het hek gespijkerd zat vertelde me dat hier NORTH SEAVIEW was. Ik stelde me zo voor dat het lang niet uitgesloten was dat je op een heldere dag in zuidelijke richting de Atlantische Oceaan kon zien.

Ik reed tussen de heggen door en kwam uit op een bestrate binnenplaats van een oude, uit twee verdiepingen bestaande en uit rode
steen opgetrokken boerderij. In de muren zaten zware eiken balken. Groen mos groeide op het uit hout en lei bestaande dak. Beneden brandde licht.

Ik parkeerde de Chrysler en stak de binnenplaats over in de richting
van de keukendeur. Mijn kraag had ik opgezet om me te beschermen tegen de wind en de regen. Ik klopte op de deur en hoorde
iemand binnen in beweging komen. De grendels werden weggeschoven en het bovenste gedeelte van de deur draaide aan een ketting open. Een meisje keek me door de opening aan.

Ik was vrijwel onmiddellijk onder de indruk van haar figuur. Ze
droeg een flodderige blauwe visserstrui, was lang en had een paar
brede door veel zwemmen ontwikkelde schouders. Ik vond haar al-
ledaags, lelijk haast maar op een opvallende manier.

Haar voorhoofd was breed en bleek van kleur, haar neus groot,
maar niet benig of krom en daaronder zag ik een brede maar vriendelijke mond. Ze droeg totaal geen make-up, waardoor haar lippen
een lichtrode kleur hadden. Haar neus en wangen waren bezaaid
met hele kleine sproetjes.

Vanuit haar gezicht waren haar haren strak naar achteren gekamd
en tot een brede vlecht gestrengeld die langs haar nek omlaag hing.
Ze had zwart haar dat in het lamplicht iriserend donker glansde.
Ook haar wenkbrauwen waren donker en vormden boven haar
ogen die ook al zwart schenen een krachtige boog. Maar toen het
licht op die ogen viel, zag ik dat ze dezelfde spookachtige blauwe
kleur hadden als het water van de Mozambique, wanneer de zon op
het heetst van de dag direct op het water schijnt.

Ondanks haar bleke huidkleur maakte ze de indruk door en door
gezond te zijn. De bleke huid had een soort glans en kneedbaar-
heid, die hem een helderheid gaven waardoor het scheen – wanneer
je haar van dichtbij aandachtig opnam, zoals ik op dat moment ook
deed – dat je door de oppervlakte heen kon kijken en kon zien hoe
haar bloed warm naar haar wangen en hals vloeide. Ze raakte een
lokje van haar zijdeachtige donkere haar aan dat uit de vlecht ontsnapt was en langs haar slaap zacht heen en weer bewoog. Het was
een bijna smekend gebaar en juist dat gebaar verraadde haar ze-
nuwachtigheid en loochende de rustige uitdrukking in de donker-

blauwe ogen.

Plotseling realiseerde ik me dat ze een ongewoon aantrekkelijke vrouw was, want hoewel ze niet ouder was dan een jaar of vijfentwintig, wist ik dat ze niet langer een meisje was, maar in alle opzichten een vrouw. Er straalden van haar een kracht en een volwassenheid uit, een zo grote rust dat ik er door geïntrigeerd werd.

Gewoonlijk zijn vrouwen die ik uitkies meer 'doorzichtig', want ik houd er niet van te veel energie te verspillen aan een achtervolging. Deze vrouw was iets dat mijn ervaring te boven ging en voor het eerst in tal van jaren voelde ik me niet helemaal zeker.

We hadden elkaar nu al enkele seconden aan staan staren zonder dat er een enkel woord werd gewisseld of een enkele beweging werd gemaakt.

'U bent Harry Fletcher,' zei ze tenslotte. Haar stem klonk diep en gemoduleerd, een gecultiveerde, beschaafde stem. Ik keek haar ongetwijfeld stomverbaasd aan.

'Hoe weet u dat in Gods naam?' vroeg ik.

'Kom binnen.' Ze haakte de ketting los en opende nu ook het onderste deel van de deur. Gehoorzaam stapte ik over de drempel. Het was warm in de keuken. De keuken was gevuld met de geur van goed toebereid voedsel.

'Hoe wist u hoe ik heette?' vroeg ik opnieuw.

'Uw foto stond in de krant – samen met die van Jimmy,' legde ze me uit. Weer volgde er een zwijgen en weer keken we elkaar onderzoekend aan.

Ze was zelfs nog langer dan ik in het begin gedacht had en ze kwam makkelijk tot mijn schouder. Ze had lange benen die in een donkerblauwe broek gestoken waren. De uiteinden van de broekspijpen waren weggestopt in zwarte leren laarzen. Eerst nu kon ik haar smalle middel zien en de belofte van een paar goede borsten onder die dikke trui.

Toen ik haar voor het eerst zag, had ik gedacht dat ze lelijk was, maar nu tien seconden later, vond ik haar aantrekkelijk en ik twijfelde er aan of ik ooit van mijn leven een mooiere vrouw had gezien. Ik nam alle tijd om het volledige effect tot me door te laten dringen.

'U hebt me in een nadelige positie gebracht,' zei ik tenslotte. 'Ik weet uw naam niet.'

'Ik ben Sherry North,' antwoordde ze. Ik gaapte haar enkele ogen-

blikken aan voor ik van de schok bekomen was. Ze was een heel ander meisje dan die andere Sherry North die ik had leren kennen.
'Wist u dat er een hele stam van u bestaat?' vroeg ik uiteindelijk.
'Ik begrijp niet wat u bedoelt.' Ze keek me met gefronste wenkbrauwen aan. Haar ogen onder die samengetrokken wenkbrauwen waren verrukkelijk blauw.
'Ik ben bang dat dit een lang verhaal is.'
'Dat spijt me.' Ze scheen zich eerst op dat moment bewust van het feit dat we elkaar daar midden in de keuken aan stonden te staren. 'Waarom gaat u er niet bij zitten. Hebt u trek in een glas bier?'
Sherry haalde enkele blikjes Carlsberg bier te voorschijn en ging toen tegenover me aan de keukentafel zitten.
'U was van plan me een lang verhaal te vertellen.' Ze trok de metalen klepjes los en schoof een blikje naar me toe. Vol verwachting keek ze me aan.
Ik begon haar het zorgvuldig geredigeerde verhaal te vertellen van mijn ervaringen sinds de dag dat Jimmy North op St. Mary was aangeland.
Het viel me erg gemakkelijk tegen haar te praten, alsof ik tegenover een oude en geïnteresseerde vriend zat. Plotseling kreeg ik behoefte haar alles te vertellen, de volledige zuivere waarheid. Het was belangrijk dat, vanaf het eerste begin, alle eerlijkheid betracht werd zonder enig voorbehoud.
Ze was voor mij een volmaakte vreemde en toch stelde ik in haar meer vertrouwen dan ik ooit in iemand anders die ik gekend had gedaan had.
Ik vertelde haar alles, precies zoals het gebeurd was.
Toen de duisternis gevallen was, bracht ze me eten, een smakelijke casserole uit een stenen pot en we aten deze met eigen gebakken brood en eigen bereide boter. Ik praatte nog steeds, maar niet langer over de laatste gebeurtenissen op St. Mary en ze luisterde in alle rust. Eindelijk had ik een ander menselijk wezen gevonden, met wie ik zonder enig voorbehoud kon praten.
Ik ging terug in mijn leven en als een totale reiniging vertelde ik haar alles uit de eerste dagen, zelfs alles over de twijfelachtige manier waarop ik het geld verdiend had om *Wave Dancer* te kopen en hoe mijn goede voornemens sindsdien hadden gewankeld.
Het was al na middernacht toen ze tenslotte zei: 'Ik kan nauwelijks

al wat je verteld hebt geloven. Zó'n indruk maak je helemaal niet –
je ziet er meer uit als –' ze scheen het juiste woord te zoeken '–gezond.' Maar je kon zien dat het niet 't woord was waar ze naar gezocht had.

'Daar doe ik ook hard mijn best voor. Maar soms zakt mijn halo
over mijn ogen. Weet je, het uiterlijk van iemand is soms bedriegelijk,' zei ik en ze knikte instemmend.

'Ja, dat klopt.' De manier waarop ze dit zei, had een bepaalde
klank, een waarschuwing misschien. 'Waarom heb je me dit eigenlijk allemaal verteld? Dat is niet bepaald erg verstandig, vind je
wel?'

'Het werd langzamerhand tijd dat iemand me kende, iets van me
afwist. 't Spijt me dat ik jou daar voor uitgekozen heb.'

Ze glimlachte. 'Je kunt vannacht in Jimmy's kamer slapen,' zei ze.
'Ik kan niet het risico lopen dat je de deur uitrent en dit aan alle
mogelijke andere mensen vertelt.'

Ik had de vorige nacht niet geslapen en plotseling voelde ik me echt
uitgeput. Ik voelde me alsof ik zelfs de kracht niet meer had om de
trappen op te klimmen – maar er was nog een vraag die ik wilde
stellen.

'Waarom ging Jimmy naar St. Mary? Waar zocht hij naar?' vroeg
ik. 'Weet je soms met wie hij samenwerkte, wat dat voor mensen
waren?'

'Nee, ik zou het echt niet weten.' Ze schudde het hoofd en ik wist
dat ze de waarheid sprak. Ze zou nu niet meer tegen me liegen, niet
nadat ik zoveel vertrouwen in haar had gesteld.

'Wil je me helpen daar achter te komen? Wil je me helpen die mensen te vinden?'

'Ja, ik zal je helpen,' antwoordde ze en stond op van haar stoel.
'Morgen praten we verder.'

Jimmy's kamer lag onder de hanebalken en de vorm van het dak gaf
hem een onregelmatige vorm. De muren waren bedekt met foto's
en volgeladen boekenplanken, zilveren sportbekers en medailles
en de zo hoog geschatte curiositeiten uit zijn jeugd.

Het bed was hoog en de matras zacht.

Ik liep naar de Chrysler om mijn plunjezak te halen, terwijl Sherry
schone lakens op het bed legde. Vervolgens liet ze me zien waar de
badkamer was en daarna liet ze me alleen.

Ik lag daar en luisterde naar de regen die op het dak kletterde, maar binnen enkele minuten was ik vast in slaap. Midden in de nacht werd ik wakker en hoorde het zachte gefluister van een stem, ergens in het stille huis.

Blootsvoets en in mijn onderbroek opende ik de slaapkamerdeur en sloop zacht door de gang naar de trap. Ik keek van hieruit in de hal. Er brandde een lamp en Sherry North stond bij de aan de muur bevestigde telefoon. Ze sprak heel zacht in het mondstuk en had haar hand rond haar mond en de microfoon gelegd, zodat ik niet kon verstaan wat ze zei. De lamp hing achter haar. Ze droeg een dunne nachtjapon en haar lichaam was door de dunne stof zo duidelijk zichtbaar dat het wel leek alsof ze daar volkomen naakt stond. Ik stond naar haar te staren als je reinste gluurder. Het lamplicht straalde op de ivoorkleurige glans van haar huid en ik zag intrigerende geheimzinnige holten en schaduwen onder doorzichtige stof. Het kostte me moeite om mijn ogen van haar los te maken en ging toen terug naar bed. Ik dacht na over dit telefoontje van Sherry en voelde een onbestemde onrust, maar al spoedig had de slaap me weer overmand.

De volgende ochtend had het opgehouden met regenen, maar de grond was modderig en het gras zwaar en nat toen ik naar buiten liep om wat frisse lucht in te ademen.

Ik verwachtte half en half dat ik me na mijn ontboezemingen van de vorige avond bij Sherry niet helemaal op mijn gemak zou voelen, maar niets was minder waar. Tijdens het ontbijt verliep ons gesprek volkomen ongedwongen en daarna zei ze: 'Ik beloofde je dat ik zou helpen. Wat kan ik doen?'

'Enkele vragen beantwoorden om te beginnen.'

'Uitstekend, vraag maar.'

Jimmy North was bijzonder geheimzinnig geweest en ze had niet geweten dat hij naar St. Mary wilde gaan. Hij had haar verteld dat hij een contract gesloten had om bepaalde elektronische onderwaterapparatuur bij de Cabora-Bassa Dam in Portugees Mozambique te installeren. Ze had hem met al zijn uitrustingsstukken naar het vliegveld gebracht. Voor zover zij wist reisde hij alleen. De politie was naar de winkel in Brighton gekomen om haar te vertellen dat Jimmy vermoord was. Ze had de krantberichten gelezen en dat was alles.

'Geen brieven van Jimmy gekregen?'
'Nee, helemaal niets.' Ik knikte. Dat addergebroed had, dat kon niet anders, zijn post onderschept. De brief die Sherry's bedriegster mij had laten zien was beslist echt.
'Ik begrijp er geen laars van. Of ben ik misschien gewoon dom?'
'Nee.' Ik haalde een cheroot te voorschijn en had het ding al bijna aangestoken voor ik me zelf tegenhield. 'Bezwaar wanneer ik een van deze dingen rook?'
'Ik heb er geen hinder van,' antwoordde ze en daar was ik blij om, want het zou allerellendigst geweest zijn indien ik ze op had moeten geven. Ik stak de cheroot aan en inhaleerde de geurige rook.
'Het ziet er naar uit alsof Jimmy over iets heel belangrijks gestruikeld is. Hij had ongetwijfeld financiële steun nodig en wendde zich toen tot de verkeerde mensen. Zodra ze wisten waar het was, vermoordden ze hem en probeerden ze ook mij om zeep te helpen. Toen dat verkeerd liep, stuurden ze iemand die jou moest personifiëren. Toen zij tenslotte dacht dat ze de juiste plek van het voorwerp wist, zette ze voor mij een val en ging terug naar huis. Hun volgende zet is dat ze naar Big Gull Eiland zullen terugkeren en daar zullen ze dan opnieuw een teleurstelling te slikken krijgen.'
Ze schonk onze koffiekopjes weer vol en het viel me op dat ze zich die ochtend opgemaakt had – maar zo weinig dat de sproetjes nog net te zien waren. Ik dacht nog eens na over mijn oordeel van de vorige avond en kwam opnieuw tot de conclusie dat ze een van de mooiste vrouwen was, die ik ooit eerder gezien had, zelfs zo vroeg in de ochtend.
Ze keek met gefronst voorhoofd peinzend voor zich uit. Staarde in haar kopje en ik voelde een onweerstaanbaar verlangen een van haar slanke, sterk uitziende handen aan te raken die daar voor me op het tafelkleed lagen.
'Waar zitten ze achteraan, Harry? En wie zijn die mensen die hem gedood hebben?' vroeg ze uiteindelijk.
'Twee prima vragen. Voor beide vragen heb ik een aanwijzing, die naar het antwoord kan leiden – maar we zullen de vragen onder handen nemen in de volgorde waarin je ze gesteld hebt. In de eerste plaats, waar zat Jimmy achteraan? Wanneer we dat weten kunnen we achter zijn moordenaars aangaan.'
'Ik heb er geen idee van wat dat kan zijn.' Ze keek me aan. Het

blauw van haar ogen was lichter dan de vorige avond. Ze hadden nu de kleur van prachtig saffier. 'Wat voor aanwijzingen heb je?'

'De scheepsbel. De tekening op de bel.'

'Wat betekent die tekening?'

'Dat weet ik niet, maar ik geloof niet dat het moeilijk zal zijn daar achter te komen.' Ik kon de verleiding niet langer weerstaan. Ik legde mijn hand over de hare. De hand voelde even ferm en krachtig aan als hij er uit zag en haar vlees was warm. 'Maar eerst zou ik graag een onderzoek willen instellen in de winkel in Brighton en in Jimmy's kamer. Misschien vinden we iets dat we kunnen gebruiken.'

Ze had haar hand niet teruggetrokken. 'Prima, zullen we dan eerst naar de winkel gaan? De politie heeft al alles onderzocht, maar misschien hebben ze iets over het hoofd gezien.'

'Afgesproken. Ik tracteer je op een lunch.' Ik gaf haar een kneepje in haar hand en ze draaide haar hand in mijn greep om en beantwoordde mijn kneepje.

'Daar houd ik je aan,' antwoordde ze en ik was te verbaasd over mijn eigen reactie op de lichte druk van haar vingers om een luchtig antwoord te kunnen geven. Mijn keel scheen opgedroogd en mijn pols klopte alsof ik hard gelopen had. Zacht trok ze nu haar hand terug en stond op.

'Laten we de ontbijtboel eerst afwassen.'

Als de meisjes op St. Mary hadden kunnen zien hoe mister Harry de vaat stond af te drogen, dan zou mijn reputatie in gruizels gevallen zijn.

Ze ging via de achterdeur de winkel binnen, via een kleine ingesloten binnenplaats, die praktisch vol stond met de meest ongebruikelijke voorwerpen en stuk voor stuk hadden deze te maken met duiken en de wereld onder water – afgedankte luchtcilinders en een draagbare compressor, koperen patrijspoorten en andere geborgen delen van vergane schepen, zelfs het kaakbeen van een noordkaper met alle tanden nog intact.

'Ik ben hier een hele tijd niet meer geweest,' verontschuldigde Sherry zich, toen ze de achterdeur van de winkel had opengemaakt. 'Zonder Jimmy –' ze haalde haar schouders op en ging toen verder: 'Ik moet nu echt beginnen om de rommel te verkopen en de winkel te sluiten. Ik veronderstel dat ik het huurcontract opnieuw kan verkopen.'

'Ik ga nu wat op mijn gemak rondkijken, goed?'

'Best. Ik zal intussen water opzetten.'

Ik begon met de binnenplaats, zocht vlug, maar grondig de stapel rommel door. Er was niets te vinden dat voor zover ik het zien kon enige betekenis had. Ik liep nu de winkel binnen en zocht tussen de zeeschelpen, de haaietanden op de planken en in de uitstalkasten. Uiteindelijk zag ik een soort bureau in de hoek van de winkel en doorliep alle laden.

Sherry bracht me een kop thee en ging op de hoek van het bureau zitten, terwijl ik oude rekeningen, rubberwikkels en papierbinders op het blad stapelde. Ik nam elk stukje papier door en snuffelde zelfs door de rekentabellen.

'Niets?' vroeg Sherry.

'Niets,' gaf ik toe en wierp een blik op mijn horloge. 'Lunchtijd,' vertelde ik haar.

Ze deed de winkel weer op slot en met enig geluk vonden we een Engels restaurant. Ze gaven ons een tafeltje apart in de zaal en ik bestelde een fles Pouilly Fuissé samen met kreeft. Toen ik me eenmaal van de schok hersteld had, toen ik de prijs hoorde, lachten we tijdens ons maal een heleboel en het was niet alleen de wijn die daar oorzaak van was. De gevoelens tussen ons waren goed en werden steeds sterker.

Na de lunch reden we terug naar Seaview en we liepen de trap op naar Jimmy's kamer.

'Dit is onze beste kans,' raadde ik min of meer. 'Indien hij geheimen had, zouden we die hier moeten vinden.' Maar ik wist dat ik een heel karwei moest opknappen. Er stonden en lagen honderden boeken en stapels weekbladen. Hoofdzakelijk *American Argosy, Trident, The Diver* en andere duikpublicaties. Aan het voeteneinde van het bed stond ook nog een boekenplank vol naslagdossiers.

'Ik laat je voorlopig alleen,' zei Sherry en ze verliet de kamer.

Ik haalde een plank helemaal leeg, ging aan de leestafel zitten en begon de publicaties door te bladeren. Ik had onmiddellijk door dat dit een veel groter karwei was dan ik gedacht had. Jimmy was een van die mensen geweest, die lezen met een potlood in de hand. Overal in de marge stonden aantekeningen, commentaar, vragen en uitroeptekens en alles dat hem belang inboezemde was onderstreept.

Ik las koppig verder, op zoek naar iets dat ergens in de verte verband hield met St. Mary.

Omstreeks acht uur begon ik aan de plank waarop de naslagdossiers stonden. De eerste twee zaten vol met kranteknipsels over scheepswrakken of andere zeefenomenen. Het derde had een zwarte imitatie leren band zonder opschrift. Daarin zat een stapeltje uiterst dunne papieren en ik zag onmiddellijk dat dit geen gewone papieren waren.

Er waren reeksen brieven met hun enveloppen waarop de postzegels nog zaten. Zestien in totaal en alle gericht aan de heren Parker en Wilton in Fenchurch Street.

Iedere brief droeg een ander handschrift, maar stuk voor stuk waren ze geschreven in het elegante schrift van de vorige eeuw.

De enveloppen waren afkomstig uit verschillende delen van het oude imperium – Canada, Zuid-Afrika, India – en alleen al de waarde van de negentiende-eeuwse postzegels moest enorm geweest zijn.

Nadat ik de eerste twee brieven gelezen had, werd het me duidelijk dat de heren Parker en Wilton agenten en commissionairs geweest waren en dat zij zaken gedaan hadden voor een aantal uitgelezen cliënten in dienst van koningin Victoria. De brieven bevatten instructies inzake landgoederen, geld en effecten.

Alle brieven waren gedateerd tussen een periode van augustus 1857 en juli 1858. Ze waren ongetwijfeld door een handelaar of een afslager van antiek op een veiling te koop aangeboden als een partij.

Ik keek ze vlug door, maar de inhoud van de brieven was bijzonder saai. Maar er was iets op een enkele bladzijde van de tiende brief dat er werkelijk uitsprong en ik voelde mijn zenuwen prikkelen.

Twee woorden waren met potlood onderstreept en in de marge stond een aantekening in het handschrift van Jimmy.

'B. Mus. E 6914(8).'

Het waren echter de woorden zelf die me bezighielden.

'Dawn Light.'

Ik had die woorden eerder gehoord. Ik was er niet zeker van wanneer, maar ze betekenden iets.

Vlug begon ik bovenaan de bladzijde te lezen. Het adres van de afzender was heel laconiek 'Bombay' en de datum was 16 september 1857.

Mijn beste Wilton,

Ik belast je hierbij nauwgezet met de goede zorg en de veilige opslag van vijf stuks bagage die in mijn naam verzonden zijn aan jouw adres in Londen via het Hon. Company schip Dawn Light. Vertrek uit deze haven voor de 25ste van deze maand en met bestemming de steiger van de Maatschappij in de Port of London. Bevestig de veilige ontvangst van de goederen met spoed.

Verblijf met alle hoogachting

Kolonel sir Roger Goodchild,

Bevelvoerend officier 101ste Regiment

Queen's Own India Rifles.

Overhandiging bij wijze van gunst door kapitein belast met het bevel over H.M. fregat *Panther*.

Het papier ritselde en ik realiseerde me dat mijn hand beefde van louter opwinding. Ik wist dat ik nu op het juiste spoor was. Dit was de sleutel waar ik naar zocht. Voorzichtig legde ik de brief op de leestafel en legde er een zilveren briefopener over heen om hem te verzwaren.

Langzaam begon ik de bladzijde opnieuw te lezen, maar plotseling werd ik afgeleid. Ik hoorde het geluid van een motor, een auto, die vanaf de poort de laan op kwam. Koplichten schoten langs het raam en verdwenen toen om de hoek van het huis.

Ik ging rechtop zitten en luisterde aandachtig. Het geluid van de motor stierf weg en ik hoorde portieren dichtslaan.

Er volgde een lange stilte voordat ik gemompel hoorde en het gegrom van stemmen – mannenstemmen. Ik maakte aanstalten om overeind te komen.

Toen slaakte Sherry een kreet. Het schalde door het oude huis en doorboorde mijn hersenen als een speer. Het wekte een zo fel beschermend instinct in me op dat ik de trap af was en in de hal stond, vóór ik me realiseerde dat ik in beweging gekomen was.

De deur naar de keuken stond open en ik bleef in de deuropening staan. Er stonden twee mannen bij Sherry. De zwaardere en oudere man droeg een beige kameelharen jas en een soort muts van gekeperde wollen stof. Hij had een grauw, zwaar gerimpeld gezicht en diepliggende ogen. Zijn lippen waren smal en kleurloos.

Hij had Sherry's linkerhand achter tussen haar schouderbladen gedraaid en had haar klem gezet tegen de muur naast het gasfornuis.

De andere man was jonger, slank en bleek, blootshoofds met lang strogeel haar dat op de schouders van zijn leren jasje viel. Hij grinnikte vol leedvermaak, terwijl hij Sherry's andere hand boven de blauwe gasvlam hield en deze toen langzaam omlaag drukte.

Ze worstelde volkomen wanhopig, maar ze hielden haar in bedwang. Haar haren waren door het gevecht losgeraakt.

'Langzaam aan, vriend,' zei de man met de vreemdsoortige muts met een gesmoorde stem. 'Geef haar wat tijd om na te denken.'

Sherry schreeuwde opnieuw toen haar vingers meedogenloos omlaag naar de sissende vlammen werden gebracht.

'Ga je gang maar liefje, schreeuw maar zo hard je wilt,' zei de blonde man lachend. 'Er is geen mens die je hoort.'

'Alleen ik,' zei ik en ze draaiden zich vliegensvlug om. Op hun gezichten lag een uitdrukking van komische verbazing.

'Wie –' vroeg de blonde man, terwijl hij Sherry's arm losliet en snel zijn hand naar zijn achterzak bracht.

Ik raakte hem twee maal, links in zijn maag en met een rechtse tegen zijn hoofd. En hoewel geen van beide slagen bijzonder in mijn smaak viel – ze waren niet vol aangekomen – zakte de man in elkaar, viel zwaar over een stoel en sloeg met zijn hoofd tegen de kast. Ik had voor hem geen tijd meer en sprong regelrecht op de oudere man af.

Hij hield Sherry nog altijd voor zich en toen ik op hem afkwam, slingerde hij haar naar me toe. Ik verloor daardoor mijn evenwicht en ik was genoodzaakt haar op te vangen om te voorkomen dat we allebei tegen de vloer gingen. De man draaide zich om en schoot de deur achter hem door. Het kostte me slechts enkele seconden om me van Sherry te bevrijden en de keuken door te lopen. Toen ik de binnenplaats opvloog was hij al halverwege een al wat oude Triumph Sport. Hij wierp een blik over zijn schouder. Ik kon bijna zien hoe hij razendsnel zijn kansen berekende. Het zou hem onmogelijk zijn de wagen te bereiken, deze te starten en de neus van de wagen in de richting van de laan te brengen voor ik hem te pakken kreeg. Hij zwenkte naar links en liep zo hard hij kon de donkere opening van de laan binnen. De panden van zijn kameelharen jas wapperden achter hem aan. Ik rende hem achterna.

De grond was glibberig door de natte kleilaag en het viel hem moeilijk hard te lopen. Hij gleed uit en viel bijna. Ik was nu vlak achter hem en kwam snel op hem af toen hij zich omdraaide. Ik hoorde de klik van een mes en zag het lemmet schitteren toen het uit 't heft schoot. Hij liet zich in een hurkende houding zakken, het mes uitgestrekt en zonder af te remmen rende ik regelrecht op het mes af.

Dat had hij niet verwacht. Dat glinsterende staal zal de meeste mannen plotseling stil doen staan. Hij richtte op mijn buik, een lage onderhandse steek. Maar hij was wat beverig en buiten adem en de steek miste het echte vuur. Ik blokkeerde de pols en sloeg tegelijkertijd hard tegen de zenuwknoop in zijn onderarm. Het mes viel uit zijn hand en ik wierp hem over mijn heup. Hij smakte hard met zijn rug tegen de grond en hoewel de modder de val gedeeltelijk brak, liet ik me met een knie op zijn onderlichaam vallen. Achter die val zat ruim tweehonderd pond lichaamsgewicht en het perste met een sissend geluid alle lucht uit zijn longen. Hij vouwde dubbel als een ongeboren kind in de schoot van zijn moeder, snakkend naar adem. Ik keerde hem om en hij lag nu met zijn gezicht in de modder. Die rare pet viel van zijn hoofd en ik zag dat hij een beste bos donker haar had met hier en daar wat zilveren draden. Ik nam een handvol haar, ging op zijn schouders zitten en duwde zijn gezicht diep in de gele modder.

'Ik houd niet van jongens die kleine meisjes pesten,' zei ik hem gemeenzaam en achter me hoorde ik hoe plotseling de motor van de Triumph brullend tot leven kwam. De koplichten schoten aan en draaiden toen een wijde bocht tot ze direct de smalle weg opgleden. Ik wist dat ik de blonde man niet afdoende buiten gevecht gesteld had. Het was allemaal veel te gehaast en te slordig gegaan. Ik liet de oudere man in de modder achter en rende langs de laan. De wielen van de Triumph tolden over de geplaveide binnenplaats en terwijl de koplampen verblindend in mijn ogen schenen, schoot de wagen naar voren, waarbij de wielen slipten en de wagen slingerde toen hij 't bestrate deel van de binnenplaats verliet en de modderige weg opschoot. De man achter het stuur wist de slip op te vangen en stuurde nu recht op me af.

Ik liet me plat op de grond vallen en rolde snel in het koude stroompje van een smalle open afvoerbuis die afvloeiingswater door de hoge heg leidde.

De Triumph sloeg licht tegen de rand van de afvoerbuis en de heg bracht hem iets uit de goede richting. De wielen maalden kwaadaardig over de kant van de stenen rand, slechts enkele centimeters van mijn gezicht verwijderd. Modder en een warreling van twijgen vielen over me heen. Toen was de wagen voorbij.

De Triumph stopte toen deze op gelijke hoogte met de man in de met modder bevlekte kameelharen jas was. Hij lag op zijn knieën bij de rand van de weg en sleepte zich nu in de lege stoel van de Triumph. Op het ogenblik dat ik uit de goot kroop en achter de sportwagen aanholde, trok deze weer snel op en de modder spoot van onder de rondtollende wielen vandaan. Volkomen vergeefs rende ik er achteraan maar de snelheid nam steeds meer toe en even later stoof de wagen de helling af.

Ik gaf het maar op en rende de laan weer terug en zocht onderwijl in mijn doornatte broekzak naar de sleutels van de Chrysler. Plotseling realiseerde ik me dat ik ze op de tafel in Jimmy's kamer had laten liggen.

Sherry stond tegen de open keukendeur te leunen en hield haar verbrande hand tegen haar borst. Haar haren waren in wanorde. De mouw van haar trui was van haar schouder gescheurd.

'Ik kon hem niet tegenhouden, Harry,' bracht ze nog hijgend uit. 'Ik heb 't wel geprobeerd.'

'Hoe erg is 't?' vroeg ik en vergat mijn plan de wagen te achtervolgen, toen ik zag in wat voor toestand ze verkeerde.

'Een beetje verschroeid.'

'Ik zal je naar de dokter brengen.'

'Nee. Dat is echt niet nodig,' maar haar glimlach was vertrokken van pijn. Ik liep naar Jimmy's kamer en pakte uit mijn reisetui een Doloxene tegen de pijn en Mogadon om haar te laten slapen.

'Ik heb dat echt niet nodig,' protesteerde ze.

'Moet ik je neus soms dichthouden en je dwingen het door te slikken?' vroeg ik. Ze grinnikte en schudde het hoofd. Ze slikte beide tabletten door.

'Je kunt het best een bad nemen,' zei ze. 'Je bent doornat.' Plotseling realiseerde ik me dat ik niet alleen doornat was maar dat ik het ook koud had.

Toen ik, warm van het bad, weer in de keuken terugkwam, was Sherry al min of meer versuft door de tabletten die ik haar gedwongen had in te nemen. Ze had toch koffie voor ons klaar gemaakt en had in beide koppen een scheut whisky gedaan om de werking te verhogen. Tegenover elkaar aan tafel dronken we hem langzaam op.

'Wat wilden ze van je?' vroeg ik. 'Wat zeiden ze precies?'

'Ze dachten dat ik wist waarom Jimmy naar St. Mary was gegaan. Dat wilden ze weten.'

Ik dacht daar even over na. Er was iets dat niet klopte en dat baarde me zorgen.

'Ik –' Sherry's stem was onvast en ze wankelde even, toen ze probeerde op te staan. 'Goeie help! Wat heb je me in vredesnaam gegeven?'

Ik tilde haar op en ze protesteerde zwak. Ik droeg haar naar haar kamer. Een typische meisjeskamer met behang vol rozen. Ik legde haar op bed, trok haar schoenen uit en legde toen een gewatteerde deken over haar heen.

Ze slaakte een diepe zucht en sloot haar ogen. 'Ik denk dat ik je maar bij me moest houden,' fluisterde ze. 'Je bent bijzonder nuttig.'

Dat moedigde me aan en ik ging op de rand van het bed zitten en bracht haar in slaap door haar haren uit haar slapen weg te strijken en haar brede voorhoofd licht te masseren. Haar huid voelde aan als warm fluweel. Binnen een minuut was ze in slaap gevallen. Ik draaide het licht uit en stond op het punt haar kamer te verlaten toen ik van gedachten veranderde.

Ik deed mijn schoenen uit en kroop eveneens onder de gewatteerde deken. In haar slaap rolde ze volkomen natuurlijk in mijn armen en ik hield haar dicht tegen me aan.

Het was een prettig gevoel en het duurde niet lang of ook ik viel in slaap. Bij het aanbreken van de dag werd ik wakker. Haar gezicht lag tegen mijn hals en een been en een arm lagen over me heen. Haar haren waren zacht en streelden langs mijn wang.

Zonder haar wakker te maken, maakte ik me vrij, kuste haar voorhoofd, pakte mijn schoenen en ging terug naar mijn eigen kamer. Het was voor de allereerste keer dat ik de nacht samen met een mooie vrouw in mijn armen had doorgebracht en niets anders gedaan had dan slapen. Ik voelde me gewoon verwaand vanwege mijn deugdzaamheid.

De brief lag op de leestafel in Jimmy's kamer waar ik hem de vorige dag had achtergelaten en ik las hem nogmaals door voor ik naar de badkamer ging. De met potlood geschreven aantekening in de marge 'B. Mus. E6914(8)' was voor mij een groot raadsel. Terwijl ik me schoor dacht ik er ernstig over na.

Het regende niet meer en de wolken braken, toen ik naar beneden ging en de binnenplaats opliep om de Chrysler te inspecteren. De schade was te verwaarlozen. Een paar bladen van het verchroomde raster aan de voorkant waren verbogen en het rechterportier had wat krassen en was iets ingedeukt. Een deel van de blauwe lak van de Triumph zat op de krassen op het portier. Ik kon dat niet waarderen.

Op een plank in de schuur vond ik wat wrijfwas en een oude doek. Zorgvuldig wreef ik de blauwe verfdeeltjes van het portier. De schade was nu nauwelijks zichtbaar. Ik liep weer terug naar de keuken, stampte met mijn voeten en wreef mijn koud geworden handen.

Sherry was bezig ons ontbijt klaar te maken.

'Hoe gaat het met je hand?'

'Pijnlijk,' gaf ze toe.

'We vinden onderweg naar Londen wel een dokter.'

'Waarom denk je dat ik naar Londen ga?' vroeg ze behoedzaam, terwijl ze boter op het geroosterde brood smeerde.

'Twee dingen. Ten eerste kun je hier niet blijven. Dat tuig komt vast en zeker terug.' Ze wierp me een snelle blik toe maar zweeg. 'De andere reden is dat je beloofd hebt me te helpen – en het spoor leidt naar Londen.'

Ze scheen nog niet overtuigd en daarom gaf ik haar, terwijl we zaten te eten, de brief die ik in Jimmy's dossier gevonden had.

'Ik zie nog steeds het verband niet,' zei ze tenslotte en ik gaf eerlijk toe: 'Ik ook nog niet helemaal.' Ik stak mijn eerste cheroot van die dag op, terwijl ik tegen haar sprak en het effect was bijna magisch. 'Maar zodra ik de woorden Dawn Light las klikte er iets in mijn hersenen –' Ik zweeg. 'Goeie God! Dat is 't. De *Dawn Light!*' Ik herinnerde me plotseling flarden van een gesprek dat mij op de brug van *Wave Dancer* via de ventilatiekoker vanuit de salon bereikt had.

'Om de, "dawn light" te krijgen dienen we te –' De stem van Jimmy, duidelijk en gespannen van verwachting. 'Indien de "dawn light" is waar –' Opnieuw hadden de normaal uitgesproken woorden me toen min of meer verbijsterd. Ze hadden zich als een soort nevel in mijn hersenen vastgezet. Ik begon de zaak aan Sherry uit te leggen, maar ik was zo opgewonden dat de woorden als een verwarde massa uit mijn mond kwamen. Ze lachte, werd aangegrepen door mijn eigen opwinding, maar van mijn uitleg snapte ze geen laars.

'Hé,' protesteerde ze. 'Ik begrijp er geen woord van.'

Ik begon opnieuw, maar halverwege hield ik op en keek haar zwijgend aan.

'Kom, wat is 't?' Ze was min of meer geamuseerd, maar toch ook wel geprikkeld. 'Je maakt mij ook stapelgek.'

Ik greep mijn vork. 'De scheepsbel. Herinner je je nog die bel waar ik je over vertelde. Die bel die Jimmy in Gunfire Rif heeft opgevist?'

'Ja, natuurlijk.'

'Ik vertelde je dat er letters op stonden, gedeeltelijk weggeschuurd door het zand.'

'Ja, ga verder.'

Met mijn vork kraste ik over de boter, gebruikte dat als een soort lei. '– VVN L –'

Ik tekende de letters die in het brons waren gedreven.

'Dat was 't,' zei ik. 'Het zei me toen niets – maar nu –' Vlug vulde ik de ruimte tussen de letters op. 'Dawn Light.'

Ze staarde naar de beide woorden, knikte langzaam, toen de legpuzzel haar duidelijk werd.

'We dienen alles omtrent het schip *Dawn Light* te weten te komen.'

'Hoe?'

'Dat lijkt me niet zo moeilijk. We weten dat het een Oostindiëvaarder was – er moeten dus gegevens bekend zijn – Lloyd's – Kamer van Koophandel?'

Ze pakte de brief uit mijn hand en las alles opnieuw. 'De bagage van de dappere kolonel bevatte naar alle waarschijnlijkheid smerige sokken en oude overhemden.' Ze trok een gezicht en gaf me de brief terug.

'Ik kom sokken tekort,' antwoordde ik.

Sherry pakte een koffer en ik voelde me opgelucht, toen ik zag dat ze de zeldzame deugd bezat met weinig bagage te reizen. Ze verliet het huis en liep naar de pachtboer, terwijl ik de bagage in de Chrysler laadde. Hij zou tijdens haar afwezigheid een oogje op het buitentje houden en toen ze terugkwam deed ze alleen de keukendeur op slot en klom naast me in de Chrysler.

'Grappig eigenlijk,' zei ze. 'Ik heb 't gevoel dat dit het begin is van een lange reis.'

'Ik heb bepaalde plannen,' waarschuwde ik en lonkte naar haar.

'Ik dacht op een gegeven ogenblik dat je er in alle opzichten gezond uitzag,' zei ze droevig, 'maar wanneer je zo doet...'

'Zo echt sexy, vind je niet?' gaf ik toe en stuurde de Chrysler het pad op. Ik vond een dokter in Haywards Heath. Sherry's hand zat nu vol blaren, dikke witte vochtzakken hingen als zieke druiven aan haar vingers. Hij haalde de vloeistof eruit en verbond opnieuw de hand.

'Doet nu nog meer zeer,' mompelde ze, toen we in noordelijke richting verder reden. Ze zag wit en was stil door de pijn. Ik respecteerde haar zwijgen totdat we de buitenwijken van de stad bereikten.

'We kunnen het best eerst een hotel zoeken,' opperde ik. 'Iets comfortabels en centraal gelegen.'

Ze keek me spottend aan.

'Het zou waarschijnlijk heel wat comfortabeler en ook goedkoper zijn als we probeerden ergens een tweepersoonskamer te krijgen, geloof je ook niet?'

Ik kreeg een raar gevoel ergens onder in mijn buik, iets dat warm aandeed en me opwond. 'Grappig dat je dat zegt. Ik stond op het punt hetzelfde voor te stellen.'

'Dat wist ik,' antwoordde ze en voor het eerst sinds de laatste twee uur lachte ze. 'Ik heb je die moeite bespaard.' Ze schudde nog steeds lachend het hoofd. 'Ik ga bij mijn oom logeren. Hij heeft een logeerkamer in zijn flat in Pimlico en vlak om de hoek is een klein hotelletje. Erg gunstig en helder – je kon het slechter treffen.'

'Ik ben gewoon stapelgek op jouw soort humor,' mompelde ik.

Vanuit een publieke telefooncel belde ze haar oom op en ik wachtte in de auto.

'Het is allemaal geregeld,' zei ze, terwijl ze instapte. 'Hij is thuis.'

Het was een gelijkvloers gelegen flat in een rustige straat, niet ver van de Theems. Ik droeg Sherry's koffer, terwijl zij mij voorging en aanbelde.

De man die opendeed was klein en lichtgebouwd. Hij was begin

zestig en droeg een grijs gebreid vest. Er zaten stoppen op de ellebogen. Zijn voeten staken in een paar pantoffels. Die huiselijke
tooi scheen een tikkeltje tegenstrijdig, want zijn grijze haar was
keurig geknipt evenals de korte zware snor. Zijn huid was gaaf en
blozend, maar het was vooral de harde roofzuchtige blik in zijn
ogen en de militaire houding van de schouders die me waarschuwden. Deze man was opmerkzaam.
'Mijn oom, Dan Wheeler.' Sherry was wat opzij gegaan om ons aan
elkaar voor te stellen. 'Oom Dan, dit is Harry Fletcher.'
'De jongeman waarover je me het een en ander vertelde,' knikte hij
abrupt. Zijn hand was benig en droog en zijn blik prikte als een
brandnetel. 'Kom binnen. Allebei.'
'Ik wil u niet lastig vallen, sir –' het viel volkomen natuurlijk hem zo
te noemen, de naklank van mijn militaire opleiding, nu lang geleden. 'Ik wil proberen voor mezelf een onderkomen te vinden.'
Oom Dan en Sherry wisselden een blik en ik dacht dat ze bijna ongemerkt haar hoofd schudde, maar ik keek voorbij hen naar de flat.
Deze maakte een kloosterachtige indruk, volmaakt manlijk in de
gestrengheid en de economische aanwending van het meubilair en
de verdere versiering. Op de een of andere manier scheen die kamer mijn eerste indrukken over deze man te bevestigen. Ik wilde zo
weinig mogelijk met hem te maken hebben, terwijl ik aan de andere
kant Sherry zo vaak wilde zien als mogelijk was.
'Ik kom je over een uur halen om ergens te gaan lunchen, Sherry.'
Nadat ze hierin toegestemd had, liet ik hen beiden achter en liep
naar de Chrysler. Het hotelletje dat Sherry me aanbevolen had was
Windsor Arms en toen ik, zoals ze voorgesteld had, de naam van
haar oom noemde, gaven ze me een rustige kamer aan de achterkant van het hotel met een prachtig uitzicht op de lucht en een woud
van televisieantennes. Volledig gekleed ging ik op bed liggen en
dacht na over de North-familie en haar verwanten, terwijl ik rustig
wachtte tot het overeengekomen uur voorbij was. Van één ding was
ik absoluut zeker: dat Sherry North de Tweede me niet zwijgend
gedurende de nacht voorbij zou gaan. Ik zou zo dicht mogelijk bij
haar postvatten en op haar letten en toch was er wat haar betreft
veel dat me nog steeds niet duidelijk was. Ik verdacht haar ervan
dat ze een veel meer gecompliceerd persoontje was, dan haar kal-
me en lieftallige gezicht voorgaf. Het zou interessant zijn om daar

achter te komen. Ik zette de gedachte voorlopig van me af, ging overeind zitten en nam de hoorn van de haak. Gedurende de volgende twintig minuten had ik drie telefoongesprekken. Een met Lloyd's Register of Shipping in Fenchurch Street, een met het National Maritime Museum in Greenwich en het laatste met de India Office Library in Blackfriars Road.

Ik liet de Chrysler op de parkeerruimte van het hotel staan. Een wagen heeft in Londen weinig zin en is meer een last. Ik liep kalm naar de flat van Oom Dan. Sherry deed zelf open en was klaar om te vertrekken. Dat mocht ik bijzonder graag in haar. Ze was stipt wat tijd betreft.

'Je mocht oom Dan niet erg, is 't wel?' tartte ze me tijdens onze lunch en ik ontweek een direct antwoord.

'Ik heb wat telefoongesprekken gevoerd. De plaats waar we naar zoeken ligt in Blackfriars Road. Dat is in Westminster. De India Office Library. We zullen daar na de lunch naar toe gaan.'

'Hij is echt wel aardig wanneer je hem wat beter leert kennen.'

'Luister, lieverd, het is jouw oom. Je mag hem houden.'

'Maar waarom, Harry? Dat interesseert me.'

'Wat doet hij voor de kost – leger, vloot?'

Ze staarde me verbaasd aan. 'Hoe wist je dat?'

'Ik haal ze er overal zo tussen uit.'

'Het leger, maar hij is gepensioneerd – waarom, maakt dat enig verschil?'

'Wat had je gedacht te bestellen?' Ik zwaaide met de kaart voor haar neus.

'Indien je roastbeef bestelt, zal ik de eend eens proberen.' Ze aanvaardde mijn afleidingsmanoeuvre zonder meer en concentreerde zich nu geheel op het eten.

De archieven van het India Office waren gehuisvest in een van die moderne vierkante blokken van groenig glas en lichtblauwe stalen vakken. Sherry en ik wapenden ons met bezoekerspasjes en tekenden het register. We brachten eerst een bezoek aan de Catalogue Room en vandaar naar de marine-afdeling van de archieven. De leiding hier berustte bij een keurig geklede dame met een streng gezicht, grijzend haar en een ijzeren brilletje.

Ik overhandigde haar een aanvraagformulier voor het dossier waarin we stof zouden vinden over het Honourable Company's schip

Dawn Light en ze verdween tussen de hoog opgeladen tot aan het plafond reikende rijen stalen rekken. Het duurde twintig minuten voor ze terugkwam en een lijvig dossier op de balie legde.

'U moet hier tekenen,' zei ze en ze wees naar een kolom op het karton waarin het dossier verpakt zat. 'Bijzonder grappig,' merkte ze op. 'U bent de tweede die binnen een jaar naar dit dossier vraagt.'

Mijn blik rustte op de handtekening J.A. North in de laatste kolom. We volgden van dichtbij de voetstappen van Jimmy, dacht ik, terwijl ik tekende met 'RICHARD SMITH', direct onder zijn naam. 'U kunt een van de bureaus daarginds gebruiken.' Ze wees naar de andere kant van de zaal. 'Probeer alstublieft het dossier netjes te houden, ja?'

Sherry en ik gingen naast elkaar achter het bureau zitten. Ik maakte het touwtje los dat om het dossier gebonden zat.

Dawn Light was van het type schip dat bekend staat als het Blackwall fregat, gebouwd op de Blackwall scheepswerven en wel in het begin van de negentiende eeuw. Het type leek in bijna alles op de marinefregatten uit die periode.

Ze was in Sunderland gebouwd in opdracht van de Honourable English East India Company en ze mat 1330 registerton. Gemeten ter hoogte van het watermerk was ze tachtig meter lang met een grootste breedte van acht meter. Dit maakte het wel tot een bijzonder snel schip, maar bij straffe wind moeilijk te besturen.

Ze was in 1832 te water gelaten, precies een jaar voor dat de Company haar China-monopolie had verloren en deze tegenslag scheen haar hele loopbaan overschaduwd te hebben.

In het dossier zaten ook alle berichten over de processen voor diverse hoven van onderzoek. Haar eerste kapitein ging prat op de naam Hogge en tijdens haar eerste reis zette hij de *Dawn Light* op een zandbank in Diamond Harbour, Hooghly rivier. Het hof van onderzoek kwam tot de ontdekking dat hij tijdens dit voorval onder de invloed van sterke drank was geweest en ontnam hem prompt zijn commando.

'Gedroeg zich als een varken,' merkte ik tegen Sherry op en zij zuchtte zacht en rolde met haar ogen vanwege mijn grapje.

Maar de weg van tegenslag zette zich voort. In 1840, toen zij de Zuidelijke Atlantische Oceaan overstak, liet de oudste officier die op dat ogenblik het bevel had haar aanlopen en verspeelde daarmee haar masten. Terwijl ze hulpeloos met de hele tuigage langszij rondzwalkte, werd ze gevonden door een Hollands schip. Ze hakten alle wrakhout los en sleepten haar de Tafelbaai binnen. De rechtbank stelde het bergloon vast op £ 12.000.-. Toen in 1846 de helft van de bemanning op de woeste kust van Nieuw Guinea aan wal was, werden zij door kannibalen overvallen en tot de laatste man afgeslacht. Drieënzestig leden van de bemanning vonden daarbij de dood. Op 23 september 1857 vertrok de boot uit Bombay en zou op de thuisreis St. Mary, Kaap de Goede Hoop, St. Helena en de Pool of Londen aandoen.

'De datum.' Ik plaatste mijn vinger op die regel. 'Dit is de reis waarover Goodchild in zijn brief schrijft.'

Sherry knikte zonder te antwoorden. Ik had tijdens de laatste paar minuten geleerd dat ze veel vlugger kon lezen dan ik. Ik moest er haar gewoon van weerhouden de bladzijde al om te slaan, omdat ik dan nog pas driekwart ervan gelezen had. Haar ogen schoten nu langs elke regel en op haar bleke wangen lag een zachte blos. Ze beet al die tijd op haar onderlip.

'Kom,' drong ze aan. 'Schiet wat op!' Ik was gewoon verplicht haar pols vast te houden.

De *Dawn Light* bereikte St. Mary nooit – ze verdween. Drie maanden later werd ze geacht met man en muis op zee vergaan te zijn en de assuradeuren kregen van Lloyd's opdracht de verzekeringsbedragen aan de eigenaars en verschepers uit te betalen.

De vrachtlijst was voor zo'n klein schip beslist indrukwekkend. Ze bracht uit China en India een lading mee die bestond uit:

364 kisten thee
494 halve kisten thee
101 kisten thee
618 halve kisten thee
577 balen zijde
   5 kisten goederen
  16 kisten goederen
  10 kisten goederen
  26 dozen verschillende specerijen
72 ton namens messrs. Dunbar and Green

65 ton namens messrs. Simpson, Wyllie & Livingstone
82 ton namens messrs. Elder and Company
4 ton namens col. sir Richard Goodchild
6 ton namens major John Cotton
2 ton namens Lord Elton
2 ton namens messrs. Paulson and Company

Zonder een woord te zeggen legde ik mijn vinger op de vierde post van de vrachtlijst en weer knikte Sherry. Haar ogen glansden als saffieren. De eis tot schadevergoeding was geregeld en de zaak scheen afgesloten, totdat vier maanden later, in april 1858 de Oost-Indië-vaarder *Walmer Castle* in Engeland aankwam met aan boord een aantal overlevenden van de *Dawn Light*.

Het waren er in totaal zes. De eerste officier, Andrew Barlow, de bootsman en drie bemanningsleden. Bovendien een jonge vrouw van tweeëntwintig jaar, een zekere miss Charlotte Cotton, die als passagier samen met haar vader, majoor bij de 40th Foot, de thuis-reis gemaakt had.

De eerste officier, Andrew Barlow, legde voor het Hof van Onder-zoek een verklaring af en achter het droge verhaal en de gewichtig aandoende vragen en voorzichtige antwoorden ging een opwin-dend en romantisch zeeverhaal, een heldendicht van schipbreuk en overleving schuil.

Terwijl we dit verhaal lazen, leerde ik dat het weinige dat ik wist en bij elkaar geschraapt had keurig in het verhaal paste.

Veertien dagen nadat het schip Bombay had verlaten, werd de *Dawn Light* overvallen door een machtige storm uit het zuidoosten. Zeven dagen lang woedde de storm onverminderd voort en dreef het schip voor haar uit. Ik kon het me zo duidelijk voor de geest halen, een van die enorme cyclonen die in Turtle Bay het dak van mijn eigen huis had afgerukt.

Weer werd de *Dawn Light* van alle masten beroofd. Met uitzonde-ring van de fokkemast, de bezaansmast en de boegspriet stond er geen mast meer overeind. De rest was in de storm overboord gesla-gen en er was geen enkele gelegenheid geweest een noodmast op te zetten of om bij deze huizenhoge golven omhoog te brengen.

Toen dus aan lijzijde land in zicht kwam, had het schip geen enkele kans haar lot te ontlopen. Een samenspel van wind en stroom dwong haar in de hals van het trechtervormige rif, waarop de door de storm opgezweepte branding met donderende slagen kapot sloeg.

Het schip strandde maar bleef overeind en Andrew Barlow was in staat om met behulp van twaalf leden van zijn bemanning een van de reddingsboten te water te laten. Vier passagiers, met inbegrip van miss Charlotte Cotton, verlieten met de bemanning het gestrande schip en Barlow was in staat om met een onwaarschijnlijk samenspel van geluk en zeemanskunst een doorgang door de woeste zee en het moordende rif te vinden, waarna ze in het rustiger water onder de kust kwamen.

Tenslotte lieten ze de boot stranden op het vlakke strand van een eiland. Hier kropen de overlevenden dicht bij elkaar tot na vier dagen de cycloon uitgewoed was.

Barlow beklom alleen de top van de meest zuidelijk gelegen drievoudige piek van het eiland. De beschrijving was volmaakt duidelijk en liet geen ruimte voor enige twijfel. Het was de Old Men en Gunfire Rif. Dat kon niet anders. Dit was waardoor Jimmy North precies had geweten waar hij naar moest zoeken – het eiland met zijn drie pieken en een barrière van koraalrif.

Barlow peilde de ligging van de door de zee gehavende romp van de *Dawn Light*, zoals ze daar in de greep van het rif lag, waar ze door iedere volgende golf verder opgeworpen werd. Op de tweede dag begon de romp van het schip te breken en terwijl Barlow vanaf de piek toekeek, werd het voorstuk van de *Dawn Light* over het rif getild en verdween het in het donkere gapende gat achter het koraal. De achtersteven viel terug in zee en werd door de golven versplinterd.

Toen de hemel uiteindelijk schoongeveegd was en de wind was gaan liggen, ontdekte Barlow dat zij van het kleine groepje de enigen waren uit een groep van 149 mensen die de schipbreuk overleefd hadden. De anderen waren in de woeste zee omgekomen.

Hij beschreef hoe hij naar het westen en laag afstekend tegen de horizon een landmassa zag, waarvan hij hoopte dat dit het vasteland van Afrika zou zijn. Opnieuw bracht hij het groepje overlevenden aan boord van de reddingsboot en nu staken zij de rustige vaargeul langs de kust over. Zijn hoopvolle verwachtingen werden vervuld, het was Afrika – maar zoals altijd was het land vijandig en wreed.

De zeventien verloren zielen begonnen aan een lange en gevaarlijke reis in zuidelijke richting en drie maanden later bereikten alleen Barlow, vier matrozen en miss Charlotte Cotton de eilandhaven van Zanzibar. Koorts, wilde dieren, kannibalen en tegenslagen hadden hun aantal gereduceerd – en zelfs zij die de tocht overleefd hadden, waren tot magere, levende skeletten uitgehongerd, geel van de koorts en dank zij bedorven water lijdend aan dysenterie. Het Hof van Onderzoek had voor Barlow niets dan lof en de Hon. Company beloonde hem met een bedrag van £ 500.- wegens heldhaftig gedrag.

Toen ik alles gelezen had, keek ik naar Sherry. Ze zat me aan te kijken.

'Goeie genade!' zei ze en ook ik voelde me uitgeput door de rangorde van dit oude drama.

'Het past allemaal precies in onze puzzel, Sherry,' merkte ik tenslotte op. 'Het klopt precies.'

'Ja,' antwoordde ze.

'We moesten maar eens kijken of ze hier nog schetsen en tekeningen hebben.'

De Prints and Drawings Room lag op de derde verdieping en een snelle speurtocht van een ernstige ambtenaar onthulde al spoedig de *Dawn Light* in al haar pracht.

Het was een gracieuze driemaster met een laag profiel. Ze had geen kruisbalk en geen bezaanzeil. In plaats daarvan was ze getuigd met een grote bezaan en een volledig stel lijzeilen. De lange kampanje gaf ruimte voor verschillende passagiershutten en de reddingsboten lagen vastgesjord op het dak van haar achter aangebracht dekhuis.

Ze was zwaar bewapend. Dertien zwart geverfde geschutspoorten aan weerszijden, waardoor ze haar lange achttien pondskanonnen naar buiten kon brengen om zichzelf te verdedigen. Iets dat in deze vijandige zeeën oostelijk van de Kaap de Goede Hoop en die ze op haar weg naar China en India bevoer wel noodzakelijk was.

'Ik heb behoefte aan iets pittigs,' zei ik en nam de tekeningen van de *Dawn Light* van het bureau. 'Ik zal ze vragen afdrukken van deze tekeningen te maken.'

'Waarvoor?' wilde Sherry weten.

De vrouwelijke ambtenaar dook vanuit haar hol tussen de opgestapelde bakken met oude tekeningen omhoog en zoog prompt haar wangen naar binnen, toen ze mijn verzoek hoorde om afdrukken te krijgen van de tekeningen van *Dawn Light*.

'Ik zal u daarvoor vijfenzeventig pennies moeten vragen,' probeerde ze me te ontmoedigen.

'Dat is een redelijke prijs,' antwoordde ik.

'En ze kunnen onmogelijk voor volgende week klaar zijn,' voegde ze daar nog onverbiddelijk aan toe.

'Mijn hemel,' zei ik en schonk haar mijn speciale glimlach. 'Ik heb ze morgenmiddag al nodig.'

Die glimlach deed het. Ze verloor haar vastberaden houding en probeerde onmiddellijk haar loshangende sliertjes haar weg te duwen achter het montuur van haar bril.

'Wel, ik zal zien wat ik voor u doen kan,' liet ze zich vermurwen.

'Dat is erg lief van u, werkelijk waar.' We lieten haar min of meer verward maar toch wel ingenomen achter.

Mijn gevoel voor richting was er weer en zonder veel moeite vond ik mijn weg naar El Vino. De avondlijke stroom van journalisten uit Fleet Street had de zaak nog niet ongenietbaar gemaakt en achterin vonden we een tafeltje. Ik bestelde twee Vermouth en we kusten elkaar over de glazen.

'Weet je, Harry, Jimmy zat altijd vol plannen. Zijn hele leven vormde een grote schatgraverij. Iedere week opnieuw vond hij of vond hij bijna de plek waar een schip met schatten van de Armada gezonken was of anders een verzonken Aztekenstad, het wrak van een zeerover –' Ze haalde haar schouders op. 'Ik heb een soort ingebouwde weerzin om er ook maar iets van te geloven. Maar dit hier –' Ze nam een teugje van haar Vermouth.

'Laten we eens doornemen wat we tot dusver hebben,' stelde ik haar voor. 'We weten dat Goodchild zich er bijzonder bezorgd over maakte dat zijn agent de vijf kisten zou ontvangen en ze ergens veilig zou opbergen. We weten dat hij van plan was de kisten met de *Dawn Light* te verzenden en hij stuurde voorafgaand bericht, waarschijnlijk via een persoonlijke vriend, namelijk de kapitein van het fregat *Panther*.

'Accoord,' stemde ze in.

'We weten ook dat deze kisten op de vrachtlijst van het schip stonden. Dat het schip vergaan is en naar het zich laat aanzien met die kisten nog steeds aan boord. We weten de precieze ligging van het wrak. Dat hebben we bevestigd gekregen door die scheepsbel.'

'Nog steeds accoord.'

'We weten alleen niet wat er in die kisten zit.'

'Vuile sokken,' zei ze.

'Vier ton aan vuile sokken?' vroeg ik en de uitdrukking op haar gezicht veranderde. Het gewicht van de lading had in feite niet veel voor haar betekend.

'Aha,' grinnikte ik, 'dat ging aan je voorbij. Dat dacht ik al. Je leest zo vlug dat de helft je ontgaat.'

Ze trok een gezicht.

'Vier ton, mijn lieve kind, is heel wat – wat het ook is.'

'Goed, goed,' gaf ze toe. 'Getallen betekenen niet zoveel voor me, dat geef ik toe. Maar het klinkt alsof het veel is.'

'Laten we zeggen hetzelfde gewicht als een nieuwe Rolls Royce – om het uit te drukken in bewoordingen die je mogelijk begrijpt.' Ze sperde haar ogen wijdopen en de kleur veranderde nu in donkerblauw.

'Dat is een heleboel.'

'Het is duidelijk dat Jimmy wist wat er in zat en bovendien had hij voldoende bewijs om enkele bijzonder hardhoofdige financiers te overtuigen. Ze namen het ernstig.'

'Ernstig genoeg om –' ze zweeg. Even zag ik het oude verdriet over Jimmy's dood in haar ogen. Ik raakte er door in verwarring en keek een andere kant op en haalde met veel vertoon de brief uit mijn binnenzak. Zorgvuldig legde ik hem tussen ons in op tafel. Toen ik haar weer aankeek had ze zich weer volledig in bedwang.

De met potlood geschreven aantekening in de marge trok opnieuw mijn aandacht.

'B. Mus. E 6914(8).' Ik las het hardop voor. 'Enig idee?'

'Bachelor of Music.' (Kandidaat in klassieke muziek).

'Goeie mop,' antwoordde ik met veel bijval.

'Kom jij dan met iets beters,' tartte ze me. Ik vouwde de brief met veel vertoon van waardigheid op, stopte hem weer in mijn binnenzak en bestelde twee nieuwe glazen Vermouth.

'Wel, tot zover mogen we beslist niet mopperen,' zei ik, toen ik de kelner betaald had. 'We hebben nu zo'n beetje een idee waar het om gaat. Nu kunnen we mijn volgende aanwijzing onder de loep nemen.'

Ze zat voorovergebogen op haar stoel en moedigde me stilzwijgend aan. 'Ik vertelde je het een en ander over die juffrouw die zich voor jou uitgaf, de blonde Sherry North, herinner je je nog?' Ze knikte. 'De avond voordat ze het eiland verliet, stuurde ze een telegram naar Londen.' Ik haalde het flodderige kopietje uit mijn portefeuille en gaf het aan Sherry. Terwijl ze het las ging ik verder: 'Dit was zonder meer een in-orde-verklaring aan haar chef Manson. Hij moet wel de grote man achter deze hele operatie zijn. Ik ben van plan nu meteen wat hem betreft aan het werk te gaan.' Ik dronk mijn glas leeg. 'Ik laat je bij je krijgshaftige oom achter en stel me morgen weer met je in verbinding.'

Haar lippen kregen een koppige uitdrukking, die ik nog niet eerder had opgemerkt en er lag een glans in haar ogen die veel weg had van kanonmetaal.

'Harry Fletcher, indien je werkelijk denkt me te kunnen lozen wanneer het er naar uitziet dat we wat leven in de brouwerij krijgen, dan moet je wel stapelgek zijn.'

De taxi zette ons af in Berkeley Square en we liepen Curzon Street in.

'Geef me vlug een arm,' mompelde ik, terwijl ik een steelse blik over mijn schouder wierp. Ze gehoorzaamde onmiddellijk en we waren al weer een vijftig meter verder toen ze fluisterend vroeg: 'Waarom?'

'Omdat ik het gewoon een prettig gevoel vind.' Ik keek haar grinnikend aan.

'Oh, jij!' Ze deed alsof ze van plan was haar arm terug te trekken maar ik hield die stevig vast en ze capituleerde. We slenterden op ons gemak langs Curzon Street in de richting van Shepherd Market en bleven zo nu en dan voor een winkel staan om als een stel toeristen de etalages te bewonderen.

Curzon Street nr. 97 was een van die buitensporig kostbare flatgebouwen, zes etages hoog, opgetrokken uit baksteen en met een versierde bronzen straatdeur met glazen panelen en daarachter een gemarmerde hal die bewaakt werd door een in uniform gestoken portier. We liepen erlangs tot aan de White Elephant Club. Daar staken we de straat over en slenterden op ons gemak op het tegenoverliggende trottoir terug.

'Ik zou binnen kunnen gaan en aan die portier kunnen vragen of mr. Manson in flat nr. 5 woont,' bood Sherry aan.

'Prachtig,' antwoordde ik. 'En dan zegt hij "Ja" en wat doe je dan? Zeg je hem dan soms dat hij de groeten moet hebben van Harry Fletcher?'

'Je bent echt bijzonder grappig,' antwoordde ze en weer probeerde ze haar arm weg te trekken.

'Er is een restaurant schuin tegenover nr. 97.' Ik voorkwam dat ze haar arm terugtrok. 'Laten we een tafeltje voor het raam zien te krijgen. We drinken dan een kop koffie en houden het flatgebouw een tijdje in de gaten.'

Het was even over drie toen we rond een tafeltje voor het raam plaatsnamen en we hadden een prima uitzicht op nr. 97. Het volgende uur verliep genoeglijk. Ik vond het beslist geen moeilijke opgave Sherry prettig bezig te houden, aangezien we dezelfde soort humor deelden en ik vond het prettig haar te horen lachen.

Ik zat midden in een lang en gecompliceerd verhaal, toen ik onderbroken werd door de aankomst van een Silver Wraith Rolls Royce die voor de deur van nr. 97 stil hield. Een chauffeur in een keurig duifgrijs uniform stapte uit en liep de hal binnen. Hij en de portier begonnen een gesprek en ik vatte mijn verhaal weer op.

Tien minuten later bespeurde ik aan de overkant de nodige activiteit. De lift begon aan een reeks snelle stijgingen en dalingen en iedere keer laadde hij een lading krokodilleleren koffers uit. Deze werden door de portier en de chauffeur naar buiten gebracht en in de Rolls geladen. Het scheen eindeloos te duren. Zo lang zelfs dat Sherry de opmerking maakte: 'Iemand schijnt van plan te zijn op vakantie te gaan.' Ze zuchtte weemoedig.

'Wat dacht je van een tropisch eiland met blauw water en een wit strand, een met riet bedekt huis tussen de palmen –'

'Houd op,' zei ze. 'Op een herfstdag in Londen kan ik zelfs de gedachte niet verdragen.'

Ik stond op het punt een sterkere stelling te betrekken, toen de man in livrei en de chauffeur in de houding sprongen en weer ging de glazen deur van de lift open. Een man en een vrouw stapten naar buiten.

De vrouw droeg een lange minkmantel en haar blonde haar was in een bewerkelijke en met lak bespoten Griekse stijl op haar hoofd gestapeld. Een vlaag van woede trof me als een vuistslag in mijn maag toen ik haar herkende.

Het was Sherry North de Eerste. De aardige dame die Judith en *Wave Dancer* naar de bodem van Grand Harbour had doen zinken.

Bij haar liep een man van normale lengte met licht bruin haar, dat volgens de heersende mode, lang en krullend over zijn oren viel. Hij had een lichte bruine huidskleur, waarschijnlijk dank zij een hoogtezon en hij was net even te keurig gekleed. Bijzonder duur maar even zwierig als een theaterpersoonlijkheid.

Hij had een zware kaak en een lange vlezige neus met daarboven een paar zachte gazelleogen. Zijn lippen had hij op elkaar geknepen en dat maakte een hunkerende indruk. Een begerige mond die ik me zo goed herinnerde.

'Manson!' zei ik. 'Goeie God! Manson Resnick – Manny Resnick.' Dat was nu precies de man waaraan Jimmy North zijn ergerlijke voorstel zou kunnen doen. Op precies dezelfde manier als toen ik lang geleden naar hem toegegaan was met mijn plannen voor de gouddiefstal op de luchthaven van Rome. Manny was een onderwereldondernemer en hij scheen duidelijk een heel eind op de ladder geklommen te zijn. Alles gebeurde nu in grootse stijl, meende ik, toen hij het trottoir overstak en achter in de Rolls stapte waar hij zich behaaglijk naast de in mink gehulde blondine neervleide.

'Wacht hier,' zei ik haastig tegen Sherry, toen de Rolls optrok in de richting van Park Lane.

Ik rende het trottoir op en zocht driftig naar een taxi om hen achterna te rijden. Natuurlijk was er geen taxi te zien. Ik rende achter de Rolls aan en bad wanhopig dat ik een grote zwarte taxi te zien zou krijgen, wiens bordje bovenop de wagen zou branden. Ver voor me uit draaide de Rolls South Audley Street in en begon sneller te rijden.

Op de hoek van Curzon Street bleef ik staan. De Rolls was nu al ver weg en dook onder in het drukke verkeer in de richting van Grosvenor Square. Ik draaide me om en kuierde teleurgesteld terug naar het restaurant waar Sherry zat te wachten. Ik wist dat Sherry gelijk had. Manny en de blondine waren vertrokken voor een lange reis.

Het had geen zin langer in de omgeving van Curzon Street 97 te blijven hangen.

Sherry wachtte voor de deur van het restaurant.

'Wat was dat allemaal?' vroeg ze en ik nam haar arm. Terwijl we naar Berkeley Square terugliepen, vertelde ik haar wat er aan de hand was.

'Die man is naar alle waarschijnlijkheid de man die de opdracht gaf Jimmy te vermoorden. Die er ook voor verantwoordelijk was dat mijn halve borst weggeschoten werd en die ook de opdracht gaf je lieve vingertjes te roosteren – kortom gezegd, de grote jongen.'

'Ken je hem?'

'Heel lang geleden heb ik zaken met hem gedaan.'

'Prettige vrienden heb jij.'

'Ik ben de laatste tijd bezig in een betere klasse vrienden terecht te komen,' antwoordde ik en gaf een kneepje in haar arm. Ze negeerde mijn hoffelijke opmerking.

'En die vrouw. Is zij degene van St. Mary, de vrouw die je boot en dat jonge meisje de lucht inblies?'

Ik voelde hoe mijn woede in alle hevigheid terugkeerde, dezelfde woede die me enkele minuten eerder in zijn greep gehad had, toen ik dat zich zo mooi voordoende, angstvallig nauwgezette roofdier, gehuld in mink, had gezien.

Naast me bracht Sherry hijgend uit: 'Harry, je doet me zeer!'

'Neem me niet kwalijk.' Ik verslapte mijn greep om haar arm.

'Ik vermoed dat daar mijn vraag mee beantwoord is,' mompelde ze droevig terwijl ze haar bovenarm wreef.

De lounge van de Windsor Arms was een en al donker eiken, rijkelijk voorzien van antieke spiegels. Tegen de tijd dat Sherry en ik terugkwamen was het er meer dan vol. Buiten was nu de duisternis gevallen en een ijzige wind deed de herfstbladeren in de goten opdwarrelen.

De warmte van de lounge was dan ook meer dan welkom. Ergens in een hoekje vonden we nog een plaats, maar de talrijke bezoekers drongen zo tegen ons aan dat ik verplicht was mijn arm rond Sherry's schouders te leggen en onze hoofden waren zo dicht bij elkaar dat we in deze overbevolkte lounge toch een heel vertrouwelijk gesprek konden hebben,

'Ik kan wel raden waar Manny Resnick en zijn vriendin naar toe zijn,' zei ik.

'Big Gull Eiland?' vroeg Sherry en toen ik knikte, vervolgde ze. 'Dan zal hij een boot en duikers hard nodig hebben.'

'Maak je geen zorgen. Die krijgt Manny wel.'

'En wat gaan wij doen?'

'Wij?' vroeg ik.

'Bij wijze van spreken,' corrigeerde ze zichzelf preuts. 'Wat ben jij van plan te gaan doen?'

'Ik heb natuurlijk keus. Ik kan de hele zaak vergeten – of ik kan teruggaan naar Gunfire Rif en dan proberen te ontdekken wat er in vredesnaam in de vijf kisten van kolonel Goodchild zit.'

'Daar heb je een uitrusting voor nodig.'

'Ik mag dan misschien niet zo nauwgezet zijn als Manny Resnick ongetwijfeld zijn zal, maar ik geloof wel dat ik voldoende materiaal kan krijgen.'

'Hoe sta je er voor met geld, of is dat een onbeleefde vraag?'

'Het antwoord is hetzelfde. Ik kan wat ik nodig heb wel bij elkaar krijgen.'

'Blauw water en wit zand,' mompelde ze dromerig.

'– en de bladeren van de palmbomen ritselend in de passaatwind.'

'Houd op, Harry.'

'Dikke rivierkreeft geroosterd op kolen en ik naast je, zingend in de wildernis,' ging ik meedogenloos verder.

'Mispunt.'

'Indien jij hier blijft, kom je nooit te weten of het inderdaad vuile sokken waren,' dreef ik haar verder in 't nauw.

'Je zou kunnen schrijven en het me vertellen,' antwoordde ze bijna smekend.

'Nee, dat zou ik niet doen.'

'Dan zal ik wel met je mee moeten,' zei ze tenslotte.

'Dat mag ik horen.' Ik gaf haar een kneepje in haar schouder.

'Maar ik sta er op dat ik voor mezelf betaal. Ik weiger absoluut om op jouw zak te leven.' Ze had blijkbaar geraden dat ik er financieel niet al te best voorstond.

'Ik zou het afschuwelijk vinden je principes geweld aan te doen,' antwoordde ik blij en mijn portefeuille slaakte een opgeluchte zucht. Met het geld dat ik nog over had zou ik met de nodige moeite net de hele expeditie naar Gunfire Rif op touw kunnen zetten.

Nu de beslissing gevallen was, viel er niet veel meer te bespreken. Het scheen slechts enkele minuten later dat de kreet door de lounge klonk: 'Hoogste tijd, heren.'

'De straten zijn 's nachts hoogst gevaarlijk,' waarschuwde ik Sherry. 'Ik geloof niet dat we dat risico moeten nemen. Boven heb ik een bijzonder gezellige kamer met een prachtig uitzicht...'

'Kom Fletcher.' Sherry stond op. 'Je kunt me beter naar huis brengen en anders stuur ik mijn oom op je af.'

Terwijl we de korte afstand naar de flat van oom Dan liepen, kwamen we overeen dat ik haar de volgende dag zou komen halen om te gaan lunchen. Ik had een lange lijst met boodschappen, die ik in de loop van de ochtend wilde afwerken en bovendien moest ik voor ons boeken in het vliegtuig. Sherry zou haar paspoort laten verlengen en de fotokopieën van de tekeningen van *Dawn Light* ophalen.

Voor de deur van het flatgebouw keken we elkaar aan en plotseling voelden we ons allebei verlegen. Het was zo afschuwelijk banaal dat ik bijna moest lachen. We waren net een stel ouderwetse tieners na afloop van ons eerste afspraakje – maar soms is het wel prettig je sentimenteel te voelen.

'Slaap lekker, Harry,' zei ze en met het eeuwenoude talent van het vrouwelijk geslacht liet ze op een ondefinieerbare manier blijken dat ze gekust wilde worden.

Haar lippen waren zacht en warm en de kus duurde een hele tijd.

'Goeie genade,' fluisterde ze schor. Uiteindelijk maakte ze zich uit mijn omhelzing los.

'Weet je zeker dat je niet van mening verandert – het is een pracht kamer, warm en koud water, tv, tapijt op de vloer...'

Ze lachte wat beverig en duwde me zacht achteruit. 'Slaap lekker, beste Harry,' zei ze opnieuw en liet me toen alleen achter.

Ik liep de straat weer in en wandelde op mijn gemak terug naar het hotelletje. De wind was gaan liggen, maar ik kon de vochtige lucht ruiken die van de niet veraf gelegen rivier opsteeg. De straat was verlaten maar langs de trottoirband stond tot aan de hoek een lange rij geparkeerde wagens.

Ik slenterde langs het trottoir en had geen haast om in bed te komen. Zelfs speelde ik eerst nog met de gedachte een wandeling langs de kade te maken. Ik had mijn handen diep in de zakken van mijn jas gestoken en voelde me heerlijk ontspannen en blij toen ik aan deze vrouw dacht.

Er viel over Sherry North heel wat na te denken, veel dat me nog niet duidelijk was of nog niet verklaard, maar hoofdzakelijk liefkoosde ik de gedachte dat hier misschien te langen leste iets was dat mogelijk langer zou duren dan een nacht, een week of een maand – iets dat al hecht was en dat niet zoals al die andere keren zou zijn, een gevoel dat verminderde naarmate de tijd verstreek, maar dit gevoel in plaats daarvan juist steeds hechter zou worden.

Plotseling zei een stem naast me: 'Harry!' Het was een stem van een man, een onbekende stem en ik draaide me instinctief in de richting waar de stem vandaan kwam. Terwijl ik dit deed, wist ik dat ik een grote fout maakte. De spreker zat achterin in een van de geparkeerde wagens. Een zwarte Rover. Het portierraampje was omlaag gedraaid en zijn gezicht zag ik slechts als een witte vlek tegen het donkere interieur.

Wanhopig probeerde ik mijn handen uit mijn zakken te halen en me om te draaien in de richting van waaruit naar ik voelde de aanval zou komen. Terwijl ik me omdraaide, dook ik in elkaar en zwenkte iets naar rechts. Er suisde iets langs mijn oor en raakte met een verdovende slag mijn schouder. Ik sloeg met allebei mijn ellebogen achteruit. Ik scheen mijn aanvaller stevig geraakt te hebben, want ik hoorde een kreet van pijn. Ik had mijn handen nu vrij, had me omgedraaid en bewoog snel. Ik maakte daarbij een zwenkende beweging, want ik was er zeker van dat ze de gummiknuppel opnieuw zouden gebruiken.

Het waren nachtelijke schaduwen, dreigend en enorm, gekleed in donkere kostuums. Het scheen wel een heel legioen, maar het waren er niet meer dan vier – en dan nog die vent in de wagen. Het waren stuk voor stuk forse kerels en de man met de gummistok had deze omhoog gebracht om opnieuw toe te slaan. Ik raakte hem met de palm van mijn hand hard onder zijn kin. Zijn hoofd schoot achteruit en ik dacht een ogenblik dat ik mogelijk zijn nek gebroken had, want hij sloeg hard tegen de grond.

Een knie kwam omhoog om me in mijn kruis te raken, maar ik draaide net op tijd en ving de stoot met mijn dij op. Ik maakte van de stuwende kracht van de draai gebruik om een tegenstoot te geven. Het was een prima stoot, die tot in mijn schouder doorschokte. Ik raakte de man vol op de borst en hij schoot achteruit. Maar onmiddellijk daarop omknelde een andere kerel mijn arm, schakelde die uit en een gebalde vuist trof mijn wang vlak onder mijn oog. Ik voelde de huid openbarsten.

Een tweede hing nu op mijn rug, zijn arm rond mijn hals waardoor hij me belemmerde in mijn ademhaling, maar niettemin bleef ik me verdedigen. Als een kluwen, de armen om elkaar heen gestrengeld deinden we over het trottoir.

'Houd hem zo vast dat hij zich niet bewegen kan,' riep een andere stem, zacht en dringend. 'Neem hem onder schot.'

'Wat denk je verdomme dat we proberen te doen?' vroeg een andere stem hijgend. We vielen nu tegen de zijkant van de Rover. Daar hielden ze me klem. Ik zag dat de man met de gummiknuppel weer overeind gekomen was. Weer zwaaide hij met dat ding en ik probeerde mijn hoofd opzij te brengen, maar de knuppel raakte mijn slaap. De klap schakelde me niet helemaal uit, maar wel maakte het een einde aan mijn vechtlust. Ik voelde me onmiddellijk zo zwak als een baby, nauwelijks in staat mijn eigen gewicht te dragen.

'Zo is 't goed, duw hem achterin de wagen.' Ze duwden me in het midden van de achterbank en direct daarop had ik aan weerskanten gezelschap. Het portier sloeg dicht, de motor kwam tot leven en snel trok de wagen van het trottoir weg.

Ik kon nu weer helder denken maar de zijkant van mijn hoofd was totaal gevoelloos en voelde aan als een opgeblazen ballon. Drie man zaten voorin en achterin had ik één man aan weerszijden van me. Ze zaten stuk voor stuk nog te hijgen en de man die naast de bestuurder zat masseerde voorzichtig zijn nek en kaak. De man rechts van mij had knoflook gegeten en hij hijgde zwaar, toen hij me fouilleerde om te zien of ik soms een wapen bij me had.

'Ik geloof dat je moet weten dat er lang geleden iets in je mond gestorven is en dat het er nog steeds in zit,' zei ik hem met dikke tong en een razende pijn in mijn hoofd. Maar mijn krachtsinspanning had geen zin. Uit niets bleek dat hij me verstaan had en hardnekkig ging hij door met zijn taak. Tenslotte scheen hij voldaan te zijn en bracht ik zo goed mogelijk mijn kleding weer in orde.

Vijf minuten lang reden we zwijgend verder. We volgden de rivier in de richting van Hammersmith en eerst toen waren ze allemaal voldoende op adem gekomen. De bestuurder was de eerste die het zwijgen verbrak.

'Luister, Manny wil je spreken, maar hij zei er bij dat het niet verschrikkelijk belangrijk was. Hij was alleen maar nieuwsgierig. Hij zei ook dat, als je het ons al te moeilijk zou maken, geen verdere moeite te doen, je in dat geval gewoon dood te schieten en je in de rivier te gooien.'

'Charmante kerel, die Manny,' zei ik.

'Houd je bek!' antwoordde de bestuurder. 'Je ziet dus dat het verder aan jezelf ligt. Gedraag je netjes en je leeft nog wat langer. Ik heb gehoord dat je een linke jongen placht te zijn, Harry. We hadden verwacht dat je wel zou komen opdagen. Vanaf het ogenblik dat Lorna je daar op dat eiland niet had kunnen uitschakelen. Maar we hadden verdomd niet verwacht dat je Curzon Street als een soort fanfarekorps op en neer zou wandelen. Manny kon zijn ogen gewoon niet geloven. Hij zei: "Dat kan Harry niet zijn. Hij moet beslist week geworden zijn." Dat stemde hem echt bedroefd. "Zie hoe de machtigen gevallen zijn. Vertel het niet rond in de straten van Askelon," zei hij.'

'Dat is uit Shakespeare,' zei de man die knoflook gegeten had.

'Houd je bek,' zei de bestuurder en ging verder met zijn verhaal. 'Het stemde Manny droevig, maar toch ook weer niet zo dat hij er om moest huilen of zo iets, begrijp je.'

'Ik begrijp 't,' mompelde ik wat moeilijk.

'Bek dicht,' kwam er onveranderlijk uit de mond van de bestuurder.

'Manny zei: "Doe het niet hier. Volg hem naar een rustig plekje en grijp hem daar. Indien hij rustig meegaat breng je hem naar me toe – indien hij geweld gebruikt donder je hem de rivier in." '

'Dat is nu precies Manny. Hij was altijd al een zachtaardige duivel van een kerel.'

'Bek dicht,' zei de bestuurder voor de zoveelste keer.

'Ik verlang er echt naar hem weer eens te zien.'

'Gedraag je behoorlijk en houd je kalm en misschien ben je dan zo gelukkig.'

Dat advies volgde ik de rest van de avond op, toen we de M4 opreden en in westelijke richting voortsnelden. Het was twee uur in de ochtend toen we Bristol binnenreden. Vervolgens reden we met een boog rond het centrum van de stad en namen nu de A4 richting Avonmouth.

Tussen de andere schepen in de jachthaven lag een groot motorjacht. Ze lag aan de steiger gemeerd en de loopplank lag uit. Haar naam stond zowel op de achtersteven als voor op de boeg geschilderd, *Mandrake*. Het was een zeewaardig schip met een blauw en wit geverfde stalen romp en een lijn die mijn oog goed deed. Ik dacht dat het een snelle boot was, zeeminnend en naar alle waarschijnlijkheid met een bereik, die haar naar elke plaats in de wereld kon brengen. Het speelgoed van een rijk man. Op de brug zag ik enkele gestalten en achter de meeste patrijspoorten brandde licht. Ze lag klaar om zee te kiezen.

Ze omringden me terwijl we de smalle ruimte naar de loopplank overstaken. De Rover reed achteruit, draaide en reed weg toen we aan boord van de *Mandrake* klommen.

De grote kajuit was, gezien Manny Resnick's stijl, met veel te veel smaak ingericht. Dat was of door de vorige eigenaars gedaan of door een binnenhuisarchitect. Op de grond lag een mosgroen tapijt en de fluwelen gordijnen hadden eenzelfde kleur. Het meubilair bestond uit met leer bekleed donker teakhout en de schilderijen waren uitgelezen olieverfschilderijen aangepast aan het interieur.

Die schuit had minstens een half miljoen pond gekost en ik vermoedde dat ze de boot gehuurd hadden. Manny had haar vermoedelijk voor zes maanden gecharterd en er zijn eigen bemanning opgezet – want Manny Resnick had op mij nooit de indruk gemaakt een zeevaarder te zijn.

Terwijl we in het midden van de salon stonden te wachten, een grimmig zwijgend groepje, hoorde ik de onmiskenbare geluiden van een loopplank die wordt binnengehaald en van meertouwen die losgegooid werden. Het trillen van haar motoren ging nu over in een gestaag zoemend geluid en ik zag de havenlichten langs de patrijspoorten van de salon glijden, toen we de havenmond verlieten en het tij van de River Severn binnenvoeren.

Ik herkende de vuurtorens van Portishead Point en Red Cliff Bay toen de *Mandrake* rondzwenkte om de rivier af te zakken, langs Weston-Super-Mare en Berry en vervolgens de open zee op.

Eindelijk verscheen Manny op het tapijt. Hij droeg een blauw zijden ochtendjas en zijn gezicht zag er nog min of meer verfrommeld van de slaap uit. Maar zijn krullen waren keurig gekamd en zijn glimlach was bleek en hongerig.

'Harry,' begon hij, 'ik heb gezegd dat je weer terug zou komen.'

'Hallo, Manny. Ik kan niet zeggen dat het me een genoegen is.'

Hij lachte vluchtig en wendde zich toen tot de vrouw die hem naar binnen gevolgd was. Ze was zorgvuldig opgemaakt en elk haartje van haar ingewikkelde coiffure zat op zijn plaats. Ze droeg een lange witte peignoir die langs de hals en de mouwen met kant was afgezet.

'Ik geloof dat je Lorna al ontmoet hebt, Lorna Page.'

'Als je een volgende keer iemand stuurt om me op te scharrelen, Manny, zoek dan wat beters uit. Ik word op mijn oude dag meer kieskeurig.'

Haar ogen knepen zich samen maar ze hield haar mond.

'Hoe staat het met je boot, Harry? Die prachtige boot van je?'

'Dat ding vormde een allerberoerdste doodkist.' Ik wendde me weer tot Manny.

'Wat gaat 't worden, Manny, kunnen we een handeltje sluiten?'

Hij schudde droevig het hoofd. 'Ik denk van niet, Harry. Ik zou 't graag willen – eerlijk waar, al was het alleen maar terwille van die goeie ouwe tijd. Maar ik zie 't niet zitten. In de eerste plaats heb je niets om te onderhandelen – en dat alleen al maakt elk handeltje moeilijk. En in de tweede plaats ben je veel te sentimenteel. Je zou elk handeltje dat we overeenkwamen verprutsen door sentimentele gevoelens. Ik zou je geen ogenblik kunnen vertrouwen, Harry. Je zou steeds maar aan Jimmy North en aan je boot denken en ook aan dat kleine eilandmeisje dat ons in de weg liep en natuurlijk aan het zusje van Jimmy North, die we noodgedwongen uit de weg moesten ruimen –' Ik schepte er een zeker behagen in dat Manny klaarblijkelijk nog niet gehoord had wat er met dat stel bullebakken gebeurd was, die hij er op uitgestuurd had om met Sherry North af te rekenen en dat ze nog steeds springlevend was. Ik probeerde mijn stem zo oprecht mogelijk te laten klinken en hem met mijn houding te overtuigen. 'Luister, Manny, ik ben iemand die graag blijft leven. Ik kan alles vergeten indien dat moet.'

Hij lachte weer. 'Als ik je niet beter kende, zou ik je haast geloven, Harry.' Hij schudde het hoofd. 'Sorry, Harry, geen handeltje.'

'Waarom heb je dan al die moeite genomen om me hier te laten brengen?'

'Ik heb al twee maal eerder mensen gestuurd om dat karweitje op te knappen, Harry. Beide keren hebben ze 't niet gered. Deze keer wil ik zeker van mijn zaak zijn. Op onze tocht naar Kaapstad varen we over een paar hele diepe stukken oceaan en ik ben van plan een paar echt zware zakken aan je te hangen.'

'Kaapstad?' vroeg ik. 'Je gaat dus persoonlijk achter *Dawn Light* aan. Wat is er voor fascinerends aan dat ouwe wrak?'

'Kom, kom, Harry. Indien je dat niet wist, zou je het me niet zo moeilijk gemaakt hebben.' Hij lachte en ik besloot dat het maar 't beste was hem mijn absolute onwetendheid niet te bekennen.

'Denk je dat je de weg kunt vinden?' vroeg ik de blondine. 'Het is een grote zee en er zijn heel wat eilandjes die allemaal op elkaar lijken. Ik geloof dat je er verstandig aan zou doen mij als een verzekering aan boord te houden,' drong ik aan.

'Nogmaals, sorry, Harry.' Manny liep naar de van teakhout met koper afgezette bar. 'Wil je iets drinken?'

'Scotch,' antwoordde ik. Hij vulde een glas half vol met whisky en bracht het me.

'Om helemaal eerlijk met je te zijn is een deel van dit hele plan terwille van Lorna. Je hebt het meisje verbitterd, Harry, en ik weet niet waarom – maar ze wilde er met alle geweld bij zijn wanneer we afscheid van je namen. Ze geniet van dat soort dingen, is 't niet liefje? Het windt haar zo lekker op.'

Ik dronk mijn glas leeg. 'Ze heeft het nodig een tikje opgewonden te raken – zoals jij en ik allebei heel goed weten. Zonder dat is ze in bed waardeloos,' merkte ik op en Manny gaf me prompt een klap in mijn gezicht, waardoor mijn lippen openbarstten en de whisky in het rauwe vlees beet.

'Sluit 'm op,' zei hij zacht. Toen ze me de salon uitduwden en langs het dek naar de boeg, deed het me echt plezier te weten dat Lorna enkele hoogst pijnlijke vragen zou hebben te beantwoorden. Aan weerskanten van de boot gleden de wallichten gestaag in de nacht langs ons heen. De rivier was donker en breed.

Voor de brug lag boven het vooronder een laag dekhuis en een boogvormig overdekte gang kwam uit bij een dekladder, die naar een kleine hal beneden leidde. Dit was ongetwijfeld het verblijf van de bemanning en deuren in de hal kwamen uit in verschillende hutten en in een gemeenschappelijke kantine.

In dit vooronder bevond zich een stalen deur en op een gestencild briefje dat op de deur geplakt zat stond: 'FORECASTLE STORE'. Ze duwden me niet al te zachtzinnig naar binnen en smakten de deur achter me dicht. De sleutel werd omgedraaid en ik was alleen in een stalen kamertje, ongeveer 1,60 m bij 1,80 m. Tegen beide waterdichte schotten stonden voorraadkasten. De atmosfeer was vochtig en muf.

Mijn eerste zorg was om een soort wapen te vinden. De kasten waren allemaal op slot en ik zag dat het hout uit 2½ cm dikke planken bestond. Ik zou minstens een bijl nodig hebben om die kasten open te hakken en toch probeerde ik het. Ik probeerde de deuren open te breken door mijn schouders als een soort ram te gebruiken, maar er was te weinig ruimte en ik kon daardoor niet voldoende vaart nemen.

In ieder geval trok het lawaai de nodige aandacht. De deur zwaaide open en een van de bemanningsleden, die wel zorgde de nodige afstand te bewaren, had een hoogst kwaadaardige .41 Rueger Magnum in de hand.

'Schei daar mee uit,' zei hij. 'Er zit niets in die kasten.' Hij gebaarde naar een stapel oude reddingsgordels die tegen de tegenoverliggende wand lagen.

'Nu ga je daar rustig zitten en anders roep ik een van de jongens om me te helpen je af te tuigen.' Hij smeet de deur dicht en ik liet me op de reddingsgordels vallen.

Het was duidelijk dat er voor de deur een wachtpost stond en dat die wacht het klokje rond in stand zou worden gehouden. De anderen waren gemakkelijk te beroepen. Ik had niet verwacht dat hij de deur open zou doen en ik was daar niet op voorbereid. Ik moest hem zo gek zien te krijgen de deur opnieuw open te maken – dan zou ik een kans wagen. Ik besefte heel goed dat het maar een armzalige kans was. Het enige dat hij te doen had, was dat kleine kanon in die voorraadkamer te steken en de haan over te halen. Hij kon praktisch niet missen.

Ik moest iets hebben dat hem zou afleiden, een soort dekking, zodat ik dicht genoeg bij hem kon komen. Ik keek weer verlangend naar de kasten en schonk toen alle aandacht aan mijn zakken. Ze hadden me alles afgenomen. Mijn aansteker, mijn cheroots, autosleuteltjes, zakmes, alles. Maar mijn zakdoek hadden ze me gelaten, evenals drie biljetten van vijf pond die ze over het hoofd hadden gezien en ik had mijn polshorloge nog.

Ik keek naar de stapel reddingsgordels en stond weer op om ze weg te trekken. Daaronder stond een kleine houten fruitkist. Daarin zaten afgedankte schoonmaakmaterialen. Een nylon vloerborstel, stofdoeken, een busje Brasso, een half stuk sunlightzeep en een cognacfles vol met een heldere vloeistof. Ik draaide de schroefsluiting los en rook. Het was benzine. Ik ging zitten en taxeerde opnieuw mijn positie en probeerde zonder veel succes een punt in mijn voordeel te vinden.

De lichtknop bevond zich aan de andere kant van de deur en het licht zelf zat weggesloten achter een dikke glazen stolp. Ik kwam overeind en klom tot halverwege de kasten en vandaar schroefde ik de glazen stolp los en onderzocht het lampje. Het ding gaf me niet veel hoop.

Ik klom weer omlaag en koos een van de zware uit zeildoek bestaande reddingsgordels uit. De gesp van de stalen armband van mijn horloge kon dienst doen als een bot mes. Ik begon het zeildoek te zagen en er op los te hakken. Ik wist er een gat in te maken dat groot genoeg was om mijn wijsvinger door te steken. Ik scheurde nu het zeildoek open en haalde handenvol kapok te voorschijn. Ik stapelde dit op de vloer en scheurde nog meer reddingsgordels open, tot ik tenslotte een behoorlijke stapel kapok op de vloer had liggen. Ik goot alle benzine uit de cognacfles over het kapok en klom toen met een handvol doordrenkt kapok omhoog naar de fitting van de lamp. Ik draaide de lamp uit de fitting en onmiddellijk werd ik door diepe duisternis omgeven. Ik werkte nu alleen maar op gevoel en drukte de met benzine doordrenkte lap kapok tegen de elektrische bedradingsuiteinden. Ik had niets dat als isolatie gebruikt kon worden en dus hield ik de stalen band van mijn horloge in mijn blote handen en gebruikte de band vervolgens om kortsluiting te veroorzaken.

Er volgde een knetterende blauwe lichtflits. De benzine vatte onmiddellijk vlam en de 180 volt trof mij als een schot hagel en sloeg me finaal van mijn hoge zitplaats. Ik viel als een zak vodden op de vloer met die bal brandende kapok in mijn hand.

Buiten hoorde ik zwakke kreten van ergernis en woede. Ik was erin geslaagd het volledige elektrische circuit in het vooronder uit te schakelen. Vlug smeet ik de brandende kapok op de stapel die ik van tevoren had klaar gemaakt en de hele berg begon fel te branden. Ik veegde de vonken van mijn handen, bond de zakdoek voor mijn mond en neus, greep een van de onbeschadigde stalen reddingsgordels en ging tegen de stalen deur staan.

Binnen enkele seconden was de benzine opgebrand en het kapok begon nu fel te smeulen. Dikke rookwolken stegen op en deze stonken ontzettend. Al gauw stond de voorraadkamer vol rook en tranen stroomden uit mijn ogen. Ik probeerde oppervlakkig adem te halen, maar de rook verscheurde mijn longen en ik hoestte hevig.

Weer hoorde ik aan de andere kant van de deur geschreeuw.

'Er brandt iets.' En het antwoord was: 'Zorg in Gods naam dat die lampen weer branden.'

Dat was de wenk die ik nodig had. Ik begon op de stalen deur te bonzen en schreeuwde zo hard ik kon. 'Brand! Het schip staat in brand!' Het was niet alleen maar acteren. De rook in mijn gevangenis was dik en nog steeds steeg er meer rook uit het smeulende kapok omhoog. Ik besefte dat, als niet iemand binnen zestig seconden die deur open maakte, ik stikken zou en mijn kreten moesten hen overtuigd hebben. De bewaker zwaaide de deur open. In zijn ene hand had hij de zware Ruegerrevolver en in zijn andere hand had hij een zaklantaarn waarmee hij in de voorraadkamer scheen.

Ik had net genoeg tijd om deze bijzonderheden op te merken en ook zag ik dat de lampen op het schip nog steeds niet brandden. Schimmige gestalten liepen in het duister rond, sommige met zaklantaarns. Op dat moment golfde er een dichte donkere rookwolk door de deur van de voorraadkamer naar buiten.

Ik schoot gelijk met de rookwolk als een razende stier naar buiten, snakkend naar frisse lucht en verschrikt over het feit dat het niet veel gescheeld had of ik was daar in die rook gestikt. Dat verleende mij precies de kracht die ik nodig had.

De wacht met de revolver en de zaklantaren sloeg dankzij mijn stormloop tegen de grond en de Rueger ging af terwijl hij viel. De vlam uit de loop was zo helder als een flitslicht en verlichtte de hele omtrek, waardoor ik de kans kreeg te zien waar de trap naar het dek was.

De knal van het schot was in de beperkte ruimte zo oorverdovend dat het de andere schimmige gestalten scheen te verlammen. Ik was al halverwege de trap voor een van hen op me af sprong om me de pas af te snijden. Ik beukte mijn schouder tegen zijn borst en ik hoorde de lucht ontsnappen als uit een lek geschopte voetbal.

Er klonken nu kreten van bezorgdheid en een andere zware donkere gestalte versperde de toegang tot de trap. Ik had in mijn rush door de kleine hal vaart gekregen en die snelheid met mijn volle gewicht legde ik in de trap die ik hem in zijn buik gaf. Hij vouwde prompt dubbel en zakte op zijn knieën op de vloer. Terwijl hij viel, flitste het licht van de zaklantaren over zijn gezicht en ik zag dat het mijn vriend met de knoflookadem was. Dat verschafte me dubbel genoegen. Ik zette mijn voet op zijn schouder en gebruikte hem als wipplank, waardoor ik tot halverwege de ladder omhoogschoot.

Handen grepen mijn enkel, maar ik wist die los te schoppen en trok me zelf tot dekhoogte omhoog. Ik stond slechts met één voet op de sporten. Eén hand had ik om een reddingsvest geklemd en met de andere greep ik me vast aan de koperen leuning. Op dat meest hulpeloze en ongelukkige ogenblik werd de toegang tot het dek versperd door weer een andere donkere gestalte – en plotseling ging het licht weer aan. Een plotsklaps verblindende zee van licht.

De man in de opening boven me was de man met de gummistok en ik zag de woeste blik van verrukking in zijn ogen, toen hij het ding boven mijn onbeschermde hoofd omhoog tilde. De enige manier om die klap te ontlopen, was de trapleuning los te laten en me weer in het vooronder terug te laten vallen en daar stond het vol met razende en naar voren dringende bullebakken. Ik keek achterom en was net begonnen de leuning los te laten, toen achter me de schutter met de Rueger Magnum nog half verdoofd rechtop ging zitten. Hij tilde de revolver op, probeerde zich schrap te zetten tegen de slingerende beweging van het schip en schoot. De zware kogel schoot langs mijn oor en deed mijn trommelvlies bijna barsten, maar de kogel raakte de man met de gummistok vol in de borst. De kracht van de kogel wierp hem achterover tegen het dek. Met zijn armen uitgespreid als een verwaarloosde vogelverschrikker hing hij in de touwen van de voormast. Met een wanhopige sprong ging ik hem achterna het dek op en trilde op mijn benen, maar nog steeds hield ik het reddingsvest stevig vast.

Achter me blafte de Rueger opnieuw en ik hoorde hoe de kogel de overhangende rand van het luikgat versplinterde. Drie grote stappen brachten me bij de verschansing en ik dook overboord, maar de val was toch nog zo ver dat ik het gevoel kreeg alsof mijn ingewanden mijn keel binnen kwamen wandelen totdat ik het water raakte. Ik werd door het kolkende schroefwater ver onder water getrokken en rondgeslingerd.

Het water was gruwelijk koud en scheen mijn longen samen te persen. Het prikte als ijspegels in het merg van mijn beenderen.

Het reddingsvest hielp me om tenslotte weer boven te komen en ik keek wild om me heen. De lichten van de kust waren duidelijk zichtbaar en erg helder. Ze schitterden bleek over het donkere oppervlak. Hier buiten in de vaarroute stond er aan het oppervlak veel deining die me beurtelings optilde en weer liet vallen.

Mandrake gleed gestaag verder naar de donkere leegte die de open zee vormde. Met al haar lichten aan zag ze er even feestelijk uit als een plezierschip.

Met veel moeite ontdeed ik me van mijn schoenen en jasje en slaagde erin mijn armen door de mouwen van het reddingsvest te steken. Toen ik weer om me heen keek, was *Mandrake* zeker een anderhalve kilometer van me vandaan, maar plotseling begon ze rond te zwenken en vanaf de brug schoot opeens de felle straal van een zoeklicht over het wateroppervlak en tastte luchtig dansend de zee af.

Vlug wierp ik een blik naar het vasteland en zocht en vond de lichten van een aan zijn anker rijdende boei op Engels grondgebied en bracht deze in verband met de vuurtoren op Flatholm. Binnen enkele seconden had de ligging van de twee boeien zich licht gewijzigd. Laagtij had ingezet en de stroom richtte zich westwaarts. Ik koos de richting van de stroom en begon te zwemmen.

De *Mandrake* was langzamer gaan varen en kroop steeds meer naar me toe. Het zoeklicht draaide, bracht de lichtstraal zwaaiend over het wateroppervlak en zocht. Gestaag kwam het licht dichterbij.

Ik zwom met de stroom mee en maakte gebruik van een lange zijslag, waardoor ik het oppervlak van het water niet zou breken en daardoor mezelf zou verraden. Ik weerhield me zelfs ervan om vrije slag te zwemmen, toen het schip dichterbij kroop. De straal van het zoeklicht zocht het open water aan de andere kant van de *Mandrake* af, toen ze ongeveer op gelijke hoogte met me was. De stroom had me buiten haar baan gebracht en de *Mandrake* was zo dichtbij als ze op dit rak kon komen – ongeveer 150 meter van me vandaan – maar ik kon de mannen op de brug zien. Manny Resnick's blauwzijden ochtendjas glansde als de vleugels van een vlinder in de lichten van de brug en ik kon horen hoe hij woedend zijn stem verhief, maar ik kon de woorden niet verstaan.

De lichtstraal kwam naderbij als de lange koude witte vinger van een aanklager. Het zocht volgens een bepaald gevolgd patroon nauwkeurig de zee af, vooruit en weer terug, vooruit en de volgende streek. Het kon haast niet anders of ze moest me wel vangen. De lichtstraal bereikte het eind van de zijwaartse beweging, zwaaide weer weg de zee in en kwam terug. Maar op hetzelfde moment dat de straal over me heen ging, tilde een toevallige druk van de zee een hoge donkere golf op en ik viel in het golfdal. Het licht ging over me heen, diffuus door de kam van de golf en men zag me niet. Het licht gleed verder, nog steeds in hetzelfde meedogenloze patroon. Ze hadden me dus gemist. Ze gingen verder, terug naar de mond van de Severn. Ik lag op mijn rug in de rauwe omhelzing van het uit zeildoek gemaakte reddingsvest en keek toe hoe ze zich steeds verder van me verwijderden. Ik voelde me ziek en misselijk van opluchting en door de reactie die uit een aanval van woede kan voortvloeien. Het enige waar ik me nu zorgen over hoefde te maken was hoe lang het zou duren voordat ik van kou zou omkomen.

Ik begon weer te zwemmen en zag hoe de lichten van de *Mandrake* wegstierven en zich tenslotte oplosten tegen een met lichtjes bezaaide achtergrond van de Engelse kust.

Ik had mijn polshorloge in het vooronder achtergelaten en wist dus niet hoe lang het duurde voor ik alle gevoel in mijn armen en benen verloor. Ik probeerde te zwemmen, maar ik was er niet zeker van of mijn ledematen wel reageerden.

Een wonderlijk zwevend gevoel van bevrijding maakte zich van mij meester. De lichten op het land verbleekten en ik had het gevoel of ik gewikkeld was in warme, zachte witte wolken. Ik dacht dat als dat het begin van mijn dood was, het lang niet zo slecht was als men beweerde. Ik grinnikte en lag doorweekt en hulpeloos in mijn reddingsvest.

Ik vroeg me met intense belangstelling af waarom mijn gezichtsvermogen verdwenen was. Niet zoals ik het wel eens had horen zeggen.

Maar plotseling realiseerde ik me dat zeedamp zich bij het aanbreken van de dag gevormd had en dit was de reden dat ik niets zag. Het vroege daglicht werd echter steeds krachtiger en ik kon nu duidelijk zes meter ver in de warrelende mistbanken kijken.

Ik sloot mijn ogen en viel in slaap. Mijn laatste gedachte was dat dit vermoedelijk mijn laatste gedachte was. Dit bracht me weer aan het grinniken, toen een diepe duisternis zich over mij legde.

Stemmen wekten me. Duidelijke stemmen en ergens dichtbij in de mist. Het rijke en lieflijke accent van Welshmen maakte me wakker. Ik probeerde te schreeuwen en ik had het gevoel werkelijk iets gepresteerd te hebben, toen er uit mijn mond het geluid kwam van het gekrijs van een zeemeeuw.

Uit de mist doemde de donkere lelijke vorm op van een oude boot, waar ze kreeften mee vangen. Het schip zwalkte schijnbaar doelloos rond, maar was in werkelijkheid bezig fuiken uit te zetten en twee mannen hingen over de verschansing, druk bezig met hun werk.

Ik bracht opnieuw een soort krassend geluid voort en een van de mannen keek op. Ik zag een paar lichtblauwe ogen in een verweerd en hevig gerimpeld blozend gezicht, een wollen muts en een oude pijp, die de man stevig tussen zijn afgebrokkelde gele tanden geklemd hield.

'Goeiemorgen,' kraste ik.

'Jezus Maria!' antwoordde de kreeftenvisser rond de steel van zijn pijp.

Ik zat in de kleine stuurhut, gewikkeld in een smerige oude deken en dronk gloeiend hete thee zonder suiker uit een geschilferde emaille kroes. Ik rilde zo verschrikkelijk dat de kroes in mijn er omheen gekromde handen alle kanten scheen uit te springen.

Mijn hele lichaam had een prachtige blauwe kleur en toen de bloedsomloop zich enigermate begon te herstellen, bezorgde dit me in al mijn gewrichten een ondragelijke pijn. Mijn twee redders waren zwijgzame mensen met een prachtig begrip voor de persoonlijke aangelegenheden van een ander. En dat gevoel kwam naar alle waarschijnlijkheid voort uit een lange familielijn van zeerovers en smokkelaars.

Tegen de tijd dat ze hun fuiken hadden uitgezet en zich klaar gemaakt hadden om weer naar de wal te varen, was het middag geworden en kon ik zeggen dat ik min of meer ontdooid was. Mijn kleren hadden boven het fornuis in de kleine kombuis gehangen en waren nu droog. Ik had mijn buik vol gegeten aan bruin brood en geroosterd brood met gekookte makreel.

We liepen Port Talbot binnen en toen ik een poging deed hen met mijn gekreukelde biljetten van vijf pond te betalen voor de verleende hulp, keek de oudste kreeftenvisser me met een koude blik aan.

'Elke keer dat ik een man uit zee weet te redden, voel ik me voor de volle honderd procent betaald, meneer. Houd uw geld maar.'

De reis terug naar Londen was je reinste nachtmerrie van provinciebussen en nachttreinen. Toen ik de volgende ochtend omstreeks tien uur Paddington Station uitstrompelde, begreep ik waarom een stel agenten hun majestueuze stappen even onderbraken om mij eens goed op te nemen. Ik moet er ongetwijfeld hebben uitgezien als een ontsnapte misdadiger.

De taxichauffeur wierp een wereldmoede blik op mijn twee dagen oude baard, mijn gezwollen lippen en mijn blauwe oog. 'Kwam haar man soms iets te vroeg thuis, vrind?' vroeg hij. Ik kreunde zwakjes.

Sherry North opende de deur van haar ooms flat en keek me met grote verschrikte ogen aan.

'Mijn God, Harry! Wat is er in vredesnaam met jou gebeurd? Je ziet er afschuwelijk uit.'

'Bedankt,' zei ik. 'Die opmerking vrolijkt me echt op.'

Ze pakte me bij mijn arm en trok me de flat binnen. 'Ik ben gewoon radeloos geweest. Twee dagen. Ik heb zelfs de politie en de ziekenhuizen opgebeld – alles waar ik maar even aan kon denken.'

De oom zweefde ergens op de achtergrond en zijn aanwezigheid irriteerde me. Ik weigerde het aanbod een bad te nemen of schone kleren aan te trekken. In plaats daarvan nam ik Sherry mee naar Windsor Arms.

Ik liet de deur van de badkamer open, terwijl ik me schoor en een bad nam, zodat we op zijn minst konden praten en hoewel ze er voor zorgde dat ik haar en zij mij niet kon zien terwijl ik in het bad zat, voelde ik niettemin dat zich hieruit een nuttig gevoel van intimiteit ontwikkelde.

Ik vertelde haar tot in de kleinste bijzonderheden alles over mijn ontvoering door dat stel gorilla's van Manny Resnick en over mijn eigen ontvluchting, maar deed daarbij geen enkele poging mijn eigen heldhaftige rol te verdoezelen. Ze luisterde zwijgend en daaruit kon ik alleen maar opmaken dat ze meer dan gefascineerd was en me tot diep in haar ziel bewonderde.

Ik kwam uit de badkamer met een handdoek rond mijn middel gebonden en ging op bed zitten om mijn verhaal af te maken, terwijl Sherry mijn schrammen en de vele geschaafde plekken verzorgde.

'Je zult nu naar de politie moeten, Harry,' zei ze tenslotte. 'Ze probeerden je domweg te vermoorden.'

'Sherry, mijn liefje, houd alsjeblieft op met over de politie te praten. Je maakt me doodzenuwachtig.'

'Maar, Harry...'

'Vergeet de politie nu maar en bestel wat te eten. Voor ons allebei. Ik kan me gewoon niet meer herinneren, wanneer ik voor het laatst gegeten heb.'

De hotelkeuken stuurde verrukkelijk gebakken bacon, tomaten, gebakken eieren, toast en thee naar boven. Terwijl ik at, probeerde ik de laatste snel op elkaar volgende gebeurtenissen in verband te brengen met onze voorafgaande kennis van zaken en onze plannen zodanig te veranderen dat ze in de hele puzzel pasten.

'Voor ik 't vergeet, jij stond ook op de lijst van personen die opgeofferd moesten worden. Het was beslist niet hun bedoeling alleen maar je vingertjes te roosteren. Manny Resnick was ervan overtuigd dat zijn jongens jou om zeep gebracht hadden –' Er trok een afkerige uitdrukking over haar lieve gezichtje. Ze waren, naar uit alles bleek, druk bezig iedereen uit de weg te ruimen, die ook maar iets over *Dawn Light* wist.'

Ik nam een nieuwe hap bacon en eieren en kauwde in alle stilte.

'In ieder geval hebben we nu een soort tijdrooster. Manny's gehuurde boot – die tussen twee haakjes *Mandrake* heet – maakte op mij een snelle indruk. Maar het zal hem niettemin drie tot vier weken kosten voor hij de eilandengroep bereikt heeft. Dat geeft ons voldoende tijd.'

Ze schonk me een tweede kop thee in, de melk het laatst, want dat is de manier waarop ik mijn thee het liefst heb.

'Bedankt, Sherry, je bent als een uit de hemel gezonden engel.' Ze stak haar tong tegen me uit en ik ging verder: 'Wat het ook is waar we naar zoeken, het moet wel iets buitengewoons zijn. Dat motorjacht dat Manny gehuurd heeft, ziet eruit als het koninklijk jacht. Dat lolletje heeft hem zeker honderdduizend pond achteruit gezet. Goeie God, ik zou er wat voor willen geven, als ik wist wat er in die vijf kisten zat. Ik probeerde Manny uit te horen – maar hij lachte me uit. Zei dat ik dit verdomd goed wist, want anders zou ik me niet zoveel moeite geven...'

'Oh, Harry.' Sherry's gezicht lichtte op. 'Jij hebt nu al het slechte nieuws verteld – houd je nu vast voor wat goed nieuws.'

'Ik kan wel wat goed nieuws gebruiken.'

'Je herinnert je Jimmy's aantekening op die brief toch nog wel – B. Mus?'

Ik knikte. 'Bachelor of Music?'

'Nee, gekkerd – British Museum.'

'Ik ben bang dat ik je niet kan volgen.'

'Ik besprak 't met oom Dan. Hij herkende het onmiddellijk. Het is een verwijzing naar een boek in de bibliotheek van het British Museum. Hij heeft daar een abonnement. Hij pluist daar vaak boeken na en werkt er geregeld.'

'Kunnen wij daar binnen komen?'

'We zullen het proberen.'

Ik wachtte bijna twee uur in de enorme, met goud en blauw gedecoreerde koepelvormige hal van de leeskamer in het British Museum en ik had zo'n afschuwelijke trek in een cheroot dat ik het er gewoon benauwd van kreeg. Ik wist niet wat ik kon verwachten – ik had niet meer gedaan dan het opvraagformulier ingevuld met het verwijsnummer van Jimmy North – en toen dan ook uiteindelijk de dienstdoende ambtenaar een dik boek voor me op tafel legde, greep ik er gretig naar.

Het was een Secker en Warburg editie, voor het eerst gepubliceerd in 1963. De schrijver was een zekere doctor P.A. Ready en de titel stond in goud op de rug gedrukt: 'LEGENDARY AND LOST TREASURES OF THE WORLD.'

Ik talmde over het nog steeds gesloten boek, plaagde mezelf en vroeg me af door welke keten van toevalligheden en goed geluk Jimmy North de kans had gekregen deze jacht op oude aanwijzingen te volgen. Had hij dit boek misschien eerst gelezen in zijn brandende obsessie voor scheepswrakken en zeeschatten en was hij toen als 't ware gestruikeld over een stapel oude brieven? Ik zou daar wel nooit achter komen.

Er waren negenenveertig hoofdstukken en ieder hoofdstuk behandelde een op zichzelf staand onderdeel. Ik las zorgvuldig de inhoudsopgave door.

Er waren hoofdstukken over goudschatten van de Azteken, de gouden en zilveren voorwerpen en het ongemunte goud van Panama, voorraden van zeerovers, een verloren gegane goudmijn in de Rocky Mountains van Noord-Amerika, een diamantvallei in Zuid-Afrika, schepen met schatten van de Armada, het Lutine goudschip met de beroemde scheepsbel, die nu bij Lloyd's lag, was teruggevonden, de gouden strijdwagen van Alexander de Grote, meer schepen met schatten – zowel oude als nieuwe – uit de Tweede Wereldoorlog tot aan de plundering van Troje, schatten van Mussolini, Prester John, Darius, Romeinse generaals, kapers en zeerovers van de Barbarijnse Kust en Coramandel. Het was een enorme overvloed van feiten en fantasie, geschiedenis en vermoedens. De schatten van verloren gegane steden en vergeten beschavingen, van Atlantis tot aan de beroemde gouden stad in de Kalahari woestijn – er was zo verschrikkelijk veel en ik wist niet waar ik moest zoeken.

Met een zucht begon ik aan de eerste bladzijde en sloeg de inleiding en het voorwoord over. Ik begon te lezen.

Omstreeks vijf uur had ik zestien hoofdstukken doorgebladerd, die in geen enkele relatie bleken te staan met *Dawn Light* en had ik vijf andere hoofdstukken grondig doorgelezen en tegen die tijd begon ik te begrijpen hoe het kwam dat Jimmy North zo aangegrepen was door de romantiek en de opwinding van dit soort schatgraverij. Het maakte mij trouwens ook kriebelig – al deze verhalen over rijkdommen, achtergelaten, die louter lagen te wachten om door iemand opgeraapt te worden, die het geluk en de vastberadenheid had ze op te sporen.

Ik wierp een blik op het nieuwe Japanse armbandhorloge dat nu de plaats ingenomen had van mijn verloren gegane Omega. Haastig liep ik de enorme stenen poorten van het Museum door en stak Great Russell Street over op weg naar mijn afspraak met Sherry. Ze zat al in de praktisch overbevolkte bar van de Running Stag op me te wachten.

'Sorry,' zei ik. 'Ik was helemaal de tijd vergeten.'

'Kom mee.' Ze greep mijn arm. 'Ik sterf van dorst en nieuwsgierigheid.' Ik gaf haar een glas bier voor de dorst, maar kon haar nieuwsgierigheid alleen maar aanwakkeren met de titel van het boek. Ze wilde me al naar de bibliotheek terugsturen nog voor ik mijn maaltijd van ham en kalkoen genuttigd had, maar ik wist me staande te houden en slaagde erin een halve cheroot te roken voor ze me weer de kou in stuurde.

Ik gaf haar de sleutel van mijn kamer in Windsor Arms, zette haar in een taxi en zei haar daar op me te wachten. Toen haastte ik me terug naar de leeszaal.

Het volgende hoofdstuk van het boek was getiteld: 'De Grootmogol en de Tijgertroon van India.'

Het begon met een korte historische inleiding hoe Babur, afstammeling van Timur, en Genghis Khan, de twee beruchte plagen van de oude wereld, over de bergen ten noorden van India binnentrokken en het Mogol-Rijk stichtten. Ik had vrijwel onmiddellijk door dat dit binnen het terrein van mijn belangstelling lag, want de *Dawn Light* was van dat oude continent op weg naar huis.

De geschiedenis dekte de periode van Baburs beroemde opvolgers, Moslemregeerders die tot grote macht en invloed kwamen, machtige steden bouwden en zulke monumenten achterlieten, die tot gevoel voor schoonheid spraken, zoals de Taj Mahal. Uiteindelijk beschreef het de terugval van de dynastie en de totale vernietiging tijdens het eerste jaar van de Indiase opstand, toen de op wraak beluste Britse strijdkrachten de oude citadel en het fort van Delhi bestormden en plunderden. Ze schoten de Mogolprinsen zonder pardon dood en gooiden de oude keizer Bahadur Shah in de gevangenis. En vandaar richtte de schrijver abrupt zijn aandacht van dit uitgestrekte terrein van oude geschiedenis op iets anders:

In 1665 bezocht Jean Baptiste Tavernier, een Franse reiziger en juwelier het hof van de Mogolkeizer Aurangzeb. Vijf jaar later publiceerde hij in Parijs zijn beroemde werk *Travels in the Orient*. Hij scheen speciale gunsten van de Moslemkeizer verworven te hebben, want het werd hem toegestaan een bezoek te brengen aan de legendarische schatkamers van de citadel en de verschillende voorwerpen, die hem speciaal belang inboezemden te catalogiseren. Hieronder bevond zich onder meer een diamant die hij de 'Grootmogol' noemde. Tavernier woog deze steen en catalogiseerde zijn gewicht op 280 karaat. Hij beschreef deze grote diamant en vertelde dat de steen een buitengewone gloed had en een kleur zo helder en wit, als de Poolster aan de hemel.'

Taverniers gastheer vertelde hem dat de steen gevonden was in de beroemde Golconda Mijn, omstreeks 1650 en dat de ruwe steen, voor hij geslepen was, 787 karaat was geweest.

De coupure van de steen was een duidelijke geronde rozet, maar niet symmetrisch – en aan een kant gezwollen. Sindsdien is er van de steen niets meer gehoord en velen geloven dat Tavernier in feite de Koh-i-noor of de Orloff zag. Het is echter hoogst onwaarschijnlijk dat een zo gespecialiseerde waarnemer en vakman als Tavernier zich zo in zijn karaat en beschrijvingen vergist zou hebben. De Koh-i-noor, woog voordat deze in Londen opnieuw werd geslepen, slechts 199 karaat en was zeer zeker niet rozet. De Orloff, hoewel die als een rozet geslepen was, was en is een symmetrische diamant en weegt 199 karaat. De beschrijvingen kunnen simpelweg niet samengaan met die van Tavernier en al het bewijsmateriaal wijst duidelijk op het bestaan van een enorme witte diamant die domweg van de aardbodem verdwenen scheen. Toen in 1739 Nadir, de Shah van Perzië, India binnenviel en Delhi veroverde, deed hij geen enkele poging zijn verovering vast te houden, maar stelde hij zich tevreden met een enorme buit waaronder de Koh-i-noor en de Pauwentroon van Shah Jehan. Het ziet er naar uit dat de Grootmogol door de roofzuchtige Pers over het hoofd gezien werd en dat, nadat hij zich teruggetrokken had, Mohammed Shah, de regerende Mogolkeizer die zich nu van zijn traditionele troon beroofd zag, opdracht gaf een gelijksoortige troon te maken. Het bestaan van deze nieuwe schat werd met een sluier van geheimzinnigheid omringd en hoewel er plaatselijk zinspelingen over zijn bestaan gemaakt zijn, kan slechts een enkele Europese referentie geciteerd worden.

Het dagboek van de Engelse ambassadeur aan het hof van Delhi tijdens het jaar 1747, sir Thomas Jenning, maakt melding van een audiëntie, die hem door de Mogolkeizer verleend werd en de ambassadeur vertelt dat de keizer 'gekleed' was in kostbare zijde, bedekt met bloemen en juwelen, en op een grote gouden troon zat. De troon had de vorm van een woedende tijger, met openge-sperde muil en een enkel reusachtig oog. Het lichaam van de tij-ger was bewonderenswaardig bewerkt met allerlei soorten kost-bare stenen. Zijne majesteit was hoffelijk genoeg mij toe te staan de troon heel dicht te naderen en het oog van de tijger nader te bestuderen. Hij verzekerde mij dat het een reusachtige diamant was, die stamde uit de regeringsperiode van zijn voorvader Au-rangzeb'.

Was dit de 'Grootmogol' van Tavernier, die nu opgenomen was in de 'Tijgertroon van India'? Indien dit 't geval was, dan diende er geloof gehecht te worden aan een vreemde reeks omstandig-heden, die tevens een einde maken aan onze studie over deze ver-loren schat. In 1857, op 16 september, werden er in de straten van Delhi wanhopige gevechten geleverd, waarbij talloze doden en gewonden vielen en het resultaat van die gevechten was nog niet beslist toen de Britse strijdkrachten en loyale strijdkrachten van de regering de straten schoonveegden en de opstandelingen ge-vangen namen en het oude fort dat de stad beheerste overmees-terden.

Terwijl de gevechten binnen de stad woedden, was een strijd-macht van loyale troepen van het 101ste regiment onder bevel van twee Europese officieren opdracht gegeven de rivier over te steken en de stadswallen te omsingelen en de weg naar het noor-den te bezetten. Dit was om te voorkomen dat leden van de Mogol-koninklijke familie of leiders van de opstandelingen uit de tot ondergang gedoemde stad zouden ontvluchten.

De twee Europese officieren waren kapitein Long en kolonel sir Roger Goodchild...'

De naam sprong me als 't ware tegemoet en niet alleen omdat ie-mand die naam met potlood onderstreept had. In de marge, even-eens met potlood, stond een van Jimmy North's karakteristieke uit-roeptekens. Master James' geringe eerbied voor boeken omvatte blijkbaar ook een zo kwetsbare instelling als het British Museum. Ik voelde dat ik over mijn hele lichaam beefde en mijn wangen voel-den warm aan van louter opwinding. Dit was het laatste stukje van de legpuzzel dat we tot nu toe gemist hadden. Het stond hier allemaal en mijn ogen vlogen over de bladzijde.

Niemand zal ooit weten wat er die nacht op die eenzame weg door de Indiase jungle gebeurd is – maar zes maanden later legden kapitein Long en de Indiase Subahdar Ram Panat een getuigeverklaring af tegen kolonel Goodchild.

Ze vertelden nauwkeurig hoe zij een groep Indiase edelen hadden opgevangen die de in brand staande stad ontvlucht waren. Tot de groep behoorden ook drie Moslem-geestelijken en twee prinsen van koninklijken bloede. In aanwezigheid van kapitein Long deed een van de prinsen een poging de vrijheid van hen beiden te kopen door de Britse officieren een grote schat aan te bieden. Een gouden troon in de vorm van een tijger met een enkel diamanten oog.

De officieren gingen accoord en de prinsen brachten hen naar een moskee diep in het bos. Op de binnenplaats van de moskee stonden zes ossewagens. De bestuurders waren gevlucht en toen de Britse officieren van hun paarden stegen en de inhoud van de voertuigen onderzochten, bleken zij inderdaad een gouden troon te bevatten, die de gestalte van een tijger had. De troon was in vier afzonderlijke delen uiteengenomen om het transport te vergemakkelijken – achterpoten, romp, voorpoten en kop. In het licht van hun lantarens lagen deze vier delen in een bed van stro. Het goud straalde hen tegemoet en elk onderdeel was bezet met edelstenen en halfedelstenen.

Kolonel Goodchild gaf toen bevel dat de prinsen en de Moslem-geestelijken op staande voet dood geschoten moesten worden. Ze werden tegen de buitenmuur van de moskee opgesteld en door een geweersalvo naar de andere wereld geholpen. De kolonel liep persoonlijk tussen de gevallen edelen door en diende hen met zijn dienstrevolver het genadeschot toe. De lijken werden vervolgens in een bron buiten de muren van de moskee geworpen.

Hier scheidden zich de wegen van de beide officieren. Kapitein Long ging met het grootste deel van de inheemse troepen terug, om langs de muren van de stad te patrouilleren, terwijl de kolonel, Subahdar Ram Panat en vijftien sipajers de ossewagens verder reden.

De getuigenis van de Indiase Subahdar voor de krijgsraad ver-
haalde verder dat ze de kostbare lading naar het westen hadden
vervoerd en, dankzij het gezag van de kolonel, door de Engelse
linies hadden kunnen trekken. Ze brachten drie dagen in een in-
heems dorpje door. De plaatselijke timmerman en zijn twee
zoons werkten ter plaatse hard onder de directe leiding van de
kolonel en maakten daar vier forse houten kisten die ieder een
onderdeel van de troon konden bevatten. Ondertussen begon de
kolonel alle stenen en juwelen die in ijzer gezet waren uit het
standbeeld te verwijderen. De plaats van elke steen en juweel
was door Goodchild heel nauwkeurig op een diagram aangebracht en elke steen werd genummerd en in een ijzeren kist verpakt, zoals door de betaalmeesters van het leger gebruikt werden
om te velde de soldij veilig te bewaren. Toen de troon en de stenen eenmaal in de vier kisten en de ijzeren kist verpakt waren,
werden ze opnieuw op de ossewagens geladen en werd de reis
naar het spoorwegstation in Allahabad vervolgd.
De onfortuinlijke timmerman en zijn zoons werden verplicht
zich bij het konvooi aan te sluiten. De Subahdar wist zich te herinneren dat, toen de weg door een dicht bos liep, de kolonel af-
stapte en de drie ambachtslieden tussen de bomen bracht. Er
weerklonken zes pistoolschoten en de kolonel keerde alleen uit
het bos terug.

Ik stopte enkele ogenblikken met lezen om even stil te staan bij het
karakter van de dappere kolonel. Ik zou het beslist grappig hebben
gevonden hem aan Manny Resnick voor te stellen. Ze zouden heel
wat dingen gemeen hebben. Ik grinnikte bij die gedachte en las
weer verder.

Op de zesde dag bereikte het konvooi Allahabad en de kolonel
eiste militaire voorrang om zijn vijf kisten op de troepentrans-
porttrein te plaatsen die terugkeerde naar Bombay. Nadat hij dit
gedaan had, voegden hij en zijn kleine onderdeel zich weer bij
hun regiment in Delhi.
Zes maanden later diende kapitein Long, daarbij gesteund door
de Indiase onderofficier Ram Parnat een aanklacht in tegen de
bevelvoerende officier. We kunnen in dit geval aannemen dat de

dieven het oneens waren geworden en dat kolonel Goodchild mogelijk tot de conclusie was gekomen dat hij de schat zelf zou houden en niet in drie porties zou verdelen. Maar ook al is dit het geval, dan is er sindsdien niets gevonden dat ook maar de geringste aanwijzing verschafte over de verblijfplaats van de schat.

Het proces dat in Bombay werd gehouden was een cause célèbre en werd zowel in India als in het moederland druk besproken. Het zwakke punt voor de aanklager was dat er geen buit op tafel gebracht kon worden en dat dode mensen niet kunnen praten.

De kolonel werd onschuldig bevonden. Maar de druk van het schandaal liet hem geen andere keus over dan zijn ontslag te nemen en naar Londen terug te keren. Of hij er op de een of andere manier in slaagde de Grootmogol-diamant en de Gouden Tijgertroon mee te nemen, valt niet te zeggen. In ieder geval blijkt uit zijn nu volgende carrière niet dat hij over enig aanzienlijk kapitaal beschikte. Samen met een nogal beruchte dame uit de stad opende hij een speelhol in Bayswater Road dat al spoedig een onsmakelijke reputatie verwierf. Kolonel sir Roger Goodchild stierf in 1871, vermoedelijk aan derdegraads syfilis, opgelopen tijdens zijn opmerkelijke loopbaan in India. Zijn dood blies de verhalen over de beroemde troon nieuw leven in, maar het duurde niet lang of deze kwamen tot bedaren wegens gebrek aan nuchter feitenmateriaal en zo ging dit geheim samen met deze heer de eeuwige rust in.

Misschien hadden we beter gedaan dit hoofdstuk te noemen – 'De Schat Die Nooit Bestond'.

'Vergeet 't maar, grapjas,' dacht ik vergenoegd. 'Die schat bestond en bestaat nog.' En opnieuw begon ik het hele verhaal door te nemen, maar deze keer maakte ik terwille van Sherry allerlei aantekeningen.

Toen ik terugkwam, zat ze al in een gemakkelijke stoel bij het raam waakzaam op me te wachten en toen ik de kamer binnenkwam vloog ze op me af.

'Waar heb je gezeten?' vroeg ze. 'Ik heb hier de hele avond stervend van nieuwsgierigheid zitten wachten.'

'Je zult het allemaal niet willen geloven,' zei ik en ik dacht werkelijk een ogenblik dat ze me aan zou vliegen.

'Harry Fletcher, je krijgt tien seconden om alle inleidende verhalen te vergeten en me het goede nieuws te vertellen – en als je dat niet doet, krab ik je je ogen uit.'

We praatten tot lang na middernacht en tegen die tijd lag de vloer bezaaid met papieren die we op handen en knieën vlijtig bestudeerden. Er was een Admiraliteitskaart van de totale St. Mary's Archipel, kopieën van de tekeningen van *Dawn Light*, de aantekeningen die ik gemaakt had van de door de eerste stuurman gegeven beschrijvingen van het wrak en dan al mijn aantekeningen die ik in de leeszaal van het British Museum gemaakt had.

Ik had mijn zilveren reisflacon te voorschijn gehaald en uit een plastic bekertje dat op de wastafel stond dronken we Chivas Regal en al die tijd argumenteerden we en maakten we plannen – we probeerden te raden in welke sectie van *Dawn Light* de vijf kisten waren gestouwd, probeerden ook te raden hoe ze precies op het rif in tweeën gebroken was, welk deel in de diepe vaargeul achter het rif terecht gekomen was en welk deel weer terug in zee gevallen was.

Ik had wel twaalf mogelijkheden geschetst en ik had een lijst gemaakt van de minimumeisen van mijn benodigdheden voor een dusdanige expeditie en die lijst vulde ik steeds aan, wanneer verschillende dingen me te binnen schoten of wanneer Sherry het een of andere verstandige voorstel deed. Ik was totaal vergeten dat ze ongetwijfeld een eerste klasse diepzeeduikster was, maar hier werd ik tijdens ons gesprek aan herinnerd. Ik was me er nu terdege van bewust dat ze niet van plan was op onze expeditie louter een passagier te zijn en mijn gevoelens ten opzichte van haar werden langzaam maar zeker gekleurd met een professioneel respect. De vrolijke stemming vermengde zich met een gevoel van kameraadschap en dit alles leidde tot een crescendo van fysieke spanning.

Sherry's over het algemeen bleke zachte wangen hadden nu een kleur van opwinding gekregen. We lagen schouder aan schouder op de vloer geknield.

Op een gegeven moment draaide ze zich half naar me toe om iets te zeggen, ze grinnikte en de blauwe lichtjes in haar ogen waren tegelijkertijd plagend en uitnodigend en enkele centimeters van de mijne verwijderd. Plotseling moesten alle gouden tronen en legendarische diamanten in deze wereld op hun beurt wachten. Beiden voelden we het juiste ogenblik aan en zonder ons te schamen voor onze gretigheid keerden we ons tot elkaar. We hadden een koortsachtige haast deze gretigheid te bevredigen en we vrijden daar zonder van de vloer te komen, bovenop de tekeningen van *Dawn Light* – en dat was naar alle waarschijnlijkheid het gelukkigste moment dat dit ongelukkige schip ooit ten deel gevallen is.

Toen ik haar uiteindelijk op het bed tilde omstrengelden onze lichamen zich onder de gewatteerde deken. Ik wist dat al die korte liefdesacrobatiek die aan de ontmoeting met deze vrouw vooraf waren gegaan totaal geen betekenis hadden. Wat ik zojuist ervaren had, ging het lichamelijke genot ver te boven en werd tot een geestelijk genot – indien dit geen liefde was, kwam het er in ieder geval heel dicht bij.

Mijn stem klonk schor en was onvast van verwondering toen ik het haar probeerde te verklaren. Ze lag rustig tegen mijn borst en luisterde naar de woorden die ik nog nooit, tegen welke vrouw dan ook, gesproken had. En toen ik ophield met praten, drong ze zich tegen me aan en dat was duidelijk een bevel om verder te praten. Ik geloof dat ik nog steeds lag te praten toen we allebei in slaap vielen.

Vanuit de lucht heeft St. Mary de vorm van een van die vreemde vissen die in de onpeilbare diepten van de oceaan leven, een plat misvormd lichaam met korte dikke borstvinnen en op ongebruikelijke plaatsen staartvinnen. Daarnaast een enorme bek, die vele malen groter was dan men bij dit lichaam verwachten zou.

De bek werd gevormd door Grand Harbour en de stad lag genesteld in het scharnier van de kaak. De plaatijzeren daken schitterden als seinspiegels vanuit de donkergroene vegetatie. Het vliegtuig cirkelde over het eiland en dit gaf de passagiers een uitzicht over de sneeuwachtig witte stranden en van het water dat zo helder was dat voor het oog de verschillende koraalriffen en diepten te zamen een enorm surrealistisch schilderij vormden. Sherry drukte haar gezicht tegen het ronde perspex raampje en slaakte kreten van verrukking, toen de Fokker Friendship langzaam boven de velden met ananas omlaag zakte waar de vrouwen hun werk staakten om naar ons te kijken. Even later waren we aan de grond en taxieden we naar het kleine luchtvaartgebouwtje waarop een groot bord was aangebracht dat vertelde: 'St. Mary's Island – de Parel van de Indische Oceaan', en onder dat bord stonden twee andere onschatbare parels.

Ik had Chubby een telegram gestuurd en hij had Angelo meege-bracht om me te omhelzen en mijn koffer te pakken. Ik stelde hem aan Sherry voor. Angelo's hele houding onderging een grondige verandering. Op het eiland kent men slechts één teken van absolute schoonheid die al het andere overtreft. Een meisje kan vooruitste-kende tanden hebben en desnoods ook nog loens zijn, maar als ze een 'zuivere' gelaatskleur heeft, dan troepen de aanbidders in gro-ten getale om haar heen. Een zuivere huid behoefde nog niet te be-tekenen dat ze geen puistjes had. Het was meer een maatstaf van de kleur van de huid en Sherry had ongetwijfeld een van de zuiverste gelaatskleuren die ooit op dit eiland gezien waren.

Angelo staarde haar aan alsof hij in een soort schoktoestand ver-keerde toen ze hem een hand gaf. Maar hij wist uit deze toestand te ontwaken, gaf mij toen prompt mijn koffer terug en nam haar kof-fer over. Hij liep als een trouwe hond enkele passen achter haar aan en keek almaar ernstig naar haar. Slechts wanneer ze een blik in zijn richting wierp, brak zijn gezicht in de mij zo vertrouwde flitsende glimlach. Vanaf het allereerste ogenblik was hij haar toegewijde slaaf.

Chubby kwam met wat meer waardigheid naar voren om ons te be-groeten, nog altijd even massief en tijdloos als een klif van donker graniet. Zijn gezicht had zich verwrongen tot een grijns van zelfs nog grotere woestheid dan gewoonlijk, toen hij mijn hand in zijn enorme vereelte hand nam en iets mompelde dat moest betekenen dat hij blij was me weer te zien.

Hij staarde Sherry aan en ze versaagde min of meer onder de woest-heid van zijn blik, maar toen gebeurde er iets dat ik nooit eerder had gezien. Chubby nam zijn gehavende gouden zeepet van zijn hoofd en stelde daarmee in een ongehoorde vertoning van hoffe-lijkheid zijn glanzende kale schedel ten toon. Zijn glimlach was zo breed dat we het roze plastic tandvlees van zijn valse gebit konden zien. Hij duwde Angelo opzij toen Sherry's koffers uit de bagage-ruimte naar buiten werden gebracht, nam er een in iedere hand en ging ons toen voor naar de bestelauto. Angelo volgde haar toege-wijd en ik sukkelde achteraan onder het gewicht van mijn eigen ba-gage. Het was overduidelijk dat mijn bemanning voor een keer hun goedkeuring hechtte aan mijn keus.

We zaten in de keuken van Chubby's huis en mrs. Chubby presenteerde ons bananencake en koffie, terwijl Chubby en ik een zakelijke overeenkomst sloten. Tegen een na veel geharrewar overeengekomen bedrag, verhuurde hij ons zijn boot met de twee spiksplinternieuwe Evinrude-motoren en dit voor een onbepaalde tijd. Hij en Angelo zouden de bemanning vormen tegen hun oude loon en er zou aan het einde van de periode een behoorlijke bonus worden uitbetaald, indien onze expeditie succes opleverde. Ik trad niet in bijzonderheden over het doel van onze expeditie, maar liet hen alleen weten dat we op een van de buiteneilanden van de groep zouden kamperen en dat Sherry en ik onder water werk hadden te doen.

Tegen de tijd dat we het eens waren geworden en met handslag onze overeenkomst hadden bezegeld – de traditionele ritus hier op het eiland als men het eens was geworden – was het al diep in de middag en de eilandkoorts was al begonnen zich opnieuw van mijn constitutie meester te maken. De eilandkoorts weerhoudt de lijder eraan vandaag te doen wat redelijkerwijs uitgesteld kan worden tot morgen en dus lieten we Chubby en Angelo achter om met de voorbereidingen te beginnen, terwijl Sherry en ik een kort ogenblik stil hielden bij missus Eddy om daar wat voorraden in te slaan voor we de bestelauto over de bergrug reden en vandaar tussen de palmen door naar Turtle Bay.

'Het is net een sprookjesboek,' mompelde Sherry, toen ze onder het rieten dak van de brede veranda van het houten huis stond. 'Het is gewoon een droom.' Ze schudde met haar hoofd naar de statig heen en weer zwaaiende palmbomen en naar het zand daarachter dat zo wit was dat het pijn deed aan je ogen.

'Oh, Harry, ik dacht niet dat het er zo uit zou zien.' Er was een verandering over haar gekomen, dat voelde ik duidelijk aan. Ze was als een winterplant die te lang de zon had moeten missen, maar aan de andere kant viel er in haar een terughoudendheid te bespeuren, die ik niet kon peilen en dat hinderde me. Ze was niet eenvoudig, niet gemakkelijk te begrijpen. Er waren slagbomen, conflicten binnen in haar die zich slechts als donkere schaduwen achter in haar zeeblauwe ogen vertoonden, schaduwen die de tijgerhaaien werpen wanneer ze op grote diepten zwemmen. Meer dan eens, wanneer ze dacht dat niemand op haar lette, had ik er haar op betrapt dat ze op een manier naar me keek die plotseling berekenend en vijandig scheen – alsof ze me haatte.

Dat was geweest voor we naar het eiland kwamen en nu scheen het dat ze als een winterplant in de zon ontlook. Alsof ze hier een deel van haar zelfbeheersing opzij kon zetten, een zelfbeheersing die eerder haar temperament in bedwang gehouden had.

Ze schopte haar schoenen uit en blootsvoets draaide ze zich in mijn omsluitende armen om, ging op haar tenen staan en kuste me.

'Dank je, Harry. Dank je wel dat je me hier naartoe gebracht hebt.'

Mrs. Chubby had de vloeren geveegd en al het linnen gelucht, bloemen in de potten en kruiken gezet en de ijskast aangezet. We liepen hand in hand door het houten huis en hoewel Sherry bewonderend het een en ander over het interieur en de stevige manlijke meubelen zei, meende ik toch een glans in haar ogen op te merken die elke vrouw in haar ogen krijgt direct voor ze aanstalten maakt het meubilair alle kanten uit te schuiven en te verplaatsen en al de met liefde verzamelde maar nederige schatten uit een mans leven het raam uit te gooien.

Toen ze even bleef staan om de vaas bloemen die mrs. Chubby op de brede, uit kamferhout gemaakte kloostertafel had gezet opnieuw te schikken, wist ik dat we in Turtle Bay enkele veranderingen te zien zouden krijgen, maar vreemd genoeg verontrustte deze gedachte me niet in het minst. Ik besefte plotseling dat ik er langzamerhand doodziek van werd mijn eigen eten te koken en het huis schoon te houden.

We trokken in de grote slaapkamer onze zwempakken aan, want ik had ontdekt, en dat in de enkele uren sinds we minnaars geworden waren, dat Sherry een overontwikkeld gevoel voor persoonlijke zedigheid had en dat het dus wel enige tijd zou vergen voor ik haar kon wennen aan de nonchalante standaardtooi, waarin men in Turtle Bay zwom. Niettemin zat er een zekere compensatie voor mijn tijdelijke gekleedheid om Sherry in bikini te zien.

Het was de eerste keer dat ik echt een kans kreeg openlijk naar haar te kijken. Het meest treffende in haar was de samenstelling en de glans van haar huid. Ze was lang en indien haar schouders al wat te breed waren en haar heupen net even te slank, haar taille was smal en haar buik plat met een verrukkelijk kleine uitgesneden navel. Ik heb altijd gedacht dat de Turken gelijk hadden met de navel te zien als een belangrijk erotisch deel van het vrouwelijk lichaam – die van Sherry zou wel duizend schepen te water hebben gelaten.

Ze vond het niet prettig dat ik haar navel zo aandachtig bekeek. 'Oh, grootmoeder – wat hebt u grote ogen,' zei ze en wikkelde een grote badhanddoek als een sarong om haar middel. Maar ze liep blootsvoets door het zand en dit met zulk een onbewuste wieging van heupen en borsten dat ik er met ongeremd genoegen naar keek.

We lieten onze handdoeken boven de hoogwaterlijn achter en renden over het harde natte zand naar de rand van de heldere warme zee. Ze zwom met een bedrieglijk langzame en gemakkelijke slag, die haar echter zo snel over het water deed glijden dat ik er werkelijk hard aan moest trekken om haar in te halen en naast haar te blijven.

Achter het rif, trapten we water en ze haalde hortend adem. 'Tekort aan training,' bracht ze er hijgend uit.

Terwijl we wat op verhaal kwamen, keek ik uit over de zee en op datzelfde ogenblik brak een reeks zwarte vinnen het wateroppervlak, een lange rij, naast elkaar. Ze kwamen snel op ons af en ik kon mijn blijdschap haast niet onderdrukken.

'Je bent een bijzonder geëerde gast,' zei ik. 'Dit is een heel speciaal welkom.' De dolfijnen cirkelden om ons heen als een troep opgewonden jonge honden. Ze dartelden en piepten, terwijl ze Sherry zorgvuldig van alle kanten bekeken. Ik heb meermalen gezien hoe ze voor vreemden op de vlucht gingen en het was een ware zeldzaamheid indien ze iemand toestonden hen bij een eerste ontmoeting aan te raken en dan nog alleen maar nadat men hardnekkig had geprobeerd hen hiertoe over te halen. Met Sherry was het echter liefde op het eerste gezicht. Zo ongeveer van hetzelfde kaliber als Chubby en Angelo zo overduidelijk hadden gedemonstreerd.

Binnen een kwartier zeulden ze haar mee op een Nantucket sleetocht en Sherry gierde hierbij van plezier. Wanneer ze van de rug van de ene afviel, kwam er onmiddellijk een andere die met zijn snuit tegen haar aanduwde en op die manier hevig zijn best deed niet alleen haar aandacht maar ook haar gezelschap te winnen.

Toen ze ons tenslotte beiden doodmoe hadden gemaakt en we vermoeid naar het strand zwommen, volgde een van de grote mannetjesdolfijnen haar zover in het ondiepe water dat, toen Sherry opstond, het niet hoger dan haar middel reikte. Eenmaal daar wentelde hij zich op zijn rug, terwijl zij met handen vol grof zand zijn buik krabde en het dier trok zijn snuit tot die onbeweeglijke idiote dolfijngrijns.

Toen de duisternis al gevallen was en wij op de veranda onze whisky dronken, konden we de oude mannetjesdolfijn nog steeds horen fluiten en met zijn staart op het water horen slaan in een poging Sherry er toe te verleiden opnieuw te gaan zwemmen.

De volgende ochtend wist ik moedig aan een nieuwe aanval van eilandkoorts het hoofd te bieden en vooral aan de verleiding in bed te blijven talmen, toen Sherry naast me wakker werd met die roze glanzende gelaatsuitdrukking van een klein meisje. Haar ogen stonden helder, haar adem rook zoet en haar lippen werden smachtend naar mij toegekeerd.

We moesten de diverse uitrustingsstukken die we van *Wave Dancer* hadden weten te redden stuk voor stuk nakijken en bovendien hadden we een motor nodig om de compressor te kunnen gebruiken. Chubb werd er met een handvol bankbiljetten op uitgestuurd en keerde tenslotte terug met een motor, die heel wat liefdevolle aandacht nodig had. Aangezien dat me voor de rest van de dag afdoende bezig hield, werd Sherry naar missus Eddy gestuurd om een kampuitrusting te kopen en de nodige proviand. We hadden bepaald dat we binnen drie dagen zouden vertrekken en ik moet zeggen dat dit schema bijzonder krap bleek te zijn.

Het was nog donker toen we onze plaatsen in de boot innamen. Chubby en Angelo bij de motoren in de achtersteven en Sherry en ik als een paar mussen boven op de lading.

De dageraad was een stralend kleurenspel van goud en gloeiend rood, een belofte voor een nieuwe gloeiendhete dag. Chubby stuurde een noordelijke koers, die slechts gevolgd kon worden door een kleine boot en een goeie schipper. We voeren kort onder het eiland en het koraalrif en soms stond er niet meer dan veertig centimeter tussen onze kiel en de woeste tanden van het koraal.

We waren allemaal in een hoopvolle stemming en ik geloof echt dat het niet het vooruitzicht was op enorme rijkdom die me op dat moment zo opwond. Al wat ik echt nodig had in mijn leven was een tweede evengoede boot als *Wave Dancer*. Ik geloof dat het meer de gedachte was dat we mogelijk een zeldzame en uitgelezen schat aan de zee konden ontrukken. Indien dat wat we zochten niets anders was geweest dan staven goud of gouden munten, dan geloof ik niet dat het me half zoveel geïntrigeerd had. De zee was de tegenstander en opnieuw namen we het tegen elkaar op.

De vlammende kleuren van de dageraad gingen over in een meedogenloze, hete blauwe hemel, zodra de zon boven de kim kwam en Sherry North liep naar de voorplecht om zich van haar gekeperde katoenen jasje en broek te ontdoen. Daaronder had ze die ochtend al een bikini aangetrokken. Ze vouwde haar kleren op en stopte ze in de zeildoeken plunjezak en haalde daar ook een tube zonnebrandolie uit te voorschijn, waarmee ze nu haar prachtige wit uitziende lichaam begon in te smeren.

Chubby en Angelo reageerden met onverbloemde afkeer. Ze hielden een haastige en geërgerde bespreking, waarna Angelo met een lap zeildoek naar voren werd gestuurd om een soort zonnescherm voor Sherry op te richten. Er volgde een een verhit gesprek tussen Sherry en Angelo.

'U zult uw huid beschadigen, miss Sherry,' protesteerde Angelo, maar ze stuurde hem volkomen verslagen terug naar achteren.

En daar zat het tweetal als een stel rouwenden tijdens een lijkwade. Chubby's hele gezicht was tot een grote bruine frons gerimpeld en Angelo wrong zich openlijk van bezorgdheid de handen. Tenslotte konden ze het niet langer aanzien en na een nieuwe gefluisterde discussie werd Angelo er opnieuw als afgezant op uitgestuurd. Hij klauterde via de lading naar voren, want hij wilde zich van mijn hulp verzekeren.

'Je kunt haar dit echt niet laten doen, mister Harry,' pleitte Angelo. 'Ze wordt helemaal "donker".'

'Ik geloof dat dit ook de bedoeling is, Angelo,' vertelde ik hem. Ik waarschuwde Sherry echter omstreeks het middaguur wat voorzichtiger met de zon te zijn. Gehoorzaam kleedde ze zichzelf toen we op een zandig strand de boot aan land brachten en vervolgens het strand oprenden om ons middagmaal te gebruiken.

Het was ongeveer drie uur in de middag toen de drievoudige piek van de Old Men in zicht kwam. Sherry riep: 'Precies zoals die oude stuurman hem beschreef.'

Via de nauwe strook rustig water tussen het rif en het eiland naderden we de Old Men vanuit zee. Toen we de ingang naar de vaargeul passeerden, de ingang waar ik *Wave Dancer* had gestuurd om aan de Zinballasnelboot te ontsnappen, keken Chubby en ik elkaar grijnzend aan. De herinnering was te mooi om te vergeten en ik wendde mij tot Sherry en wees haar de plek aan.

'Ik ben van plan ons basiskamp op het eiland op te zetten en dan kunnen we die doorgang gebruiken om het gebied van het wrak te bereiken.'

''t Ziet er anders nogal riskant uit.' Ze keek met enig voorbehoud naar de nauwe vaargeul.

'Het bespaart ons een omweg van zeker dertig kilometer en dat elke dag – en het is echt niet zo erg als het lijkt. Ik heb er op een keer mijn vijftien meter lange kruiser onder vol gas doorheen gebracht.'

'Dan moet je beslist stapelgek geweest zijn.' Ze duwde haar zonnebril op haar voorhoofd om me eens goed aan te kijken.

'Wat dat betreft moet je nu wel een goed beoordelaar zijn, althans wat dat betreft...' Ik keek haar grinnikend aan en ze grinnikte terug.

'Ik ben al een expert,' pochte ze. De zon had de sproeten op haar neus en wangen wat donkerder gekleurd en haar huid een warme glans gegeven. Ze had het geluk een van de weinige mensen te zijn, wiens huid niet rood en pijnlijk wordt wanneer deze aan het zonlicht wordt blootgesteld. In plaats daarvan had ze een huid die snel een op honing lijkende bruine kleur aannam.

Het was hoog water toen we de noordelijke punt van het eiland rondtrokken en een beschermende kleine inham binnenvoeren. Chubby liet de boot op het zandige strand glijden niet meer dan twintig meter van de eerste rij palmbomen. We losten onze lading en brachten die onder de palmen ruimschoots boven de vloedlijn en opnieuw dekten we alles met grote zeilen toe om onze uitrusting te beschermen tegen het alomtegenwoordige zeezout.

Tegen de tijd dat we klaar waren was het al knap laat geworden. De zon had zijn hitte verloren en de lange schaduwen van de palmbomen wierpen strepen op de aarde toen we landinwaarts sjokten. Ieder droeg zijn persoonlijke spullen en een twintig liter blik met drinkwater. Achter de meest noordelijk gelegen piek hadden generaties bezoekende vissers in de steile helling een reeks ondiepe holen gegraven.

Ik zocht een groot hol uit dat als opslagplaats voor onze uitrusting kon dienen en een kleiner als verblijf voor Sherry en mijzelf. Chub-

by en Angelo zochten voor zichzelf een gelijksoortig hol uit, ongeveer honderd meter verderop en dank zij een stel struiken voor ons
onzichtbaar.

Ik liet Sherry achter om onze nieuwe verblijfplaats uit te vegen. Ze
deed dit met een bezem die ze van palmbladen gemaakt had. Ze zou
ook zorgen voor onze opblaasbare matras en daar de slaapzakken
op klaarleggen. Ik ging met mijn werpnet terug naar de kreek.

Het was al donker, toen ik met tien grote gestreepte ponen in ons
kamp terugkeerde. Angelo had een vuur aangelegd en het water
kookte. We aten in een tevreden zwijgen en later lagen Sherry en ik
samen in onze grot en luisterden naar de krabben die tussen de palmen door scharrelden.

'Het lijkt de oertijd wel,' fluisterde Sherry, 'alsof we de eerste man
en vrouw op de wereld zijn.'

'Ik Tarzan, jij Jane,' stemde ik met haar in. Ze giechelde en kroop
wat dichter naar me toe.

Bij het eerste ochtendgloren vertrok Chubby alleen in zijn boot
voor de lange terugreis naar St. Mary. Hij zou de volgende dag met
een volle lading benzine en drinkwater in twintig-literblikken terugkomen. Voldoende voor minstens zes weken.

Terwijl we op zijn terugkomst wachtten, namen Angelo en ik de
vermoeiende taak op ons om alle uitrustingsstukken en voorraden
naar de grotten te dragen en daar op te slaan. Ik stelde de compressor op, vulde de lege zuurstofflessen en controleerde de duikuitrusting. Sherry zocht een plaats waar we onze kleren konden hangen
en maakte in het algemeen gesproken ons verblijf wat meer com-
fortabel.

De volgende dag doorkruisten we het eiland, beklommen de pieken en verkenden de dalen en stranden daartussen. Ik had gehoopt
water te vinden, een bron of een waterput, die door andere bezoekers over het hoofd was gezien – maar natuurlijk vond ik er niet
een. Die uiterst slimme oude vissers zagen nu eenmaal niets over
het hoofd.

Het zuidelijk deel van het eiland dat het verst van ons kamp verwijderd lag, was ontoegankelijk vanwege de zoutmoerassen tussen de
piek en de zee. We liepen langs de rand van de uitgestrekte stinkende modder en dicht moerasgras en de hele atmosfeer stonk en was

zwaar door de rottende vegetatie en de dode vis.

Kolonies rode en purperen krabben hadden de moddervlakten overdekt met hun holen waaruit ze met hun ogen op steeltjes ons aangaapten, toen we langs hen liepen. In de wortelbomen zaten reigers hoog op hun ruime en ruige nesten te broeden en een keer hoorde ik een plons en zag iets in een van de moeraspoelen bewegen dat, voor zover mij bekend, alleen maar een krokodil had kunnen zijn. We lieten de koortsmoerassen achter en klommen naar hoger gelegen grond en vandaar baanden we ons door het dichte struikgewas een weg naar de meest zuidelijk gelegen piek.

Sherry besliste dat we ook deze zouden beklimmen. Ik probeerde haar hier van af te brengen, want het was niet alleen de hoogste maar ook de steilste. Aan mijn protest werd geen enkele aandacht geschonken en zelfs nadat we een smalle rand onder de zuidelijke klif van de piek hadden bereikt, bleef ze vastbesloten doorlopen.

'Als de eerste officier van *Dawn Light* een weg naar de top kon vinden – dan blijf ik niet achter,' kondigde ze aan.

'Je hebt vandaar precies hetzelfde uitzicht als van de andere pieken,' merkte ik op.

'Daar gaat 't niet om.'

'Waar gaat 't dan om?' vroeg ik en ze schonk me die medelijdende blik die gewoonlijk gereserveerd wordt voor kleine kinderen en zwakzinnigen. Ze weigerde mijn vraag een antwoord waardig te keuren en vervolgde haar voorzichtig zijdelings geschuifel langs de uitstekende rand.

Direct onder ons liep de rotswand zeker zestig meter loodrecht omlaag. Indien er één onvolkomenheid in mijn geduchte arsenaal van talent te vinden is, dan is het dat ik hoogtevrees heb. Maar eerlijk, ik zou nog liever op een been boven op de spits van St. Paul's Cathedral gaan staan dan dit aan Sherry North te bekennen. En dus volgde ik haar, zij het met enorme tegenzin. Gelukkig hadden we nog maar enkele passen gedaan, toen ze een kreet van triomf slaakte, de richel achter zich liet en een nauwe verticaal lopende spleet in de rotswand binnenging. De breuk in de rotswand had een soort trap doen ontstaan, waardoor we gemakkelijk door de gevormde schacht naar de top konden klimmen. Ik volgde haar met een gevoel van opluchting. Bijna onmiddellijk slaakte Sherry weer een kreet.

'Oh, mijn God, Harry, kijk!' Ze wees naar een tegen weer en wind beschermd deel van de rotswand, meer achter in de gevormde, donkere nis. Heel lang geleden had iemand hier geduldig een inscriptie in de gladde oppervlakte gebikt.

A. BARLOW.
OP DEZE PLEK SCHIPBREUK GELEDEN
14 OKT. 1858.

Terwijl we naar de inscriptie staarden, voelde ik hoe haar hand naar de mijne zocht en ze kneep in mijn hand, alsof haar dit troost gaf en wat opbeurde. Ze was nu niet langer de onverschrokken bergbeklimster en de uitdrukking op haar gezicht had iets angstigs toen ze het handschrift nader bekeek.

''t Is gewoon griezelig,' fluisterde ze. 'Het is net alsof het gisteren gedaan is – niet zoveel jaren geleden.'

Nu was het inderdaad zo dat de letters tegen alle weersinvloeden beschermd waren geweest en daardoor scheen het of ze pas gekerfd waren. Ik wierp een blik om me heen, alsof ik half en half verwachtte de oude zeeman te zien, terwijl hij ons gadesloeg.

Toen we tenslotte het laatste deel van de steile schacht beklommen en de top bereikten, waren we nog steeds onder de indruk van die boodschap uit een ver verleden. We bleven bijna twee volle uren op de top zitten en keken hoe de branding in lange witte strepen op het Gunfire Rif kapot brak. De opening in het rif en het wijde donkere bassin van de Break was vanaf onze gunstige positie duidelijk te zien en het was zelfs mogelijk de loop van de smalle doortocht door het koraal te volgen. Vanaf deze plek had Arthur Barlow *Dawn Light* in haar doodsstrijd gadegeslagen, had hij gezien hoe zij door de hoge branding in tweeën gebroken werd.

'We hebben de tijd nu tegen, Sherry,' vertelde ik haar, toen de vakantiestemming van de laatste paar dagen verdween. 'Het is nu veertien dagen geleden sinds Manny Resnick met *Mandrake* uit Engeland vertrok. Hij zal nu langzamerhand wel in de buurt van Kaapstad zijn. Maar zodra hij daar aankomt, zullen we 't weten.'

'Hoe?'

'Ik heb daar een oude vriend wonen. Hij is lid van de jachtclub. Hij zal een oogje in het zeil houden en me telegraferen, zodra de *Mandrake* meert.'

Ik keek langs de rughelling van de piek omlaag en voor het eerst merkte ik de blauwachtige waas van rook op die door de toppen van de palmbomen omhoog waaierde. Rook van Angelo's keuken- vuur.

'Ik ben op deze tocht niet helemaal bij mijn verstand geweest,' mompelde ik. 'We hebben ons gedragen als een stelletje schoolkin- deren, die een dagje uit zijn. Van nu af aan dienen we onze veilig- heidsmaatregelen te vergroten – precies aan de andere kant van de vaargeul zit mijn oude vriend Suleiman Dada en de *Mandrake* zal hier eerder ronddartelen dan me lief is. Van nu af aan zullen we ons meer gedekt moeten houden en minder zichtbaar moeten maken.'

'Hoe lang denk je dat we nodig zullen hebben?' vroeg Sherry.

'Ik zou het waarachtig niet weten, liefje – maar reken er wel op dat het meer tijd zal vragen dan we denken nodig te hebben. We wor- den het meest opgehouden door het feit dat we al ons drinkwater en alle benzine die we nodig hebben in St. Mary moeten halen. Daar- naast kunnen we bij ieder tij slechts enkele uren in het bassin werken. De toestand en de hoogte van het water spelen daarbij een belangrijke rol. Wie weet wat we daar allemaal zullen aantreffen wanneer we eenmaal begonnen zijn. Uiteindelijk kunnen we wel tot de ontdekking komen dat de kisten van de kolonel in het achter- deel van *Dawn Light* waren gestouwd. Indien dat het geval is ge- weest, dan kun je alles wel gedag zeggen.'

'Daar hebben we het al eerder over gehad, jij afschuwelijke pessi- mist,' maakte Sherry me een standje. 'Denk aan prettige mogelijk- heden.'

En dus dachten we alleen aan prettige zaken, deden prettige din- gen, totdat ik eindelijk de kleine donkere stip ontdekte – als een waterkever op het koperkleurige oppervlak van de zee – het was Chubby die met zijn boot uit St. Mary terugkeerde.

We klommen omlaag en liepen haastig door de palmbomen om hem aan het strand op te vangen. Hij zwenkte juist rond de punt en voer de kreek binnen, toen wij op het strand aankwamen. Onder de zware last van het drinkwater en de benzine lag de boot laag op het water. Chubby stond even massief en groot en even tijdloos als een rotsblok op het achterschip. Toen we naar hem zwaaiden en schreeuwden, neeg hij alleen maar heel ernstig het hoofd alsof hij daarmee zeggen wilde dat hij ons gezien en gehoord had.

Mrs. Chubby had hem een bananencake meegegeven en voor Sherry bovendien een grote, uit palmbladeren gevlochten zonnehoed. Chubby had dus blijkbaar rapport uitgebracht over het gedrag van Sherry en de uitdrukking op zijn gezicht was nog somberder dan gewoonlijk, toen hij zag dat de schade al was aangericht. Sherry was door de zon geroosterd tot een eetbare, halfgare biefstuk.

De duisternis was al gevallen, toen we uiteindelijk de vijftig twintigliterblikken naar de voorraadgrot gebracht hadden. Daarna gingen we rond het vuur zitten waarop Angelo bezig was een eilandgerecht van mosselen te brouwen, die hij die middag in de kreek had verzameld. Het werd nu tijd dat ik mijn bemanning het een en ander vertelde over de juiste reden van deze expeditie. Ik kon erop vertrouwen dat Chubby zijn mond zou houden, zelfs al werd hij gefolterd – maar ik had opzettelijk gewacht totdat Angelo hier overgeleverd was aan het isolement van het eiland voor ik het hem vertelde. Het is van hem bekend dat hij de meest monsterlijke indiscreties beging – gewoonlijk in een poging indruk te maken op zijn jeugdige vriendinnetjes.

Ze luisterden zwijgend naar mijn uiteenzetting en bleven ook zwijgen toen ik uitgepraat was. Angelo zat domweg te wachten tot Chubby het woord zou nemen en deze was nu niet bepaald iemand, die meteen tot de aanval overging. Hij zat met gefronst voorhoofd in het vuur te staren en zijn gezicht had veel weg van een van die koper geslagen maskers, die men in de tempels van de Azteken vindt. Toen hij de juiste sfeer aan dramatische spanning had gecreëerd, stak hij zijn hand in zijn achterzak en haalde een portemonnaie te voorschijn, die zo oud en zo vaak gebruikt was dat het leer bijna geheel versleten was.

'Toen ik nog een jongen was en in de kreek van Gunfire Rif viste, haalde ik een grote oude vis op. Toen ik zijn buik opensneed vond ik daar dit in.' Uit de beurs haalde hij een ronde schijf. 'Ik heb het altijd bewaard als een soort amulet, ook toen een officier op een van de schepen, waarop ik voer, mij tien pond voor het ding bood.'

Hij overhandigde mij het ronde voorwerp en ik bekeek het nauwkeurig bij het licht van de vlammen. Het was een gouden munt ter grootte van een shilling. De achterkant was bedekt met oosterse lettertekens die ik uiteraard niet kon lezen, maar de voorkant droeg een afbeelding van twee klimmende leeuwen die een schild en een gehelmd hoofd droegen. Hetzelfde dessin dat ik voor het laatst ge-

zien had op de bronzen scheepsbel op Big Gull Eiland. Het op-
schrift onder het schild luidde: **'AUS: REGIS & SENAT: ANG-
LIA.'** Op de rand stond de stoutmoedige naam **'ENGLISH EAST
INDIA COMPANY.'**

'Ik heb mezelf altijd beloofd dat ik nog een keer naar Gunfire Break
zou teruggaan – en het ziet er naar uit dat het nu zover is,' ging
Chubby verder, terwijl ik de munt nauwkeurig onderzocht. Er
stond geen datum op, maar ik twijfelde er geen ogenblik aan dat het
een gouden mohur van de maatschappij was. Ik had over de munt
het een en ander gelezen maar er nooit een gezien.

'Je hebt die uit de buik van een vis gehaald, Chubby?' vroeg ik en hij
knikte.

'Vermoed dat die ouwe vis het ding zag glinsteren en er domweg
naar hapte. Is toen zeker in zijn buik blijven steken, totdat ik hem
uit het water haalde.'

Ik gaf hem het muntstuk terug. 'Wel, Chubby, dat bevestigt tot op
zekere hoogte dat er waarheid in mijn verhaal schuilt.'

'Dat schijnt inderdaad 't geval te zijn, Harry,' gaf hij toe. Ik stond
op en liep naar onze grot om de tekeningen van *Dawn Light* te halen
en een gaslamp. Vlijtig bestudeerden we de tekeningen en aangezien Chubby's grootvader als marsgast op een East Indiavaarder
gevaren had, maakte hem dit min of meer tot een expert. Hij was
van mening dat alle passagiersbagage en andere kleine hanteerbare
kisten of dozen in het voorruim, naast het vooronder, waren gestouwd en ik voelde er niets voor hierover met hem te argumenteren. Maak je nooit kwaad, had Chubby me zo dikwijls gewaar-
schuwd. Toen ik vervolgens mijn tijdschema's te voorschijn haalde
en de tijdverschillen voor onze breedtegraad berekende, glimlachte Chubby zowaar. Hoewel het moeilijk als zodanig te herkennen
viel. Het had veel meer weg van een spotlach, want Chubby stelde
geen enkel vertrouwen in rijen op papier gedrukte cijfers. Hij gaf er
de voorkeur aan het tij te schatten naar de zeeklok in zijn eigen
hoofd. Ik heb het meegemaakt dat hij nauwkeurig voor een volle
week het tij wist te bepalen en dit zonder enige andere bron van
gegevens.

'Ik vermoed dat we morgen om een uur veertig hoogtij hebben,'
kondigde ik aan.

'Man, je hebt het toevallig deze keer bij het rechte eind,' stemde

Chubby in.

Zonder de enorme lading die we de laatste tijd aan haar hadden toevertrouwd, scheen Chubby's boot met een nieuwe lichtzinnigheid en gretigheid te varen. De twee Evinrude-motoren schenen haar op het wateroppervlak te tillen en ze schoot over de vaargeul door het rif als een fret in een konijnehol. Angelo stond op de voorplecht en gaf handsignalen om op die manier Chubby op de achterplecht op de hoogte te brengen met eventuele onderwaterbarrières. We hadden de juiste waterstand gekozen om binnen te varen en vol vertrouwen stak Chubby de stompe boeg van de boot in de afnemende branding. De kleine boot gooide de boeg omhoog en gleed met haar kiel over de deining. Een gordijn van waterdruppels doorweekte ons.

De doorvaart was meer opwindend dan gevaarlijk en Sherry schreeuwde en danste door de sensatie die dit alles haar gaf.

Chubby joeg de boot door de nauwe hals tussen de stukken koraalrif en we hadden aan weerskanten meer dan voldoende ruimte. Maar deze boot was uiteindelijk ook maar half zo breed als *Wave Dancer*. Hierna volgden we een zig-zag koers door de slingerende vaargeul en tenslotte schoten we het bassin binnen.

'Het heeft geen zin het anker uit te werpen,' gromde Chubby. 'Het is hier te diep. Het rif gaat praktisch loodrecht naar beneden. We hebben minstens zesendertig meter water onder ons en de bodem is rotsachtig.'

'Hoe ben je dan van plan de boot op zijn plaats te houden?' vroeg ik.

'Iemand moet bij de motor blijven zitten en de boot met langzaam draaiende schroeven op haar plaats houden.'

'Maar dat vreet brandstof, Chubby.'

'Dacht je dat ik dat niet wist,' gromde hij.

Aangezien het nog geen dood tij was, kwam er zo nu en dan een golf over het rif. Nog niet met al te veel kracht, niet veel meer dan een schuimende plasregen die in de kom viel en de oppervlakte van het water in een soort schuimend gemberbier veranderde. Maar naarmate het tij toenam, werd ook de overkomende branding sterker. Het zou niet lang meer duren of het zou daar gevaarlijk worden en we zouden 'm als een haas moeten smeren. We hadden ongeveer twee uur om te werken en dat was min of meer afhankelijk van de graad van doodtij en springtij. Het was meestal een cyclus, waarbij je of te veel of te weinig van het goede kreeg. Bij laagtij was de waterstand te laag om door de vaargeul te komen – en bij hoogtij was het niet uitgesloten dat de branding die over het rif kwam de open boot zou verpletteren. Elke stap die we deden diende heel nauwkeurig berekend te worden.

Van nu af was elke minuut kostbaar. Sherry en ik hadden onze duikpakken al aan en onze gezichtsmaskers rustten op ons voorhoofd. Angelo hoefde alleen maar de zware luchtcilinders op onze rug te tillen en onze harnassen vast te maken.

'Klaar, Sherry?' vroeg ik. Ze knikte. Ze had het weinig bevallige mondstuk voor haar ademhaling onder water al in haar aantrekkelijke mond gepropt.

'Dan gaan we maar.'

We lieten ons over de railing vallen en zonken samen omlaag onder de sigaarvormige romp van de boot. Het wateroppervlak boven ons was niet meer dan een bewegende dunne laag kwikzilver en het over het rif neerstortende water veranderde de bovenste laag in iets dat men het best vergelijken kon met schuimende champagne.

Ik lette op Sherry. Ze voelde zich best en ademde met het langzame ritme van de ervaren duiker, die lucht vasthoudt en het lichaam doeltreffend ventileert. Ze grinnikte tegen me. Haar lippen werden verwrongen door het mondstuk en haar ogen werden enorm vergroot door de glazen plaat. Ze gaf met beide duimen omhoog het teken dat alles in orde was.

Ik richtte mijn hoofd recht naar de bodem en begon mijn zwemvliezen snel heen en weer te bewegen. Ik ging snel omlaag, want ik had geen zin lucht te verknoeien door langzaam te duiken.

De kom onder ons was niet veel meer dan een donker gat. De omringende koraalmuren hielden het grootste deel van het invallende licht tegen en gaven het daardoor een onheilspellend uiterlijk. Het water was koud en donker. Ik voelde een prikkeling van bijgelovig ontzag. De hele plaats had iets onheilspellends, alsof de een of andere kwalijke en boosaardige macht zich daar in die duistere diepten verscholen hield.

Ik duimde even voor me zelf en Sherry ging toen omlaag en volgde daarbij de schier loodrechte koraalwand. Het koraal had op tal van plaatsen donkere holen en richels die weer over de lagere gedeelten van de wand hingen. Koraal van wel honderd verschillende soorten die in allerlei griezelige, maar ook bijzonder mooie vormen uit de wand te voorschijn kwamen en gekleurd waren met alle kleuren van het spectrum. Zeewier en andere aangroei golfden en slingerden door de beweging van het water heen en weer, als de handen van smekende bedelaars of de donkere manen van wilde paarden. Ik keek omhoog naar Sherry. Ze was dicht achter me en weer glimlachte ze. Het was duidelijk dat zij totaal geen ontzag voelde voor al dat donker om haar heen. We doken verder omlaag.

Uit de verborgen richels staken de lange gele voelsprieten van reusachtige kreeften. Zacht bewogen de sprieten zich heen en weer als voelden ze in het onrustige water onze aanwezigheid. Wolken veelkleurige koraalvissen zweefden langs de koraalwand. Ze glinsterden als edelstenen in het langzaam afnemende blauwe licht dat tot op grote diepte in de kom doordrong. Sherry tikte me op de schouder en we stopten om in een diep donker hol te gluren. Twee grote uilachtige ogen gluurden naar ons en toen mijn ogen aan het licht gewend waren, ontdekte ik de reusachtige kop van een diepzeevis. Die kop was gespikkeld als het ei van een kievit, zwarte en bruine vlekken op een grijsbeige achtergrond en de bek was niet meer dan een brede spleet tussen dikke rubberachtige lippen. Terwijl we naar hem keken, nam de reusachtige vis een verdedigende houding aan. Hij blies zichzelf op en verhoogde daarmee de al indrukwekkende omvang, spreidde vervolgens de kieuwdeksels uit, vergrootte de kop en opende tenslotte zijn bek tot een scheur, die een man in zijn geheel zou kunnen verzwelgen – een bek die veel weg had van een spelonk en afgezet met puntige tanden. Sherry greep mijn hand. We trokken ons terug van het hol en de vis deed prompt zijn bek dicht en slonk weer tot zijn normale grootte. Elke keer wanneer ik een alle wereldrecords slaande diepzeevis voor me wilde opeisen, wist ik waar ik die zoeken moest. Zelfs als ik rekening hield met de vergrotende werking van het water, schatte ik de vis toch zeker op vijfhonderd kilo. We zakten verder langs de koraalwand naar beneden en overal om ons heen vloeide de hele wonderlijke onderwaterwereld over van leven en schoonheid, dood en gevaar. Prachtige kleine vissen nestelden zich in de giftige takken van de reuzezeeanemoon, immuun voor de voor anderen dodelijke pijlen. Een Moray-aal gleed als een donkere strijdvaan langs de koraalwand, bereikte zijn leger en draaide zich toen om. Hij dreigde ons met zijn angstaanjagende puntige tanden en glinsterende slangachtige ogen.

Nog verder zakten we omlaag, peddelend met onze zwemvliezen en tenslotte zag ik de bodem. Een donker oerwoud van zeeplanten, groeiend zeebamboe en versteende koraalbomen, die uit het verstikkende zeeloof omhoogstaken, terwijl wallen en heuveltjes van koraal in vormen waren gespleten die alle verbeelding tartten.

We zweefden boven deze ondoordringbare jungle en ik controleerde mijn polshorloge en mijn dieptemeter. Ik las een diepte af van achtendertig meter en die tijd die verstreken was sinds we ondergedoken waren bedroeg vijf minuten en veertig seconden.

Ik gaf Sherry een signaal om haar te zeggen dat ze moest blijven waar ze was en ik zwom omlaag tot aan de toppen van het diepzeeoerwoud. Voorzichtig maakte ik een opening in het koude slijmerige bladerdak. Ik werkte me hier doorheen en kwam nu terecht in een betrekkelijk open gedeelte onder al dat loof. Het was een schemerachtig gebied waarvan het dak gevormd werd door het bamboe, terwijl het geheel bevolkt werd door vreemde, nieuwe soorten vis en ander zeegedierte.

Ik voelde als 't ware onmiddellijk aan dat het geen eenvoudige taak zou zijn de bodem van de kom te onderzoeken. Het zicht bedroeg hier niet meer dan drie meter en soms nog minder, terwijl het gehele gebied dat we moesten bestrijken minstens twee tot drie are groot was.

Ik besloot Sherry mee omlaag te nemen. Dan konden we om te beginnen een blik werpen bij de basis van de wand. We moesten daarbij achter elkaar zwemmen en in elkaars zicht.

Ik zoog mijn longen vol en maakte gebruik van de daardoor ontstane opwaartse druk om van de bodem omhoog te komen, door de dichte laag loof terug in de open ruimte.

Ik zag Sherry niet onmiddellijk en ik voelde een scherpe steek van bezorgdheid. Maar toen zag ik de zilverachtige luchtbellen, die scherp afstekend tegen de donkere koraalmuur omhoog stegen. Ze had mijn instructies niet opgevolgd en was weggezwommen. Ik voelde me bijzonder geprikkeld. Ik maakte gebruik van mijn vinnen om naar haar toe te komen en was nog ongeveer zes meter van haar vandaan, toen ik zag wat ze deed. Mijn ergernis maakte onmiddellijk plaats voor schrik en afgrijzen.

De lange reeks ongevallen en ongelukken die ons daar in Gunfire Break zouden achtervolgen, waren begonnen.

Uit de koraalwand groeide een prachtig waaiervormig iets dat zich bevallig heen en weer bewoog, zich vertakte en opnieuw vertakte en de kleur liep van lichtroze tot rood.

Sherry had een grote tak afgebroken. Ze hield het ding in haar blote handen en zelfs, terwijl ik zo snel mogelijk naar haar toezwom, zag ik hoe haar benen heel licht langs de rode takken van het zo gevreesde vuurkoraal streken.

Ik greep haar polsen en trok haar van de wrede, maar prachtige plant weg. Ik begroef mijn duimen in haar vlees en schudde heftig haar handen om haar zo te dwingen haar beduchte last te laten vallen. Ik was praktisch buiten mezelf, want ik wist dat uit de cellen van de takken van deze koraalplant tienduizenden nietige poliepen hun van weerhaken voorziene giftige pijltjes in haar vlees afschoten. Ze keek me met grote verslagen ogen aan, zich bewust dat er iets ergs gebeurd was, maar niet zeker wat het was. Ik hield haar vast en begon onmiddellijk aan de tocht naar boven. Zelfs in mijn ongerustheid zorgde ik er wel voor de elementaire regels van het omhoogkomen van grote diepte in acht te nemen. Dat wilde onder meer zeggen dat ik niet sneller mocht stijgen dan mijn eigen luchtbellen maar ongeveer gelijk met hen moest blijven.

Ik controleerde mijn stopwatch – acht minuten en dertig seconden waren verlopen. Dat betekende dat we drie minuten op een diepte van negenendertig meter hadden doorgebracht. Snel berekende ik mijn decompressiepauzen, maar ik moest kiezen tussen het duikersrisico van caissonziekte en de omvang van Sherry's ophanden zijnde doodsstrijd.

De voorafgaande folterende pijn zette reeds in voor we halverwege waren. Haar gezicht verwrong en haar ademhaling veranderde in een onregelmatig wanhopig hijgen en een ogenblik vreesde ik dat ze de mechanische doeltreffendheid van haar ademhalingsapparatuur zou uitschakelen en het met haar tanden zo sterk zou samendrukken dat ze niet langer lucht zou krijgen. Ze begon in mijn greep te kronkelen en de palmen van haar handen werden rood. De vurige rode striemen rezen als zweepslagen op haar dijbenen op en ik dankte God voor de bescherming, die haar duikerpak haar lichaam gegeven had.

Toen ik haar op ruim vier meter onder de wateroppervlakte vasthield voor een decompressie-pauze, vocht ze wild. Schopte om zich
heen en kronkelde in mijn greep. Ik maakte de pauze zo kort als ik
het aandurfde en bracht haar toen boven water.

Hetzelfde ogenblik dat onze hoofden door het wateroppervlak braken, spuwde ik mijn mondstuk uit en schreeuwde: 'Chubby! Vlug!'
De boot lag niet meer dan vijftig meter van ons vandaan, maar de
motor draaide stationair en Chubby keerde de boot op haar staart.
Zodra de boeg van de boot op ons gericht was, gaf Chubby het roer
aan Angelo en klauterde naar de voorplecht. Hij kwam als een grote bruine kolos op ons af.

'Vuurkoraal, Chubby,' schreeuwde ik. 'Ze is zwaar geraakt. Help
haar aan boord!'

Chubby leunde over de railing en greep haar harnas achter in haar
nek stevig vast. Hij tilde haar in een ruk uit het water en ze slingerde
als een verdrinkend poesje in zijn grote bruine knuisten heen en
weer.

Ik loosde mijn luchtflessen in het water, Angelo zou ze wel opvis-
sen, ontdeed me van mijn harnas en toen ik tenslotte over de railing
aan boord klauterde, had Chubby haar op de planken neergelegd.
Hij leunde over haar heen en hield haar in zijn armen om haar rustig
te houden en haar gekreun en snikken van pijn te doen ophouden.

Ik vond mijn medicijnkist in de boeg onder een stapel losse uitrustingsstukken. Mijn vingers werkten in mijn grote haast onhandig,
toen ik Sherry's snikken achter me hoorde. Ik brak de hals van een
ampul morfine en vulde een weggooibare injectienaald met de heldere vloeistof. Nu was ik zowel boos als bezorgd. 'Stomme meid,'
snauwde ik tegen haar. 'Waarom deed je in Gods naam zoiets
krankzinnig stoms?'

Ze kon geen antwoord geven. Haar lippen trilden en zagen blauw,
gevlekt door speeksel. Ik nam de huid van haar dij tussen duim en
wijsvinger en dreef de naald in haar vlees en drukte langzaam de
inhoud van de injectienaald in haar lichaam. Boos ging ik verder:
'Vuurkoraal – Goeie God, je bent me de schelpkundige wel. Zelfs
een kind hier op dit eiland is nog niet zo stom.'

'Ik dacht niet na, Harry,' hijgde ze moeilijk.

'Dacht niet na –' bauwde ik haar na, want haar pijn maakte me nog bozer. 'Ik geloof niet dat je iets in je hoofd hebt om mee te denken, jij kleine stommeling met je vogelverstand.'

Ik trok de naald uit haar vlees en zocht gehaast in mijn medicijnkist naar de antihistamine pulverisator.

'Ik moest je eigenlijk over de knie leggen, jij...'

Chubby tilde zijn hoofd op en keek me recht aan. 'Harry, als je nog een keer zo iets tegen miss Sherry zegt en, man – dan blijft me niet anders over dan je je hersens in te slaan, heb je me verstaan?'

Met niet meer dan wat lichte verbazing realiseerde ik me dat hij het meende. Ik had hem al eerder iemands hersens in zien slaan en ik wist dat dit iets was wat je beter kon voorkomen en dus zei ik tegen hem:

'In plaats van toespraken te houden – wat dacht je ervan als je ons eens zo snel als de weerlicht terugbracht naar het eiland.'

'Je behandelt haar vriendelijk, man, anders zal ik je een stel blaren op je kont bezorgen dat je zou wensen dat jij degene was geweest die op dat vuurkoraal gezeten had in plaats van zij, verstaan?'

Ik negeerde zijn opstandige uitbarsting en sproeide de kwaadaardige rode striemen met een beschermende en verzachtende vloeistof en daarna tilde ik haar in mijn armen en hield haar daar, totdat de morfine de afschuwelijke brandende pijn van de steken begon te verzachten. Chubby bracht ons zo vlug mogelijk naar het eiland terug.

Toen ik Sherry naar onze grot droeg, was ze al half in slaap door het verdovingsmiddel. Die nacht bleef ik constant naast haar zitten en hielp ik haar over de rillende en het zweet uitbrekende koorts die het gevolg was van het kwaadaardige vergif. Een keer kreunde ze en fluisterde half ijlend: 'Het spijt me, Harry. Ik wist het niet. Het is voor het eerst dat ik in koraalwater duik. Ik herkende 't niet.'

Chubby en Angelo sliepen evenmin. Ik hoorde het gemompel van hun stemmen bij het vuur en elk uur kuchte een van hen beiden voor de ingang tot de grot en vroeg dan bezorgd: 'Hoe gaat 't met haar, Harry?'

Tegen de ochtend had Sherry de ergste gevolgen van de vergiftiging overwonnen en de vele prikken hadden nu plaats gemaakt voor een gemene uitslag van blaren. Het duurde echter nog zesendertig uur, voordat iemand van ons voldoende geestdrift kon opbrengen om de kom weer te lijf te gaan en toen was het tij verkeerd. We moesten nog een dag wachten.

Kostbare uren gleden voorbij. Ik kon me zo voorstellen dat de *Mandrake* een vlekkeloze overtocht had. Ze had de indruk gemaakt een snelle en krachtige boot te zijn en elke dag die we verspilden, knaagde aan de voorsprong waarop ik gerekend had.

Op de derde dag na het ongeval voeren we weer naar de kom. Het was in de loop van de middag en we namen wat de waterstand betreft het nodige risico. Te vroeg in het opkomende tij voeren we door de geul en de scherpe tanden van het koraal waren slechts enkele centimeters van de bodem verwijderd. Aangezien Sherry nog niet helemaal de oude was en haar handen nog steeds in verband gewikkeld waren, bleef ze in de boot achter en hield daar Angelo gezelschap. Chubby en ik doken samen, gingen snel omlaag en bleven net lang genoeg boven het heen en weer schommelende bamboe hangen om de eerste boei uit te zetten. Ik was tot de conclusie gekomen dat het noodzakelijk was om de bodem van de kom eerst systematisch af te zoeken. Ik zette het gehele gebied in grote vierkanten uit en verankerde zichzelf opblazende boeien aan een nylon lijn boven het woud van bamboe en andere vegetatie uit.

We werkten ongeveer een uur en vonden niets dat erop wees dat hier ergens een wrak lag. Gezegd moet worden dat grote delen van het koraal bedekt waren met dichte vegetatie en dat dit heel wat nauwkeuriger onderzocht diende te worden. Ik gaf deze gebieden op de onderwaterlei die langs mijn dijbeen hing zo nauwkeurig mogelijk aan.

Aan het einde van ons eerste uur was de hoeveelheid lucht in de dubbele negentig kubieke voet flessen tot een onbehaaglijk laag peil gezakt. Chubby gebruikte meer lucht dan ik. Niet alleen was hij veel zwaarder gebouwd, maar bovendien liet zijn techniek te wensen over en daarom controleerde ik dan ook regelmatig zijn drukmeter.

Ik nam hem mee terug naar boven en was uiterst zorgvuldig wat de decompressiepauzes betreft, ondanks het feit dat Chubby duidelijk blijk gaf van zijn gebruikelijke ongeduld. Hij had nooit, zoals ik, een duiker te snel omhoog zien komen waardoor zijn bloed in zijn aderen als champagne begon te bruisen. De daaruit voortvloeiende hevige pijn kan een man verlammen en een luchtbel die zich in zijn hersenen vastzet kan blijvende schade veroorzaken.

'Geluk gehad?' riep Sherry, zodra we boven water kwamen. Ik wees met mijn duim omlaag om het tegendeel duidelijk te maken, terwijl we naar de boot zwommen. We dronken koffie uit de thermosfles en ik rookte een cheroot, terwijl we wat uitrustten en babbelden. Ik geloof dat we allen min of meer teleurgesteld waren dat we niet onmiddellijk een succesje geboekt hadden, maar ik hield de moed erin door mijn voorgevoel dat we spoedig iets zouden vinden. Chubby en ik verwisselden onze luchtflessen voor een paar volle en weer verdwenen we in de diepte. Deze keer wilde ik niet langer dan drie kwartier op een diepte van negenendertig meter werken, want het effect van mogelijke gasabsorptie in het bloed culmineert en wanneer je te veel en te kort achter elkaar duikt maakt dit 't gevaar van culminatie groter.

We werkten zorgvuldig door het woud van bamboestammen en over gevallen koraalblokken, onderzochten de geulen en spleten die er tussen lagen, stopten om de paar minuten om de plaatsen die bijzonder de aandacht trokken op de lei aan te geven, gingen dan weer verder en zochten zo systematisch alles tussen mijn uitgezette boeien af.

De verstreken tijd bedroeg nu drieënveertig minuten en ik wierp een blik op Chubby. Niet een van onze duikerpakken zou hem gepast hebben en dat was de reden dat hij met uitzondering van een oud zwart wollen badpak volkomen naakt was. Hij zag er precies uit als een van mijn bevriende dolfijnen – alleen niet zo gracieus – toen hij zich een weg door de vegetatie baande. Ik grinnikte bij de gedachte en stond op het punt mij weer om te draaien, toen een toevallige lichtstraal door het bladerdak boven ons drong en op iets wits op de bodem van het bassin viel, direct onder Chubby. Ik peddelde er vlug naar toe en onderzocht het witte voorwerp. Eerst dacht ik dat het een stuk van een mosselschelp was, maar toen merkte ik op dat het daarvoor veel te dik was en ook te regelmatig van vorm. Ik liet me er nog wat dichter naar toe zakken en zag dat het zich vastgezet had in een in verval geraakte laag Coelenterakoraal. Ik tastte naar het kleine breekijzer aan mijn riem, trok het ding uit de schede en brak het stuk koraal dat het witte voorwerp bevatte los. Het brok woog ongeveer vijf pond en ik liet het in mijn gevlochten draagtas glijden.

Chubby had al die tijd toegekeken en ik gaf hem nu het teken dat we omhoog moesten gaan.

'En?' riep Sherry, zodra we bovenkwamen. Haar verplichte verblijf op de boot scheen haar zenuwen beslist geen goed te doen. Ze was prikkelbaar en ongeduldig. Ik was echter niet van plan haar te laten duiken, voordat de griezelige, etterende kwetsuren op haar handen en dijbenen genezen waren. Ik wist maar al te goed hoe gemakkelijk deze open wonden onder deze omstandigheden voor een tweede keer geïnfecteerd konden worden en ik gaf haar steeds antibiotica en probeerde haar rustig te houden.

'Ik weet 't niet,' zei ik, toen we naar de boot zwommen. Ik overhandigde haar het draagnet. Ze nam het gretig aan en, terwijl wij aan boord klommen en onze duikuitrusting uittrokken, onderzocht ze de klomp nauwkeurig en draaide hem naar alle kanten.

De branding brak reeds woedend op het rif, stortte zich kokend in de kom en de boot schommelde en danste in het onrustige water. Het viel Angelo niet mee haar op haar plaats te houden – en het was hoog tijd om te vertrekken. We hadden onder water niet meer tijd doorgebracht dan ik voor een dag toelaatbaar vond en het zou bovendien niet lang meer duren of de machtige oceaanbranding zou beginnen zich over het rif te storten en over de kom te jagen.

'Breng ons naar huis, Chubby,' riep ik. Hij liep onmiddellijk naar de motoren. Al onze aandacht was nu gericht op de ruwe tocht door het smalle kanaal. Het opkomende water kwam nu onder onze voorplecht, zodat we op de kam van de branding voeren en gleed met zo'n snelheid onder de bodem van de boot door dat onze snelheid werd teruggebracht en het roer averechts werkte, waardoor de dreiging ontstond op te loeven en zijwaarts tegen de wanden van het rif aan te smakken. Chubby's zeemanschap versaagde echter geen ogenblik en tenslotte schoten we het beschermde water achter het rif binnen en keerden we naar het eiland terug. Nu kon ik al mijn aandacht wijden aan het voorwerp dat ik uit de kom omhoog gebracht had. Terwijl Sherry me allerlei adviezen gaf die ik echt niet nodig had en ze me steeds waarschuwde voorzichtig te zijn, legde ik de klomp koraal op de doft en gaf er met het breekijzer een harde klap op. Het brok koraal viel in drie stukken uiteen en er kwamen een aantal artikelen te voorschijn, die opgenomen en beschermd waren door de levende koraalpoliepen. Ik vond drie grijze voorwerpen ter grootte van een knikker. Ik nam er een uit het koraalbed en woog het ding op mijn hand. Het was zwaar. Ik overhandigde de knikker aan Sherry.

'Enig idee?' vroeg ik.

'Musketkogels,' zei ze zonder een ogenblik te aarzelen.

'Natuurlijk,' stemde ik met haar in. Ik had dat zelf kunnen ontdekken en ik maakte dit weer goed door het volgende voorwerp te identificeren.

'Een kleine koperen sleutel.'

'Wat ben je toch een genie!' zei ze ironisch. Ik negeerde die opmerking, terwijl ik met uiterste zorg het witte voorwerp trachtte los te maken dat in de eerste plaats mijn aandacht had getrokken. Het kwam te langen leste vrij en ik draaide het om, zodat ik het blauwe dessin dat er aan één kant op aangebracht was beter kon bestuderen.

Het was een stuk wit geglazuurd porselein, een brokstuk van de rand van een schaal dat versierd was met een familiewapen. De helft van de tekening ontbrak, maar ik herkende onmiddellijk de klimmende leeuw en de woorden 'Senat. **ANGLIA.**' Het was opnieuw het devies van John Company en de schaal was kennelijk een deel van het scheepsservies.

Ik gaf het stuk aan Sherry en plotseling realiseerde ik me hoe het gegaan moest zijn. Ik vertelde haar hoe ik het zag en ze luisterde kalm, terwijl ze met de porseleinen scherf speelde. 'Toen uiteindelijk de branding haar kiel brak en het koraal haar in tweeën scheurde, gebeurde dit hoogstwaarschijnlijk ergens in het midden en alle zware lading en uitrusting begon nu te schuiven en brak de van binnen aangebrachte waterdichte schotten in stukken. Hierdoor stroomde als 't ware alles het schip uit, kanonnen en kogels, al het servies en zilverwerk, flessen en kroezen, geld en pistolen – het zou de bodem van de kom gewoon bezaaid hebben. De rijke uitzaai van door mensenhanden gemaakte artikelen en het koraal heeft alles toen opgeslorpt en geabsorbeerd.'

'De kisten met schatten?' vroeg Sherry. 'Zouden die ook uit de romp gevallen zijn?'

'Ik zou 't je niet kunnen zeggen,' gaf ik min of meer toe en Chubby die aandachtig had zitten luisteren, spuwde over de rand en gromde wat.

'Het voorruim was altijd voorzien van een dubbele wand, acht centimeter dikke eiken planken, om te voorkomen dat de lading bij storm begon te schuiven. Alles wat er toen in zat, zit er nu nog in.'

'En deze diagnose zou je in Harley Street tien pond gekost hebben,' zei ik knipogend tegen Sherry. Ze lachte en wendde zich tot Chubby.

'Ik weet niet wat we zonder jou zouden moeten doen, mijn beste Chubby,' waarop Chubby moordzuchtig zijn voorhoofd fronste en plotseling iets aan de verre horizon ontdekte dat al zijn aandacht in beslag nam.

Het was eerst veel later, nadat Sherry en ik op een van de afgezonderde stukjes strand gezwommen hadden, schone kleren hadden aangetrokken en nu rond het vuur zaten met een glas Chivas Regal en genoten van verse steurgarnalen die we uit de lagune hadden opgehaald, dat de blijdschap voor onze eerste kleine vondsten begon af te nemen – en meer nuchter begon ik aandacht te schenken aan de gevolgtrekkingen indien inderdaad *Dawn Light* in tweeën was gebroken en de hele inhoud nu verspreid lag over die broeikas daar op de bodem van de kom.

Indien Chubby ongelijk had en de kisten met hun enorme gewicht aan goud door de wanden van het ruim gevallen waren dan zou het een eindeloze geschiedenis worden om er naar te zoeken. Ik had vandaag wel tweehonderd brokken en hopen koraal gezien – en elk kon een deel van de tijgertroon van India bevatten.

Maar indien hij gelijk had en het ruim had de lading vast weten te houden, dan zouden de poliepen van het koraal zich over het hele voorstuk van de boot verspreid hebben. En dat zou betekenen dat daar op de bodem van de kom al het houtwerk bedekt zou zijn met laag na laag verkalkte steen en dit zou tenslotte uitgegroeid zijn tot een gepantserde bewaarplaats voor de schat en voor het oog gemaskeerd door de weelderige groei van zeevegetatie. We bespraken de zaak tot in de kleinste bijzonderheden en ieder van ons begon de grootte van de taak die we ons gesteld hadden in te zien en we werden het er over eens dat die taak in twee afzonderlijke delen uiteenviel.

Eerst moesten we de plaats van de schatkisten bepalen en identificeren en dan pas konden we beginnen ze los te maken uit de zeer zeker weerspannige omklemming van het koraal.

'Je weet toch wel wat we hiervoor nodig hebben, is 't niet, Chubby?'

vroeg ik. Hij knikte instemmend.

'Heb je die twee kisten nog?' Ik schaamde me in wezen om in de aanwezigheid van Sherry het woord geligniet te gebruiken. Het herinnerde me te nadrukkelijk aan het project, waarvoor Chubby en ik het noodzakelijk hadden geacht grote voorraden van aan te leggen. Dat was nu drie jaar geleden geweest, tijdens een bijzonder slap seizoen. Ik was toen gewoon wanhopig geweest om geld bijeen te krijgen om zowel mezelf als *Wave Dancer* drijvende te houden. Zelfs de meest ruime interpretatie van de wet had ons plan nog niet wettelijk geoorloofd kunnen maken en ik wilde dat hoofdstuk maar het liefst sluiten en vergeten. Maar nu hadden we die springstof hard nodig.

Chubby schudde het hoofd. 'Man, dat spul begon te zweten als een stuwadoor tijdens een hittegolf. Als je binnen een afstand van vijftien meter een boer zou hebben gelaten, zou het de hele bovenkant van het eiland hebben weggeblazen.'

'Wat heb je er mee gedaan?'

'Angelo en ik hebben het weggebracht naar het Mozambique Kanaal en hebben het daar in de diepte laten zakken.'

'We zullen toch op zijn minst een paar kisten nodig hebben. Je hebt op zijn minst een volle lading nodig om die grote brokken koraal daar beneden los te breken.'

'Ik zal wel weer met mr. Coker praten – hij moet het voor ons in orde kunnen maken.'

'Doe dat, Chubby. Wanneer je de volgende keer weer naar St. Mary gaat dan zeg je Fred Coker voor drie kisten te zorgen.'

'Wat dacht je van die handgranaten die we van *Wave Dancer* hebben kunnen redden?' vroeg Chubby.

'Vergeet 't maar,' zei ik. Ik zou niet graag willen dat er in mijn doodsbericht stond: 'De man die probeerde MK VII handgranaten negenendertig meter onder water tot ontploffing te brengen.'

Een onnatuurlijke stilte en de met elektriciteit geladen hitte deden me de volgende ochtend wakker worden. Ik lag wakker te luisteren, maar zelfs die kleine krabben waren stil en ook het voortdurende geruis van de palmbladeren was weggevallen. Het enige geluid dat ik hoorde was de diepe en zachte ademhaling van de vrouw naast me. Ik kuste haar zacht op haar wang en slaagde erin mijn slechte arm onder haar hoofd weg te halen zonder haar te wekken. Sherry schepte er altijd over op dat ze nooit een kussen gebruikte. Met een houding van dat ze wist wat ze zei, beweerde ze dat het slecht voor de ruggegraat was, maar dat weerhield haar er toch niet van elk passend onderdeel van mijn lichaam als kussenvervangend middel te gebruiken.

Ik kuierde de grot uit en probeerde met wat massage de bloedcirculatie in mijn arm weer te herstellen. Terwijl ik een plengoffer bracht aan mijn favoriete palmboom bestudeerde ik de hemel.

Het was een bleke dageraad, besmeurd met een donkere nevel, die de sterren vervaagde. De hitte lag zwaar en loom over de aarde en er was geen briesje dat hierin verandering bracht. Mijn huid prikkelde in de geladen atmosfeer.

Chubby was bezig twijgjes op het gedoofde vuur te leggen en probeerde er wat leven in te blazen toen ik terugkwam. Hij keek me aan en bevestigde mijn eigen diagnose.

'Het weer is bezig om te slaan.'

'Wat krijgen we, Chubby?' Hij haalde zijn schouders op. 'De barometer is gezakt tot 28.2, maar tegen het middaguur zullen we het weten,' antwoordde hij en hij begon opnieuw voor het vuur te zorgen.

Het weer had ook Sherry niet onberoerd gelaten. Haar haren bij de slapen waren vochtig van het transpireren en ze snauwde gemelijk tegen me, toen ik schoon verband om haar handen deed. Maar enkele minuten later kwam ze achter me staan, terwijl ik me aan 't kleden was en legde haar wang tegen mijn blote rug.

'Sorry, Harry, maar 't is vanochtend zo afschuwelijk klef en benauwd.' Ze gleed met haar lippen over mijn rug en raakte met haar tong het verdikte litteken van de kogelwond aan.

'Is 't me vergeven?' vroeg ze.

Chubby en ik doken die ochtend om elf uur in de kom. We waren precies achtendertig minuten beneden geweest zonder enige ontdekking van betekenis te doen, toen ik het zachte kling! kling! kling! hoorde – dat door het water heen naar ons uitgezonden werd. Ik stopte en luisterde. Ook Chubby had het werk gestaakt. Het geluid kwam opnieuw, drie maal herhaald. Aan de oppervlakte van de kom had Angelo de helft van een één meter lange ijzeren staaf in het water gehangen en sloeg hierop met een hamer het terugroepsignaal. Ik gaf Chubby met open hand een teken en dat betekende 'naar boven'. We begonnen onmiddellijk aan onze opstijging.

Toen we in de boot klommen, vroeg ik ongeduldig:'Wat is er aan de hand, Angelo?' Als antwoord wees hij over het getande rif naar de open zee. Ik zette mijn masker af en knipperde met mijn ogen. Ze hadden even tijd nodig zich van het beperkte zicht op negenendertig meter diepte te herstellen.

Het lag laag en donker tegen de zee, een smalle donkere veeg. Alsof de een of andere speelse godheid een houtskoolstreep langs de horizon getrokken had – maar zelfs toen ik aandachtig keek, zag ik die streep dikker worden – zag ik hoe deze zich uitspreidde over het lichtere blauw van de hemel. Donkerder, steeds donkerder steeg de streep uit de zee omhoog. Chubby liet een fluitend geluid horen en schudde het hoofd.

'Daar hebben we Lady C. Ze heeft verdomd veel haast.'

De snelheid van dat lage donkere front was gewoon griezelig. Het kwam hoger en trok een rouwgordijn langs de hemel. Toen Chubby de beide motoren startte en snel op de vaargeul afstuurde, bedekten de eerste voortjagende slierten de zon.

Sherry kwam naast me op het doft zitten en hielp me om het vastplakkende natte rubberen pak uit te trekken.

'Wat is er aan de hand, Harry?' vroeg ze.

'Lady C,' vertelde ik haar. 'Het is een cycloon, eenzelfde als degene die *Dawn Light* schipbreuk liet lijden. Ze is opnieuw op jacht.' Angelo haalde van de voorpiek de reddingsboeien en gaf er ons elk een. We deden ze om en zaten dicht naast elkaar. We keken toe hoe de cycloon in al haar afschuwelijke pracht naderbij kwam, de zon uitschakelde en de hemel veranderde van zuiver blauw in een laag grauw dak van goor uitziende, voortsnellende wolken. We liepen voor de wind, kwamen uit het smalle kanaal en vlogen als 't ware over het binnenwater naar de bescherming van de kreek. We keken achter ons en stuk voor stuk versaagden onze harten, toen we ons bewust werden hoe broos we eigenlijk waren in vergelijking tot deze aanstormende macht.

Het wolkenfront passeerde boven onze hoofden toen we de baai binnenvoeren en vrijwel direct werden we in een soort schemertoestand gedompeld, geladen met een woede die weldra los zou barsten. De wolken sleepten een gordijn van koude vochtige lucht onder hen mee. Die koude lucht ging nu over ons heen en we rilden door dit plotselinge temperatuursverschil. Met een gierend geluid stortte de wind zich op ons en veranderde de hele atmosfeer in een warreling van zand en voortjagend sproeiwater.

'De motoren,' schreeuwde Chubby tegen me, toen de boot op het strand stond. Die twee nieuwe Evinrudes vertegenwoordigden de helft van zijn tijdens zijn leven bijeengegaarde spaargeld en ik begreep zijn bezorgdheid maar al te goed.

'We zullen ze meenemen.'

'En de boot?' drong Chubby aan.

'Laat die maar zinken. De kust heeft hier een stevige zandbodem waar ze op kan liggen.'

Terwijl Chubby en ik beide motoren uit de boot haalden, sjorden Angelo en Sherry het zeildoek over het open dek om onze uitrustingstukken veilig te stellen en gebruikten daarna de nylonduiklijnen om de onvervangbare luchtflessen en waterdichte kisten waarin onze medicijnen en ook onze gereedschappen zaten vast te binden.

Terwijl Chubby, Sherry en ik de twee zware Evinrudes optilden, gaf Angelo de wind een kans om onze boot de baai in te duwen waar hij onmiddellijk de stoppen uit de bodem trok zodat de boot zich met water vulde. De hoge door de wind tot razernij gebrachte zee stortte zich over de rand en snel zakte ze omlaag in zes meter diep water.

Angelo zwom naar het strand terug en gebruikte daarvoor koppig de zijslag waardoor de golven over zijn hoofd braken. Op dat moment hadden Sherry en ik bijna de rij palmbomen bereikt.

Diep gebukt onder mijn last wierp ik een blik achter me. Chubby kwam met logge tred achter ons aan. Hij was met die tweede motor al even zwaar belast. Liep ook diep gebukt onder het dode gewicht en waadde door het tot het middel reikende opgewaaide witte zand. Angelo dook uit zee op en volgde hem. Ze zaten vlak achter ons toen we tussen de bomen renden. Als ik ook maar één ogenblik gehoopt had hier beschutting te vinden dan was ik wel gek, want het duurde niet lang of we kwamen tot de ontdekking dat we uit een aan weer en wind blootgestelde positie van acuut ongemak nu in een echt en dodelijk gevaar terecht waren gekomen. De harde winden van de cycloon ranselden de palmbomen tot een krankzinnige razernij. Het geluid dat dit veroorzaakte was een oorverdovend ratelend gebrul dat door zijn intensiteit gewoon verbijsterend was. De lange gracieuze stammen van de palmbomen zwiepten wild. De wind klauwde de kruinen los en deze vlogen in een nevel van zand en water als enorme misvormde vogels rond.

We renden achter elkaar langs een van de slecht afgebakende voetpaden, Sherry voorop met haar beide handen boven haar hoofd. Ik was voor het eerst dankbaar voor het beetje bescherming dat de grote motor op mijn schouder me gaf, want stuk voor stuk werden we blootgesteld aan een dubbel dreigend gevaar.

Uit de zwiepende palmbomen vlogen van vijftien meter hoogte trossen keiharde cocosnoten naar omlaag. Zo groot als kanonskogels en bijna even gevaarlijk. Deze projectielen bombardeerden ons terwijl we voortrenden. Een van die noten raakte de motor die ik droeg en de klap kwam zo hard aan dat ik even op mijn benen waggelde. Een tweede viel naast het voetpad, maar bij zijn tweede stuiting raakte de noot Sherry onder tegen haar been. Hoewel de meeste kracht van de val al gebroken was, sloeg het ding haar toch nog tegen de grond en deed haar door het zand rollen als een door een snelvuurgeweer geraakte springbok. Toen ze weer overeind gekrabbeld was, hinkte ze moeilijk, maar desondanks rende ze dwars door de levensgevaarlijke regen van cocosnoten verder.

We hadden bijna de rug van de heuvels bereikt, toen de wind de kracht van haar aanval verhoogde. Ik hoorde hoe het gierend geluid boven ons een hogere toon kreeg en zodra het de boomtoppen bereikte als een wild dier brulde. Het overdekte ons met een nieuwe laag zand en toen ik even een blik voor me uit wierp, zag ik de eerste palmboom vallen.

Ik zag hoe de boom vermoeid overhelde, uitgeput in zijn poging aan de wind weerstand te bieden. De grond rond de stam kwam omhoog toen de wortels uit de zanderige bodem werden losgescheurd. Tijdens zijn val werd de snelheid groter, zwaaide daarbij in een angstwekkende boog, als de bijl van een hoofdman, en kwam recht op ons af. Sherry liep ongeveer vijftien passen voor mij uit en was juist begonnen van de heuvelrug omlaag te rennen. Haar gezicht was naar de grond gekeerd, zij lette daarbij op haar voeten en nog steeds hield ze haar handen boven haar hoofd.

Ze rende voort precies in de loop van een vallende boom. Ze scheen zo klein en zo broos onder die stevige stam van omlaag komend hout. Het ding zou haar met een enkele reusachtige slag verpletteren.

Ik schreeuwde tegen haar, maar hoewel ze toch heel dichtbij was, kon ze me niet horen. Het gebrul van de wind scheen al onze zinnen te overstemmen. Omlaag kwam de lange slanke stam van de palmboom en Sherry liep precies in zijn valrichting. Ik liet de motor van mijn schouder vallen en rende naar voren. Zelfs toen zag ik al dat ik haar nooit op tijd zou kunnen bereiken. Ik dook naar voren en strekte mijn rechterarm zoveel mogelijk naar voren. Ik raakte Sherry's naar achteren gebrachte voet en sloeg deze dwars langs haar andere been, toen ze hem naar voren bracht voor de volgende stap. De enkelgreep van het rugbyveld. Ze struikelde en viel voorover met haar gezicht in het zand. Terwijl wij daar samen languit lagen kwam de palmboom omlaag. De kracht van de slag gonsde door de lucht, zelfs boven het geluid van de wind uit en de klap tegen de grond was zo hevig dat deze zich via de grond naar mijn lichaam overplantte. Niet alleen trilde mijn hele lichaam door de dreun, maar zelfs mijn tanden klapperden in mijn kaken. In minder dan geen tijd was ik weer overeind en zette ik ook Sherry weer op haar beide benen. De palmboom was haar op een afstand van nog geen halve meter voorbijgevlogen. Ze was dodelijk verschrikt en verbijsterd. Ik hield haar enkele ogenblikken in mijn armen en probeerde haar zo wat troost en vooral kracht te geven. Toen tilde ik haar over de palmboom die ons pad versperde, wees naar de heuvelrug en gaf haar een duw.

'Ren!' schreeuwde ik. Ze liep half struikelend verder. Angelo hielp me om de motor op mijn schouder te tillen. We klauterden over de boom en zwoegden verder langs de helling, achter Sherry aan.

Overal om ons heen hoorde ik de ploffen van vallende palmbomen. Ik probeerde met mijn gezicht omhoog voort te rennen, zodat ik de volgende dreiging kon zien aankomen voor deze me raakte. Maar een tweede rondvliegende cocosnoot raakte me hard tegen mijn slaap. Heel even zag ik niets en waggelde blindelings verder en nam daarbij alle risico's tussen de monsterlijke valbijlen van vallende palmbomen.

Ik bereikte de top van de heuvelrug zonder het te beseffen en ik was dan ook volkomen onvoorbereid op de volle ongebroken kracht van de wind in mijn rug. Deze dreef me vooruit. De grond viel weg onder mijn voeten, toen ik als 't ware over de heuvelrug werd gesmeten. Mijn knieën knikten en de motor en ik rolden de tegenoverliggende helling af. Op weg naar beneden haalden we Sherry North in en raakten haar achter tegen haar voortsnellende benen. Ze viel boven op me en voegde zich nu bij de motor en bij mij voor een gezamenlijke gehaaste afdaling.

Het ene ogenblik lag ik boven en het volgende moment zat miss North ergens tussen mijn schouderbladen, even later gevolgd door de motor boven op ons allebei.

Toen we het einde van de steilste helling bereikt hadden en daar samen als een gehavend en dodelijk vermoeid hoopje vodden lagen bij te komen, werden we door de heuvelrug beschermd tegen de directe furie van de wind en daardoor was het mogelijk te horen wat Sherry zei. Het was direct duidelijk dat ze bijzonder gebelgd was over wat zij als een niet uitgelokte aanval zag en luidkeels gaf ze te kennen wat ze dacht over mijn afkomst, mijn karakter en mijn opvoeding. Zelfs in mijn eigen desperate omstandigheden vond ik haar boosheid bijzonder komisch en ik begon dan ook hartelijk te lachen. Ik zag dat ze haar best deed voldoende krachten te verzamelen om me te slaan en daarom besloot ik haar af te leiden.

'– Jack and Jill went up the hill
They each had a dollar and a quarter –'
En min of meer knerpend zei ik tegen haar:
'– Jill came down with half a crown
They didn't go up for water.'
Even staarde ze me aan alsof ik maar wat bazelde en toen begon ze ook te lachen, maar haar lach had iets hysterisch.

'Oh, jij loeder!' zei ze snikkend van het lachen, terwijl de tranen haar over de wangen stroomden. Haar doornatte, met zand overdekte haren bengelden in dikke donkere slierten rond haar gezicht. Angelo dacht dat ze huilde. Hij trok haar liefdevol overeind en hielp haar de laatste paar honderd meter langs de helling omlaag. Hij liet het aan mij over die vervloekte motor nogmaals op mijn toch al pijnlijke schouders te laden en de helling verder af te komen.

Onze grot was zodanig geplaatst dat het de cycloonwinden kon doorstaan. Naar alle waarschijnlijkheid waren de grotten juist met het oog daarop uitgekozen. Ik vond het zeildoek terug dat zich rond de stam van een palmboom gewikkeld had en gebruikte het nu om de ingang van de grot af te schermen. Op het op de grond hangende deel stapelde ik stenen om het zeil omlaag te houden en nu hadden we een vaag verlichte schuilplaats, waarin we als twee gewonde dieren wegkropen.

Ik had de motor bij Chubby in zijn grot achtergelaten. Ik wist dat Chubby dat ding met de liefde, zoals een moeder haar zieke kind, zou verzorgen en dat, zodra de cycloon voorbij was getrokken, het ding weer geschikt zou zijn voor zee.

Toen ik eenmaal het zeildoek zo had vastgemaakt dat het de grot afschermde en de wind buiten hield, konden Sherry en ik ons uitkleden en onszelf van alle zout en zand ontdoen. We gebruikten daarvoor een kom vol kostbaar drinkwater. Om de beurt gingen we er in staan en sponsden elkaar af.

Ik was één bundel schrammen en bulten vanwege mijn lange gevecht met de motor en hoewel mijn medicijnkist nog altijd in de boot op de bodem van de baai lag, vond ik in mijn tas een grote fles met mercurochroom. Sherry begon onmiddellijk aan een overtuigende imitatie van Florence Nightingale. Met het antiseptisch middel en een rol watten wreef ze mijn verwondingen in en murmelde ondertussen woorden van medeleven en allerlei andere sympathieke geluiden.

Ik geniet altijd wanneer iemand zoveel notitie van me neemt en ik stond daar in een soort hypnotische toestand, waarbij ik dan weer een arm ophief of een been bewoog, al naargelang me gevraagd werd. Het eerste duidelijke bewijs dat miss North mijn ernstige kwetsuren niet behandelde met de zorg die ze verdienden, was toen ze plotseling een kreet van vrolijkheid slaakte en mijn meeste delicate extremiteit vol smeerde met een rode klodder mercurochroom. 'Rudolph, het rendier met de rode neus,' schaterde ze. Ik wist me voldoende uit mijn semi-hypnose wakker te schudden om bitter te protesteren.

'Hé, weet je wel dat je dat spul niet af kan wassen.'

'Prima!' riep ze uit. 'Dan ben ik tenminste in staat je te vinden, als je in een menigte verloren raakt.' Ik voelde me door die onbetamelijke lichtzinnigheid meer dan geschokt. Ik probeerde al mijn waardigheid terug te krijgen en begon een droge broek te zoeken.

Sherry liet zich op de matras vallen en keek naar me, terwijl ik mijn tas nazocht.

'Hoe lang gaat dit grapje duren?' vroeg ze.

'Vijf dagen,' antwoordde ik, terwijl ik even ophield met zoeken om naar het niet aflatende gebrul van de wind te luisteren.

'Hoe weet je dat?'

'Het duurt altijd vijf dagen,' legde ik haar uit, terwijl ik in mijn short stapte en deze omhoog hees.

'Dat geeft ons in ieder geval een beetje tijd om elkaar beter te leren kennen.'

We waren door de cycloon gekooid, samen opgesloten in de beperkte ruimte van een paar meter grot en het was een vreemde ervaring.

Iedere onderneming naar buiten waartoe wij door de natuur gedwongen werden of anders om te controleren hoe het met Chubby en Angelo ging, was vol ongemak en gevaar. Hoewel de bomen tijdens de eerste twaalf uur van de orkaan ontdaan waren van al hun vruchten en de zwakkere bomen in die periode eveneens het onderspit hadden moeten delven – was er toch nog altijd wel een boom die plotseling omlaag kwam en de losse afval met de palmbladeren vlogen als pijlen op de wind rond, met voldoende kracht om iemand te verblinden of letsel te bezorgen.

Chubby en Angelo versleten al hun tijd door rustig aan de motoren te werken. Ze haalden ze uit elkaar en wasten al het zoute water af. Ze hadden iets dat hen bezig hield.

In onze grot, toen eenmaal de nieuwsgierigheid er af was, ontwikkelde zich een wilscrisis en eveneens een besluitcrisis, die ik niet helemaal kon bevatten, maar die ik aanvoelde als bijzonder kritisch.

Ik had nooit doen voorkomen alsof ik Sherry North volledig begreep. Er waren te veel onbeantwoorde vragen, te veel terughoudendheid, barrières die mij niet toegestaan waren te passeren. Ze had tot nu toe geen enkele verklaring of uitleg gegeven omtrent haar gevoelens en er was ook nooit met één woord gerept over de toekomst. Dit was een hoogst vreemde zaak, want elke andere vrouw die ik ooit gekend had, had altijd verwacht – nee, geëist – dat er liefdes- en hartstochtverklaringen zouden volgen. Ik voelde ook aan dat deze besluiteloosheid haar evenveel benauwde als mij. Ze zat ergens in gevangen waar ze hard tegen vocht en zolang die strijd duurde, kregen haar gevoelens er behoorlijk van langs.

Wat Sherry betreft werd er met geen woord over gerept, want ik had die stilzwijgende overeenkomst zonder meer aanvaard en we spraken gewoon niet over wat we voor elkaar voelden. Ik vond dit een beperking, die in flagrante strijd was met mijn karakter, want ik ben nu eenmaal een minnaar die zich graag in bloemrijke bewoordingen uit. Indien ik er tot nu toe niet in geslaagd mocht zijn zelfs een vogel uit een boom omlaag te praten, dan is dat waarschijnlijk alleen maar, omdat ik dit nog niet ernstig geprobeerd heb. Ik kon mezelf zonder al te veel moeite aan de situatie aanpassen. Het was vooral het niet aanwezig zijn van een toekomst dat me het meest ergerde.

Alles maakte de indruk dat Sherry helemaal niet wilde dat onze relatie langer duurde dan het ondergaan van de zon. En toch wist ik dat ze niet echt zo voelde, want gedurende de ogenblikken van toenadering die de anders afwijzende houding doorspekten, was geen twijfel mogelijk.

Toen ik op een keer een gesprek begon over mijn plannen voor de toekomst wanneer we eenmaal de schat boven water hadden gebracht – hoe ik van plan was naar mijn eigen ontwerp een boot te laten bouwen, een boot die al de beste aspecten van mijn geliefde *Wave Dancer* zou belichamen – hoe ik het plan had een nieuw huis op Turtle Bay te bouwen dat meer zou verdienen dan de benaming hut – hoe ik het zou meubileren en bewonen – nam ze geen deel aan het gesprek. Toen ik op een gegeven moment zweeg, omdat ik niet meer wist wat te zeggen, draaide ze zich op de matras om en deed alsof ze sliep, hoewel ik de spanning in haar lichaam kon voelen zonder haar aan te raken.

Een andere keer betrapte ik haar er op dat ze me weer met die vijandige, haatdragende blik aankeek. Maar een uur later was ze lichamelijk althans weer in een razend hartstochtelijke bui en dit was wel in lijnrechte tegenstelling met haar andere houding.

Ze sorteerde en naaide mijn kleren uit mijn plunjezak, zat daarbij met gekruiste benen op de matras en werkte met keurige vakkundige steken. Toen ik haar bedankte, maakte ze een scherpe en spottende opmerking en het draaide er op uit dat we een laaiende ruzie kregen, ze de grot uitliep en door de voortrazende wind naar Chubby's grot rende. Ze kwam niet eerder terug dan toen de duisternis zich al over het eiland gelegd had. Chubby bracht haar en had in zijn handen een lantaren om haar pad te verlichten.

Chubby keek me aan met een uitdrukking, die een mindere man zou hebben doen smelten en weigerde botweg mijn uitnodiging om een whisky met me te drinken. En zoiets betekende dat hij of erg ziek was of zijn afkeuring te kennen wilde geven. Hij verdween in de storm en mompelde dreigend.

Op de vierde dag van ons gedwongen verblijf in de grot waren mijn zenuwen volkomen van streek, maar ik had in die dagen het vraagstuk betreffende Sherry's vreemde gedrag van alle kanten bekeken en was tenslotte tot een conclusie gekomen.

Zoals ze daar met mij samen opgesloten zat in die kleine grot, was ze er uiteindelijk toe gedwongen geworden haar gevoelens voor mij nader onder de loep te nemen. Ze was bezig verliefd te worden, waarschijnlijk voor het eerst in haar leven en haar felle gevoel van onafhankelijkheid haatte die ervaring. Om de waarheid te zeggen kan ik niet beweren dat de situatie mij erg aanstond – of liever gezegd, ik genoot van de korte ogenblikken van berouw en het liefdesspel tussen elke nieuwe driftbui – maar ik keek vurig uit naar het ogenblik dat ze het onvermijdelijke zou aanvaarden en zich volledig zou onderwerpen.

Ik zat bij wijze van spreken nog steeds op dat gelukkige ogenblik te wachten, toen ik bij het eerste ochtendgloren van de vijfde dag ontwaakte. Het eiland lag in een greep van absolute stilte. Een stilte die na het tumult van de orkaan bijna verlammend werkte. Ik lag op mijn rug en luisterde naar de stilte zonder mijn ogen te openen. Maar toen ik naast me beweging voelde draaide ik mijn hoofd om en keek haar aan.

'De storm is over,' zei ze zacht en stond op.

Naast elkaar liepen we naar buiten, het vroege zonlicht tegemoet. We keken knipperend met onze ogen om ons heen naar de vernieling die de storm had aangericht. Het eiland zag er net zo uit als foto's van een of ander slagveld tijdens de Eerste Wereldoorlog. De palmbomen waren ontdaan van hun gebladerte. De naakte stammen richtten zich deerniswekkend naar de hemel en de aarde onder hen was dicht bezaaid met palmbladeren en cocosnoten. En over dit alles hing een absolute stilte. Geen zuchtje wind en de hemel was bleek, melkachtig blauw, nog steeds bezwangerd met een waas van zand en zee.

Chubby en Angelo kwamen nu uit hun grot te voorschijn. Net grote beer en kleine beer aan het einde van de winter. Ook zij bleven staan en keken onzeker om zich heen.

Plotseling stootte Angelo een Comanche-kreet uit en sprong een meter hoog. Na vijf dagen van gedwongen opsluiting kon hij zijn dierlijk temperament niet langer beteugelen. Hij rende als een hazewindhond tussen de palmbomen door.

'Wie het laatst in het water springt is een druiloor,' schreeuwde hij. Sherry was de eerste die aan zijn uitdaging gehoor gaf. Ze rende ongeveer tien passen achter hem, maar toen ze het strand bereikten doken zij gelijktijdig de lagune in. Volledig gekleed. En onmiddellijk begonnen ze elkaar met handenvol zand te bekogelen. Chubby en ik volgden, maar deden het gezien onze leeftijd wat kalmer aan. Nog steeds gekleed in zijn felkleurige gestreepte pyjama, liet Chubby zijn dikke hammen in zee zakken.

'Ik kan niet anders zeggen, man, dan dat 't je goed doet,' gaf hij ernstig toe. Ik nam een krachtige haal aan mijn cheroot toen ik naast hem ging zitten. Het water kwam tot aan mijn middel. Ik gaf hem het peukje cheroot.

'We zijn vijf dagen achterop geraakt, Chubby,' zei ik en onmiddellijk begon hij somber te kijken.

'Laten we dan maar aan 't werk gaan,' gromde hij, terwijl hij daar in zijn geel en paars gestreepte pyjama met de peuk cheroot in zijn mond in de lagune zat, precies een enorme bruine brulkikvors.

Vanaf de top keken we omlaag naar het ondiepe water van de lagune en hoewel het water nog steeds een beetje donker was door de nevel van spattend zeewater en rondwoelend zand, was de walvissloep duidelijk zichtbaar. Ze was wat zijwaarts afgedreven en lag nu in zes meter diep water op haar bodem. Het gele dekzeil bedekte nog steeds het dek.

Met behulp van luchtzakken brachten we de boot boven water en toen eenmaal haar dolboord boven het wateroppervlak kwam, waren we in staat haar leeg te hozen en haar naar het strand te roeien. De rest van de dag hadden we hard nodig om de kletsnatte lading van boord te halen, schoon te maken en te drogen. We vulden ook de luchtflessen, brachten de motoren aan boord en maakten ons klaar voor ons volgende bezoek aan Gunfire Rif.

Ik begon me nu echt zorgen te maken door de vertraging die ons de ene dag na de andere werkloos op het eiland hadden doen zitten, terwijl Manny Resnick met zijn vrolijke troep steeds meer van onze voorsprong, die we bij het begin van de expeditie hadden, afknabbelde.

We bespraken de situatie die avond rond ons kampvuur en waren het er over eens dat we gedurende de tien aan de storm voorafgaande dagen niet veel verder gekomen waren dan tot de conclusie te komen dat een deel van het wrak van *Dawn Light* in de kom gestort was.

Maar gelukkig was het tij zodanig in ons voordeel dat we de volgende ochtend al vroeg konden beginnen. Chubby bracht ons door de geul en het was zo vroeg dat er nauwelijks voldoende licht was om het onder water liggende koraal te zien. Toen we onze plaats achter het rif hadden ingenomen, kwam de zon juist boven de horizon uit.

Tijdens de vijf dagen die we gedwongen aan wal hadden moeten doorbrengen, waren de handen van Sherry vrijwel geheel genezen en hoewel ik met veel tact voorstelde dat ze Chubby zou toestaan gedurende de eerstvolgende dagen met mij samen te duiken, bleek zowel mijn tact als mijn bezorgdheid volkomen verspild. Sherry North had zich in haar duikpak gehuld, haar zwemvinnen aangedaan en Chubby zat bij de motoren op de achterplecht en hield de boot op zijn plaats.

Sherry en ik gingen snel omlaag en zwommen het bos van bamboestokken binnen. We oriënteerden ons met behulp van de bakens die Chubby en ik tijdens onze laatste duik hadden achtergelaten.

We werkten dichtbij de basis van de koraalwand en ik verwees Sherry naar de binnenzijde, waar het gemakkelijker was positie te houden in het gestelde zoekpatroon en zij zich tegelijkertijd kon oriënteren.

We waren nauwelijks aan het eerste stadium begonnen en waren ongeveer vijftig meter van het laatste baken weggezwommen, toen Sherry dringend op haar luchtflessen tikte om mijn aandacht te vragen. Ik baande mij door het bamboe een weg naar haar toe.

Ze hing ondersteboven als een vleermuis tegen de zijkant van de koraalwand en bestudeerde nauwkeurig de tot aan de bodem omlaag gegleden koraal en puin. Ze bevond zich in de schaduw onder het donkere koraal en ik moest dichtbij haar komen voor ik zag wat haar aandacht getrokken had. Geleund tegen de koraalwand met het ondereinde verborgen in het puin en zeewier, lag een lang cilindervormig voorwerp dat zelf al zwaar bedekt was met vegetatie en reeds gedeeltelijk door het levende koraal was opgeslokt.

Maar de afmeting en de regelmatige vorm vertelden ons dat dit door mensenhanden gemaakt was – het was bijna drie meter lang en vijftig centimeter dik, volmaakt rond van vorm en slechts licht taps toelopend.

Sherry bestudeerde het voorwerp met intense belangstelling en toen ik bij haar kwam, draaide ze zich om en maakte een gebaar van onbegrip. Ik had onmiddellijk gezien wat het was en ik voelde hoe mijn huid zowel op mijn armen als achter in mijn nek prikkelde van opwinding. Ik vormde mijn duim en wijsvinger tot een pistool en deed alsof ik wilde schieten. Nog steeds begreep ze het niet en ze schudde haar hoofd. Op de onderwaterlei krabbelde ik snel iets en liet haar dit zien.

'Kanon.'

Ze knikte heftig, rolde met haar ogen en blies belletjes om haar blijdschap duidelijk te maken en wendde zich toen weer tot het kanon.

Het had ongeveer de juiste afmetingen om een van die lange negenponders te zijn die deel had uitgemaakt van de bewapening van *Dawn Light*, maar ik had geen schijn van kans om ook maar een enkele inscriptie te lezen. De hele oppervlakte was als de huid van een krokodil, vol aanwas en corrosie. In tegenstelling tot de bronzen bel die Jimmy gevonden had, was het kanon niet in het zand begraven en daardoor niet beschermd.

Ik liet me langs de massieve loop omlaag zakken en onderzocht hem nauwkeurig. Vrijwel onmiddellijk vond ik een ander kanon in de diepere duisternis van de koraalwand. Zeker driekwart van dit kanon was opgenomen in de koraalwand zelf, was er als 't ware ingebouwd door de levende koraalpoliepen. Ik zwom wat dichterbij, dook onder de eerste loop door en doorzocht de warboel aan puin en omlaag gevallen koraalbrokken. Ik was nog ongeveer een halve meter van deze vormeloze massa verwijderd, toen ik met een schok mijn adem inhield. Ik voelde me warm worden toen ik herkende waar ik naar keek. Vlug en tamelijk opgewonden peddelde ik over de berg puin heen, vond de plek waar de berg eindigde en het ongebroken koraal weer begon en forceerde me een weg door het bamboe om de afmeting te schatten. Ik stopte toen en onderzocht nauwkeurig elke opening en onregelmatigheid in het voorwerp. De totale massa puin had ongeveer de omvang van een paar treinstellen. Maar toen ik een grotere drijvende hoeveelheid zeewier wegduwde en door de vierkante opening van een geschutspoort gluurde, waaruit nog steeds de loop van een kanon stak en waarvan de vorm nog niet volledig door het aangroeiende koraal was veranderd, was ik er pas zeker van dat dat, wat we hier ontdekt hadden, niet meer en niet minder was dan het hele voorstuk van het fregat *Dawn Light*. Het was juist achter de grote mast in tweeën gebroken.

Wild keek ik om me heen of ik ook een spoor van Sherry zag. Ik zag haar gevinde voeten uit een ander deel van het wrak steken. Ik trok haar weg, nam het mondstuk uit haar mond en kuste haar flink voor ik het ding weer tussen haar lippen duwde. Ze lachte van louter opwinding en toen ik haar gebaarde dat we moesten gaan stijgen, schudde ze heftig haar hoofd en schoot van me vandaan om haar onderzoek voort te zetten. Ruim vijftien minuten later was ik in staat haar weg te sleuren en haar weer naar de boot terug te brengen.

Zodra we onze rubbermondstukken hadden afgedaan, begonnen we onmiddellijk allebei tegelijk te praten. Mijn stem is nu eenmaal luider dan de hare, alleen is zij meer volhardend. Het kostte me verscheidene minuten voordat ik mij van mijn rechten als leider van de expeditie kon verzekeren en ik kon nu beginnen met Chubby alles te beschrijven wat we ontdekt hadden.

'Het is ongetwijfeld de *Dawn Light*. Het gewicht van haar bewapening en haar lading moeten haar omlaag gesleurd hebben, zodra ze van het rif vrijkwam. Ze schoot als een steen omlaag en ligt nu tegen de voet van de koraalwand. Enkele van de kanonnen zijn uit de romp gevallen en liggen er in een verwarde hoop omheen –'

'Eerst herkenden we 't niet,' begon Sherry, toen ik dacht dat ik haar wat rustiger gestemd had. 'Het ziet er daar beneden net uit als een vuilnisbelt. Gewoon een enorme berg.'

'Voor zover ik het kan beoordelen is ze direct achter haar hoofdmast door midden gebroken. Ze is vrijwel over de volle lengte in

stukken geslagen. Het kanon heeft het hele geschutsdek openge-
scheurd en alleen de twee geschutspoorten, die het dichtst bij de
voorplecht liggen, zijn nog in tact.'
'Hoe ligt ze?' vroeg Chubby, die onmiddellijk tot de kern van de
zaak doordrong.
'Met haar kiel naar voren,' gaf ik toe. 'Ze moet zich omgewenteld
hebben toen ze omlaag kwam.'
'Dat is een nog groter probleem. Tenzij je via een van de geschutspoorten naar binnen kan komen of anders onder haar kuil,' gromde
Chubby.
'Ik heb goed rondgekeken,' zei ik hem, 'maar ik heb geen enkele
plaats kunnen vinden waardoor we binnen in de romp kunnen komen. Zelfs de geschutspoorten zijn volledig dichtgegroeid.'
Chubby schudde droevig het hoofd. 'Man, het ziet er naar uit alsof
deze plek volledig behekst is.' Onmiddellijk sloegen we alle drie
een kruis om zijn woorden teniet te doen.
Angelo merkte gemaakt op: 'Je roept gewoon een storm op. Je
moet zulke dingen niet zeggen, begrepen?' Maar Chubby schudde
opnieuw het hoofd en zijn gezicht zakte in een aantal hoogst pessi-
mistische plooien ineen. Ik klopte hem op de rug en vroeg: 'Is 't
waar dat je ijswater urineert – zelfs wanneer het warm is?' Maar
mijn poging tot het brengen van wat humor had tot gevolg dat hij er
nu even opgewekt uitzag als een werkloze begrafenisondernemer.
'Laat Chubby toch met rust,' viel Sherry hem bij. 'Laten we opnieuw naar de bodem gaan en proberen of we een gat in de romp
kunnen vinden.'
'We nemen eerst een half uur rust,' zei ik, 'roken een cheroot en
drinken een kop koffie – daarna gaan we nog een keertje kijken.'
We bleven tijdens onze tweede duik zo lang onder water dat Chubby het drievoudig signaal liet horen en toen we boven kwamen,
kolkte de hele kom. De cycloon had een hoge branding nagelaten
en toen het hoogtij begon te worden, kwam de branding met geweld
over het rif en stortte zich door het gat. Het water in het kanaal
stond hoger dan we het ooit hadden meegemaakt. We klemden ons
zwijgend aan de doften vast, toen Chubby ons op een onstuimige
tocht door het kanaal naar het eiland terugbracht. Eerst toen we
teruggekomen waren in het veel rustiger water van de lagune konden we ons gesprek voortzetten.

'Ze is even goed afgesloten van alles als het Chatwood-slot op de nationale nachtkluis,' vertelde ik hun. 'De ene geschutspoort is door het kanon geblokkeerd en in het andere kon ik niet verder dan een goede meter kruipen voor ik op een deel van het waterdichte schot stuitte dat, naar het schijnt, in elkaar gestort is. Het is het leger van een grote oude Maray-aal en hij ziet eruit en heeft de omvang van een python. Hij heeft een stel tanden als een buldog en hij en ik zijn niet bepaald vrienden.'

'Hoe staat het met de kuil?' vroeg Chubby.

'Geen kans,' antwoordde ik. 'Ze heeft zich goed vastgezet en het koraal heeft elke toegang afgesloten.'

Chubby trok een gezicht alsof hij zeggen wilde dat hij ons dit vooruit verteld had. Ik had hem het liefst met een moersleutel een dreun op zijn hoofd gegeven. Hij was zo zelfvoldaan. Maar ik negeerde hem en liet de anderen een stuk van het houtwerk zien dat ik met een breekijzer losgewrikt had van de romp.

'Het koraal heeft alles hermetisch afgesloten. Het heeft veel weg van die oude bossen die in steen veranderd zijn. De *Dawn Light* is een schuit van steen, gepantserd met koraal. Er is maar één manier om er binnen te komen en dat is door haar open te knallen.'

Chubby knikte. 'Dat is de enige manier.' Sherry wilde weten: 'Maar indien je explosieven gebruikt, blaast dat dan niet alles aan stukken?'

'We gebruiken geen atoombom,' antwoordde ik. 'We beginnen met een halve staaf en plaatsen die in de voorste geschutspoort. Net genoeg om een deel van dat koraalharnas weg te blazen.' Ik wendde me nu weer tot Chubby. 'We hebben dat geligniet zo gauw mogelijk nodig. Elk uur is nu kostbaar, Chubby. We hebben overvloed aan maanlicht. Kun je ons vannacht nog naar St. Mary terugbrengen?'

Chubby nam zich niet de moeite om op deze overbodige vraag te antwoorden. Het was gewoon een indirecte smet op zijn zeemanskunst.

Er stond aan de hemel een gehoornde maan met er om heen een bleke kring. De atmosfeer was nog steeds vol stof door de harde winden. Ook de sterren waren wazig en leken heel ver, maar de cycloon had enorme massa's plankton in het kanaal gestuwd, zodat de zee, overal waar de oppervlakte verstoord werd, fosforiserend oplichtte.

Ons kielwater glansde groen en ver, spreidde zich achter ons uit als de staart van een pauw. De gang van de vis direct onder de oppervlakte straalde als langs het hemelruim voortschietende sterren. Sherry doopte haar hand in het water en toen ze haar hand weer terugtrok, scheen die met een griezelige vloeibare vlam te branden en ze kirde van verbazing.

Toen ze wat later slaperig begon te worden, lag ze onder het zeildoek dat ik uitgespreid had om vocht buiten te sluiten en we luisterden naar het dreunend geluid van de reuzenroggen, wanneer ze ver in zee uit het water omhoog sprongen om dan met een smak met hun platte buiken en tonnen dood gewicht op het wateroppervlak te vallen.

Het was ver na middernacht toen de lichten van St. Mary als een diamanten halsketting rond de hals van het eiland in zicht kwamen.

De straten waren volkomen verlaten toen we de boot aan zijn boeien vastmaakten en naar Chubby's huis wandelden. Missus Chubby deed, gekleed in een ochtendjas, die Chubby's pyjama een conservatief uiterlijk gaf, de deur open. Ze had grote roze plastic krulpennen in haar haren. Ik had haar nooit eerder zonder hoed gezien en ik was beslist verbaasd dat ze niet even kaal was als haar echtgenoot. Ze leken in alle andere opzichten zo ontzettend veel op elkaar.

Ze schonk ons een kop koffie in, voor Sherry en ik in de bestelauto stapten en naar Turtle Bay reden. Het beddegoed was vochtig en moest nodig gelucht worden, maar we beklaagden ons geen van beiden.

De volgende ochtend vroeg stopte ik voor het postkantoor. Mijn postbus was halfvol. Hoofdzakelijk met catalogi voor vistuig en ander onbelangrijke post, maar er waren ook een paar brieven van oude cliënten, die informeerden of ze huren konden – dat gaf me wel een steek – en verder een telegram dat ik het allerlaatste opende. Tot nu toe hadden telegrammen me altijd slecht nieuws gebracht. Telkens wanneer ik er een zie, krijg ik dat rare gevoel in mijn maag.

De boodschap luidde: **'MANDRAKE ZEILDE MET BESTEM- MING ZANZIBAR, VRIJDAG 16DE OM 12.00 UUR, STEVE.'**

Mijn slechte voorgevoelens werden hier dus bevestigd. *Mandrake* was zes dagen geleden uit Kaapstad vertrokken. Ze had een snellere overtocht gehad dan ik voor mogelijk gehouden had. Ik voelde de wens in me opkomen hard naar de top van Coolie Peak te rennen en de horizon af te speuren. In plaats daarvan gaf ik het telegram aan Sherry en reed door naar Frobisher Street.

Fred Coker opende juist de deur van zijn reisbureau, toen ik voor de winkel van missus Eddy parkeerde. Ik stuurde Sherry met een lijst boodschappen de winkel in en liep verder alleen de straat af naar het reisbureau.

Fred Coker had me niet meer gezien sinds die keer dat ik hem kreunend op de vloer van zijn eigen rouwkamer had achtergelaten. Hij zat nu achter zijn bureau in een wit uit haaiehuid gemaakt kostuum en hij droeg een das waarop een Hoela-meisje stond afgebeeld op een met palmen omzoomd strand en daaronder de woorden: 'Welkom op St. Mary's! De Parel van de Indische Oceaan.'

Met een glimlach op zijn gezicht keek hij op, een glimlach die precies bij zijn das paste. Maar nauwelijks had hij zijn bezoeker herkend of de uitdrukking op zijn gezicht veranderde in ontzetting. Hij liet het blaten van een moederloos lammetje horen, schoot uit zijn stoel overeind en rende regelrecht in de richting van de achterkamer.

Ik versperde zijn poging me te ontvluchten en hij week achteruit. Zijn in goud gevatte brilleglazen glinsterden als de schittering van het zenuwachtige zweet dat hem aan alle kanten uitbrak. Toen al achteruitlopend zijn knieholten tegen de rand van zijn stoel stootten, zakte hij er automatisch in weg. Eerst dan schonk ik hem mijn vriendschappelijke brede grijns en ik dacht waarachtig dat hij van louter opluchting zou flauwvallen.

'Hoe gaat 't ermee, mr. Coker?' Hij probeerde te antwoorden, maar zijn stem had het begeven. In plaats daarvan knikte hij zo snel met zijn hoofd dat ik daaruit wel moest begrijpen dat het best met hem ging.

'Ik wil graag dat je me een dienst bewijst.'

'Wat u maar wilt,' brabbelde hij, toen hij plotseling weer de macht over zijn stem terugkreeg. 'Wat u maar wilt, mr. Fletcher. U hebt maar te vragen.' Ondanks zijn plechtige betuigingen had hij maar enkele minuten nodig om zijn moed en zijn vernuft te herwinnen. Hij luisterde naar mijn meer dan redelijke verzoek om drie kisten geligniet en hij begon aan een heel gebarenspel om me duidelijk te maken dat het hem compleet onmogelijk was dit verzoek in te willigen. Hij draaide met zijn ogen, zoog zijn wangen naar binnen en maakte klikkende geluiden met zijn tong.

'Ik wil ze morgenmiddag om twaalf uur hebben – uiterlijk.' Hij sloeg met zijn hand tegen zijn voorhoofd alsof hij in een vreselijke zielestrijd gewikkeld was.

'En als ze er niet om precies twaalf uur zijn, dan zullen we samen dat gesprek over de verzekeringspremies voortzetten.'

Hij liet zijn hand vallen en ging rechtop zitten. Opnieuw kreeg zijn gezicht een bereidwillige en intelligente uitdrukking.

'Dat is beslist niet nodig, mr. Fletcher. Ik kan krijgen wat u me vraagt maar het zal wel heel wat geld kosten. Driehonderd dollar per kist.'

'Schrijf maar op de lat,' zei ik hem.

'Mister Harry!' riep hij uit. 'U weet dat ik geen krediet kan verlenen.'

Ik zweeg maar ik kneep mijn ogen dicht tot ze nog slechts nauwe spleetjes vormden, klemde mijn kaken op elkaar en begon diep adem te halen.

'Goed dan,' zei hij haastig. 'Tot het einde van de maand.'

'Dat is erg vriendelijk van u, mister Coker.'

'Het genoegen is geheel aan mijn kant, mister Harry,' verzekerde hij me.

'Een bijzonder groot genoegen.'

'Dan is er nog iets anders, mr. Coker.' Ik kon zien hoe hij geestelijk versaagde voor mijn volgende verzoek, maar hij zette zich als een held schrap voor wat komen zou.

'In de nabije toekomst verwacht ik een kleine zending naar Zürich in Zwitserland te zullen exporteren.' Hij zat nu wat voorover geleund in zijn stoel. 'Ik heb er geen behoefte aan me bezig te houden met alle moeilijkheden die douaneformulieren meebrengen – begrijpt u me?'

'Ik begrijp u, mister Harry.'

'Krijgt u ooit wel eens een verzoek om het lichaam van een van uw cliënten naar de nabestaanden te sturen?'

'Wat zegt u?' Hij had een verwarde uitdrukking in zijn ogen.

'Indien een toerist op dit eiland zou komen te overlijden – laten we zeggen aan een hartaanval – dan wordt u verzocht het lichaam te balsemen voor het nageslacht en de kist met het lijk te verschepen. Druk ik me juist uit?'

'Het is al eens eerder gebeurd,' gaf hij toe. 'Drie keer.'

'Uitstekend. U bent dus volkomen vertrouwd met de formaliteiten van de te volgen procedure?'

'Inderdaad, mister Harry.'

'Mister Coker, maak een kist klaar en voorzie je zelf van een stapel van de benodigde formulieren. Ik zal spoedig iets moeten verschepen.'

'Mag ik u misschien vragen wat u van plan bent te exporteren – in plaats van een lijk?' Hij formuleerde de vraag bijzonder kies.

'Dat mag u inderdaad vragen, mister Coker.'

Ik reed nu naar het fort en sprak daar met de secretaris van de president. Hij had een vergadering, maar hij zou me graag om één uur ontmoeten, als ik er iets voor voelde om met hem op zijn bureau te lunchen. Ik nam de uitnodiging aan en om de tijd tot de lunch door te komen reed ik over de landweg naar Coolie Peak, dat wil zeggen zover als de bestelauto me wilde brengen. Ik parkeerde de wagen en liep naar de ruïnes van de oude uitkijkpost en het seinstation. Ik zat op de borstwering en keek uit over een wijde zee en groene eilanden, terwijl ik een cheroot rookte en voor het laatst mijn zorgvuldig beraamde plannen en besluiten doornam. Ik was blij deze gelegenheid te hebben voor ik mezelf er geheel aan prijsgaf.

Ik dacht aan de dingen die ik wilde en kwam tot de conclusie dat het er drie waren! Turtle Bay, *Wave Dancer II* en Sherry North, al hoefde dat niet bepaald in die volgorde te zijn.

Om op Turtle Bay te kunnen blijven, moest ik althans op St. Mary mijn handen onbesmeurd houden. Om *Wave Dancer II* in eigendom te hebben, heb ik geld nodig en heel wat. En wat Sherry North betreft – wel dat vereiste heel wat nadenken en toen ik tenslotte zover was, was mijn cheroot tot een peukje opgebrand. Ik doofde hem uit op de stenen borstwering. Ik haalde diep adem en rechtte mijn schouders.

'Moed, Harry, mijn jongen,' zei ik en reed terug naar het fort.

De president was verrukt me te zien, in de grote ontvangstzaal waar hij me welkom heette en hij verhief zich op zijn tenen om een arm om mijn schouders te kunnen slaan en me naar zijn bureau te brengen. Het was een kamer zo groot als de hal van een kasteel met een met balken versierd plafond, van panelen voorziene wanden en Engelse landschappen in zware gebeeldhouwde lijsten en donkere berookte olieverfschilderijen. Het met ruitvormig glas ingelegde raam liep van de grond tot aan het plafond en zag uit over de haven. De vloer was bedekt met weelderige oosterse tapijten.

De lunch stond klaar op de eiken conferentietafel onder de ramen – gerookte vis, kaas en vruchten met een fles Château Laffite '62, die reeds ontkurkt was.

De president schonk twee kristallen glazen vol met de donkerrode wijn, bood mij een glas aan en liet toen twee stukjes ijs in zijn eigen glas vallen. Hij grinnikte schelms toen hij mijn verschrikte uitdrukking zag. 'Gewoonweg heiligschennis, is 't niet?' Hij hief zijn glas met uitstekende wijn en de beide klontjes ijs naar me op. 'Maar Harry, ik weet wat ik lekker vind. En het is nu eenmaal zo, wat past op de Rue Royale hoeft niet noodzakelijk ook geschikt te zijn voor St. Mary.'

'U slaat de spijker op de kop, sir!' Ik grinnikte terug en we dronken een zwijgende toast.

'En, mijn zoon, waarover wilde je met me praten?'

Ik vond, toen ik in mijn houten huis terugkwam, een boodschap dat Sherry een bezoek was gaan brengen aan missus Chubby. Ik liep met een blikje koud bier naar de veranda en maakte het me daar gemakkelijk. Ik dacht over mijn bespreking met de president na, overdacht elk gesproken woord en kwam tot de conclusie dat ik meer dan voldaan was. Ik meende dat ik alle mogelijkheden had doorgenomen – behalve die, die ik zelf nodig mocht hebben om te kunnen ontsnappen.

Drie houten kisten met het opschrift 'Ingeblikte vis. Noors Fabrikaat' arriveerden de volgende ochtend met het vliegtuig van tien uur en waren geadresseerd aan Fred Coker's Reisbureau.

'Maak je niet kwaad, Alfred Nobel,' dacht ik bij mezelf, toen ik de opschriften zag, terwijl Fred Coker ze uit de lijkauto tilde en op de veranda van mijn huis zette. Ik bracht ze vandaar naar mijn bestelauto die onder een soort tentzeil stond.

'Tot het einde van de maand dan, mister Harry,' zei Fred Coker als de hoofdrolspeler in een treurspel van Shakespeare.

'Daar kun je op rekenen, mister Coker,' stelde ik hem gerust. Tussen de palmbomen door reed hij terug naar St. Mary.

Sherry was nu klaar met het inpakken van onze voorraden. Ze leek in niets op de sirene van gisteren. Haar haren had ze naar achteren gekamd en bij elkaar gebonden. Ze was gekleed in een van mijn oude hemden die haar pasten als een nachtjapon en een verkleurde spijkerbroek met gerafelde randen, daar ze vlak onder de knie de pijpen had afgeknipt.

Ik hielp haar de door haar ingepakte kisten naar de bestelauto te dragen en we klommen in de cabine.

'Wanneer we hier weer terugkomen zijn we rijk,' zei ik. Ik startte de motor maar vergat het teken tegen hekserij te maken.

We ploeterden tussen de palmen door, bereikten de hoofdweg onder langs de ananasvelden en klommen nu de bergrug op.

We kwamen uit op de kam van de berg, ver boven de stad en de haven.

'Wel, Godverdomme!' schreeuwde ik nijdig en trapte de rem in en wel zo hard dat de wagen naar de rand van de weg slipte en de vrachtauto met ananas die achter ons aankwam snel moest uitwijken om te voorkomen dat hij achter tegen ons aanbotste. De chauffeur van de vrachtauto hing uit zijn portierraampje en schreeuwde enkele hatelijkheden terwijl hij langs reed.

'Wat is er aan de hand?' Sherry speelde het zonder hulp klaar om van het dashboard af te komen, waarop ze door mijn plotselinge manoeuvre terechtgekomen was. 'Ben je knettergek geworden?'

Het was een heldere dag. Geen wolkje aan de hemel. De lucht zo helder dat elk onderdeel van het prachtige wit en blauw geschilderde schip voor de dag kwam.

Ze lag in de ingang van Grand Harbour op de ligplaats die gewoonlijk gereserveerd is voor bezoekende cruiseschepen of het regelmatig binnenkomende postschip.

Ze was behangen met seinvlaggen en ik kon zien hoe de bemanning in witte tropenuniformen over de verschansing hing en naar de wal staarde. De haventender was op weg naar haar toe met aan boord de havenmeester, het hoofd van de douane en doctor MacNab.

'*Mandrake?*' vroeg Sherry.

'*Mandrake* en Manny Resnick,' bevestigde ik haar vraag en zwenkte de auto in een V-bocht over de weg.

'Wat ben je van plan te doen?' vroeg ze.

'Wat ik niet van plan ben te doen is me in St. Mary te vertonen, zolang Manny en zijn kornuiten aan wal zijn. De meesten heb ik al eerder ontmoet en onder omstandigheden, die naar alle waarschijnlijkheid mijn aantrekkelijk uiterlijk onuitwisbaar in hun niet volledig ontwikkelde hersenen heeft gegrift.'

Onder aan de heuvel bij de eerste bushalte, voorbij de plaats waar ik af moest slaan naar Turtle Bay, lag de General Dealers' Store, die me altijd voorzag van eieren, melk, boter en andere aan bederf onderhevige zaken. De eigenaar was bijzonder blij me te zien en zwaaide met mijn nog openstaande rekening, alsof het het winnende lot van een loterij was. Ik betaalde hem en sloot toen de deur van zijn kantoor achter me en greep de telefoon.

Chubby had geen telefoon, maar zijn buurman wel. Ik draaide het nummer en hij haalde Chubby.

'Chubby,' zei ik, 'die grote drijvende witte hoerenkast op de ligplaats van de postboot is beslist geen vriend van ons.'

'Wat wil je dat ik doe, Harry?'

'Handel snel. Dek de blikken met water toe met de visnetten en doe net alsof je gaat vissen. Kies zee en vaar dan rond naar Turtle Bay. We laden je boot vanaf het strand en smeren 'm naar Gunfire Rif zodra het donker wordt.'

'Ik ben over twee uur in de baai,' antwoordde hij en legde de hoorn op de haak.

Hij was er in één uur en drie kwartier. Een van de redenen dat ik graag met hem werk is dat hij zijn beloften inlost.

Zodra de zon onder was gegaan en het zicht niet meer bedroeg dan honderd meter, gleden we Turtle Bay uit. We waren al een goed eind van het eiland voor de maan opkwam.

We zaten dicht naast elkaar op een kist dynamiet onder het zeildoek en bespraken de aankomst van *Mandrake* op St. Mary.

'Het eerste dat Manny doet is zijn mannen de wal opsturen met een zak vol geld om in de bars en winkels de nodige vragen te stellen.

'Heeft iemand Harry Fletcher gezien?' Reken er maar op dat ze in de rij zullen staan om hem alles te vertellen wat hij weten wil. Hoe mister Harry de boot van Chubby Andrews gehuurd heeft en hoe ze steeds maar weer gedoken hebben naar schelpen. En indien hij

werkelijk geluk heeft, stuurt de een of ander hem wel naar Frede-
rick Coker Esquire – en reken maar dat Fred over zijn eigen woorden struikelt om hem alles te vertellen, vooral wanneer de prijs naar
zijn zin is.'

'En wat dan?'

'Ongetwijfeld zal hij een aanval van zwaarmoedigheid krijgen,
wanneer hij hoort dat ik niet in de Severn verdronken ben. Wanneer hij zich daarvan voldoende hersteld heeft, zal hij wel een stel
mensen naar Turtle Bay sturen om mijn huis te doorzoeken en
overhoop te halen. Ook daar vangt hij bot. Daarna zal de lieftallige
miss Lorna Page hen naar de plek brengen waar zogenaamd het
wrak ligt, bij Big Gull Eiland. Dat zal ze wel een dag of twee, drie
blij maken en druk bezighouden, totdat ze tot de ontdekking komen dat daar niets anders te vinden is dan die scheepsbel.'

'En dan?'

'Wel, dan kun je er donder op zeggen dat Manny razend wordt. Ik
denk dat Lorna dan enkele minder prettige ogenblikken zal hebben
en wat er daarna gaat gebeuren, kan ik je waarachtig niet zeggen.
Het enige dat wij kunnen doen is uit 't gezicht blijven en werken als
een stel bevers om de schatten van de kolonel uit het wrak omhoog
te halen.'

De volgende dag viel het tij zodanig dat we niet eerder dan laat in de
ochtend door de geul konden varen. Dat gaf ons voldoende tijd om
alle voorbereidingen te treffen. Ik maakte een van de kisten met
dynamietstaven open en haalde er tien van die wasachtige gele
sticks uit. Ik maakte de kist weer dicht en begroef hem met de beide
andere in de zanderige bodem tussen de palmbomen, ver van ons
kamp.

Daarna zetten Chubby en ik het mechaniek in elkaar om het dynamiet tot ontploffing te brengen en controleerden daarna alles terdege. Maar het materiaal had al eerder bewezen aan alle eisen te vol-
doen. Het geheel bestond uit twee negen volt transistorbatterijen,
verpakt in een doodeenvoudige schakelkast. We hadden vier rollen
licht, geïsoleerd koperdraad en een sigarenkistje met slaghoedjes.
Ieder van de dodelijke zilveren buisjes was zorgvuldig in watten
verpakt. Er waren ook nog een aantal vertragingsslaghoedjes, die
de vorm hadden van een potlood.

Chubby en ik zonderden ons af, terwijl we met die dingen aan het werk waren. We klampten de slaghoedjes aan de zelfgemaakte poolklemmen, die ik speciaal voor dit doel had gesoldeerd.

Het gebruik van dynamiet is in theorie een doodeenvoudige zaak, maar in de praktijk kost het heel wat van je zenuwen. Zelfs een halvegare kan de bedrading vastmaken en de knop indrukken, maar indien je dit op een werkelijk verfijnde manier wil doen, is het een kunst op zich.

Ik heb gezien hoe een middelmatige boom de ontploffing van een halve kist dynamiet overleefde en alleen zijn bladeren en een deel van zijn schors verloor. Maar met een halve staaf kan ik diezelfde boom keurig over een weg laten vallen en die weg doeltreffend blokkeren zonder een enkel blad van de boom te verliezen. Ik beschouw mezelf wat dit betreft min of meer als een ware artiest en ik had Chubby alles geleerd wat ik ervan af wist. Hij was een natuurtalent, maar je kon hem niet direct een artiest noemen. Zijn uitbundigheid tijdens de gang van zaken was eerlijk gezegd kinderlijk. Chubby hield er gewoon van zaken op te blazen. Hij neuriede blij en opgewekt, terwijl hij met de slaghoedjes bezig was.

We kozen enkele minuten voor twaalf positie in de kom. Ik dook, slechts gewapend met een Nemrod luchtdrukspeer, voorzien van een kruisvormige top met weerhaken die ik zelf ontworpen en gemaakt had. De punt was zo scherp als een naald en de eerste vijftien centimeter zat vol weerhaken. Vierentwintig in totaal, zoals die gebruikt worden door de leden van de Batonka-stam wanneer zij zeewolf spietsen in de Zambezi rivier. Achter de weerhaken zat het kruisstuk, tien centimeter in doorsnee en dat was om te voorkomen dat het slachtoffer dicht genoeg langs de schacht naar boven kon glijden om mij aan te vallen, wanneer ik het achterstuk vasthield. De lijn zelf bestond uit tweehonderdvijftig kilo blauw nylon en onder de loop van de speer hing een zes meter lange strop.

Ik peddelde langzaam omlaag naar de met vegetatie overgroeide berg wrakstukken. Ik maakte het me gemakkelijk naast de geschutspoort. Ik sloot enkele seconden mijn ogen om ze te wennen aan het donker. Daarna gluurde ik voorzichtig in de donkere vierkante opening en duwde daarbij de loop van de speer voor me uit. De donkere slijmerige kronkels van de Moray-aal bewogen en strekten zich, toen het dier mijn aanwezigheid voelde. Het richtte zich dreigend op en vertoonde zijn schrikaanjagende onregelmatige tanden. In het halve donker waren zijn ogen zwart en helder. Ze vingen net als een kat het zwakke licht op. Het was een enorme, oude bandiet, zo dik als mijn kuit en langer dan mijn uitgestrekte armen samen. De golvende manen van zijn rugvin stonden nu woedend overeind.

Ik hield hem zorgvuldig in de gaten en wachtte op het ogenblik dat hij zijn kop zou draaien, waardoor ik een beter doelwit had. Het waren enkele onbehaaglijke ogenblikken. Ik had maar één schot en als dat slecht gericht was, zou hij regelrecht op me af komen. Ik had al eens gezien hoe een gevangen Moray-aal een groot stuk hout uit een dinghy beet. Die vlijmscherpe tanden zouden al heel gemakkelijk door een rubberpak en door vlees tot op het been, heen gaan.

Hij bewoog zich langzaam heen en weer, net als een cobra. Hij hield me almaar in de gaten en de afstand voor een goed gericht schot was bijna te groot. Ik wachtte het ogenblik af en tenslotte begon hij aan zijn tweede fase van agressie. Hij blies zijn keel op en draaide zich iets, zodat ik hem nu meer van opzij zag.

'Goeie God,' dacht ik. 'Er was een tijd dat ik dit voor mijn plezier deed.' Tegelijkertijd haalde ik de trekker over. Het gas siste nijdig en de zuiger schoot tot aan het eind naar voren en de speer zelf vloog door. Een lange veeg met daarachter de voortschietende lijn. Ik had gericht op de donkere op een oor lijkende vlek direct achter de schedel, maar ik zat ongeveer vier centimeter te hoog en vijf centimeter te veel naar rechts. De Moray-aal ontplofte als 't ware in een draaiende en ranselende kronkelende bal, die de hele geschutspoort scheen te vullen. Ik liet het luchtdrukgeweer vallen en met een snelle peddel van mijn vinnen schoot ik naar voren en kreeg een goed houvast om de hecht van de speer. Het ding schokte in mijn handen, toen de aal zijn dikke donkere lichaam rond de schacht kronkelde. Ik trok hem uit zijn leger. Hij werd vastgehouden door een dik stuk huid en een rubberachtige spier aan de met weerhaken bezette punt.

Zijn bek stond open, alsof hij een stille kreet van woede slaakte. Hij strekte nu opnieuw zijn lichaam en schoot weg, waarbij hij zich kronkelde als een vaantje in een storm.

Zijn staart raakte mijn gezicht en mijn masker sloeg los. Water stroomde in mijn neus en ogen. Ik moest eerst het masker weer leeg blazen voor ik aan mijn opstijging kon beginnen.

De aal draaide nu zijn kop in een voor onmogelijk gehouden bocht en zijn afschuwelijke, wijdopenstaande kaken sloten zich om de metalen schacht van de speer. Ik kon horen hoe de scherpe tanden over het staal knarsten en waar de tanden het staal geraakt hadden zag ik nu helder oplichtende zilverachtige krassen.

Ik kwam boven water en hield mijn prijs omhoog. Ik hoorde hoe Sherry gilde van afgrijzen, toen ze het kronkelende slangachtige monster zag en Chubby gromde: 'Kom maar bij papa, jij schoonheid.' Hij leunde over de verschansing om de speer te pakken en de aal over boord te hijsen. Hij grijnsde blij en zijn plastic tandvlees werd zichtbaar. Moray-aal betekent voor Chubby een feestmaal. Hij legde de hals over het doft en met een vakkundige zwaai van zijn aasmes hakte hij de monsterlijke kop af en liet hem in de kom vallen.

'Miss Sherry,' zei hij, 'dat ding zal u vanavond heerlijk smaken.'

'Nooit van zijn leven!' Sherry huiverde en trok zich nog verder van het bloedende en kronkelende beest terug.

'Kom, kinderen, laten we de schat binnenbrengen.' Angelo hield het onderwater-draagnet klaar om het aan mij te overhandigen en Sherry gleed al over de verschansing, klaar om te duiken. Ze had de rol geïsoleerd koperdraad bij zich en liet het rustig vieren, terwijl we omlaag gingen.

Opnieuw ging ik regelrecht naar de nu onbewoonde geschutspoort en kroop naar binnen. De kulas van het kanon zat stevig verankerd in de massa puin er achter.

Ik koos omzichtig twee plaatsen uit waar ik de staven wilde aanbrengen. Ik wilde het kanon op z'n kant zien te krijgen en het ding gebruiken als een reusachtige hefboom, om op die manier een deel van de versteende planken weg te breken. Indien ik de tweede staaf tegelijk liet ontploffen zou dit een gat slaan in de berg puin die de toegang tot het geschutsdek versperde.

Ik zette de beide dynamietstaven stevig met draad op hun plaats. Sherry gaf me het uiteinde van het koperdraad en ik sneed een deel van de isolatie weg voor ik het aan de polen vastmaakte.

Toen ik klaar was met dit karwei controleerde ik voorzichtigheidshalve de hele zaak en zwom toen achteruit de geschutspoort uit. Sherry zat met gekruiste benen op de romp. Ze had de rol op haar schoot en voor zover mijn mondstuk dat toeliet grinnikte ik tegen

haar en stak mijn duim omhoog voor ik mijn luchtdrukspeer terug-
haalde van de plek waar ik het ding had laten vallen.

Toen we weer over de verschansing aan boord van de boot klommen, had Chubby de contactdoos met de batterijen al naast zich op
het dolboord gezet en had de draden verbonden. Hij keek dreigend
bij het vooruitzicht wat er te gebeuren stond, toen hij zich, alsof het
zijn persoonlijk eigendom was, over de knop boog. Er zou lichamelijk geweld voor nodig zijn geweest om hem van het genoegen de
knop omlaag te drukken te beroven.

'Klaar voor ontploffing, schipper,' gromde hij.

'Ga je gang, Chubby.' Hij knoeide nog wat met de kist, alsof hij het
komende genot nog even langer wilde uitstellen en draaide toen de
knop om.

De oppervlakte van het water trilde en veerde omhoog. We voelden de stoot door de bodem van de boot omhoogkomen. Vele seconden later volgde er een enorme deining en schuimend kwamen
de luchtbellen omhoog, alsof iemand een ton met Alka Seltzer in
het water had gegooid. Langzaam trok dit weg.

'Ik wil graag dat je de bij je pak behorende broek aantrekt, liefje,'
zei ik tegen Sherry. Wat te voorzien was gebeurde. Ze zag dit bevel
als een directe uitnodiging om over de juistheid ervan te debatte-
ren.

'Waarom, het water is warm!'

'Handschoenen en ook schoenen,' zei ik, terwijl ik mijn eigen lange
rubberbroek begon aan te trekken. 'Als de romp open is gegaan, is
het mogelijk dat we tijdens deze duik naar binnen gaan. Je hebt
tegen eventuele uitsteeksels alle bescherming nodig die je maar
krijgen kunt.'

Uiteindelijk overtuigd deed ze wat ze had moeten doen zonder vragen te stellen. Ik had nog heel wat werk te doen voor ze behoorlijk
geoefend was, dacht ik, terwijl ik de rest van de uitrusting die ik
voor deze afdaling nodig had in elkaar zette.

Ik nam de verzegelde onderwatertoorts, het breekijzer en een rol
licht nylonkoord en wachtte totdat Sherry de voornaamste taak –
het wringen van haar achterwerk in de nauwe rubberbroek – voltooid had, waarin ze trouw werd bijgestaan door Angelo. Toen ze
die eenmaal omhooggesjord had en het kruisstuk behoorlijk had
vastgeknoopt, waren we klaar om te gaan.

Toen we halverwege kwamen, ontmoetten we de eerste dode vissen die met hun buik omhoog in de wazige blauwe diepte dreven. Het waren er honderden die door de ontploffing gedood of verminkt waren en ze rangschikten zich in grootte en kleine zalmen tot grote gestreepte zeebaars wel zo lang als mijn arm. Ik voelde wel even spijt over de slachting die ik had aangericht, maar troostte mezelf met de gedachte dat ik er minder gedood had dan een blauwvintonijn in een enkele dag.

We gingen verder naar de plek waar de vissen de dood gevonden hadden. Het licht straalde op de dwarrelende en ronddrijvende lijken, waardoor ze blinkerden als verstervende sterren aan een benevelde azuurblauwe hemel. De bodem van de kom was donker door de omhoog warrelende zanddeeltjes en andere rommel die door de ontploffing in beweging waren gebracht. Er was een groot gat in het zeebamboe geslagen en we zwommen daar doorheen. Ik zag onmiddellijk dat ik mijn gestelde doel bereikt had. De ontploffing had het zware kanon uit de romp geslagen en had het ding als een rotte tand uit de donkere en oude opening van de geschutspoort losgescheurd. Het was op de bodem gevallen en omgeven door allerlei brokstukken die het in zijn val had meegesleurd.

Het bovenstuk van de geschutspoort was weggeslagen, waardoor de opening groter was geworden en een man er praktisch rechtop in staan kon. Toen ik mijn toorts in het donker achter de geschutspoort liet schijnen zag ik daar een oververzadigde mist van rondzwevende stof en zanddeeltjes. Het zou wel even duren voor dit gezakt was. Mijn ongeduld verbood me langer te wachten. Toen we op de romp van de boot plaatsnamen, controleerde ik mijn stopwatch en onze luchtreserves. Snel berekende ik onze beschikbare arbeidstijd en hield daarbij rekening met mijn twee voorafgaande afdalingen, die een langere decompressietijd nodig maakten. Ik berekende dat we zeventien minuten veilig konden werken, voor dat we aan onze opstijging begonnen en ik stelde de draaias van mijn polshorloge in, voordat ik aan de voorbereiding begon om de romp binnen te gaan. Ik gebruikte het uitgeworpen kanon als een geschikt ankerpunt om de meegebrachte nylonlijn aan vast te maken en kwam toen weer omhoog naar de geschutspoort en liet tegelijkertijd de nylonlijn vieren.

Ik moest Sherry uit de geschutspoort wegtrekken, want tijdens de enkele seconden dat ik bezig was de lijn te bevestigen, was ze bijna door het gat in de romp van het schip verdwenen. Ik maakte woedende gebaren en maakte haar daarmee duidelijk dat ik haar niet in de buurt wilde hebben. Ze beantwoordde dit met het bijzonder weinig damesachtige gebaar van twee omhoog gestoken vingers, maar ik deed net alsof ik dat niet opmerkte. Voorzichtig ging ik via de geschutspoort naar binnen en merkte dat ik, dank zij de troebelheid van het water, nog geen meter voor me uit kon kijken. De beide ontploffingen hadden de berg achter de geschutspoort, waar het kanon had gelegen, slechts gedeeltelijk opgeruimd. Er scheen wel een opening te zijn, maar die moest aanmerkelijk vergroot worden voor ik er door zou kunnen. Ik gebruikte het breekijzer om een brok van het wrak los te wrikken en ontdekte toen dat het de zware affuit was die voor het grootste deel de doorgang blokkeerde.

Werken in een pas opgeblazen wrak is een bijzonder delicate bezigheid. Het is namelijk onmogelijk te weten, of te schatten hoe kritiek de massa in evenwicht kan zijn. Zelfs de minste beroering kan het hele zaakje omlaag doen glijden, waardoor het bovenop de indringer terechtkomt en hem volkomen verplettert.

Ik werkte langzaam en weloverwogen, negeerde daarbij de regelmatige prikken in mijn rug, waarmee Sherry haar brandende ongeduld te kennen gaf. Toen ik op een gegeven moment verdween met een deel van de versplinterde planken, nam ze mijn onderwaterlei en schreef daarop:

'Ik ben kleiner!' en zette onder het woord 'kleiner' twee dikke strepen voor het geval het uitroepteken niet mocht worden opgemerkt. Ze duwde de lei tot op vijf centimeter onder mijn neus. Ik beantwoordde dit alles met hetzelfde Churchill-gebaar en begon weer ijverig te wroeten. Ik had het hele gebied nu zover vrij gemaakt dat ik kon zien dat het enig overblijvende obstakel de zware houten balk van het affuit was en die hing in een dronkemanshouding voor de ingang tot het geschutsdek. De koevoet was tegen deze massa lang niet opgewassen. Ik kon kiezen tussen het hier laten zoals het was en morgen met een lading geligniet terugkeren of een kans wagen. Ik wierp een blik op mijn stopwatch en zag dat ik ongeveer twaalf minuten aan het werk was geweest. Ik vermoedde dat ik op een meer verkwistende manier lucht gebruikt had dan tijdens mijn twee vorige afdalingen. Niettemin besloot ik een gok te wagen.

Ik gaf de toorts en de koevoet aan Sherry en ging voorzichtig weer terug door het ruimer gemaakte gat. Ik bracht mijn schouder onder het bovenstuk van de affuit en verplaatste mijn benen, totdat ik een stevige vaste steun voor mijn voeten vond. Toen ik eenmaal goed stond, haalde ik diep adem en begon de affuit omhoog te drukken. Langzaam vermeerderde ik de druk, totdat ik tenslotte met al de kracht die mijn benen en mijn rug konden opbrengen drukte. Ik voelde hoe mijn gezicht en mijn keel opzwollen van het door mijn aderen gepompte bloed en mijn ogen voelden aan alsof ze regelrecht uit hun kassen zouden springen. Er was geen beweging in te krijgen. Weer haalde ik diep adem en weer probeerde ik het, maar deze keer bracht ik mijn volle gewicht in een enkele krachtsinspanning tegen het hout omhoog.

Het gaf mee en ik voelde me als Simson die de tempel boven zijn eigen hoofd had laten instorten. Ik verloor het evenwicht en tuimelde achterover in een lawine van neerstortend puin dat kreunde en kraakte, terwijl het omlaag kwam en alles rondom me deed schudden.

Toen het weer stil was geworden, was ik gehuld in een volstrekte duisternis, een dikke soep van warrelend vuil dat alle licht buitensloot. Ik probeerde me te bewegen en ontdekte dat mijn been klem zat. Paniek maakte zich van mij meester en ik voelde me ijskoud worden. Ik vocht als een razende om mijn been vrij te krijgen. Daar waren slechts een zestal schoppen voor nodig, voor ik besefte dat ik met een hoop geluk aan iets ernstigs ontsnapt was. De affuit had mijn been op niet meer dan een centimeter gemist en was over de rubbervin gevallen. Ik trok mijn voet uit de zwemschoen, liet het ding achter en zocht tastend mijn weg naar de opening in de romp. Sherry wachtte buiten gretig op nieuws. Ik veegde de lei schoon en schreef 'Open!' en onderstreepte het woord tweemaal. Ze wees naar de geschutspoort en eiste gewoon toestemming naar binnen te mogen. Ik controleerde mijn stopwatch. We hadden nog twee minuten en dus knikte ik toestemmend en ging haar voor de romp van de boot binnen.

Ik liet het licht van de toorts voor me uitschijnen en het zicht bedroeg nu ongeveer veertig centimeter, genoeg om de opening te vinden die ik gemaakt had. Er was net voldoende ruimte om me door te laten zonder mijn luchtflessen of luchtslang te beschadigen.

Ik liet de nylonlijn achter me vieren, zoals Theseus in het labyrint van de Minotaurus, zodat ik in de wirwar van dekken en trappen van de *Dawn Light* mijn richting niet zou kwijtraken.

Sherry volgde me langs de lijn. Ik voelde hoe haar hand mijn voet aanraakte en langs mijn been veegde toen ze tastend achter me aankwam.

Achter de blokkade was het water wat helderder geworden. We bevonden ons nu in de lage brede ruimte van het geschutsdek. Het was donker en geheimzinnig vol vreemde vormen die in overvloed om ons heen gestrooid lagen. Ik zag andere affuiten, kanonskogels die achteloos rondlagen of in hopen in hoeken lagen opgestapeld. Ook andere uitrustingsstukken die door de lange onderdompeling in het water zo veranderd waren dat ze niet meer te herkennen waren.

Langzaam gingen we verder. Onze vinnen brachten opnieuw stof en zand warrelend omhoog. Ook hier dreven er overal om ons heen dode vissen, maar ik zag ook hoe enkele krabben als monsterachtige spinnen in de diepte van het schip wegscharrelden. Ze hadden in ieder geval door hun gepantserde rugschilden de ontploffing overleefd.

Ik liet de lichtstraal van de toorts langs het dek boven ons spelen en zocht naarstig naar een ingang tot de lagere dekken en de ruimen. Nu het schip op haar rug lag, moest ik proberen de huidige ligging van het wrak in overeenstemming te brengen met de tekening die ik zo ijverig bestudeerd had.

Ruim vier meter vanaf ons punt van ingang, ontdekte ik de ladder die naar het vooronder leidde, een andere donkere, vierkante opening boven mijn hoofd en ik dwong mezelf omhoog en ging er doorheen. Mijn luchtbellen borrelden omhoog als een zilverkleurige regenbui en dreven nu als vloeibaar kwikzilver langs de waterdichte schotten en de dekplanken. De ladder was doorgerot en viel onder de aanraking van mijn handen in stukken uiteen. De stukken bleven in het water om mijn hoofd hangen, terwijl ik het benedendek binnenging.

Dit was niet meer dan een nauwe en overladen gang en had waarschijnlijk dienst gedaan als dienstgang voor de passagiershutten en de officierskantine. De verstikkende atmosfeer herinnerde me aan de afschuwelijke condities, waarin de bemanning van het fregat had moeten leven.

Ik waagde me voorzichtig langs deze gang, voelde me machtig aangetrokken tot de deuren aan weerszijden die zeker allerlei fascinerende ontdekkingen voorspelden. Ik bood echter weerstand aan deze verleiding en peddelde langs het lege dek, totdat het plotseling eindigde tegen een zwaar houten waterdicht schot.

Dit was waarschijnlijk de buitenwand van de diepe ruimte van het voorruim, waar het zich een weg door het dek baande en vandaar in de buik van het schip.

Meer dan voldaan met wat we bereikt hadden, richtte ik de straal van mijn toorts op mijn horloge en besefte met een schuldig gevoel dat we onze beschikbare arbeidstijd met vier minuten overschreden hadden. Iedere seconde bracht ons nu dichterbij het gevreesde gevaar van een paar lege luchtflessen en te korte decompressiepauzes.

Ik greep Sherry's pols en gaf haar door met mijn hand langs mijn keel te strijken het teken voor mogelijk gevaar en tikte daarna op mijn horloge. Ze begreep onmiddellijk wat ik bedoelde en volgde me gedwee op de lange langzame reis terug door de romp. Ik kon reeds voelen hoe de luchtslang stijf begon te worden en dat de lucht steeds moeilijker doorkwam naarmate de flessen leger werden.

We waren weer terug in open water en ik overtuigde me eerst of Sherry bij me was voor ik omhoog keek. Wat ik daar zag deed mijn adem stokken en het afgrijzen dat ik voelde, veranderde in een krampachtig samentrekken van mijn maagspieren.

De kom van Gunfire Break was veranderd in een grote bloedige arena. Aangetrokken door de duizenden dode vissen die door de ontploffing waren gedood, waren de diepzeehaaien in groten getale hier naar toe gekomen. De geur van bloed en vlees, vergezeld door de opgewonden bewegingen van hun metgezellen, die door het water naar hen waren overgebracht, hadden hen buiten zichzelf gebracht, een toestand die bekend is als de vreetrazernij. Snel trok ik Sherry de geschutspoort binnen en we hurkten daar neer. We keken naar de enorme voorbijglijdende gestalten die zich duidelijk tegen het van boven neerstralende licht aftekenden.

Te midden van de talrijke kleinere haaien waren er op zijn minst een stuk of twintig griezelige exemplaren, die de eilanders de Albacore-haai noemen. Het waren grote machtige vissen met ronde lichamen, schommelende buiken, ronde snuiten en brede grijnzende kaken. Ze draaiden als groteske draaimolens door het water. Hun staarten bewogen zich heen en weer en hun enorme bekken openden zich automatisch om alle flarden vlees die ze tegenkwamen op te slokken. Ik kende ze als vraatzuchtige maar aartsdomme dieren, die gemakkelijk te ontmoedigen waren, als men agressief tegen hen optrad, maar dit alleen wanneer ze niet in een toestand verkeerden van vreetrazernij. Nu echter waren ze intens opgewonden en geprikkeld en zouden uiterst gevaarlijk zijn. Niettemin zou ik het risico van een decompressie-opstijging aanvaard hebben, wanneer ik alleen met hen te maken had gehad.

Wat me in werkelijkheid de grootste schrik aanjoeg, waren twee andere lange lenige vormen die stil door het water schoten en zich met een machtige zwaai van de lange zwaluwstaart wisten te draaien, zodat de puntige neus bijna het uiterste einde van hun staart raakte. Dan gleden ze weer verder met al de macht en de gratie van een arend in volle vlucht. Wanneer een van die afschuwelijke vissen even pauzeerde om te eten, ging die sikkelvormige bek wijdopen en stonden de vele rijen tanden recht overeind als de stekels van een stekelvarken en buitenwaarts gericht. Het was een bij elkaar passend paar, ieder ongeveer drieëneenhalve meter lang, gemeten van de neus tot het puntje van hun staart en de overeind staande rugvin had de lengte van een mannenarm. De rug was leiblauw en hun buiken zo wit als sneeuw met donkere punten aan de staart en de vinnen. Ze waren bij machte een man in tweeën te bijten en de twee stukken apart in één keer door te slikken.

Een van hen zag hoe wij in het voorstuk van de geschutspoort ineen gehurkt zaten. Hij draaide zich plotseling om en daalde tot vlak boven ons en bleef een meter van ons vandaan zweven. We trokken ons zoveel mogelijk in het duister terug.

Dit waren de zo gevreesde witte haaien, de meest boosaardige vissen van alle zeeën. Ik wist dat een poging om nu op te stijgen aan de eisen van decompressie èn met de beperkte hoeveelheid lucht die we ter beschikking hadden èn zonder enige bescherming een zekere dood zou betekenen.

Als ik Sherry weer levend aan wal wilde brengen, zou ik verplicht zijn risico's te nemen, die onder normale omstandigheden beslist ondenkbaar waren. Snel krabbelde ik op de lei: 'BLIJF WAAR JE BENT!! Ik ga zonder luchtcilinders omhoog om lucht en een wapen te halen.'

Ze las de boodschap en schudde onmiddellijk het hoofd. Ze maakte dringende gebaren dit niet te doen, maar ik had de pen al uit de noodsluiting van mijn harnas getrokken en haalde voor het laatst zo diep mogelijk adem, voordat ik mijn luchtcilinders aan haar gaf. Ik liet mijn gewichtsriem vallen om mezelf meer opwaartse druk te geven en liet me langs de zijkant van de romp glijden en peddelde zo snel mogelijk naar de beschutting van de koraalwand.

Ik had de rest van mijn luchtvoorraad bij Sherry achtergelaten, misschien voldoende voor vijf, zes minuten, als ze er spaarzaam gebruik van maakte. Met uitsluitend de lucht die ik in mijn longen gezogen had, moest ik zien de gevaren het hoofd te bieden en proberen de oppervlakte te bereiken.

De koraalwand haalde ik en begon toen te stijgen, zo dicht mogelijk langs het koraal. Ik hoopte dat mijn donkere duikerpak met de donkere schaduwen zou samensmelten. Mijn rug hield ik naar de wand gekeerd en staarde aandachtig voor me, waar de grote sinistere vissen nog steeds in grote kringen rondzwommen.

Ik was nu zes meter van de bodem en de lucht in mijn longen zette uit naarmate de druk van het water afnam. Ik kon de lucht niet binnen houden, want dan zou het 't weefsel van mijn longen doen scheuren. Heel langzaam liet ik de lucht tussen mijn lippen ontsnappen, een zilverachtige streep luchtbellen, die door een van de witgebuikte haaien onmiddellijk werd opgemerkt. Hij rolde zich om en keerde. Met zwiepende slagen van zijn machtige staart schoot hij door het water, recht op me af.

Wanhopig wierp ik een blik omhoog langs de koraalwand. Op ongeveer twee meter boven mijn hoofd zag ik in het verweerde koraal een van die smalle nissen. Op dat moment dat de haai langs me heen schoot, gleed ik de nis binnen. Hij maakte een wijde boog voor een tweede uitval. Ik maakte me in mijn tijdelijke schuilplaats zo klein mogelijk. De haai verloor goddank alle belangstelling en zwenkte weg om een omlaagzakkende dode vis te grijpen, die hij met stuiptrekkende bewegingen naar binnen slokte. Mijn longen bonsden, want alle zuurstof uit de lucht die ik ingeademd had, was nu op en het koolzuurgas in mijn bloed nam in hoeveelheid toe. Het zou niet lang meer duren of ik zou door gebrek aan zuurstof in een half bewusteloze toestand raken.

Ik verliet de nis in de wand die me even te voren beschermd had, maar zorgde er wel voor dicht langs de koraalwand te blijven. Ik probeerde met die ene vin zo snel mogelijk omhoog te komen en wenste grondig dat ik de andere vin nog had die nu onder de affuit in het wrak van de boot geklemd lag.

Weer moest ik lucht laten ontsnappen en ik wist dat de stikstof in mijn bloed te snel verdampte en spoedig zou het gas als champagne in mijn bloed beginnen te bruisen.

Boven me zag ik de zilverachtige bewegende spiegel van het water-oppervlak en de donkere sigaarvormige romp van Chubby's boot boven me zweven. Ik kwam nu snel omhoog en wierp weer een blik omlaag. Ver onder me kon ik de troep haaien nog steeds zien rond-draaien en wentelen. Het zag er naar uit alsof ik aan hun aandacht ontsnapt was.

Mijn longen brandden in hun begeerte naar frisse lucht en mijn bloed klopte in mijn slapen. Ik kwam tot het besluit dat het ogen-blik gekomen was de bescherming van de koraalwand te verzaken en ik nu door het open water naar de boot moest zien te komen.

Ik sloeg wild met mijn benen en schoot in de richting van de boot die ongeveer dertig meter van het rif af lag. Halverwege de afstand keek ik omlaag en zag dat een van de witgebuikte haaien me had opgemerkt en op me afkwam. Met ongelooflijke snelheid kwam het dier uit de blauwe diepte omhoog. Mijn angst gaf me nieuwe kracht. Ik vergde het uiterste om de oppervlakte en de boot te be-reiken.

Steeds waren mijn ogen op de naderbij komende haai gericht. Het dier scheen in omvang toe te nemen toen het op me afstormde. Ie-der onderdeel van het afschuwelijke dier grifte zich in die paar krankzinnige seconden in mijn hersenen. Ik zag de snuit met de twee spleetvormige neusgaten, de goudkleurige ogen met de zwar-te pupillen als pijlpunten, de brede blauwe rug waarop de rugvin als de bijl van een beul recht overeind stond.

Ik schoot zo snel door de oppervlakte van het water dat ik tot aan mijn middel boven de oppervlakte uitschoot. Nog half in de lucht draaide ik me om en sloeg mijn goede arm over het dolboord van de boot. Met alle nog overgebleven kracht zwaaide ik mijn lichaam omhoog en trok daarbij mijn knieën tot onder mijn kin op.

Op dat zelfde ogenblik sloeg de witte dood toe. Het wateroppervlak scheen te exploderen toen hij vlak naast me omhoog schoot. Ik voelde de ruwe korrelige huid langs de pijpen van mijn duikerpak krassen toen hij rakelings langs me heen schoot. Er volgde een huiveringwekkende bons toen hij de romp van de boot raakte.

Ik zag de verschrikte gezichten van Chubby en Angelo toen de boot overhelde en wild begon te schommelen. Mijn wilde zwenkende bewegingen hadden de aanval van de haai richting doen verliezen. Hij miste mijn benen en botste tegen de boot.

Met nogmaals een heftige en wanhopige beenbeweging en de laatste restjes kracht in mijn armen zwaaide ik me over het dolboord en viel ik op de bodem van de boot. Weer sloeg de haai krakend tegen de romp toen ik over het dolboord schoot en weer miste hij me enkele centimeters.

Chubby gilde tegen me: 'Waar is miss Sherry? Heeft dat monster van een beest miss Sherry te pakken gekregen?'

Ik rolde me op mijn rug, snakkend naar kostbare lucht.

'De reserveluchtflessen,' bracht ik hijgend uit. 'Sherry zit in het wrak te wachten. Ze heeft snel lucht nodig.'

Met een sprong bereikte Chubby de voorplecht, rukte het zeildoek weg dat over de reserveflessen lag. Tijdens een crisis is hij het soort man dat ik graag bij me heb.

'Angelo,' gromde hij, 'haal die Johnny-capsules.' Dit was een pak capsules die gevuld waren met koperacetaat en die eenmaal in het water geworpen, haaien op de vlucht jagen. Ik had ze indertijd via een Amerikaanse vissportcatalogus besteld en Chubby had openlijk van zijn minachting voor die dingen blijk gegeven. 'Laten we nu maar eens zien of die fantastische dingen enige waarde hebben.'

Ik had nu genoeg frisse lucht binnen gekregen om me van de bodem van de boot omhoog te hijsen en tegen Chubby te zeggen: 'We hebben moeilijkheden. De kom zit vol grote haaien en er zijn twee uiterst gemene witgebuikte haaien bij. Dat kreng dat mij aanviel en dan nog een andere.'

Chubby gromde, terwijl hij de mondstukken aan de reserveluchtflessen bevestigde.

'Ben je regelrecht naar boven gekomen, Harry?'

Ik knikte. 'Heb mijn flessen bij Sherry achtergelaten. Ze zit daar beneden op me te wachten.'

'Denk je dat je last van caissonziekte krijgt, Harry?' Hij keek naar me en ik las de bezorgdheid in zijn ogen.

'Ja,' knikte ik, terwijl ik me naar mijn kist met wapens en springstoffen sleepte. Ik tilde het deksel op en zei: 'Ik moet weer zo snel mogelijk naar beneden – moet druk op mijn bloed krijgen voor het begint te bruisen.' Ik pakte de bandelier met explosieve koppen voor mijn handspeer. Het waren er twaalf in totaal en ik wou dat het er meer geweest waren, toen ik de bandelier rond mijn dijbeen gespte. Elke kop was van een schroefdraad voorzien, die op de schacht van een drie meter lange, roestvrijstalen speer geschroefd kon worden. Iedere kop had een explosieve lading, die gelijk stond met een twaalf kaliber kogel van een jachtgeweer. Ik kon de lading afschieten via een trekker aan de hendel. Het was een doeltreffende haaiedoder.

Chubby hees een van de twee luchtflessen op mijn rug en maakte het harnas vast. Angelo lag voor me geknield om de capsules die de haaien moesten verjagen aan mijn enkels vast te maken. Deze capsules zaten in geperforeerde plastic houders.

'Ik moet nog een tweede verzwaringsriem hebben,' zei ik, 'en ik heb een van mijn zwemvinnen verloren. Er zit een reservepaar in –' Ik maakte de zin niet af, kon dat ook niet. Een woedende folterende pijn schoot door de elleboog van mijn slechte arm. Een pijn die zo hevig was dat ik het uitschreeuwde en mijn arm vouwde in het ellebooggewricht dubbel als het lemmet van een zakmes. Het was een onvrijwillige reactie. Het gewricht vouwde dubbel, toen de druk van de stikstofbellen in mijn bloed op de zenuwen en de pezen drukte.

'Hij krijgt de caissonziekte,' gromde Chubby. 'Goeie God, hij krijgt de caissonziekte.' Hij sprong naar de motoren, sloeg ze aan en bracht me zo dicht mogelijk bij het rif. 'Werk zo snel als je kunt Angelo,' schreeuwde Chubby, 'we moeten hem omlaag krijgen.'

Weer werd ik door een pijnscheut getroffen, nu een heftige kramp in mijn rechterbeen. De knie vouwde finaal onder mijn gewicht dubbel en ik jankte als een klein kind. Angelo maakte de extra verzwaringsriem rond mijn middel vast en deed de zwemvin om mijn verlamde been.

Chubby zette de motoren af en we freewheelden onder de beschutting van het rif, terwijl Chubby zich naar de plaats repte waar ik ineengehurkt op het doft zat. Hij boog zich over me heen, duwde het ademhalingsapparaat tussen mijn lippen en draaide de kranen van de flessen open.

'Oké?' vroeg hij. Ik zoog door de slang en knikte.

Chubby boog zich over de rand en tuurde scherp in het bassin. 'Oké,' gromde hij. 'Dat witgebuikte loeder zit ergens anders.'

Hij tilde me als een kind in zijn armen, want ik miste op dat ogenblik het gebruik van een arm en een been. Hij liet me tussen de boot en het rif in het water zakken.

Angelo maakte het stel reserveflessen voor Sherry aan mijn riem vast, overhandigde me de drie meter lange speer en ik bad dat ik 't ding niet zou laten vallen.

'Jij gaat beneden miss Sherry halen,' zei Chubby. Ik rolde nogal rommelig in een eenbenige duik over de kant en schoot omlaag.

Zelfs onder de folterende pijn van de kramp als gevolg van het eerste begin van de zo gevreesde caissonziekte, was mijn eerste zorg rond te kijken of ik ook ergens mijn witgebuikte vijanden zag. Ik zag er inderdaad één, maar hij zwom ver weg in de diepte tussen een groep onregelmatig rondzwemmende Albacore-haaien. Zo dicht mogelijk aangedrukt tegen de bescherming van de koraalwand kronkelde ik mezelf als een verminkte waterkever omlaag. Ongeveer tien meter onder water begon de pijn te verminderen. De hernieuwde druk van het water verminderde de grootte van de bellen in mijn bloedstroom. Ik kon mijn armen en benen weer strekken en vrijelijk gebruiken.

Ik ging nu aanmerkelijk sneller omlaag en de verlichting die ik voelde, kwam snel en voelde aan als een ware zegen. Ik kreeg nieuwe moed en mijn eerder gevoelde wanhoop maakte plaats voor een groter zelfvertrouwen. Ik had lucht en een wapen. Ik had nu tenminste een redelijke kans.

Ik had nu een diepte bereikt van zevenentwintig meter en kon de bodem duidelijk zien. Ik zag Sherry's luchtbellen uit de nevelige blauwe diepte omhoogkomen en dat alleen al maakte dat ik me een stuk beter voelde. Ze ademde dus nog steeds en ik had een vol stel luchtflessen voor haar bij me. Het enige dat ik te doen had, was naar haar toe te duiken.

Een van de dikke kwaadaardige Albacore-haaien kreeg me in de gaten, terwijl ik langs de donkere wand omlaag gleed. Hij zwenkte naar me toe. Hoewel hij zich al volgepropt had met voedsel kwam hij op me af en grijnsde daarbij op een afschuwelijke manier. Hij sloeg met zijn brede staart.

Ik ging achteruit en hing als 't ware tegen de koraalwand, mijn gezicht naar hem toegekeerd. Ik hield de speer met de explosieve kop op hem gericht. Terwijl ik zacht met mijn vinnen peddelde om mezelf voor een eventuele aanval gereed te houden, stroomde de helder blauwe verfstof uit de haai-afstotende tabletten in wolken om me heen.

De haai kwam nog dichterbij en ik richtte de speer om hem recht in zijn snuit te raken. Maar op het moment dat zijn hoofd en kieuwen in aanraking kwamen met de wolken blauwe verfstof, sloeg hij geschokt en vol afkeer met zijn staart. Het koperacetaat had zich in zijn ogen en kieuwen gebrand en hij trok zich haastig terug.

Dat had je niet gedacht, Chubby Andrews, dacht ik. Ze werken!

Weer ging ik verder omlaag, nu bijna tot de toppen van de bamboestaken en ik zag dat Sherry nog steeds in de geschutspoort gehurkt zat, niet meer dan een tien meter van me vandaan. Ze sloeg elke beweging die ik maakte gade. Haar eigen luchtflessen had ze opgebruikt en ademde nu via de mijne – maar ik wist uit de hoeveelheid opstijgende luchtbellen dat ze nog slechts enkele seconden adem zou kunnen halen voor de flessen leeg waren.

Ik peddelde nu in haar richting en liet de koraalwand achter me. Het waren haar bijna koortsachtige bewegingen die me waarschuwden. Ik draaide me vliegensvlug om en zag de witgebuikte haai als een lange blauwe torpedo op me af komen. Hij gleed vlak over de toppen van het bamboe en uit een hoek van zijn bek hing een aan flarden gescheurd stuk vlees. Hij deed zijn brede bek open om het stuk vlees naar binnen te schrokken en de achter elkaar geplaatste rijen tanden glommen zo wit als de bloembladen van de een of andere walgelijke bloem.

Ik had mijn gezicht naar hem toegekeerd toen hij aanviel, maar op hetzelfde moment liet ik me achterover vallen en schopte met mijn gevinde voeten in zijn richting en zo legde ik een dicht rookgordijn van blauwe verfstof tussen hem en mij.

Met harde, zwiepende slagen van zijn staart schoot hij door de laatste paar meter water, maar toen werd hij door de blauwe verfstof getroffen. Hij zwenkte weg en veranderde de richting van zijn aanval toen hij zich wegscheerde. Hij schoot zo dicht langs me heen dat zijn zwiepende staart hard tegen mijn schouder sloeg zodat ik finaal rondduikelde. Het duurde slechts enkele seconden voor ik me weer kon oriënteren, maar toen ik mijn evenwicht hersteld had en snel om me heen keek, ontdekte ik dat de grote haai een ruime bocht beschreef. Hij schoot op ongeveer twaalf meter afstand om me heen en in zijn volle lengte kwam het mij voor dat hij zo lang was als een slagschip en zo blauw als een zomerse hemel. Het was bijna niet te geloven dat deze vis twee maal zo groot zou worden als hij nu was. Dit was nog maar een jong dier – en daar was ik bijzonder dankbaar voor.

Plotseling kreeg ik het gevoel dat de slanke stalen speer waarin ik zo veel vertrouwen had gesteld, nutteloos was. De haai keek me met een koud gelig oog, waarover zo nu en dan het bleke derde ooglid als in een duivelse knipoog knipperde, aan. Een maal opende hij zijn kaken in een krampachtige slikbeweging, als in een soort voorproefje van de smaak van mijn vlees. Hij bleef in dezelfde snelle cirkels rondzwemmen met mijzelf zo ongeveer in het centrum. Maar ik draaide steeds met hem mee en bewoog razendsnel mijn vinnen om zijn gelijkmatige en niet geforceerde snelheid bij te benen. Terwijl ik draaide, haalde ik het reservestel flessen van mijn riem los en slingerde dit bij het gareel over mijn linkerschouder. Net als het schild van een Romeinse legionair. Ik bracht de schacht van de speer onder mijn arm en hield de punt met de explosieve kop op het rondcirkelend monster gericht.

Mijn hele lichaam prikkelde door de warme stroom adrenaline in mijn aderen. Mijn zintuigen werden door deze extra toevoer van adrenaline versterkt en verscherpt – het intens aangename gevoel van acuut gevaar waaraan een man verslaafd kan raken.

Elk onderdeel van de doodgevaarlijke vis werd onuitwisbaar in mijn geheugen gegrift, van het zachte kloppen van de veelvoudige kieuw achter de kop, tot aan de lange uitgestrekte linten van de zuigvissen, die zich met hun zuignappen aan de gladde sneeuwwitte oppervlakte van zijn buik hadden vastgezogen. Met een vis van die afmeting was het fout om te proberen hem met de explosieve lading in zijn snuit te treffen, want dit zou hem nog veel woedender maken. Mijn enige kans was hem van opzij in de hersenen te raken.

Ik herkende het juiste ogenblik dat de afkeer van de haai voor de blauwe nevel overwonnen werd door zijn honger en woede. Zijn

staart scheen als 't ware even te verstijven, gaf toen een aantal zwiepende slagen, waardoor zijn snelheid aanmerkelijk groter werd.
Ik zette mezelf schrap en lichtte als een soort bescherming de reserveflessen omhoog. Toen kwam de haai razendsnel op me af.
Ik zag hoe de kaken zich als een kuil openden, afgezet door de wig-
vormige tanden. Op het moment dat hij toehapte, duwde ik de beide stalen flessen in zijn bek.
De haai sloot zijn kaken om de hem geboden valstrik en het hele
garnituur werd me finaal uit handen gerukt. De hevigheid van de
botsing wierp me opzij. Toen ik van de schok bekomen was, keek ik
razendsnel om me heen en ontdekte dat de haai slechts zes meter
van me vandaan zwom. Hij bewoog zich slechts langzaam, rukte en
scheurde aan de luchtflessen zoals een jonge hond een paar pantoffels te lijf gaat.
Het schudde de kop op de instinctieve manier waarop het stukken
vlees uit het lichaam van een slachtoffer losscheurt, maar dit veroorzaakte in dit geval slechts diepe krassen op het geverfde metaal
van de flessen.
Dit was mijn kans, mijn enige kans. Ik sloeg hard met mijn vinnen
en sprintte als 't ware boven de brede blauwe rug, gleed rakelings
langs de hoge rugvin en liet me toen bovenop het beest zakken. Ik
naderde hem vanuit een richting, waaruit hij me niet zien kon, zoals
een aanvallende vlieger hoog van achteren op zijn tegenstander
aanstormt.
Ik stak de speer recht vooruit en drukte de kop stevig tegen de gebogen blauwe schedel direct tussen die ijskoude en dodelijk gelige
ogen. Ik drukte op de trekker op de schacht van de speer.
Het schot ging af met een knal, die mijn trommelvliezen pijn deed
en de speer schokte hevig in mijn vaste greep.
De witgebuikte haai ging recht op zijn staart staan, zoals een steige-
rend paard en opnieuw werd ik, zij het minder heftig, door zijn ach-
teloze omvang opzij geworpen, maar ik herstelde me snel en zag
hoe hij in razernij raakte. De spieren onder zijn gladde huid trokken en krampten samen door de willekeurige impulsen, veroorzaakt door zijn beschadigde hersenen. De haai draaide snel, dook,
rolde zich wild op zijn rug en schoot als een pijl omlaag waar hij
hard met zijn snuit tegen de rotsachtige bodem sloeg. Weer stond
het dier recht op zijn staart en schoot in volkomen doelloze parabo-

len door het lichtblauwe water.

Terwijl ik het dier aandachtig volgde, er wel voor zorgend op eerbiedige afstand te' blijven, schroefde ik de ontplofte top van de speer en verving deze door een nieuwe lading.

De witgebuikte haai had nog steeds Sherry's nieuwe luchtvoorziening tussen zijn kaken. Ik kon die flessen daar moeilijk achterlaten. Behoedzaam volgde ik zijn wilde, onvoorspelbare manoeuvres. Toen hij uiteindelijk een ogenblik met zijn neus omlaag in het water bleef hangen, zwevend op de brede uitwaaieringen van zijn staart, schoot ik opnieuw naar hem toe. Opnieuw drukte ik de explosieve lading tegen zijn schedel, deze keer tegen het kraakbeenachtige deel van zijn kop, zodat de volle schok van de ontploffing direct naar zijn kleine hersenen zou worden overgebracht.

Ik vuurde het schot af en opnieuw bezeerde ik mijn trommelvliezen. De haai verstijfde geheel. Het dier bewoog zich niet één keer meer, maar nog steeds in die verstijfde toestand rolde het langzaam om en begon naar de bodem te zakken. Ik schoot op het dode beest af en wrong het beschadigde stel luchtflessen tussen zijn kaken vandaan.

Ik zag onmiddellijk dat de luchtslangen door de tanden van de haai kapotgescheurd waren en er in flarden bij hingen. Maar de flessen waren aan de buitenkant slechts licht beschadigd.

Met de flessen in mijn handen zwom ik zo snel mogelijk over de bamboetoppen naar het wrak. Ik zag echter geen luchtbellen meer uit de geschutspoort opstijgen en toen ik Sherry weer kon zien, zag ik dat ze de laatste nu lege flessen had afgedaan. Ze waren leeg en Sherry lag daar langzaam dood te gaan.

Niettemin had ze in de nood van haar langzame verstikking niet de poging gedaan die gelijk zou hebben gestaan met zelfmoord om naar de oppervlakte te stijgen. Ze wachtte op mij, terwijl ze langzaam stikte, maar desondanks vol vertrouwen in mij.

Toen ik eenmaal naast haar lag, trok ik mijn eigen mondstuk tussen mijn lippen vandaan en bood het haar aan. Haar bewegingen waren langzaam en weinig gecoördineerd. Het mondstuk gleed uit haar hand en dreef nu met de opening omhoog. Een maalstroom van luchtbellen steeg op. Ik greep het snel en wrong het in haar mond. Ik hield het daar, terwijl ik mezelf iets liet zakken, zodat ik niet meer op gelijke hoogte met haar was en waardoor er een meer regelmatige luchttoevoer ontstond.

Ze begon te ademen. Haar borst rees en daalde in lange diepe halen van kostbare lucht en bijna onmiddellijk zag ik dat haar krachten en vastberadenheid terugkeerden. Voldaan besteedde ik nu alle aandacht aan het verwijderen van het ademhalingsgedeelte van de lege flessen en gebruikte die om de luchtslang, die door de haai kapotgebeten was, te vervangen. Ik ademde hierdoor ongeveer een halve minuut en daarna bevestigde ik het garnituur op Sherry's rug en nam mijn eigen mondstuk weer terug. Nu hadden we dus echt lucht, genoeg om ons via de langdurige en langzame decompressie die voor ons lag naar boven te brengen. Ik knielde en keek haar zoals ze daar in de geschutspoort zat aan. Ze grinnikte rond het mondstuk en stak haar duim omhoog, welk gebaar ik onmiddellijk beantwoordde. Alles goed met jou, alles goed met mij, dacht ik en schroefde de gebruikte kop van de speer en verving deze door een nieuwe uit de bandclier om mijn dijbeen.

En opnieuw tuurde ik vanuit de betrekkelijke veiligheid van de geschutspoort in het open water van het bassin.

Aangezien de voorziening van dode vis was uitgeput, waren nu ook de troep haaien, althans voor zover ik zien kon, verdwenen. Ik zag een of twee van die ongure donkere gedaanten nog steeds het lichtgekleurde water afzoeken en afsnuffelen, maar hun vreetrazernij was verdwenen.

Ze bewogen zich meer op hun gemak en ik voelde me heel wat gelukkiger, want nu moest ik Sherry naar boven brengen.

Ik pakte haar hand en was verbaasd hoe klein en koud die hand in de mijne aanvoelde. Maar ze beantwoordde mijn gebaar met een druk van haar vingers. Ik wees naar boven en ze knikte. Ik bracht haar buiten de geschutspoort en we gleden nu langs de romp van het wrak, onder de beschutting van het bamboe snel naar de veiliger koraalwand.

Naast elkaar, terwijl we nog steeds de handen ineengeklemd hielden en met onze ruggen naar de wand gekeerd, stegen we langzaam omhoog.

Het licht werd sterker en toen ik opkeek, kon ik ver boven me de boot zien. Mijn stemming steeg.

Op twintig meter stopte ik een minuut om met de decompressie te beginnen. Een dikke oude Albacore-haai zwom langs, gevlekt en bont als een varken, maar hij schonk ons geen enkele aandacht. Ik liet mijn speer weer zakken toen hij in de wazige verte verdween. Langzaam stegen we nu omhoog naar de volgende decompressie-pauze. Twaalf meter. Hier bleven we twee minuten, zodat de stik-stof in ons bloed de kans kreeg langzaam via onze longen te ont-snappen. Toen verder omhoog naar zes meter voor de volgende pauze.

Ik gluurde door Sherry's masker en ze rolde met haar ogen. Het was duidelijk dat ze haar moed en haar brutaliteit weer terug begon te krijgen. Het verliep nu allemaal gladjes. We waren praktisch thuis en dronken whisky – nog hoogstens twaalf minuten.

De Groenlandvaarder was nu zo dichtbij dat het scheen alsof ik haar met de speer zou kunnen aanraken. Ik kon Chubby en Angelo tamelijk duidelijk zien. Hun bruine gezichten hingen over de kant, terwijl ze gretig wachtten todat we boven zouden komen.

Ik maakte mijn blikken van hen los en zocht opnieuw het ons om-ringende water af. Aan mijn uiterste gezichtseinder, waar het wazi-ge water overging in ondoorzichtig blauw zag ik iets bewegen. Het was niet meer dan een vermoeden van een bewegende schaduw, die opdook en weer verdween voor ik me echt realiseerde dat ik iets gezien had. Maar ik kreeg weer dat gevoel van angst en bezorgd-heid.

Ik bleef onbeweeglijk in het water hangen, opnieuw tot het uiterste gespannen. Ik zocht en wachtte, terwijl de laatste paar minuten zich als verlamde insekten voortsleepten.

Weer trok die schaduw voorbij, maar deze keer duidelijk zichtbaar. Een snelle en dodelijke beweging, die geen twijfel liet dat we hier niet met een Albacore-haai te maken hadden. Het was het verschil tussen de gestalte van de rondsluipende hyena in de schaduw rond het kampvuur en de gestalte van de leeuw die op jacht is.

Plotseling kwam daar door het mistig blauwe gordijn van water de tweede witgebuikte haai. Hij naderde snel en stil, passeerde ons op ongeveer vijftien meter afstand, deed net alsof hij ons negeerde. Hij was bijna niet meer te zien, toen hij zich plotseling omdraaide en weer langs ons zwom. Als een gekooid dier, heen en weer langs de tralies.

Sherry drukte zich zo dicht mogelijk tegen me aan. Ik maakte mijn hand los uit haar knellende greep. Ik had allebei mijn handen nu hard nodig. Toen de haai voor de derde keer langs kwam, verbrak hij het patroon van zijn bewegingen en ging over tot het maken van grote, razendsnelle cirkels die altijd aan een aanval voorafgaan. Almaar rond, met dat lichtgele oog hongerig op ons gericht.

Plotseling werd mijn aandacht afgeleid door de langzame daling van wel een dozijn van die blauwe haai verjagende capsules. Toen Chubby zag in wat voor toestand we ons bevonden, had hij de hele kist over de rand van het schip leeggegooid. Een van die dingen gleed dicht genoeg langs me heen om het te kunnen grijpen en aan Sherry te geven.

Het walmde in haar hand blauwe verfstof uit en ik richtte mijn aandacht weer op de haai. Hij had zijn koers vanwege de verfstof iets gewijzigd maar nog steeds cirkelde het beest snel om ons heen en grijnsde op een afschuwelijke manier.

Ik wierp een blik op mijn horloge. Nog drie minuten en we zouden in veiligheid zijn, maar ik kon natuurlijk niet het risico nemen en Sherry vooruit naar boven sturen. In tegenstelling tot mijzelf had ze niet de bruisende stikstof in haar bloed en zij zou hoogst waarschijnlijk over een minuut zonder gevaar naar de oppervlakte kunnen stijgen.

De haai verkleinde de cirkel om ons en drong meedogenloos dichterbij. Zo dichtbij dat ik tot diep in de zwarte spitsvormige pupil kon kijken en daar duidelijk zijn bedoelingen kon lezen.

Weer keek ik op mijn horloge. Ik mikte het precies uit, wel een tikje te precies, maar ik besloot Sherry naar boven te sturen. Ik klopte haar op de schouder en wees dringend naar boven. Ze aarzelde. Weer klopte ik haar op de schouder en herhaalde mijn instructie.

Ze begon te stijgen, heel langzaam en op de juiste manier, maar zacht heen en weer bewegende benen vormden een uitnodiging op zich. De haai liet me alleen en steeg omhoog, even langzaam als Sherry. Hij volgde haar op de voet.

Ze zag het en begon sneller te stijgen. De haai kwam geleidelijk dichterbij. Ik bevond me nu onder hen en zwom snel naar een kant op hetzelfde ogenblik dat de staart van de haai scheen te verstijven en dat was het signaal dat hij elk moment tot de aanval kon overgaan.

Ik was nu vlak onder hem toen hij zich omdraaide om Sherry aan te vallen en te verslinden. Ik stak mijn arm omhoog en drukte de speer met de explosieve kop tegen de zachte, walgelijke keel en haalde de trekker over. Ik zag hoe de schok van de ontploffing het gezwollen vlees trof. De haai schoot omhoog met een krampachtige slag van zijn staart. Hij vloog recht omhoog, ver boven het wateroppervlak en viel toen weer zwaar terug in een romig schuim van bellen.

Onmiddellijk begon hij in krankzinnige cirkels te zwemmen en te draaien alsof een zwerm bijen hem had overvallen. Herhaaldelijk opende hij zijn bek om die dan weer met een klap te sluiten.

Verscheurd door een verschrikkelijke bezorgdheid keek ik toe hoe Sherry haar geestelijke beheersing wist te handhaven en hoe ze op haar gemak naar de boot opsteeg. Een paar enorme bruine handen staken ver onder water om haar te verwelkomen. Terwijl ik toe-keek, kwam ze binnen het bereik van die handen. Vingers grepen zich als stalen klauwen aan haar vast en met wonderbaarlijke kracht werd ze als 't ware uit het water geplukt. Ik kon nu al mijn aandacht wijden aan het probleem hoe de volgende paar minuten in leven te blijven voor ik haar naar de veilige boot kon volgen. De haai scheen van de schok van de explosie te herstellen en hij verwisselde de doelloze krankzinnige rondwentelingen voor de afschuwelijke ver-trouwde kringen.

Hij begon weer opnieuw met de wijde omtrekkende beweging, maar bij elke nieuwe beweging kwam hij dichterbij. Ik wierp een blik op mijn horloge en zag dat ik eindelijk weer omhoog kon gaan, het laatste stadium van de stijging.

Ik ging langzaam omhoog. De folterende pijn van de caissonziekte lag nog steeds vers in mijn geheugen – maar de witbuikige haai kwam steeds dichterbij. Ongeveer drie meter onder de Groenland-vaarder stopte ik opnieuw. De haai werd achterdochtig. Waar-schijnlijk herinnerde hij zich de heftige ontploffing in zijn keel van enkele minuten geleden. Hij staakte het zwemmen in cirkels en hing nu bewegingloos op de brede uitgespreide borstvinnen. We staarden elkaar over een afstand van niet meer dan vijf meter aan en ik voelde dat het grote blauwe beest zich klaar maakte voor de uiteindelijke stormaanval.

Ik strekte de arm met de speer zo ver mogelijk uit. Heel voorzich-tig, om hem vooral niet in beweging te brengen, zwom ik naar hem toe tot de explosieve kop van de speer niet meer dan twee centime-ter van de spleetvormige neusgaten direct onder zijn snuit was.

Ik haalde de trekker over en hij schoot onaangenaam verrast achteruit toen de top ontplofte. Hij zwenkte weg in een wijde woedende bocht. Ik liet de speer vallen en schoot naar de oppervlakte. Hij was even razend als een gewonde leeuw, geprikkeld door de verwondingen die hij gekregen had en hij ging met zijn gekromde rug, zo groot als een blauwe berg tot de aanval over, zijn brede bek wijd opengesperd. Ik wist dat ik hem deze keer niet meer kon ontlopen, alleen de dood zou hem kunnen tegenhouden.

Toen ik naar de oppervlakte schoot, zag ik Chubby's handen al op me wachten, vingers als bruine bananen en op dat ogenblik hield ik van hem. Ik hief mijn rechterarm boven mijn hoofd en bood die Chubby aan en terwijl de haai de laatste paar meter die ons scheidden flitsend aflegde, voelde ik hoe Chubby's vingers zich om mijn pols sloten.

Toen scheen het water om mij heen te exploderen. Ik voelde de enorme trek aan mijn arm en eveneens de machtige doorbraak van het wateroppervlak, toen het massale lichaam van de haai er dwars doorheen schoot. Toen lag ik op mijn rug op het dek van de boot, ik kan wel zeggen, weggesleurd tussen de kaken van dat afschuwelijke beest vandaan.

'Je hebt echt leuke huisdieren, Harry,' zei Chubby op ongeïnteresseerde toon. Ik wist dat die niet echt was. Vlug keek ik om me heen naar Sherry. 'Alles goed met je?' riep ik, toen ik haar natte, inwitte gezicht op de achterplecht zag. Ze knikte. Ik betwijfelde of ze wel een woord kon uitbrengen.

Ik rukte de noodsluiting van mijn harnas los en bevrijdde me van het gewicht van de samengeperste luchtflessen.

'Chubby, maak een staaf dynamiet klaar om te schieten,' riep ik, terwijl ik mijn masker afzette en mijn vinschoenen uittrok en over de rand van de boot keek.

De haai was nog steeds in de buurt en cirkelde razend van pijn en teleurstelling om ons heen. Hij kwam boven om ons de volle lengte van zijn rugvin te laten zien. Ik wist dat hij gemakkelijk kon aanvallen en de planken van de Groenlandvaarder kon indrukken.

'Mijn God, Harry, dat beest is afgrijselijk.' Sherry had ten slotte haar stem teruggevonden en ik begreep hoe ze zich voelde. Ik haatte die afschuwelijke vis met de kracht van mijn zoëven doorgemaakte angst. Ik moest hem echter afleiden van een directe aanval.

'Angelo, geef me die Moray-aal en het aasmes,' schreeuwde ik. Hij overhandigde me het koude, slijmerige lichaam. Ik sneed een tien pond zwaar stuk van de dode aal af en wierp het in het water.

De haai zwenkte en zwom snel naar het hapje, verzwolg het en schuurde langs de romp van de boot. De boot schommelde nu hevig.

'Haast je, Chubby,' schreeuwde ik en wierp de haai weer een brokstuk toe. Hij hapte even gretig toe als een hongerige hond, schoot onder de boot door, botste er tegen aan. Ze slingerde hoogst onplezierig. Sherry schreeuwde angstig en greep het dolboord.

'Klaar,' zei Chubby en ik gaf hem een halve meter lang stuk van de aal en van dat stuk hing de lege buik als een zak open.

'Stop daar die dynamietstaaf in en maak het dicht,' droeg ik hem op. Hij begon prompt te grinniken.

'Hé, Harry,' grinnikte hij. 'Ik mag dat wel.'

Terwijl ik het monster bleef voeren met brokken aal, bond Chubby de staaf dynamiet in een keurig pakketje aalvlees. Alleen het geïsoleerde koperdraad stak uit het vlees. Hij gaf het me.

'Verbind de draden aan de batterij,' beval ik hem en wikkelde een tiental lussen draad los en hield die in mijn hand.

'Klaar voor explosie,' grinnikte Chubby. Ik wierp het pak vlees en dynamiet in de baan van de rondcirkelende haai.

Het dier schoot erop af en zijn glimmende blauwe rug doorbrak het wateroppervlak, toen het 't aas naar binnen slokte. Onmiddellijk begon de draad over de kant te glijden en ik liet nog meer draad van de klos vieren. 'Laat hij het eerst goed inslikken,' zei ik. Chubby knikte verheugd.

'Oké, Chubby, blaas de lamstraal nu de hel in.'

Ik gromde toen de vis weer aan de oppervlakte kwam, de rugvin omhoog. Hij zwenkte rond in een nieuwe grote cirkel en het koperdraad sleepte uit de hoek van de sikkelvormige bek achter hem aan. Chubby drukte op de knop en de haai barstte in een hoge fontein van roze druppels uit elkaar. Precies een openbarstende watermeloen. Zijn lichtrode bloed mengde zich met het lichtere vlees en de paarsachtige inhoud van de buikholte. De brokstukken schoten wel vijftien meter de lucht in en kletterden neer op het water en de boot. Het verbrijzelde karkas rolde als een bloedend houtblok op het water, zwenkte toen rond en begon te zinken.

'De groeten, Johnny Uptail,' jouwde Angelo. Chubby grijnsde als een engel.

'Laten we naar huis gaan,' zei ik. De branding vanuit de oceaan begon reeds over het rif te breken. Bovendien had ik het gevoel of ik elk ogenblik kon gaan overgeven.

Het belabberde gevoel dat ik had, reageerde echter bewonderens- waardig na een behandeling met een dosis Chivas Regal, zelfs al werd me dit gepresenteerd in een emaille beker. Veel later, toen we weer in onze grot zaten, zei Sherry: 'Ik veronderstel dat je graag zou zien dat ik je bedankte, omdat je me het leven hebt gered en al die onzin.'

Ik keek haar grinnikend aan en hield mijn armen open. 'Nee, liefje, laat me alleen maar voelen hoe dankbaar je bent.' En dat deed ze. Daarna waren er geen akelige dromen die mijn slaap bedierven, want ik was zowel lichamelijk als geestelijk volkomen uitgeput.

Ik geloof dat we Gunfire Break allemaal met een bijgelovige vrees begonnen te zien. De reeks ongevallen en tegenslagen waaraan we onderworpen waren geweest, schenen het gevolg te zijn van het een of andere doelbewuste boosaardig plan.

Het leek wel alsof het iedere keer dat we erin terugkeerden in aan- zien nog onheilspellender was geworden, alsof er zich een dreigen- de atmosfeer overheen gelegd had.

'Weet je wat ik denk,' zei Sherry lachend, maar ze bedoelde het toch niet helemaal als een grap. 'Ik geloof dat de geesten van de vermoorde Mogolprinsen de schat gevolgd zijn om als schatbe- waarders op te treden –'

Ondanks de stralende zonneschijn op een nog stralender ochtend, zag ik de uitdrukkingen op de gezichten van Chubby en Angelo. 'Ik geloof dat die geesten in die twee witgebuikte haaien die we giste- ren gedood hebben huisden.' Chubby keek alsof hij zo juist een do- zijn bedorven oesters had gegeten. Hij verbleekte tot een wasachtig goudbruin en ik zag hoe hij met zijn rechterhand het teken maakte.

'Miss Sherry,' zei Angelo doodernstig, 'u moet echt nooit op die manier over zulke dingen praten.' Ik zag het kippevel op zijn ar- men. Hij en Chubby zagen eruit alsof ze spoken gezien hadden.

'Ja, inderdaad, houd op met die onzin,' stemde ik met Angelo in.

'Ik maakte maar een grapje,' verweerde Sherry zich.

'Mooi grapje,' antwoordde ik. 'We hebben ons bijna doodgelachen.'

Tijdens de tocht door het kanaal en totdat we ligplaats gekozen hadden in de beschutting van het rif waren we alle vier stil. Er was geen woord gewisseld. Ikzelf zat voor op de boeg en toen ze alle drie naar me keken, zag ik aan de uitdrukking op hun gezichten dat ik een morele crisis moest overwinnen.

'Ik ga alleen naar beneden,' kondigde ik aan. Ik voelde gewoon dat ze opgelucht waren.

'Ik ga met je mee,' bood Sherry vrijwillig, maar niet van harte aan.

'Later, eerst wil ik controleren of er nog haaien zijn en mijn uitrustingsstukken halen die we gisteren hebben moeten achterlaten.'

Voorzichtig en meer dan op mijn hoede ging ik omlaag. Ik bleef zeker vijf minuten onder de boot hangen. Ik zocht eerst nauwkeurig de diepte van de kom af of ik soms die boosaardige donkere vormen zag en daarna dook ik langzaam dieper.

In de diepere lagen was het koud en griezelig, maar ik zag dat het tij van de afgelopen nacht de kom had schoongemaakt en al de kadavers en het bloed die de vorige dag de troep haaien hadden aangetrokken, in zee had gezogen. Nergens zag ik enig teken van de grote witgebuikte kadavers en de enige vissen die ik zag, waren talrijke scholen prachtige koraalbewoners. Een zilverachtige glinstering op de bodem leidde me naar de speer, die ik in mijn snelle opstijging naar de Groenlandvaarder had achtergelaten. Ik vond ook de lege luchtflessen en de beschadigde luchtslang die we in de geschutspoort hadden achtergelaten.

Ik ging met mijn lading naar boven en voor het eerst die dag zag ik mijn bemanning weer glimlachen, toen ik hun vertelde dat het water schoon en van alle gevaar ontbloot was.

'Vooruit,' zei ik, want ik sloeg onmiddellijk munt uit hun betere stemming, 'vandaag gaan we naar beneden om het ruim open te breken.'

'Ga je door het gat in de romp naar binnen?' vroeg Chubby.

'Daar heb ik aan gedacht, Chubby, maar ik denk wel dat we een paar zware ladingen moeten aanbrengen om via dat gat binnen te komen. Ik heb besloten om via het passagiersdek de bak binnen te gaan.' Ik maakte, terwijl ik het hun uitlegde, een ruwe schets. 'De lading is vanzelf verschoven en ligt nu in een verwarde hoop direct achter dat waterdichte schot en wanneer we de boel hier laten springen kunnen we de kisten of wat we ook vinden stuk voor stuk de gang op slepen.'

'Maar vandaar naar de geschutspoort is een heel eind.' Chubby tilde zijn pet op en masseerde peinzend zijn kale schedel.

'Ik was van plan aan de trap naar het geschutsdek een licht hijsblok en takel te bevestigen en ook nog een in de geschutspoort.'

'Dat wordt een hoop werk,' zei Chubby en keek droefgeestig naar me.

'Dat is voor het eerst dat je het met me eens bent – ik begin me gewoon zorgen te maken dat ik het mogelijk mis heb.'

'Ik zei niet dat je het mis had,' antwoordde Chubby stijfjes, 'ik zei alleen dat het een hoop werk was. Je kunt miss Sherry niet laten takelen, is 't wel?'

'Nee,' stemde ik met hem in. 'Daarvoor hebben we iemand met vlees op zijn bast nodig.' Ik prikte met mijn vinger in zijn uitpuilende keiharde maag.

'Dat dacht ik ook,' antwoordde Chubby treurig. 'Je wilt dat ik me klaar maak?'

'Nee,' hield ik hem tegen. 'Sherry kan nu met me mee omlaag gaan om de ladingen aan te brengen.' Ik wilde namelijk dat ze na de afschuwelijke ervaring van de vorige dag haar zenuwen op de proef stelde. 'We zullen de bak openblazen en komen dan weer naar boven. We gaan in geen geval onmiddellijk na de explosie aan het werk. We laten het tij alle dode vis weer wegspoelen voor we opnieuw naar beneden gaan. Ik wil onder geen voorwaarde een herhaling van wat gisteren gebeurd is.'

We gingen door de geschutspoort naar binnen en volgden de oriëntatielijn, die we tijdens ons eerste bezoek hadden vastgemaakt, langs het geschutsdek, dan langs de trap omhoog naar het passagiersdek en vervolgens langs de donkere, weinig aanlokkelijke tunnel naar het waterdichte schot, dat de toegang versperde naar het voorste deel van het ruim.

Terwijl Sherry de toorts voor me vasthield, begon ik met de handboor die ik mee naar beneden genomen had een gat door het waterdichte schot te boren. Omdat ik me niet behoorlijk schrap kon zetten, werd het een ongemakkelijk karwei, maar de eerste vier centimeter ging gelukkig heel gemakkelijk. Deze laag hout was verrot tot een kurkachtige massa, maar daar achter stootte ik op eiken dat zo hard was als ijzer. Ik moest dan ook mijn pogingen staken. Het zou me minstens een week gekost hebben daar doorheen te komen. Nu ik niet in staat was de ladingen in van tevoren klaargemaakte schietgaten te plaatsen, moest ik nu een zwaardere lading gebruiken dan ik oorspronkelijk van plan was en daarbij vertrouwen op het tunneleffect van de gang, voor een secundaire schok om het schot naar binnen te duwen. Ik gebruikte zes halve staven dynamiet, plaatste die in de hoeken en in het centrum van het schot en maakte ze stevig vast aan bouten die met een hamer in het houtwerk waren geslagen.

Het kostte ons bijna een half uur om alles voor de explosie in gereedheid te brengen. Het was daarna gewoon een opluchting de benauwende ruimte van de oude scheepsromp te verlaten en door het schone heldere water weer omhoog, naar de zilverachtige oppervlakte, te stijgen. De geïsoleerde koperdraden sleepten achter ons aan.

Chubby bracht de lading tot ontploffing, terwijl wij ons omkleedden. De schok van de explosie werd door de romp van het wrak gesmoord, zodat het hier aan de oppervlakte nauwelijks merkbaar was.

Onmiddellijk daarna verlieten we de kom en voeren in een allerbeste stemming en met het vooruitzicht van een luie dag naar het eiland terug om daar rustig te wachten, totdat het tij het weer schoon geveegd had. Die middag gingen Sherry en ik picknicken in het zuidelijk gedeelte van het eiland. Als proviand namen we twee tweeliter mandflessen met Portugese vinos verde mee en om dit wat aan te vullen groeven we een partij grote zandmosselen op, die ik in zeewier wikkelde en toen opnieuw in het zand begroef. Daarover heen bouwde ik een open vuur van drijfhout.

Tegen de tijd dat we de wijn praktisch opgedronken hadden, maakte de zon zich klaar om achter de horizon te gaan verdwijnen en waren de mosselen klaar om te eten. De wijn en het voedsel en de prachtige zonsondergang hadden op Sherry een vertederende uitwerking. Haar ogen kregen een tedere uitdrukking. Iets smeltends en toen de zonsondergang ten slotte verbleekte en plaats maakte voor een volle gele maan, zo passend voor twee geliefden, wandelden we over het natte zand blootsvoets naar huis.

De volgende ochtend werkten Chubby en ik een half uur lang om al wat we nodig hadden van de Groenlandvaarder naar het wrak te brengen en stapelden het daar op het geschutsdek op, voor we in staat waren dieper in de romp door te dringen.

De zware ladingen die ik tegen het waterdichte schot had geplaatst, hadden de verwoesting aangericht waarvoor ik bang was geweest. Ze hadden de dekplanken weggeslagen en de waterdichte schotten tussen de passagiershutten vernield en daardoor de gang over een kwart van zijn totale lengte geblokkeerd. We vonden een goed houvast voor ons hijsblok en takel en, terwijl Chubby de zaak in elkaar zette, liet ik hem achter en peddelde terug naar de dichtstbijzijnde passagiershut. Ik liet mijn toorts door het vernielde houtwerk spelen. Het hele interieur was, evenals al het andere, verstikt in een dikke laag zeevegetatie, maar toch kon ik het eenvoudige meubilair er onder wel herkennen.

Ik kroop voorzichtig door het gat en zwom langzaam over het vol liggende dek en werd gefascineerd door de voorwerpen die ik over-al verspreid in de hut aantrof. Stukken aardewerk en porselein, een verbrijzelde waskom en een prachtige po met een roze bloemenpa-troon dat door de laag neerslag nog steeds zichtbaar was. Er lagen potten met cosmetische artikelen, flessen parfum, kleine ondefi-nieerbare metalen voorwerpen en hopen verrot en vormloos mate-riaal, dat mogelijk eens kleding was geweest of gordijnen, matras-sen en beddegoed.

Ik wierp een blik op mijn horloge en zag dat het tijd was om weer op te stijgen en nieuwe flessen lucht te halen. Toen ik me omdraaide, werd mijn aandacht getrokken door een klein vierkant voorwerp. Ik liet het licht van mijn toorts op het ding vallen, terwijl ik voor-zichtig de dikke laag modder wegveegde. Het was een houten kist-je, ter grootte van een draagbare transistorradio, maar het deksel was ingelegd met prachtig parelmoer. Ik raapte het op en klemde het onder mijn arm. Chubby was klaar met het opstellen van het hijsblok en de takel en hij stond bij de trap naar het geschutsdek op me te wachten. Toen we naast de boot weer boven water kwamen gaf ik voor ik aan boord klom het kistje aan Angelo.

Terwijl Sherry koffie voor ons inschonk en Angelo de luchtslangen aan de volle luchtflessen vastmaakte, stak ik een cheroot op en on-derzocht het kistje.

Het verkeerde in een zorgelijke staat van verval, dat zag ik met één oogopslag. Het mozaïek was verrot en viel uit zijn zetting. Het rozehout was opgezwollen en vervormd, terwijl het slot en de scharnieren half doorgeroest waren.

Sherry kwam naast me op het dolboord zitten en onderzocht samen met mij de prijs die ik boven gebracht had. Ze herkende het onmiddellijk. 'Dat is het juwelenkistje van een dame,' riep ze uit. 'Maak het open, Harry. Laten we eens kijken wat er in zit.'

Ik duwde het blad van een schroevedraaier onder het slot en reeds bij de eerste poging knapten de scharnieren stuk en vloog het deksel van het kistje af.

'Oh, Harry!' Sherry stak er als eerste haar hand in en die kwam terug met een dikke gouden ketting en een zwaar medaillon van hetzelfde materiaal. 'Dit spul is op het ogenblik zo in de mode, je zou het niet willen geloven.'

Iedereen stak nu zijn vingers in het kistje. Angelo haalde een paar gouden met saffieren bezette oorringen te voorschijn, die onmiddellijk het koperen stel dat hij gewoonlijk droeg vervingen. Chubby haalde er een enorme halsketting van granaatstenen uit die hij meteen om zijn hals hing en zich hiermee als een teenager optooide. 'Voor mijn vrouw,' legde hij uit.

Het waren de persoonlijke juwelen van een gegoede burgervrouw, waarschijnlijk van een laaggeplaatste regeringsambtenaar – over het geheel genomen niet van grote waarde, maar het was een fascinerende collectie. Het was dan ook onvermijdelijk dat miss Sherry het leeuwedeel opeiste – maar ik slaagde er niettemin in een dikke onversierde gouden trouwring op de kop te tikken.

'Wat moet je daar in vredesnaam mee?' tartte ze me, onwillig om ook maar de kleinste kleinigheid af te staan.

'Oh, daar maak ik wel een keer nuttig gebruik van,' antwoordde ik haar en schonk haar een van mijn betekenisvolle blikken. Maar die blik was volkomen verspild, want ze was alweer druk bezig met het juwelenkistje. Niettemin borg ik de ring veilig weg in een klein van een ritssluiting voorzien zakje in mijn uit zeildoek gemaakte gereedschapstas. Intussen had Chubby zich als een Hindoebruid behangen met dikke juwelen.

'Goeie God, Chubby, je bent nu precies het evenbeeld van Liz Taylor,' riep ik hem toe. Hij aanvaardde dit compliment met een bevallige neiging van zijn hoofd.

Ik had heel wat moeite hem weer voldoende geïnteresseerd te krijgen om opnieuw naar het wrak af te dalen, maar toen we eenmaal weer op het passagiersdek waren aangeland, werkte hij als een reus tussen al het verbrijzelde en rondgestrooide wrakhout.

We haalden al het houtwerk en de balken weg die de doorgang versperden en gebruikten hiervoor niet alleen het hijsblok en de takel, maar ook onze krachten. We sleepten alles naar het geschutsdek en stapelden het op in de ruimte van de sombere galerij waar het ons niet in de weg zou liggen. We hadden nu de ruimte van het voorruim bereikt en onze luchtvoorraad was bijna uitgeput. De zware planken dekstukken waren door de explosie in stukken gebroken en achter de ontstane opening ontdekten we iets dat er zo op het oog uitzag als een compacte massa materiaal. Ik vermoedde dat dit een opeenstapeling was dat door het gewicht en de druk van de lading gevormd was. Het duurde echter tot de volgende middag voor ik tot de ontdekking kwam dat ik goed geraden had. We waren uiteindelijk in het ruim doorgedrongen, maar ik had niet verwacht dat ons een dergelijke Herculestaak stond te wachten.

De inhoud van het ruim had een eeuw lang in het zeewater gelegen. Negentig procent van de kisten was verrot en in elkaar gestort en de aan bederf onderhevige inhoud was tot een brokkelige massa samengegroeid. Binnen deze compacte hoop zeemest lagen de metalen voorwerpen, de kisten van sterker en ondoordringbaar materiaal en andere niet aan bederf onderhevige goederen, groot en klein, door elkaar gesmeten als geluksmunten in een kerstpudding. We zouden ze alle stuk voor stuk moeten uitgraven.

Op dat moment stootten we op ons volgende probleem. De geringste verstoring van deze rottende massa had tot onmiddellijk gevolg dat het water zich vulde met allerlei omhoog zwevende deeltjes, die de lichtstralen van onze toortsen teniet deden en ons in wolken verblindende duisternis hulden. We waren nu gedwongen alleen op gevoel te werken. En dat was een pijnlijk langzame geschiedenis. Wanneer we in de zachte massa op iets compacts stootten, moesten we dat lostrekken, het door de smalle gang manoeuvreren, het op het geschutsdek laten zakken en dan konden we pas beginnen met het identificeren. Soms waren we verplicht om wat er nog van de kist over was verder open te breken om bij de inhoud te kunnen komen. Indien die inhoud weinig of geen waarde had of niet interessant was, brachten we ze zover mogelijk naar het einde van het geschutsdek om voldoende werkruimte te houden.

Aan het einde van onze eerste werkdag hadden we slechts één ding te voorschijn gehaald dat naar onze mening waard was omhoog gebracht te worden. Het was een forse kist van hard hout dat bedekt scheen te zijn met leer en waarvan de hoeken met zwaar koper beslagen waren. Hij had de omvang van een grote hutkoffer.

Hij was zo zwaar dat Chubby en ik hem samen niet konden optillen. Alleen het gewicht al gaf ons hoopvolle verwachtingen. Ik dacht dat het heel goed een deel van de gouden troon kon bevatten. Maar de kist zag er niet naar uit dat hij vervaardigd was door een Indiase dorpstimmerman en zijn zoons, ergens in het midden van de negentiende eeuw. Niettemin bestond er een kans dat de troon opnieuw verpakt was voor hij uit Bombay werd verscheept.

Indien deze kist een deel van de troon bevatte zou dat onze taak heel wat eenvoudiger maken. We zouden dan weten naar wat voor soort kist we moesten zoeken. Door gebruik te maken van de takel sleepten Chubby en ik de kist naar het geschutsdek en vandaar naar de geschutspoort. Eenmaal daar wikkelden we hem in een nylon net, teneinde te voorkomen dat hij tijdens de tocht naar boven zou openbarsten of in stukken zou breken. Aan de ogen die in het net waren aangebracht maakten we onze uit zeildoek gemaakte luchtzakken vast en bliezen die met behulp van onze flessen met samengeperste lucht op. We gingen met de kist mee omhoog en controleerden de stijging hetzij door lucht uit de luchtzakken te laten ontsnappen of ze uit onze flessen bij te vullen. We kwamen praktisch langszij de Groenlandvaarder boven en Angelo reikte ons een zestal nylonstroppen, waarmee we de kist beveiligden voor we aan boord klommen.

Het gewicht van de kist trotseerde al onze pogingen hem over de verschansing te tillen. De boot helde gevaarlijk over, toen we met ons drieën een poging waagden. We moesten de mast rechtovereind zetten en deze toen als laadboom gebruiken, pas toen konden we de kist aan boord krijgen. Het water stroomde aan alle kanten uit de kist. Op hetzelfde ogenblik dat de kist op het dek zonk, liep Chubby naar de beide motoren en voer snel naar het kanaal. Het tij zat ons al die tijd dicht op de hielen. De kist was te zwaar en onze nieuwsgierigheid te groot om ons een kans te geven hem naar de grotten te dragen. We maakten hem ter plaatse op het strand open door het deksel met een paar koevoeten open te wrikken. Het met zorg afgewerkte sluitsysteem in het deksel was van koper en had alle verwoesting die het zoute water aan kon brengen weten te weerstaan. Het weerstond ook dapper onze vereende pogingen. Maar toen ten slotte het houtwerk begon te scheuren, vloog het deksel open en viel krakend tegen de zwaar aangevreten scharnieren.

Ik voelde onmiddellijk een hevige teleurstelling want het was duidelijk dat dit geen tijgertroon was. Eerst toen Sherry een van de glanzende schijven optilde en het ding nieuwsgierig in haar handen om en om draaide, kreeg ik het idee dat we met een enorme bonus beloond waren. Wat ze in haar handen hield was een entree-schotel en ik dacht een ogenblik dat het ding van puur goud was. Toen ik echter een tweede exemplaar uit de gleuf van het bijzonder knap ontworpen rek pakte en het omdraaide om het waarmerk te onderzoeken, besefte ik dat het van verguld zilver gemaakt was. Het verguldsel had het tegen de zee beschermd en daardoor was het in volmaakte toestand bewaard gebleven, een puur meesterwerk van smeedkunst met een opgewerkt familiewapen in het midden, terwijl de rand van het bord wondermooi gedreven was met afbeeldingen van bos en herten, van jagers en vogels.

Het bord dat ik in mijn handen hield woog bijna een kilo en toen ik het opzij zette en de rest van het servies aan een onderzoek onderwierp, begreep ik waarom de kist niet te tillen was geweest.

In de kist zat een servies voor zesendertig gasten; soepborden, visborden, entree-schalen, dessertbordjes, borden voor bijgerechten en al het benodigde bestek. Er waren dienschalen, een prachtig komfoor, wijnkoelers, deksels en een voorsnijschaal die ongeveer de grootte had van een babybad. Elk stuk droeg hetzelfde wapen en had dezelfde randversieringen van wilde dieren en jagers. De kist was speciaal ontworpen om deze schalen op te bergen.

'Dames en heren,' zo begon ik, 'als uw voorzitter kan ik u allen verzekeren dat onze kleine onderneming winst heeft opgeleverd.'

'Het zijn alleen maar schalen en zo,' zei Angelo en ik huiverde dramatisch bij die opmerking.

'Mijn beste Angelo, wat je hier ziet is vermoedelijk een van de weinige voltallige serviezen uit de tijd van George V op de hele wereld – het servies is van onschatbare waarde.'

'Hoeveel is dat?' vroeg Chubby nog steeds in twijfel.

'Goeie God, dat weet ik niet. Dat hangt natuurlijk af wie het gemaakt heeft en wie de oorspronkelijke eigenaar is geweest – dit familiewapen behoort naar alle waarschijnlijkheid aan een adellijk geslacht. Een schatrijke edelman die in India dienst deed, een graaf, misschien een hertog of mogelijk zelfs een onderkoning.'

Chubby keek me aan alsof ik probeerde hem een kreupel paard te verkopen.

'Hoeveel?' herhaalde hij.

'Bij messrs. Sotheby en op een geschikte dag,' ik aarzelde, 'ik weet niet, laten we zeggen honderdduizend pond.'

Chubby spuwde in het zand en schudde zijn hoofd. Je kon die goeie ouwe Chubby niet voor de gek houden.

'Die vent Sotheby, drijft die soms een gekkenhuis?'

'Het is echt waar, Chubby,' viel Sherry me bij. 'Dit spul is een fortuin waard. Het kon zelfs wel meer opbrengen.'

Chubby werd nu heen en weer geslingerd tussen zijn natuurlijke twijfel en zijn ridderlijke gevoelens. Het zou niet van welgevoeglijkheid getuigen Sherry zonder meer een leugenaarster te noemen. Hij bewandelde de middenweg door zijn pet op te tillen en over zijn kale schedel te wrijven. Opnieuw spuwde hij in het zand, maar deze keer hield hij zijn mond.

Hij behandelde de kist nu echter met wat meer eerbied toen we het ding tussen de palmen door naar de grot sleepten. We borgen hem weg achter de stapel water- en benzineblikken. Hierna ging ik een nieuwe fles whisky halen.

'Zelfs als er geen tijgertroon in het wrak zit, brengen we het er echt nog niet zo slecht af,' zei ik tegen hem.

Chubby nam een teug van zijn whisky en mompelde: 'Honderdduizend – ze moeten wel stapelgek zijn.'

'We zullen het ruim en de passagiershutten wat zorgvuldiger moeten onderzoeken. We laten daar beneden minstens een fortuin liggen, als we dat niet doen.'

'Zelfs de kleinigheden, veel minder spectaculair dan die zilveren schaal, kunnen een enorme antiekwaarde hebben,' gaf Sherry toe.

'De moeilijkheid is dat wanneer je daar beneden ook maar iets aanraakt, je het water zo troebel maakt dat je geen hand voor ogen zien kan,' merkte Chubby somber op. Ik vulde opgewekt zijn beker voor de tweede keer.

'Luister, Chubby, je kent de centrifugale pomp wel die Arnie Andrews uit Monkey Bay heeft gehaald?' vroeg ik. Chubby knikte.

'Zou hij ons dat ding willen lenen?' Arnie was een oom van Chubby. Hij was de eigenaar van een kleine groentekwekerij aan de zuidzijde van St. Mary's Eiland.

'Mogelijk,' antwoordde Chubby behoedzaam. 'Waarom?'

'Ik wil proberen daar een aanzuigpomp aan te brengen,' legde ik hem uit en ik tekende mijn bedoeling uit op het zand tussen mijn voeten. 'We plaatsen de pomp in de boot en we gebruiken een stoomslang die we naar het wrak toebrengen – op deze manier.' Ik maakte met mijn vinger een ruwe tekening.

'Dan gebruiken we het hele zaakje als een grote stofzuiger, zuigen alle rommel uit het ruim naar boven –'

'Hé, da's geen gek idee,' barstte Angelo geestdriftig los. 'Wanneer die rommel uit de pomp komt leiden we het door een zeef en dan zijn we meteen in staat alle kleine dingen op te pikken.'

'Precies. Alleen vuil en kleinigheden gaan door de slang naar boven – alles dat groot of zwaar is blijft achter.'

We bespraken de kwestie wel een uur lang, werkten de verschillende details uit en werkten de finesses van het principe wat verder uit. Al die tijd probeerde Chubby manhaftig elk teken van geestdrift te verbergen, maar ten slotte kon hij zich niet langer inhouden.

'Het zou kunnen slagen,' mompelde hij en uit zijn mond was dit zo iets als een ridderslag.

'Dan lijkt het me maar 't beste dat je zo gauw mogelijk die pomp gaat halen, vind je niet?' zei ik.

'Ik denk dat ik nog een glaasje drink,' talmde hij, en ik overhandigde hem de fles.

'Neem die fles maar mee,' stelde ik voor. 'Dat spaart tijd.'

Hij gromde wat en ging toen zijn overjas halen.

Sherry en ik sliepen de volgende ochtend uit en verkneuterden ons op een dag van niets doen, die nu voor ons lag en ook over het gevoel een eiland helemaal voor onszelf te hebben. We verwachtten niet dat Chubby en Angelo voor het middaguur zouden verschijnen.

Na het ontbijt staken we de rug tussen de heuvels over en liepen naar het strand. We vermaakten ons in het ondiepe gedeelte en het ruisen van de branding op het buitenrif en ons eigen geplas overstemden elk ander geluid. Het was zuiver bij toeval dat ik opkeek en het kleine vliegtuigje zag dat van het kanaal aan landzijde binnenkwam.

'Ren!' schreeuwde ik tegen Sherry. Ze dacht dat ik een grapje maakte, totdat ik dringend naar het naderende vliegtuig wees.

'Ren! En zorg dat hij ons niet ziet.' Deze keer reageerde ze bliksemsnel. We ploeterden naakt door het water en eenmaal op het strand begonnen we zo hard als we maar konden te rennen.

Ik kon nu het gegons van de motoren horen en wierp snel een blik achterom. Het kwam laag over de zuidelijkste piek van het eiland en trok vlak over het lange rechte stuk strand, recht op ons af.

'Sneller!' schreeuwde ik tegen Sherry, terwijl ze met haar lange benen en heen en weer wiebelende billen voor me uit rende. De natte vlechten donker haar dansten langs haar donkerbruine rug.

Ik keek weer om en het vliegtuig kwam regelrecht op ons af, nu nog ongeveer op anderhalve kilometer afstand. Maar ik kon duidelijk zien dat het een tweemotorig toestel was. Terwijl ik keek zakte het lager naar de sneeuwwitte uitgestrektheid van het koraalzand.

We pikten op volle snelheid onze achteloos weggeworpen kleren op en spurtten de laatste paar meter naar de beschutting van de palmen. Daar was een soort wal gevormd door een omgevallen boom en de tijdens de storm afgerukte palmbladeren. Het was een heel geschikte schuilplaats. Ik greep Sherry's arm en trok haar op de grond.

We rolden ons onder de beschutting van de dode palmbladeren en lagen naast elkaar, nog hijgend van de snelle ren over het strand.

Ik zag nu dat het een tweemotorige Cessna was. Het vloog laag langs het strand en schoot onze schuilplaats op een hoogte van niet meer dan zes meter voorbij.

De romp was helgeel geschilderd en het geheel was luister bijgezet door de naam 'Africair'. Ik herkende de kist. Ik had hem eerder op de luchthaven van St. Mary gezien. Ik denk een keer of zes. Gewoonlijk bracht of haalde het toestel groepjes rijke toeristen op. Ik wist ook dat Africair een chartermaatschappij was die zijn basis op het vasteland had en dat het vliegtuig te huur was en dat er dan per afgelegde kilometer betaald werd. Ik vroeg me af wie de huur voor deze tocht betaalde.

Op de voorste plaatsen van het vliegtuig zaten twee mannen en hun gezichten waren naar ons toegekeerd toen het voorbij gierde. Ze waren echter te ver van ons vandaan om hun gezichten te onderscheiden en ik was er niet zeker van of ik een van hen kende. Het waren allebei blanken. Dat was het enige dat ik zeker wist.

De Cessna maakte een scherpe bocht over de lagune waarbij een vleugel recht naar het kristalheldere water wees dat door de motoren in beroering werd gebracht. De piloot trok de kist weer vlak en opnieuw kwamen ze over het strand.

Deze keer was het toestel zo dichtbij dat ik heel even recht in het gezicht van de passagier keek, toen hij tussen de palmbomen probeerde te kijken. Ik dacht dat ik hem herkende, maar helemaal zeker was ik niet.

De Cessna draaide nu weg van het eiland, steeg langzaam en zette koers naar het vasteland. De kist en alles maakten de indruk alsof de inzittenden voldaan waren. Het air van iets of iemand die zijn doel bereikt heeft, een karwei dat naar genoegen verlopen was.

Sherry en ik krabbelden uit onze schuilplaats op en stonden nu het zand van onze vochtige lichamen te borstelen.

'Denk je dat ze ons gezien hebben?' vroeg ze timide.

'Met dat achterwerk van jou glinsterend als een spiegel in de zon? Ze konden ons zelfs niet missen wanneer ze het gewild hadden.'

'Misschien zagen ze ons aan voor een stel plaatselijke vissers.'

Ik keek naar haar, niet naar haar gezicht en grinnikend zei ik: 'Vissers? Met die grote prachtige ballonnen?'

'Harry Fletcher, je bent een walgelijk beest,' zei ze. 'Maar in alle ernst, Harry, wat gaat er nu gebeuren?'

'Als ik dat eens wist, schatje, als ik dat eens wist,' antwoordde ik, maar ik was blij dat Chubby de kist met het zilveren servies mee naar St. Mary's genomen had. Die zou nu wel achter het huis op Turtle Bay begraven zijn. We zaten nog steeds in de winst – zelfs als we binnenkort de benen zouden moeten nemen.

Het bezoek van het vliegtuig maakte ons overduidelijk dat we haast moesten maken. We wisten nu dat onze tijd beperkt was. Ook Chubby bracht nieuws mee toen hij van St. Mary's terugkwam en dat nieuws was al even onrustbarend.

'De *Mandrake* heeft vijf dagen lang de zuidelijke eilanden doorkruist. Ze zagen haar vanaf Coolie Peak praktisch dagelijks en ze scharrelde rond, alsof ze niet wist wat ze bezig was te doen,' berichtte hij. 'Maandag ankerde ze opnieuw in Grand Harbour. Wally zegt dat de eigenaar en zijn vrouw naar het hotel gingen om de lunch te gebruiken en daarna namen ze een taxi naar Frobisher Street. Ze brachten een uur bij Fred Coker door. Hij bracht ze toen terug naar de Admiraliteitswerf en zij gingen weer aan boord van de *Mandrake*. Kort daarna lichtte ze het anker en voer onmiddellijk weg.'

'Is dat alles?'

'Ja,' antwoordde Chubby, 'behalve dan dat Fred Coker regelrecht naar de bank liep en daar op zijn spaardeposito vijftienhonderd dollar stortte.'

'Hoe weet je dat zo precies?'

'De derde dochter van mijn zuster werkt op de bank.'

Ik probeerde een opgewekt gezicht te trekken, hoewel ik het gevoel had of er allerlei nare beestjes in mijn maag rondkriebelden. 'Enfin,' zei ik, 'het heeft geen zin te gaan lopen kniezen. Laten we maar proberen de pomp in elkaar te zetten, zodat we klaar zijn wanneer het morgen het juiste tij is.'

Later, toen we de pomp naar de grot gedragen hadden, keerde Chubby alleen naar de Groenlandvaarder terug en toen hij weer bij de grot kwam, droeg hij een lang in zeildoek gewikkeld voorwerp. 'Wat heb je daar, Chubby?' vroeg ik. Wat verlegen opende hij het pak. Het was mijn FN karabijn en een dozijn extra magazijnen met munitie verpakt in een kleine broodzak.

'Dacht dat het misschien wel van nut kon zijn,' mompelde hij.

Ik nam het wapen mee naar het palmbos en begroef het daar naast de kisten dynamiet in een ondiepe kuil. De nabijheid van dit wapen schonk me wat troost toen ik terugkeerde om een helpende hand te bieden bij het in elkaar zetten van de waterpomp.

Bij het licht van de gaslantaarns werkten we tot diep in de nacht. Toen droegen we de pomp en de motor naar de boot en schroefden het hele zaakje vast aan een geïmproviseerd montuur van zware balken dat we stevig midscheeps hadden geplaatst. Angelo en ik waren nog steeds met de pomp bezig, toen we in de ochtend naar de kom achter het rif voeren. We lagen al een half uur op onze plaats voor we de hele zaak voor elkaar hadden en er proefgedraaid kon worden.

We doken met ons drieën naar het wrak – Chubby, Sherry en ik – waar we de stijve zwarte slang met handkracht door de geschutspoort en door het gat in het voorruim brachten.

Toen de slang eenmaal in de juiste stand was geplaatst, klopte ik Chubby op de schouder en wees naar boven. Hij stak als antwoord zijn duim op en zwom weg. Sherry en ik bleven op het passagiersdek achter.

We hadden dit deel van de operatie zorgvuldig beraamd en wachtten ongeduldig, terwijl Chubby naar de oppervlakte steeg, onderweg de gebruikelijke decompressiepauzes hield en ten slotte aan boord klom om de pomp te prepareren en de motor aan te zetten.

We wisten dat hij dit gedaan had, omdat het zwakke gegons en de vibratie van de pomp via de slang aan ons werden doorgegeven.

Ik zette mezelf schrap in de van uitstekende punten voorziene ingang tot het ruim en greep met beide handen het uiteinde van de slang. Sherry richtte de lichtstraal van de toorts op de donkere hoop lading en ik zwaaide de opening van de slang langzaam over het verrotte deel van de lading. Ik zag onmiddellijk dat het 't vereiste resultaat zou hebben. Kleine stukjes puin en andere rommel verdwenen op miraculeuze wijze in de slang en de zuiging veroorzaakte een kleine draaikolk toen het water allerlei drijvende stukjes wrakhout en andere onbekende zaken opzoog.

Op deze diepte was de motor in staat honderdzesendertigduizend liter water per uur te verplaatsen en dat was bepaald niet weinig. Binnen enkele seconden had ik ons hele arbeidsterrein gezuiverd en nog steeds hadden we uitstekend licht. Ik kon nu beginnen met een koevoet in de hoop zelf door te dringen. Ik brak grote stukken los en duwde die achteruit naar de achter ons liggende doorgang.

Een of twee keer moest ik mijn toevlucht nemen tot takel en blok om een nogal massief voorwerp of kist te verplaatsen, maar voor het grootste deel was ik in staat verder te gaan met geen andere hulpmiddelen dan de slang en het breekijzer.

We hadden ongeveer vijftien kubieke meter lading verplaatst, toen het tijd werd om naar de boot terug te gaan om nieuwe luchtflessen te halen. We lieten het uiteinde van de slang stevig verankerd op het passagiersdek achter en gingen omhoog waar ons een heldenwelkom werd bereid. Angelo verkeerde in alle staten van verrukking en Chubby glimlachte.

Het water rondom de boot was troebel en vuil door al de rommel die we uit het ruim gepompt hadden. Angelo had bijna een emmer vol allerlei kleinigheden verzameld die door de afvoer van de pomp gekomen waren en in de zeef waren achtergebleven. Het was een verzameling knopen, spijkers, kleine versierselen van damesjaponnen, koperen militaire onderscheidingstekens, enkele kleine koperen en zilveren munten uit die tijd en verdere rommel van metaal, glas en been.

Zelfs ik was ongeduldig en wilde zo gauw mogelijk weer naar beneden en Sherry drong zelfs zo aan dat ik mijn half opgerookte cheroot aan Chubby gaf. Samen gingen we weer naar beneden, terug naar het wrak.

We waren nog geen kwartier aan het werk, toen ik op de hoek van een omgekeerde kist stootte die er niet zo uitzag als de anderen die we al vrij hadden weten te maken. Hoewel het hout zacht was als kurk waren de naden versterkt met repen bandijzer en ijzeren spijkers, waardoor ik heel wat tijd nodig had voor ik een plank had weten los te wrikken en die achter ons weggeduwd had. De volgende plank kwam gelukkig heel wat gemakkelijker los en de inhoud scheen uit niets anders te bestaan dan uit een half vergane matras en tot ontbinding overgegane plantevezels.

Ik trok een groot stuk van die rommel weg, dat bijna de ingang van de zuigslang verstopte, maar gelukkig verdween het ten slotte toch naar de oppervlakte. Ik verloor praktisch alle belangstelling voor deze kist en stond op het punt naar een andere plaats te gaan en daar mijn onderzoek voort te zetten, maar Sherry liet duidelijk haar afkeuring blijken, schudde steeds haar hoofd, stompte tegen mijn schouder en weigerde de lichtstraal van de toorts een andere richting uit te sturen. De straal bleef op de onappetijtelijke massa vezels rusten.

Naderhand vroeg ik haar waarom ze er zo op aangedrongen had en ze knipperde met haar wimpers en keek daarbij erg gewichtig.

'Vrouwelijke intuïtie, lieverd. Dat begrijp jij toch niet.'

Vanwege haar aandringen deed ik opnieuw een aanval op de opening van de kist, maar trok nu kleinere stukken van de vezel af om vooral de slang niet te verstoppen.

Ik had ongeveer vijftien centimeter van dat spul verwijderd, toen ik in de ontstane holte metaal zag glanzen. Op dat ogenblik voelde ik voor het eerst een onverklaarbare zekerheid dat we op het punt stonden op iets belangrijks te stoten. Met heftig ongeduld trok ik een volgende plank los. Daardoor werd de opening aanmerkelijk groter en kon ik gemakkelijker werken.

Langzaam verwijderde ik de lagen samengeperste vezel. Ik realiseerde me dat dit oorspronkelijk stro geweest was dat als verpakkingsmateriaal was gebruikt. Als een gezicht dat in een droom werkelijkheid wordt, kwam het allemaal te voorschijn.

De eerste kleine flikkering van metaal was het begin van een gouden zaligheid van ingewikkeld bewerkt metaal. Ik voelde hoe Sherry's hand mijn schouder greep toen ze dicht naast me neerknielde. We zagen een snuit en daaronder lippen die in een woeste boosaardige grauw getrokken waren. We zagen ook grote gouden slagtanden en een gewelfde tong. Een breed diepliggend voorhoofd – zo breed als mijn schouders en met een paar oren die plat tegen de gepolijste schedel aangedrukt lagen – en een enkele lege oogkas die in het midden van het voorhoofd was aangebracht. Het gemis van het oog gaf het dier een blinde en tragische uitdrukking, als de een of andere verminkte godheid uit de mythologie.

Ik voelde een bijna eerbiedig ontzag, toen ik naar deze enorme, wonderlijk gevormde tijgerkop keek die we nu hadden blootgelegd. Een koude en angstaanjagende rilling gleed langs mijn ruggegraat en onwillekeurig wierp ik een blik in de duistere en afschrikwekkende hoeken van het ruim, alsof ik verwachtte dat daar de geesten van de Mogolprinsen, die al die tijd als bewakers waren opgetreden, op ons loerden.

Sherry kneep me opnieuw in mijn schouder en ik schonk nu weer alle aandacht aan het gouden beeld. Maar het gevoel van ontzag was zo sterk dat ik me gewoon moest dwingen het verrotte stro rondom het beeld weg te halen. Ik werkte heel voorzichtig, want ik was me er heel goed van bewust dat het geringste krasje of enige andere schade de waarde en de schoonheid van dit beeld in sterke mate zou verminderen.

Toen onze werktijd om was – de beschikbare lucht was bijna opgebruikt – trokken we ons wat terug en staarden naar de nu geheel te voorschijn gekomen kop en schouders. De lichtstraal werd door de glanzende oppervlakte in gouden lichtstralen teruggekaatst en deze stralen verlichtten het ruim tot een soort heilige grafkelder. We keerden ons van het beeld af en lieten het achter in de stilte en de duisternis, terwijl we teruggingen naar het zonlicht.

Chubby was er zich onmiddellijk van bewust dat er iets bijzonders gebeurd was, maar hij zei niets totdat we aan boord geklommen waren en zwijgend onze uitrusting hadden uitgetrokken. Ik stak een cheroot op en nam een lange trek en gaf me zelfs geen tijd om de druppels zeewater, die vanuit mijn doorweekte haren druppelden, weg te vegen. Chubby keek me steeds maar aan, Sherry had zich in zichzelf teruggetrokken, gehuld in heimelijke gedachten.

'Heb je 't gevonden?' vroeg Chubby ten slotte. Ik knikte.

'Ja, Chubby, het ligt daar.' Ik was verrast, toen ik hoorde dat mijn stem hees en onvast was.

Angelo die onze stemming niet had aangevoeld keek snel van de plek, waar hij bezig was onze uitrustingsstukken weg te stouwen, op. Hij opende zijn mond om iets te zeggen, maar langzaam deed hij die weer dicht toen hij zich van de geladen atmosfeer bewust werd.

We waren allemaal stil, zo zeer ontroerd dat we geen woord konden uitbrengen. Ik had geen ogenblik verwacht dat dit onze reactie zou zijn. Ik keek naar Sherry. Eindelijk beantwoordde ze mijn blik en in haar ogen lag een uitdrukking alsof ze spoken gezien had.

'Laten we naar huis teruggaan, Harry,' zei ze. Ik knikte tegen Chubby. Hij maakte de slang los, bevestigde er een boei aan en gooide hem toen over boord. Hij startte de motoren en zwenkte de boot in de richting van de vaargeul door het rif.

Sherry liep door de boot en kwam naast me op de doft zitten. Ik legde mijn arm rond haar schouders, maar geen van beiden zeiden we een woord, totdat de Groenlandvaarder langzaam op het witte strand van het eiland gleed.

Tijdens het vallen van de zon klommen Sherry en ik naar de top boven ons kamp en dicht naast elkaar staarden we over het rif en keken hoe het licht op de zee langzaam vervaagde en het water van Gunfire Rif in een diepe schaduw dompelde.

'In zeker opzicht voel ik me schuldig,' fluisterde Sherry, 'alsof ik een afschuwelijke heiligschennis gepleegd heb.'

'Ja,' stemde ik in, 'ik begrijp wat je bedoelt.'

'Dat ding – het maakte de indruk een eigen leven te hebben. Het was eigenaardig dat we juist eerst de kop te voorschijn gebracht hebben voor elk ander deel van het lichaam. Om zo plotseling dat gezicht naar je te zien staren,' – ze huiverde en enkele minuten zei ze niets, – 'maar toch voelde ik ook ergens een diepe voldoening, een blij rustig gevoel binnen in me. Ik weet eigenlijk niet of ik me wel duidelijk weet uit te drukken – want die twee gevoelens waren volkomen tegengesteld en toch met elkaar vermengd.'

'Ik begrijp heel goed wat je bedoelt. Ik had hetzelfde gevoel.'

'Wat gaan we er mee doen, Harry, wat gaan we in vredesnaam met dit fantastische dier doen?'

Ik weet niet hoe het kwam, maar ik wilde het niet over geld hebben en evenmin over eventuele kopers – en dat op zichzelf gaf een duidelijk beeld hoe intens ik bij dit gouden beeld betrokken was.

'Laten we maar weer naar beneden gaan,' merkte ik op, in plaats van op haar vraag in te gaan. 'Angelo zal onze maaltijd wel klaar hebben en zitten te wachten.'

Toen ik ten slotte bij het licht van het kampvuur zat, nadat een goede maaltijd de kille ruimte in mijn maag gevuld en verwarmd had, met een kroes whisky in mijn ene en een cheroot in mijn andere hand voelde ik me eindelijk in staat de anderen alles over onze ontdekking te vertellen.

Ik legde hun uit hoe we eigenlijk op de kop van de tijger gestoten waren en ik beschreef de geduchte gouden kop. Ze luisterden in volmaakte en gespannen stilte.

'We hebben de kop tot aan de schouders vrij gemaakt. Ik geloof dat dit stuk niet verder gaat. Het is daar op die plaats getand, hoogstwaarschijnlijk om het nauwkeurig in het volgende deel te passen. Ik denk dat we morgen in staat zullen zijn het naar boven te brengen, maar dat wordt wel een lastig karwei. We kunnen het niet zo maar met takel en blok naar boven brengen. Het moet goed beschermd worden, zodat het niet kan beschadigen voor we het kunnen verplaatsen en ophalen.'

Chubby had een voorstel en een tijdlang bespraken we tot in de kleinste details hoe we die kop moesten hanteren om het risico van beschadiging zo gering mogelijk te maken.

'We kunnen min of meer verwachten dat alle vijf kisten met de totale schat tegelijk en bij elkaar geladen zijn. Ik hoop dan ook ze in hetzelfde deel van het voorruim te vinden. En het is al heel waarschijnlijk dat die andere stukken op dezelfde manier verpakt zijn, dat wil zeggen houten kisten met daaromheen bandijzer –'

'Behalve de juwelen en andere edelstenen,' onderbrak Sherry mijn betoog. 'In de stukken van de rechtbank heeft de Subahdar beschreven dat deze verpakt waren in een betaalmeesterskist.'

'Ja, dat is waar,' gaf ik toe.

'Hoe zou die eruit zien?' vroeg Sherry.

'Ik heb er een op een tentoonstelling gezien die in Kopenhagen werd gehouden en de kist die we zoeken zal daar waarschijnlijk veel van weg hebben. Het is net een kleine ijzeren brandkast – ongeveer ter grootte van een groot koekblik.' Ik gaf met mijn handen de afmetingen aan zoals een visser dat doet wanneer hij over zijn vangst opschept. 'Het ding is geribd met ijzeren banden en heeft een soort sluitband en een paar hangsloten op de beide hoeken.'

'Dat klinkt nogal indrukwekkend.'

'Na ruim honderd jaar in dat water gelegen te hebben zal de hele zaak zo zacht zijn als kalk – zelfs als het nog een geheel vormt.'

'Dat zullen we dan morgen wel ontdekken,' merkte Sherry vol vertrouwen op.

We sjokten de volgende ochtend naar het strand, terwijl de regen op onze oliepakken kletterde en vandaar in je reinste watergordijnen omlaag gutste. De regenwolken hingen om de drie toppen, olieachtige donkere wolkenbanken die gestaag vanuit zee binnenkwamen om hun lading water op het eiland te lozen.

De neerslag van de regen veroorzaakte een fijne parelachtige nevel, die van het wateroppervlak opsteeg en de bewegende grijze gordijnen verminderden het zicht tot slechts enkele honderden meters, waardoor het eiland als in een grijze waas scheen op te lossen toen we naar het rif voeren.

Alles in de Groenlandvaarder was koud en klam en stroomde van het neervallende water. Angelo zat praktisch constant te hozen en we hurkten diep ongelukkig in onze oliepakken dicht bij elkaar, terwijl Chubby op de achtersteven stond en zijn ogen half dicht kneep tegen de schuin invallende voortjagende regen, terwijl hij door de geul voer.

De fluorescerende oranjekleurige boei dobberde nog steeds dicht

langs het rif. We pikten die op en trokken het einde van de water-
slang aan boord en verbonden die met de waterpomp. Het diende
meteen als een soort ankerkabel. Chubby kon zodoende de motoren uitschakelen.

Het was gewoon een opluchting de boot te kunnen verlaten en te
kunnen ontsnappen aan de koude naaldscherpe regen door af te
dalen in de rustige en wazige mist van het water.

Nadat hij lange tijd weerstand had geboden aan de aanzienlijke
druk die Chubby en ik op hem hadden uitgeoefend, was Angelo ten
slotte bezweken onder de bedekte dreigementen en openlijke
steekpenningen en had hij zijn met beddetijk beklede matras, die
opgevuld was met cocosvezel, afgestaan. Toen de matras eenmaal
door en door nat was, zonk hij gemakkelijk en ik nam hem met me
mee, keurig opgerold en dichtgebonden met een nylontouw.

Eerst toen ik mezelf door de geschutspoort gewerkt had en vandaar
langs het geschutsdek en naar het passagiersdek, sneed ik het touw
door en spreidde de matras uit.

Daarna gingen Sherry en ik naar het ruim waar de kop van de tijger
nog steeds blind naar het licht van de toorts grauwde.

We hadden niet meer dan tien minuten nodig om de kop uit zijn
verpakking te lichten. Zoals ik al verwacht had eindigde dit deel van
de troon op schouderhoogte en het verbindingsvlak was keurig ge-
flenst – het was wel duidelijk dat het precies tegen het rompstuk van
de troon zou passen en de flens en de holle sponning zouden met het
volgende stuk een geleiding vormen, die sterk en praktisch onzichtbaar zou zijn.

Toen ik de kop voorzichtig op zijn kant rolde, deed ik een volgende
ontdekking. Om de een of andere onverklaarbare reden had ik zonder meer aangenomen dat het beeld uit massief goud gemaakt was,
maar nu zag ik dat het hele beeld in feite een hol gietstuk was.

In werkelijkheid was het metaal niet dikker dan ongeveer 2 1/2 cm
en de binnenkant was ruw en bultig toen ik er met mijn hand langs
streek. Ik besefte onmiddellijk dat een massief beeld honderden
tonnen zou hebben gewogen en dat de kosten van zo iets zelfs een
keizer te machtig waren, ook al had hij de bouw van een zo enorme
tempel als de Taj Mahal kunnen bekostigen.

De geringe dikte van de metalen huid had vanzelf de hele structuur
verzwakt en ik zag toen ik de kop draaide onmiddellijk dat deze al

beschadigd was.

De rand van de nekholte was afgeplat en vervormd, vermoedelijk tijdens de heimelijke tocht door de wouden van India en nog wel in een kar zonder veren – mogelijk ook tijdens de woeste doodsstrijd van de *Dawn Light* tijdens de hevige orkaan.

Ik zette mezelf schrap tegen de ingang tot het ruim, bukte me voorover en voelde het gewicht. Ik nam de kop in mijn armen als het lichaam van een kind. Langzaam vergrootte ik de kracht van mijn spieren en ik was blij, maar niet bepaald verrast toen het in mijn armen omhoog kwam.

Uiteraard was het ding verschrikkelijk zwaar en ik had al mijn kracht nodig. Ik had daarvoor een zorgvuldig gekozen houding aangenomen – maar ik kon de kop dus optillen. Het ding woog niet veel meer dan honderdenvijftig kilo, meende ik, toen ik me wat moeilijk onder de drukkende lading van glanzend goud omkeerde en het voorzichtig op de met cocosvezels gevulde matras legde die Sherry voor dit doel gereed hield. Ik ging weer rechtop staan en masseerde die delen van mijn arm en lichaam waar de scherpe randen van het goud zich in mijn vlees hadden gedrukt. Terwijl ik dit deed, maakte ik in gedachten een rekensommetje. 300 pond tegen 16 ounce per pond betekende 4800 ounces en dit tegen 150 dollar per ounce betekende dus bijna driekwart miljoen dollar. Dat was de intrinsieke waarde van alleen de kop. Maar er waren nog drie andere delen van de troon, die vermoedelijk stuk voor stuk zwaarder waren en ook groter. En dan was er nog de totale waarde van de edelstenen. Het was een astronomisch totaal, maar dit totaal kon nog verdubbeld worden en mogelijk zelfs verdrievoudigd, als we rekening hielden met de artistieke en historische waarde van het hele beeld. Ik liet mijn berekeningen voor wat ze waren. Op dit ogenblik waren ze zonder enige betekenis. Ik begon Sherry te helpen de matras rond de kop van de tijger te vouwen en het geheel tot een veilige bundel te binden. Daarna kon ik blok en takel gebruiken om het langs de trap omlaag te laten en vandaar op het geschutsdek. Met veel moeite en inspanning sleepten we het naar de geschutspoort en daar hadden we heel wat werk om het geval door de beperkte opening te brengen. Maar uiteindelijk was het zo ver en konden we het nylon net om de ingepakte kop brengen en de luchtzakken opblazen. Weer moesten we de mast opzetten om de kop aan boord te tillen.

Maar er werd geen ogenblik verondersteld dat de kop ingepakt zou blijven, wanneer we hem eenmaal veilig aan boord gebracht hadden en met al de ceremonie en aplomb die ik kon opbrengen, vooral in deze stromende tropische regen, onthulde ik, terwille van Chubby en Angelo, de gouden kop van de tijger. Ze vormden een waarderend gehoor. Hun opwinding verdrong zelfs de miserabele, doornatte omstandigheden en ze drongen zich om de kop om hem te liefkozen en hem te midden van luid commentaar en dwaas gelach aandachtig te onderzoeken. Het was de feestelijke vrolijkheid die onze eerste ontdekking van de schat gemist had. Ik had mijn zilveren reisflacon in mijn gereedschapskist laten glijden en schonk nu een behoorlijke portie Scotch in de dampende mokken koffie. We hieven de bekers naar elkaar en naar de gouden tijger op en namen een behoorlijke slok. Ondanks de regen die op ons neergutste en op de enorme schat aan onze voeten neerkletterde, lachten we van louter blijdschap. Ten slotte spoelde ik mijn kop in het water uit en controleerde mijn horloge.

'We gaan nog een keer naar beneden,' besloot ik. 'Je kunt de pomp opnieuw inschakelen, Chubby.'

We wisten nu precies waar we moesten zoeken en nadat ik de overblijfselen van de kist waar de kop in had gezeten had weggehaald, zag ik in de daarachter gelegen opening de zijkant van een soortgelijke kist. Ik duwde de slang in de ruimte erom heen om al het vuil weg te zuigen voor ik aan de kist begon te werken.

Mijn uitgravingen hadden blijkbaar de rottende hoop oude lading uit evenwicht gebracht en er was niet meer voor nodig dan de zuiging van de slang om een deel los te maken van het geheel. Met een kreunend en rommelend geluid stortte alles om ons heen in en de ronddwarrelende wolken vuiligheid deden onmiddellijk alle pogingen van de slang het weg te zuigen teniet en opnieuw werden we in volslagen duisternis gedompeld. Ik tastte in het duister snel naar Sherry en het bleek dat ze ook naar mij gezocht had, want onze handen raakten elkaar en klemden zich ineen. Met een drukje van haar vingers verzekerde ze me dat ze niet door de omlaagglijdende lading geraakt was en ik kon nu beginnen het smerig geworden water met de slang weg te zuigen.

Binnen vijf minuten kon ik door het halve duister de gele lichtstraal van Sherry's toorts weer onderscheiden, toen haar gestalte en de vage vormen van de warboel van nieuw vrijgekomen lading.

Met Sherry naast me gingen we nu verder het ruim binnen.

De instorting had de houten kist waaraan ik gewerkt had geheel bedolven, maar in ruil daarvoor had dit iets anders aan het licht gebracht dat ik onmiddellijk herkende, ondanks de rampzalige toestand waarin het verkeerde. Het zag er precies uit als het ding dat ik de vorige avond aan Sherry beschreven had, zelfs tot het detail van de stang die door de sluiting liep en de beide hangsloten. De betaalmeesterskist was echter zo door roest aangevreten dat toen ik er met mijn hand aankwam mijn vingers vol zaten met kalkachtig ijzerroest.

Aan weerszijden van de kist waren ijzeren draagringen aangebracht, die naar alle waarschijnlijkheid destijds draaibaar waren geweest, maar nu stevig tegen de metalen zijkant zaten vastgeroest. Niettemin stelden ze me in staat mijn vingers om de ring te leggen en de kist voorzichtig uit het klauwende bed van modder en vuiligheid te trekken. De kist kwam met een niet al te grote neerval van puin los en ik was in staat het ding vrij gemakkelijk op te tillen. Ik betwijfel of het hele gewicht meer dan vijfenzeventig kilo bedroeg en ik was er bovendien van overtuigd dat het grootste deel van dit gewicht te danken was aan de massieve ijzerconstructie.

Na het enorm zware hoofd in zijn zachte lijvige matrasverpakking kostte het praktisch geen moeite de kleinere en lichtere kist uit het wrak te halen. We hadden slechts een luchtzak nodig om hem uit de geschutspoort naar boven te brengen.

Weer was het zover dat het tij en de branding schrikbarend snel de kom binnenstroomden en de Groenlandvaarder slingerde en stootte ongeduldig toen we de kist aan boord brachten en hem op de met zeildoek bedekte hoop luchtflessen voor in de boeg zetten.

Eerst toen kon Chubby de motoren starten en ons door de geul naar buiten brengen. We waren nog steeds allemaal intens opgewonden en de zilveren flacon ging van hand tot hand.

'Hoe voel je je nu je zo rijk bent, Chubby?' riep ik tegen hem. Hij nam alleen maar een slok uit de fles, kneep zijn ogen halfdicht en kuchte door de vurige prikkeling van de alcohol. Eerst daarna keek hij me grinnikend aan.

'Net als gisteren, man. Geen enkele verandering, nog niet tenminste.'

'Wat ben je van plan met jouw aandeel te doen?' drong Sherry aan.

'Het komt wat laat, miss Sherry – als ik dit geluk twintig jaar geleden had gehad, dan zou ik er nut van hebben gehad – en hoe.' Hij nam nog een slok. 'Dat is altijd de moeilijkheid – je hebt nooit zo'n gelukje wanneer je jong bent en wanneer je oud bent, dan komt het gewoon te laat.'

'En jij, Angelo?' Sherry wendde zich tot hem, zoals hij daar op die verroeste betaalkist zat met zijn zigeunerachtige krullen, die zwaar van de regen langs zijn wangen bengelden en de regendruppels die aan zijn oogharen hingen. 'Jij bent nog jong, wat ga jij doen?'

'Miss Sherry, ik heb daar op die kist almaar over zitten denken – en in gedachten heb ik al een lijst gemaakt die van hier tot St. Mary's en terug lang is.'

We moesten tweemaal van het strand naar het kamp lopen voor we en de kop en de kist uit de regen in de grot gebracht hadden, die we als opslagplaats gebruikten.

Chubby stak twee gaslampen aan, want de laaghangende wolken maakten het vroeg donker. We gingen met zijn allen rond de kist zitten, terwijl de gouden kop vanaf een ereplaats grommend op ons neerkeek.

Met een metaalzaag en een breekijzer begonnen Chubby en ik aan de sluiting te werken en we ontdekten onmiddellijk dat het vervallen aanzien van het metaal bedriegelijk was. Het was duidelijk dat dit gehard staal was en vermoedelijk een legering. In het eerste half uur braken we drie zaagjes en Sherry verklaarde dat ze diep geschokt was door de taal die ik bezigde. Ik stuurde haar weg om een fles Chivas Regal uit onze grot te halen om er de moed bij ons in te houden en Chubby en ik gebruikten de whisky als een equivalent voor een Engelse thee.

Met hernieuwde kracht hervatten we onze aanval op de kist, maar het kostte ons nogmaals twintig minuten voor we de stang hadden doorgezaagd. Tegen die tijd was het buiten de grot aardedonker. De regen kwam nog steeds in grote hoeveelheden omlaag, maar het zachte klepperen van de palmbladeren kondigde een opstekende westelijke wind aan, die nog voor het aanbreken van de ochtend de stormwolken verdreven zou hebben. Nu we eenmaal de stang hadden doorgezaagd, bewerkten we met een zware hamer uit de gereedschapskist de ringbouten. Elke slag bracht roestschilfers van het metaal los en er waren echt een paar flinke klappen nodig om de stang uit de omklemmende vuist van corrosie te slaan. Maar zelfs toen die stang verdwenen was, wilde het deksel niet open. En hoewel we dat deksel van alle kanten met de hamer te lijf gingen en ik het ding toesprak in bewoordingen die geen herhaling duldden, gaf het deksel geen krimp.

Ik kondigde een volgende whiskypauze aan om het probleem te bespreken.

'We hebben een snijbrander nodig,' merkte Angelo op.

'Reuze idee,' merkte ik ironisch op, want ik begon knap mijn geduld te verliezen. 'De dichtstbijzijnde snijbrander met bijbehorende installatie ligt hier minstens tachtig kilometer vandaan – en dan maak jij een dergelijke opmerking.'

Het was echter Sherry die het tweede slot ontdekte, een geheime pin door het deksel die aan de binnenkant was vastgemaakt. Het was duidelijk dat we een sleutel nodig hadden om die pin los te maken. Maar omdat ons die sleutel nu eenmaal ontbrak, koos ik een dikke priem uit en stak die in het sleutelgat. Ik had geluk, raakte de sluitarm en het slot sprong open.

Chubby pakte onmiddellijk het deksel en deze keer ging het ding moeilijk aan een paar door corrosie aangetaste scharnieren omhoog. Aan de binnenkant van het deksel hing wat rottend, smerig stinkend materiaal dat zich losscheurde van het grootste deel van door ouderdom bruin geworden stof in de kist zelf. Het was een soort geweven katoen dat door het vele vocht zo hard geworden was als steen. Ik vermoedde dat het een goedkope inheemse dracht was geweest of een rol stof die men als verpakkingsmateriaal gebruikt had.

Ik stond op het punt mijn onderzoek voort te zetten, toen ik tot de ontdekking kwam dat ik plotseling op de tweede rij stond en nu over Sherry's schouder naar de inhoud van de kist keek.

'Het lijkt me beter dat je dit aan mij over laat,' zei ze. 'Je mocht eens iets breken.'

'Kom nou!' protesteerde ik.

'Waarom schenk je jezelf nog niet eens in?' stelde ze verzoenend voor, terwijl ze de lagen doornatte stof uit de kist begon te tillen. Er zat enige verdienste in dit voorstel, meende ik en dus vulde ik mijn kroes opnieuw met whisky en keek toe hoe Sherry laag na laag in goed gewikkelde pakketjes te voorschijn haalde.

Elk pakje was met getwijnd garen dichtgebonden dat echter bij de minste aanraking doorbrak en het eerste pakje viel zelfs uit elkaar toen ze probeerde het uit de kist te tillen. Sherry vouwde haar handen rond de rottende massa en bracht het zo voorzichtig naar een opgevouwen stuk zeildoek naast de kist. Het pakje bevatte een reeks kleine nootvormige voorwerpen, die in grootte varieerden van de kop van een lucifer tot een rijpe druif en stuk voor stuk waren ze in een stukje papier gewikkeld, dat evenals de katoenen stof volledig weggerot was.

Sherry pakte een van deze knobbelige voorwerpen op en wreef voorzichtig de overblijfselen van het papier tussen haar duim en wijsvinger weg waardoor een grote glanzend blauwe steen zichtbaar werd, rechthoekig geslepen en aan een kant gepolijst.

'Saffier?' raaddc ze. Ik nam hem van haar aan en onderzocht de steen vlug bij het licht van de lamp. Hij was ondoorschijnend en ik sprak haar dan ook tegen.

'Nee, ik geloof dat het lazuursteen is.' Het stukje papier dat er nog aan vastkleefde, was enigszins verkleurd door een blauwe verfstof. 'Inkt, zou ik zeggen.' Ik verfrommelde het tussen mijn vingers. 'In ieder geval heeft Roger, de kolonel, zich de moeite gegeven elke steen te identificeren. Hij heeft naar alle waarschijnlijkheid elke steen in een genummerd stukje papier gewikkeld dat weer overeenkwam met een geschetste afbeelding van de troon waardoor elke steen, wanneer de troon eenmaal in elkaar gezet was, op zijn oorspronkelijke plaats gezet kon worden.

'Daar is nu niet veel kans meer op,' meende Sherry.

'Dat weet ik nog zo net niet,' antwoordde ik. 'Het zou een allemachtig ingewikkeld karwei zijn, maar het zou toch wel mogelijk zijn om alles weer precies op zijn plaats te brengen.'

We hadden in onze voorraden een rol plastic zakjes en ik stuurde Angelo er op uit om die rol te zoeken. We openden elk pakje, maakten tamelijk oppervlakig de stenen schoon en deden elke partij in een afzonderlijke plastic verpakking. Het ging allemachtig langzaam, hoewel we er alle vier aan werkten en na bijna twee uur hadden we dozijnen plastic zakjes gevuld, met duizenden half edelstenen – lazuursteen, beril, tijgeroog, granaatsteen, verdite, amethyst en nog wel een half dozijn andere stenen, waarvan ik de identiteit niet met zekerheid kon vaststellen. Het was duidelijk dat iedere steen liefdevol geslepen en even liefdevol gepolijst was, zodat elke steen precies op zijn eigen plaatsje in de tijgertroon paste. Eerst toen we bij de laatste laag in de kist waren aangekomen, vonden we de stenen van grotere waarde. De oude kolonel had die blijkbaar eerst uitgekozen en deze waren onder in de kist gelegd.

Ik hield een doorschijnend plastic zakje met smaragdstenen tegen het licht van de lamp en ze vonkten als een groene exploderende ster. We keken er allen naar alsof we gehypnotiseerd waren, terwijl ik het pakje ronddraaide om het felle witte licht op te vangen.

Ik legde het pakje naast me neer. Opnieuw stak Sherry haar hand in de kist en na even geaarzeld te hebben, haalde ze een kleiner pakketje te voorschijn. Ze wreef het vochtige kruimelende papier weg dat dik rond de enige steen die het bevatte gewikkeld zat.

Toen hield ze in haar licht gebogen handpalm de Grootmogol-diamant omhoog. Hij had de grootte van een ei van een nog jonge kip, geslepen in facetten van een kussen, precies zoals Jean Baptiste Tavernier het vele tientallen jaren geleden beschreven had.

De glinsterende reeks edelstenen en halfedelstenen, die we eerder hadden uitgepakt en gesorteerd, verminderden in geen enkel opzicht de glorie van deze steen, zoals de sterren aan de hemel ook het opkomen van de zon niet van zijn glans kunnen beroven. Ze verbleekten en verflauwden ten opzichte van de schittering en de luister van deze grote diamant.

Langzaam strekte Sherry haar holle hand naar Angelo uit om de diamant vast te houden en nauwkeurig te bekijken, maar deze trok zijn handen snel terug en vouwde ze achter zijn rug samen. Met een bijgelovig ontzag staarde hij naar de steen.

Sherry wendde zich nu tot Chubby, maar met een ernstig gezicht weigerde ook hij de diamant in handen te nemen.

'Geef hem aan mister Harry. Hij verdient het de eerste van ons te zijn.'

Ik nam de diamant van haar over en was verbaasd dat een zo bovennatuurlijk vuur bij aanraking zo koud en kil kon zijn. Ik kwam overeind en droeg de steen naar de plek waar we de gouden kop van de tijger hadden neergezet en vanwaar hij ons woedend aankeek. In het weifelende licht van de lampen drukte ik de diamant in de lege oogkas.

De steen paste volmaakt. Ik nam mijn aasmes om de gouden krammen dicht te drukken die de diamant stevig op zijn plaats hielden en die de oude kolonel waarschijnlijk zo ongeveer honderdvijfentwintig jaar geleden met een bajonet open had gebogen.

Ik deed een paar stappen terug en hoorde de verwonderde kreten. Nu het oog weer op zijn plaats was teruggebracht scheen het gouden beest tot leven te komen. Het scheen ons nu met een keizerlijk voorkomen op te nemen en we verwachtten in feite dat de grot elk ogenblik zijn boosaardige grauw van woede zou doen terugkaatsen.

Ik liep terug en nam mijn plaats in het neergehurkte kringetje rond de verroeste kist weer in. Allen staarden we naar de kop van de gouden tijger. We maakten de indruk alsof we als afgodendienaren deelnamen aan de een of andere oude heidense ritus, in ontzag neergehurkt aan de voeten van een geduchte afgod.

'Chubby, mijn oude vertrouwde en geliefde kameraad, je kunt een plaats op het titelblad van het boek van barmhartigheid verdienen, als je me die fles aangeeft,' zei ik. Dat brak de betovering waarin we allen gevangen zaten. Stuk voor stuk vonden ze hun stemmen terug en ze wedijverden heftig om aan het woord te komen. Het duurde dan ook niet lang of ik moest Sherry weer naar onze eigen grot sturen om een nieuwe fles te halen, die onze droge kelen moest bevochtigen.

We werden die avond allemaal min of meer dronken en dit gold zelfs voor Sherry North. Ze leunde zwaar tegen me aan toen we ten slotte tamelijk moeilijk door de regen naar onze grot terugstrompelden.

'Je hebt me werkelijk besmet, Fletcher,' zei ze, terwijl ze strompelend door een plas liep en me bijna deed vallen. 'Dit is de eerste keer in mijn leven dat ik echt dronken ben.'

'Houd de moed er maar in, liefje, je volgende les in het gebruik maken van de gelegenheid volgt binnen enkele minuten.'

Toen ik wakker werd was het nog steeds donker en ik stond voorzichtig op, want ik wilde Sherry niet wakker maken. Ze haalde gelijkmatig adem alsof ze nog steeds diep in slaap was. Het was kil en daarom trok ik mijn short aan en een wollen trui.

Toen ik de grot uitstapte, zag ik dat de westelijke wind het wolkendek verbroken had. Het regende ook niet meer en door de gaten in het wolkendek zag ik de sterren aan de hemel. Ze schonken me net genoeg licht om op de verlichte wijzerplaat van mijn horloge te kijken. Het was even over drie. Terwijl ik naar de palmboom zocht die ik bij voorkeur voor zulke doeleinden gebruik, zag ik dat de lamp in onze opslaggrot nog steeds brandde. Ik deed wat ik doen moest en liep toen naar de verlichte ingang.

De open kist stond nog op dezelfde plaats waar we die hadden achtergelaten, evenals de onschatbare tijgerkop met zijn glinsterend oog. Plotseling werd ik getroffen door een alles verterende angst. Een angst die een vrek moest voelen voor zijn schat. Het was zo'n kwetsbaar gevoel.

'– waar dieven inbreken –' dacht ik en ik wist dat er genoeg dieven in de onmiddellijke nabijheid waren.

Ik moest het allemaal veilig opbergen. Morgen kon het wel eens te laat zijn. Ondanks de na gisteravond verklaarbare hoofdpijn en de smaak van verschaalde whisky in mijn mond, moest dit nu gedaan worden – maar daarvoor had ik hulp nodig.

Zacht riep ik bij de ingang van zijn grot Chubby's naam en hij was onmiddellijk wakker. Hij stapte luisterrijk gehuld in zijn gestreepte pyjama de grot uit en het licht van de sterren binnen. Zo klaar wakker alsof hij voor hij naar bed ging niets anders gedronken had dan moedermelk. Ik legde hem mijn angst en bange voorgevoelens uit. Chubby gromde begrijpend en liep met me mee terug naar de opslagplaats. De plastic zakjes met edelstenen gooiden we nonchalant weer in de ijzeren kist en bonden het deksel goed met nylonkoord dicht. De gouden tijgerkop wikkelden we zorgvuldig in een lap zeildoek. We droegen de beide wat onhandige pakken naar het palmbosje. Daarna gingen we een paar schoppen en een gaslamp halen. Naast elkaar werkten we in het matte witte licht van de lamp, groeven in de zanderige grond twee ondiepe kuilen, niet ver van de plaatsen waar het dynamiet en de FN-karabijn en de extra munitie begraven lagen.

We legden de kisten en de gouden tijgerkop in de kuilen en bedekten ze daarna met zand. Met een aantal palmbladen veegde ik over het zand dat de gaten toedekte om alle sporen van onze arbeid uit te wissen.

'Voel je je nu gelukkig, Harry?' vroeg Chubby, toen we klaar waren.

'Ja, inderdaad, Chubby. Ga jij nu nog maar wat slapen, begrepen?'
Hij liep tussen de palmbomen door terug naar de grot, de lamp in zijn hand en niet een keer keek hij om. Ik wist dat ik niet meer zou kunnen slapen, want het graafwerk had niet alleen mijn hoofd opgeklaard, maar ook mijn bloed weer geprikkeld. Het was volmaakt zinloos weer naar de grot terug te gaan en dan te proberen rustig naast Sherry te gaan liggen tot het licht werd. Wat ik wilde was een rustig, verdekt plekje zoeken waar ik in alle rust mijn volgende zetten kon overdenken. Want het spelletje waarbij ik nu betrokken was, was een ingewikkeld kansspel geworden. Ik koos het pad dat naar de rug tussen de beide laagste toppen lag en toen ik er tegen opklom, veegde de wind de laatste wolken weg en aan de hemel stond nu een bleke maan die nog maar een week van volle maan verwijderd was. Haar licht was echter krachtig genoeg om me de weg naar de dichtstbijzijnde top te wijzen. Ik verliet het pad en ik zwoegde omhoog naar de top.

Ik vond een plekje waar ik tegen de wind beschermd werd en maakte het me daar gemakkelijk. Ik wilde dat ik een cheroot had meegenomen, want ik denk nu eenmaal beter met zo'n ding in mijn mond. Ook denk ik helderder wanneer ik geen kater heb – maar ik kon in beide dingen nu eenmaal geen verandering brengen.

Na een half uurtje was ik vastbesloten dat, wat we tot nu toe verworven hadden, geconsolideerd diende te worden. De angstige gevoelens van de vrek die me eerder hadden bestormd, bleven nog altijd aandringen en ik had ten slotte een duidelijke waarschuwing ontvangen dat het wolvegebroed ten aanval was gegaan. Zodra het licht was geworden, zouden we wat we tot nu toe uit het wrak gehaald hadden – de kop en de kist – naar de eilanden van St. Mary brengen en ons er daar van ontdoen op de wijze die ik van tevoren zo zorgvuldig beraamd had.

Later zou er nog voldoende tijd en gelegenheid zijn om naar Gunfire Rif terug te keren en datgene naar boven te brengen dat in de wazige diepten van het water was achtergebleven. Nu ik eenmaal tot een besluit gekomen was, voelde ik me beslist opgelucht. Ik keek al uit naar de oplossing van het volgende belangrijke probleem dat me al zo lang beziggehouden had.

Het zou niet lang meer duren of ik zou in een positie verkeren dat ik Sherry kon vragen haar kaarten op tafel te leggen en dan kon ik die kaarten, die ze zo zorgvuldig voor me verborgen hield, eens nader bekijken. Ik wilde weten wat de reden was van die schaduwen die daar in de donkere diepten van haar blauwe ogen verborgen lagen en ook de antwoorden op vele andere geheimzinnigheden die haar omringden. Die tijd zou niet lang meer op zich laten wachten.

De duisternis begon te langen leste te verbleken en het eerste parelende licht van de dageraad verspreidde zich vanuit het oosten over de hemel en verzachtte de rauwe donkere verten van de oceaan. Wat stijf stond ik van het plekje tussen de rotsblokken op en koos mijn weg rond de top, recht in de harde westenwind. Ik stond daar op het aan weer en wind blootgestelde terrein vlak boven ons kamp en de wind bracht kippevel op mijn blote armen en verwaaide mijn haar.

Ik keek omlaag naar de tegen de wind beschutte inhammen van de lagune en in het nog zwakke licht van de dageraad zag het verduisterde schip, dat stilletjes de open inham van de baai binnenkroop, er uit als een bleke geestverschijning.

Terwijl ik naar het schip keek, zag ik het opspattende water bij de boeg toen ze het anker lieten vallen. Ze draaide voor de wind bij en ik kon daardoor een blik werpen op haar hele silhouet. Ik twijfelde geen ogenblik dat het de *Mandrake* was.

Voor ik tot bezinning kwam, had ze een boot neergelaten die nu met grote snelheid op het strand afkwam.

Ik begon als een gek te rennen.

Een keer viel ik, maar de kracht van mijn val vanaf de top stuwde me voort en na enkele salto's stond ik weer op mijn benen en rende verder. Ik hijgde wild, toen ik Chubby's grot binnenstoof en ik schreeuwde: 'Kom in beweging, man schiet op! Ze zijn al op het strand.'

Het tweetal duikelde uit hun slaapzakken. Angelo met verwarde haren en een wezenloze blik in zijn ogen vanwege de slaap, maar Chubby was vlug en waakzaam.

'Chubby,' snauwde ik, 'ga als de bliksem die karabijn uit het gat halen. Vlug, man, binnen enkele minuten komen ze door het palmbos op ons af.' Hij had zich, terwijl ik tegen hem praatte, verkleed.

Een hemd en een gekeperde katoenen broek. Hij gromde iets waaruit ik opmaakte dat hij me begrepen had. 'Ik kom je over een paar minuten achterna,' riep ik hem na, toen hij in het zwakke licht van de aanbrekende dag wegrende.

'Angelo, kom tot je positieven!' Ik pakte hem bij zijn schouders en schudde hem door elkaar. 'Ik wil dat je voor miss Sherry zorgt, heb je me begrepen?' Hij was nu aangekleed en knikte uilachtig tegen me.

'Kom mee.' Ik sleepte hem half voort, terwijl we naar mijn grot renden. Ik sleurde haar uit bed. Terwijl ze zich aankleedde, vertelde ik haar wat er aan de hand was.

'Angelo gaat met je mee. Ik wil dat je een blik drinkwater meeneemt en dat jullie zo snel als je benen je kunnen dragen naar het zuiden van het eiland gaat. Klim eerst over de heuvel en zorg dat je uit 't gezicht blijft. Klim naar de top en verberg je in die schacht waar we die inscriptie ontdekten. Je weet wat ik bedoel.'

'Ja, Harry,' antwoordde ze, terwijl ze bevestigend knikte.

'Blijf daar. Ga er niet weg en laat je onder geen enkele voorwaarde zien. Begrepen?'

Ze knikte, terwijl ze haar hemd in haar broek stopte.

'Vergeet niet dat deze mensen domweg moordenaars zijn. De tijd voor spelletjes is voorbij. We hebben nu met wolvegebroed te maken.'

'Ja, Harry, dat is me bekend.'

'Vooruit dan.' Ik omhelsde haar en gaf haar snel een kus. 'Verdwijn dan nu.'

Ze verlieten de grot en Angelo droeg een bus met vijf liter drinkwater. Ze draafden het palmbos binnen.

Vlug gooide ik het een en ander in een broodzak. Een kistje sigaren, lucifers, verrekijker, veldfles en een dikke trui. Verder nog een blik met chocolade en noodrantsoenen, een toorts en rond mijn middel gespte ik een riem met het zware aasmes in mijn schede. Terwijl ik de broodzak over mijn schouder slingerde, rende ik de grot uit en liep Chubby door het palmbos achterna in de richting van het strand.

Ik had misschien vijftig meter afgelegd toen ik een plof hoorde, het geluid van lichte vuurwapens, een schreeuw, gevolgd door een nieuw salvo. Het kwam van een plek voor me uit en erg dichtbij.

Ik stopte en gleed achter de stam van een palmboom en tuurde naar de lichtplekken tussen de palmbomen. Ik zag iets bewegen. Een gestalte kwam naar me toe rennen. Ik haalde het aasmes uit de schede en wachtte totdat ik zeker was voor ik zacht riep: 'Chubby!'

De rennende gestalte zwenkte naar me toe. Hij had het FN-geweer bij zich en de uit zeildoek gemaakte bandelier met reserve patroonmagazijnen. Hij ademde snel maar opgelucht, toen hij me zag.

'Ze hebben me gezien,' gromde hij. 'Er zijn wel honderd van die schoften.'

Op datzelfde ogenblik zag ik tussen de bomen meer schaduwen bewegen.

'Daar komen ze,' zei ik. 'Laten we gaan.'

Ik wilde Sherry voor alles een veilige start geven en daarom koos ik niet het pad over de heuvelrug, maar wendde me direct naar het zuiden om de achtervolging een andere richting te geven. We liepen in de richting van de moerassen op het zuidelijke deel van het eiland.

Ze zagen ons toen we schuin voor hen uitrenden. Ik hoorde een kreet, die onmiddellijk door anderen beantwoord werd en toen vielen er vijf verspreide schoten. Ik zag de lichtflitsen tussen de donkere bomen. Een kogel sloeg in een palmboom hoog boven ons hoofd. Maar we liepen zo snel dat binnen enkele minuten de kreten van de achtervolgers wegstierven.

Ik bereikte de rand van het zoutmoeras en zwenkte meer landinwaarts om de smerig stinkende wadden te vermijden. Langs de eerste zacht glooiende helling van de heuvels stopten we om te luisteren en om wat op adem te komen. Het licht werd snel sterker. Het zou niet lang meer duren of de zon zou boven de horizon uitkomen en ik wilde graag voor die tijd een schuilplaats gevonden hebben.

Plotseling kwamen er uit de richting van de moerassen kreten van verslagenheid en ik vermoedde dat de achtervolgers de kleverige moerassen waren ingestrompeld. Dat zou ze op een meer dan overtuigende manier ontmoedigen, dacht ik en grinnikte.

'Kom, Chubby, laten we verder gaan,' fluisterde ik. Toen we overeind waren gekomen, hoorden we een nieuw geluid, nu uit een andere richting.

Het geluid werd door de grote afstand en door de tussenliggende hoogten van de heuvelkam sterk gedempt. Het kwam van de aan zee grenzende kant van het eiland, maar het was onmiskenbaar het geluid van automatische vuurwapens. Chubby en ik luisterden verstijfd. Het geluid herhaalde zich, een lang scheurend vuur uit machinegeweren. Er volgde een stilte, hoewel we zeker wel drie tot vier minuten aandachtig bleven luisteren.

'Kom,' zei ik zacht. We konden niet langer wachten. We renden nu de helling op die naar de meest zuidelijk gelegen top voerde.

In het snel toenemende ochtendlicht klommen we snel omhoog en ik had het te druk met andere dingen om me juist nu zorgen te maken over de smalle richel waarlangs we liepen. Uiteindelijk stapte ik een diepe rotsspleet binnen waar ik afgesproken had Sherry te zullen ontmoeten. In de schuilplaats was het stil en er was niemand te bespeuren. Niettemin riep ik zonder al te veel hoop: 'Sherry! Ben je daar, schatje?'

Uit de schaduw kwam geen antwoord. Ik keerde me nu tot Chubby. 'Ze hadden een behoorlijke voorsprong op ons. Ze had al hier moeten zijn.'

Eerst toen kreeg die uitbarsting van machinegeweervuur dat we eerder gehoord hadden een geheel nieuwe betekenis.

Ik haalde de verrekijker uit de broodzak en duwde die toen weg in een scheur in de rotswand.

'Ze zijn op moeilijkheden gestuit, Chubby,' zei ik. 'Kom, laten we proberen te ontdekken wat er gebeurd is.'

Toen we de smalle uitstekende rand eenmaal achter ons hadden, liepen we regelrecht tussen de talloze rotsblokken door naar de zeezijde van het eiland. Maar zelfs in mijn haast en vreselijke ongerustheid wat Sherry's veiligheid betrof, trok ik steelsgewijs verder en we zorgden er wel voor niet door een wachtpost tussen de palmbomen of op het strand onder ons gezien te worden.

Toen we de scheiding van de bergrug overtrokken, hadden we een pracht uitzicht over de bocht van het strand en de getande donkere uitgestrektheid van Gunfire Rif.

Ik bleef onmiddellijk staan en trok Chubby naast me tegen de grond, terwijl we snel dekking zochten.

Zodanig geankerd dat het de monding van de geul door Gunfire Rif geheel bestreek, lag de bewapende snelboot van Zinballa Bay, het vlaggeschip van mijn oude vriend Suleiman Dada. Vanaf het strand voer op dat ogenblik een kleine motorboot, overladen met kleine figuurtjes naar de snelboot.

'Godallemachtig,' mompelde ik. 'Ze hadden het echt goed voorbereid. Manny Resnick is een verbond aangegaan met Suleiman Dada. Daarom duurde het zo lang voor hij hier kwam. Terwijl Manny aan wal kwam, dekte Dada de vaargeul, zodat we niet hoefden te proberen een stoutmoedige poging te wagen, zoals we dat eerder gedaan hadden en met succes.'

'En hij had mannen op het strand gebracht – dat was dat machinegeweervuur. Manny Resnick zeilde de baai binnen om ons uit onze schuilplaats te jagen, terwijl Dada de achterdeur in de gaten hield.'

'Wat dacht je van Sherry en Angelo? Denk je dat ze zich uit de voeten hebben kunnen maken? Zouden de manschappen van Dada ze soms gevangen genomen hebben toen ze over de heuvelrug klommen?'

'Mijn God!' kreunde ik en ik vervloekte mezelf dat ik niet bij haar gebleven was. Ik kwam overeind en richtte de verrekijker op de motorboot, toen deze langzaam over het heldere water van de buitenlagune naar de voor anker liggende snelboot voer.

'Ik zie niets.' Zelfs met de hulp van mijn kijker waren de inzittenden van de boot niet meer dan een donkere massa, want de opkomende zon stond achter hen en de glinstering van het water verblindde me. Ik kon de gestalten niet onderscheiden, laat staan dat ik ze kon herkennen.

'Het is mogelijk dat ze in die motorboot zitten – maar ik kan ze niet ontdekken.' In mijn opwinding had ik de dekking van de rotsen verlaten en zocht een gunstige positie en stak daardoor duidelijk af. Daar in de vrije ruimte werd ik sterk belicht door dezelfde zonnestralen die me even tevoren verblind hadden.

Ik zag de bekende lichtflits en de lange witte pluim kruitdamp die uit het snelvuurkanon op de boeg van de snelboot schoot. Ik hoorde de granaat met hetzelfde gierende geluid als de vleugels van een arend maken aankomen. 'Bukken!' schreeuwde ik tegen Chubby en wierp mezelf plat tussen de rotsblokken.

De granaat ontplofte te dichtbij naar mijn smaak en dit met de vurige gloed die men ziet wanneer men de ovendeur van een ijzersmelterij even opendoet. Scherven en stukken rots vlogen ons om de oren. Ik sprong overeind.

'Rennen!' schreeuwde ik tegen Chubby. We glipten over de plek waar ze ons even tevoren gezien hadden op hetzelfde ogenblik dat een volgende granaat over ons heen vloog. Beiden bogen we ons hoofd voor de machtige knal van de overvliegende granaat.

Chubby veegde een bloedvlek van zijn onderarm toen we achter de bergrug wegkropen.

'Alles goed?' vroeg ik.

'Een schrammetje, dat is alles. Een rotssplinter,' gromde hij.

'Chubby, ik ga naar beneden om er achter te komen wat er met de anderen gebeurd is. Het heeft geen zin dat we allebei risico lopen. Wacht dus hier op me.'

'Je verknoeit je tijd, Harry. Ik ga met je mee. Kom.'

Hij tilde de karabijn op en liep voor me uit de bergtop af. Ik dacht er een ogenblik aan hem de karabijn af te nemen. In zijn handen was het wapen ongeveer even dodelijk als een katapult, die je met gesloten ogen afvuurt en dat was zijn gebruikelijke methode van schieten. Maar ik liet het maar zo. Hij voelde zich daardoor goed en dat was onder deze omstandigheden veel waard. We kwamen slechts langzaam vooruit en maakten gebruik van alle dekking die zich voordeed. En voor we verder gingen, zochten we eerst het voor ons liggende terrein af. Het was echter volmaakt stil op het eiland. Behalve dan het zuchten en klapperen van de westenwind in de toppen van de palmbomen. Op onze tocht naar de zeezijde van het eiland zagen we niemand.

Ik kruiste het spoor dat Angelo en Sherry hadden achtergelaten toen ze boven ons kamp de heuvelrug overklommen. Hun rennende voetstappen stonden duidelijk afgedrukt in de zachte grond. De veel kleinere voetafdrukken van Sherry werden door Angelo's brede blote voeten gedeeltelijk bedekt. We volgden langs de helling omlaag het duidelijke spoor, maar plotseling week dit van het pad af. Ze hadden hier het blik met water laten vallen en na zich abrupt te hebben omgedraaid, liepen ze nu niet meer achter elkaar maar schenen ongeveer zestig meter naast elkaar hard gerend te hebben.

En daar vonden we Angelo. Hij zou nooit in staat zijn van zijn aandeel van de buit te genieten. Hij was door drie van de zachte zwaarkaliber kogels getroffen. Ze waren door de dunne stof van zijn hemd gedrongen en hadden in zijn rug en borst grote donkere gaten geslagen.

Hij had zwaar gebloed, maar de zandige grond had het grootste deel van het bloed opgezogen en dat wat nog overgebleven was, begon al tot een donkere korst op te drogen. Vliegen hadden zich verzameld, krioelden vrolijk door de kogelgaten en op de lange donkere wimpers rond de wijd openstaande, verschrikt starende ogen.

Ik volgde het spoor en zag dat Sherry nog ongeveer twintig meter was doorgelopen en toen was de kleine dwaas teruggekeerd en naast Angelo neergeknield. Ik vloekte hardgrondig over wat ze had gedaan. Ze zou mogelijk in staat geweest zijn om te ontsnappen, als ze niet aan die nutteloze en buitensporige ingeving gehoor had gegeven.

Ze hadden haar gevangen genomen toen ze daar naast het lijk van Angelo knielde en hadden haar toen tussen de palmen door naar het strand gesleurd. Ik kon duidelijk de lange glijsporen zien waar ze haar voeten krachtig in het zand gedrukt had en geprobeerd had weerstand te bieden.

Zonder de beschutting van de boom te verlaten keek ik naar het gladde witte zand en volgde haar sporen tot waar de merktekens van de kiel van de motorboot nog steeds in het zand vlak aan de rand van het water te zien was. Ze hadden haar naar de snelboot overgebracht. Ik hurkte achter een stapel drijfhout en droge palmbladeren en staarde vandaar naar het gracieuze kleine schip.

Zelfs terwijl ik haar gadesloeg lichtte ze het anker, vermeerderde haar snelheid en gleed langzaam langs de volle lengte van het eiland, om vervolgens om het uiteinde te zwenken en de lagune binnen te varen waar de *Mandrake* nog steeds voor anker lag.

Ik kwam weer overeind en gleed tussen de palmbomen door naar de plaats waar ik Chubby had achtergelaten. Hij had de karabijn naast zich in het zand gelegd en hield Angelo in zijn armen. Hij nestelde het hoofd van de jongen tegen zijn schouder. Chubby huilde, grote glinsterende tranen gleden moeizaam langs de gerimpelde bruine wangen omlaag en vielen van zijn kaken en op de donkere krullen van de jongen daar in zijn armen.

Ik raapte het geweer op en waakte over hen beiden, terwijl Chubby voor ons beiden zijn tranen de vrije loop liet. Ik gunde hem de opluchting die deze tranen hem schonken. Deze uitstorting van zijn verdriet zou hem soelaas geven. Mijn eigen verdriet was even groot en hevig als dat van Chubby, want ook ik had veel van Angelo gehouden. Maar bij mij zat dit verdriet diep, waar het meer pijn deed. 'Kom, Chubby,' zei ik ten slotte. 'Laten we gaan, kerel.' Met het lichaam nog steeds in zijn armen kwam hij overeind en we liepen langs de richel terug. In een ondiep ravijn die praktisch dichtgegroeid was met planten legden we Angelo in een ondiep graf dat we met onze handen hadden uitgegraven en we bedekten hem met een deken van takken en bladeren, die ik met mijn aasmes had afgesneden voor we het graf verder met zand vulden. Ik kon mezelf er echter niet toe brengen zand op dat onbeschermde gezicht te gooien en de bladeren vormden een zachter doodskleed.

Chubby veegde zijn tranen met de palm van zijn hand weg en kwam overeind.

'Ze hebben Sherry te pakken gekregen,' vertelde ik hem kalm. 'Ze is aan boord van de snelboot.'

'Is ze gewond?' vroeg hij.

'Dat geloof ik niet, nog niet tenminste.'

'Wat wil je dat we nu doen, Harry?' vroeg hij, en de vraag werd voor me beantwoord.

Ergens verweg in de richting van het kamp hoorden we het snelle geluid van een fluit. We liepen langs de richel tot aan een punt waar we de landinwaarts gelegen lagune konden overzien en ook de landzijde van het eiland.

De *Mandrake* lag nog steeds op de plaats waar ik haar het laatst gezien had en de Zinballa-snelboot lag een honderd meter dichter onder de kust voor anker. Ze hadden de Groenlandvaarder gehaald en brachten hiermee mannen naar het strand. Deze waren stuk voor stuk bewapend en droegen uniformen. Ze verdwenen onmiddellijk tussen de palmbomen en de Groenlandvaarder ging terug naar de *Mandrake*.

Ik richtte mijn kijker op de *Mandrake* en zag dat daar ook bepaalde dingen gebeurden. Door de kijker herkende ik Manny Resnick gekleed in een wit opengeslagen hemd en blauwe sportpantalon, toen hij van de *Mandrake* in de Groenlandvaarder overstapte. Hij werd op de voet gevolgd door Lorna Page. Ze droeg een zonnebril, een gele sjaal rond haar blonde haren en een smaragd groen broekpak. Ik voelde een diepe haat in mij opstijgen toen ik hen beiden herkende.

Maar nu gebeurde er iets dat me aan het piekeren bracht. De bagage, die ik in Curzon Street in de Rolls had zien laden, werd nu door twee van Manny's bandieten aan dek gebracht en vandaar naar de Groenlandvaarder.

Een geüniformeerd lid van de bemanning van de *Mandrake* salueerde vanaf het dek en Manny wuifde naar hem met een gebaar van luchtige afwijzing.

De Groenlandvaarder kwam los van de *Mandrake* en bewoog zich in de richting van de snelboot. Toen Manny, zijn vriendin voor het ogenblik, lijfwachten en de bagage overgebracht waren naar het dek van de snelboot, lichtte de *Mandrake* het anker, wendde de steven naar de ingang van de baai en koerste doelbewust naar de diepere zeegeul.

'Ze vertrekt,' mompelde Chubby. 'Waar is dat goed voor?'

'Ja, ze vertrekt,' gaf ik toe. 'Manny Resnick heeft met haar afgedaan. Hij heeft nu een nieuwe bondgenoot. Hij heeft zijn eigen boot niet meer nodig. Ze kost hem naar alle waarschijnlijkheid duizend ballen per dag en Manny heeft altijd moeilijk afstand kunnen doen van zijn geld.'

Ik richtte mijn kijker nu op de snelboot en zag hoe Manny en zijn gevolg de kajuit binnengingen.

'Mogelijk is er nog een andere reden,' mompelde ik.

'Wat voor reden, Harry?'

'Manny Resnick en Suleiman Dada hebben het liefst zo weinig mogelijk getuigen voor wat ze nu van plan zijn.'

'Ja. Ik begrijp wat je bedoelt,' gromde Chubby.

'Ik geloof, mijn beste Chubby, dat we op het punt staan onthaald te worden op een soort gemeenheid die ons ervan zal overtuigen dat wat ze met Angelo gedaan hebben een vriendelijk gebaar is.'

'We moeten miss Sherry van die boot zien te krijgen, Harry.' Chubby was nu niet langer verdoofd door het verdriet waarin de moord op Angelo hem gebracht had. 'We moeten gewoonweg iets doen, Harry.'

'De gedachte op zichzelf is goed, Chubby,' zei ik. 'Maar we zullen haar beslist niet helpen door ons zelf te laten doodschieten. Ik vermoed dat ze volkomen veilig is, totdat ze hun handen op de schat hebben kunnen leggen.'

Zijn enorme gezicht rimpelde als dat van een bezorgde buldog.

'Wat gaan we doen, Harry?'

'Nu, op dit ogenblik gaan we een stukje hardlopen.'

'Wat bedoel je daarmee?'

'Luister,' zei ik en hij hield zijn hoofd wat scheef. Weer hoorden we het schelle geluid van een fluit en even later hoorden we zwakjes stemmen, die door de wind naar ons toe werden gedragen.

'Het ziet er naar uit dat hun eerste poging louter brute kracht is. Ze hebben de hele zwarte bemanning aan land gezet en zijn nu van plan het eiland te doorzoeken en ons als een koppel fazanten in te sluiten.'

'Laten we omlaag gaan en vechten,' gromde Chubby, terwijl hij de haan van zijn karabijn spande. 'Ik heb nog een boodschap voor ze van Angelo.'

'Gedraag je niet als een idioot, Chubby,' beet ik hem nijdig toe. 'Luister nu goed naar me. Ik wil tellen over hoeveel man ze beschikken. Wanneer we dat weten en als we een goede gelegenheid krijgen wil ik proberen een van hen te pakken te krijgen en hem zijn wapens af te nemen. Let op een goeie gelegenheid, Chubby, maar begin nu nog niet. Speel het spel zo voorzichtig mogelijk. Begrepen?'

Ik wilde hem niet wijzen en zeker niet op een geringschattende manier, op zijn scherpschutterstalent.

'Goed,' antwoordde Chubby en knikte bevestigend.

'Jij blijft aan deze kant van de richel en telt nauwkeurig hoeveel er langs deze kant van het eiland komen. Ik kruip naar de andere kant van de heuvelrug en doe daar hetzelfde voor de andere kant van het eiland.' Hij knikte. 'Ik zie je weer op dezelfde plek waar de snelboot ons onder vuur nam. Over precies twee uur.'

'Hoe moet dat met jou, Harry?' Hij maakte het gebaar alsof hij me de FN wilde overhandigen, maar ik had het hart niet om hem ervan te beroven.

'Met mij zit het wel goed,' zei ik hem. 'Kom, kerel, ga.'

Het viel al heel gemakkelijk om voor de rij drijvers uit te blijven, want ze riepen elkaar steeds luidkeels aan om er bij zichzelf de moed in te houden. Ze deden ook geen moeite zich te verbergen, maar drongen langzaam en vooral voorzichtig op waarbij ze een lange uitgestrekte rij vormden.

Aan mijn kant van de heuvelrug telde ik er negen. Zeven van hen waren negers in marine-uniformen, gewapend met de propperige AK 47 machinegeweren, en twee van hen behoorden tot het groepje bandieten waarover Manny de leiding had. Deze laatsten waren gekleed in tropenkleding en droegen revolvers. Een van hen herkende ik als de chauffeur van de Rover en als de passagier van de tweemotorige Cessna die mij en Sherry op het strand in de gaten had gekregen.

Toen ik klaar was met tellen, keerde ik hen de rug toe en rende voor hen uit naar de bocht van het zoutmoeras. Ik wist dat, als dit groepje drijvers eenmaal die hinderpaal had bereikt, de groep uit elkaar zou vallen en dat het meer dan waarschijnlijk was dat een van hen geïsoleerd zou raken.

Ik vond een uitstekende landengte van het zoutmoeras, waarop een reeks jonge mangrovebomen groeiden en een grote hoeveelheid grof moerasgras. Ik volgde de zoom van dit struikgewas en bereikte een plek, waar een omgevallen palmboom als een brug over de landtong lag, waardoor het mogelijk was in twee richtingen te ontsnappen. Over de boom lag een dichte beschuttende laag palmbladeren en moerasgras en dat verschafte me een prima schuilplaats om me in hinderlaag op te stellen.

Ik lag achter de berg verwarde dode planten en bladeren en had het zware aasmes in mijn rechterhand, klaar voor een worp.

De uitgestrekte lijn drijvers kwam gestaag dichterbij en hun stemmen werden, naarmate ze dichter bij het moeras kwamen, duidelijker. Het duurde niet lang of ik kon het ritselen en schrapen van takken horen toen een van hen in mijn richting kwam.

Hij stopte en riep naar de anderen toen hij nog ongeveer zes meter van me vandaan was. Ik drukte mijn gezicht zo dicht mogelijk tegen de vochtige grond en gluurde onder de stapel dode takken naar hem. Er was daar ergens een opening en ik zag zijn voeten en benen onder zijn knieën. Zijn broek was uit dikke blauwe serge gemaakt en hij droeg groezelige witte gymschoenen zonder sokken. Bij elke stap die hij deed, zag ik zijn zeer donkere Afrikaanse huid. Het was ontegenzeggelijk een van de matrozen van de snelboot en dat deed me genoegen. Hij zou dus in elk geval een automatisch vuurwapen bij zich hebben. Ik gaf hieraan verre de voorkeur boven een pistool. Want de kornuiten van Manny waren allen met pistolen bewapend. Langzaam liet ik me op mijn zij rollen en maakte mijn rechterarm vrij. De matroos riep opnieuw en nu zo dichtbij en zo luid dat het mijn zenuwen een schok gaf en weer voelde ik net als toen de adrenaline door mijn aderen stromen. Zijn roep werd van grote afstand beantwoord en de matroos liep weer door.

Ik kon zijn voetstappen op het zand horen.

Toen hij rond het bosje kreupelhout liep, kwam hij plotseling volledig in zicht. Niet meer dan tien passen van me vandaan.

Hij droeg een marine-uniform, op zijn hoofd een blauwe baret met bovenop de vrolijk aandoende kleine rode pompoen. Maar hij droeg het boosaardig uitziende machinepistool op zijn heup. Het was een lange magere jongen van amper twintig jaar met een glad gezicht. Hij transpireerde van de zenuwen en daardoor lag er over de huid van zijn gezicht een purperachtig waas, waartegen het wit van zijn ogen sterk afstak.

Hij zag me en probeerde nog het machinegeweer op me te richten. Dit hing echter langs zijn rechterheup en terwijl hij zich omdraaide blokkeerde hij zijn eigen kans. Ik richtte op de inkeping waar de twee sleutelbenen elkaar bereiken en die inkeping werd omlijst door de opengeslagen kraag van zijn uniform, precies onder zijn keel. Ik wierp het mes overhands met een scherpe knik van mijn pols, juist op het moment dat ik het mes liet gaan. Het schoot als een zilverachtige veeg recht op het doel dat ik uitgekozen had. Het lemmet verdween volledig, alleen het donkere walnoten handvat stak uit zijn keel.

Hij probeerde nog te schreeuwen maar er kwam geen geluid. Het lemmet had zijn stembanden doorgesneden en dat was ook mijn bedoeling geweest. Langzaam zakte hij op zijn knieën en in een vrome houding keek hij me aan. Zijn armen bengelden langs zijn zij en het machinegeweer hing nog aan de draagband.

We keken elkaar een ogenblik aan, maar dat ogenblik scheen een eeuwigheid te duren. Toen beefde hij over heel zijn lichaam en een dikke golf bloed stroomde uit zijn mond en neusgaten. Hij viel voorover op de grond.

Zo ver mogelijk tegen de grond gedrukt keerde ik hem op zijn rug, trok het mes uit het kleverige natte vlees en veegde het aan de mouw van zijn uniformjasje schoon.

Snel ontdeed ik hem van zijn wapen en de reservemagazijnen in zijn bandelier. Nog steeds diep voorover gebukt sleepte ik hem bij zijn hielen in de slijmerige modder van het beekje. Ik knielde op zijn borst om hem op die manier onder de oppervlakte te drukken. De modder stroomde zo langzaam en zo dik als gesmolten chocolade over zijn gezicht. Toen hij ten slotte volledig ondergedompeld was, gespte ik de singelband om mijn middel, greep het machinegeweer en gleed nu zacht door de opening die ik in de rij drijvers gemaakt had.

Terwijl ik diep gebukt voortrende en van alle dekking gebruik maakte die ik op mijn weg ontmoette, controleerde ik de lading van de AK 47. Het wapen was me vertrouwd. Ik had het in Biafra gebruikt en ik overtuigde me ervan dat het magazijn vol was en dat het staartstuk geladen was voor ik de draagband over mijn rechterschouder liet glijden en het ding schietklaar langs mijn heup hield. Toen ik ongeveer vijfhonderd meter was teruggelopen, stopte ik en zocht beschutting tegen de stam van een palmboom. Ik luisterde aandachtig. Achter me scheen de rij drijvers door het moeras in moeilijkheden geraakt te zijn. Ze deden hun best hun zaken te ordenen. Ik luisterde naar hun geschreeuw en het woedende geluid van de fluit. Het klonk alles net als een bekerfinale, meende ik en grinnikte zwakjes, want de herinnering aan de man die ik zoëven gedood had, was nog zo vers dat ik nog niet over mijn gevoel van misselijkheid heen was. Nu ik eenmaal door hun linie was gebroken, draaide ik me om en trok nu dwars over het eiland naar de plek op de zuidelijke piek waar ik Chubby zou ontmoeten. Toen ik eenmaal de palmen achter me had gelaten en de lagere hellingen had bereikt, werd de begroeiing steeds dichter. Ik kon me nu sneller en beter beschermd bewegen. Toen ik ongeveer halverwege de top was, schrok ik op door een nieuw salvo van geweervuur. Deze keer was het heel duidelijk de droge knal van de FN, een scherpere en langzamere knal dan het geratel van de machinegeweren die het vuur onmiddellijk beantwoordden.

Te oordelen naar het volume en de duur van het vuur kwam ik tot de conclusie dat alle machinegeweren die het vuur beantwoord hadden hun magazijnen in één keer leeg geschoten hadden. Er volgde een diepe stilte. Ondanks al mijn waarschuwingen had Chubby zich niet kunnen bedwingen. Hoewel ik hierover woedend was, maakte ik me ook erg bezorgd over de moeilijkheden waarin hij zichzelf gewerkt had. Een ding was zeker – Chubby had waarop hij ook gemikt had, zijn doel gemist.

Ik begon nu harder te rennen en liep in een hoek naar de top met geen ander doel dan zo snel mogelijk het terrein te bereiken waar ik meende het geweervuur gehoord te hebben.

Ik verliet snel een plek met bessenstruiken en rende langs een overgroeid pad dat in de richting liep die ik wilde volgen. Ik liep nu op volle snelheid. Ik had de top van de helling bereikt en rende bijna regelrecht in de armen van een van de geüniformeerde matrozen, die uit de tegenoverliggende richting kwam, eveneens zo snel als zijn benen hem dragen konden.

Op Indiase wijze liepen zijn zes kameraden achter hem aan. Allen zo hard ze maar konden. Ongeveer dertig meter achter hem kwam er nog een die echter zijn vuurwapen verloren had en wiens uniformjasje doorweekt was met vers bloed.

Op al hun gezichten las ik een uitdrukking van schrikbarende angst en ze renden voort met de doelbewuste vastbeslotenheid van mannen, die door alle legioenen van de duivel op de hielen worden gezeten.

Ik begreep onmiddellijk dat dit gespuis de overlevenden waren van een ontmoeting met Chubby Andrews en dat die ontmoeting net even te veel van hun zenuwen gevergd had. Ze waren vastbesloten terug te gaan. Het kon haast niet anders of Chubby's schietkunst was op bewonderenswaardige manier verbeterd en ik bood hem zwijgend mijn verontschuldigingen aan.

De matrozen waren zo zeer met hun gedachten bij de duivel die achter hen aanzat, dat ze me tijdens de fractie van een seconde die het me kostte om de veiligheidspal van het geweer terug te schuiven en me met half gebogen knieën en gespreide benen schrap te zetten, niet eens opmerkten. Ik bracht het wapen in een korte stotende beweging zijwaarts en mikte laag op hun knieën. Rekening houdend met de vuursnelheid van een AK 47 moet je op de benen richten en dan hopen dat drie of vier treffers het lichaam raken als de man door het gordijn van vuur voorover valt. Op die manier voorkom je tevens dat de korte loop door de kracht van de terugslag omhoogkomt.

Ze tuimelden als een spartelende, schreeuwende massa om en vielen door de harde slag van de kogels achterover tegen elkaar. Ik hield de trekker vier tellen vast. Toen draaide ik me om en sprong van het pad in de dichte muur van bessestruiken. Het maakte me onmiddellijk onzichtbaar. Ik boog me zowat dubbel in mijn poging de takken te ontwijken.

Achter me vuurde een machinegeweer en de kogels scheurden door het dichte gebladerte. Niet een kwam er gevaarlijk dichtbij. Ik ging nu over in een vlugge draf.

Ik vermoedde dat mijn plotselinge en volkomen onverwachte aanval op zijn minst twee of drie matrozen het leven had gekost en mogelijk nog een of twee van de anderen ernstig gewond.

Het effect op hun moraal zou echter rampzalig zijn, vooral zo snel na Chubby's woeste aanval. Wanneer ze eenmaal de veilige snelboot zouden hebben bereikt, vermoedde ik wel dat de machten van het kwaad lang en zwaar zouden moeten praten, voordat de mannen weer voet op het eiland zouden willen zetten. We hadden de tweede ronde beslissend gewonnen, maar zij hadden nog altijd Sherry North. Dat was hun voornaamste troef. Zo lang ze haar in handen hadden, konden zij de verdere loop van dit spelletje dicteren, Chubby zat tussen de rotsen op de rug van de piek op me te wachten. Deze man was onverwoestbaar.

'Jezus, Harry, waar heb je verdomme al die tijd gezeten?' gromde hij. 'Ik heb hier praktisch de hele ochtend zitten wachten.'

Ik zag dat hij mijn broodzak uit de spleet in de rots waarin ik 'm had achtergelaten te voorschijn had gehaald. Het ding lag met twee buitgemaakte AK 47 machinegeweren en bandeliers met magazijnen aan zijn voeten. Hij overhandigde me de fles met water en eerst toen besefte ik hoe dorstig ik was. Het zwaar gechloorde water smaakte als Veuve Clicquot, maar ik beperkte mezelf tot drie slokken.

'Ik moet je mijn verontschuldigingen aanbieden, Harry. Ik trok er op los. Kon gewoon de lust niet weerstaan, man. Ze stonden in een groepje bij elkaar in een open ruimte, alsof ze een picknick hielden. Kon me niet beheersen en gaf ze hun vet. Knalde er twee neer en de rest koos, terwijl ze hun geweren in de lucht afschoten, het hazepad.'

'Klopt,' zei ik. 'Kwam ze tegen toen ze over de heuvel kwamen.'

'Hoorde het schieten. Stond juist op het punt je te gaan zoeken.'

Ik ging naast hem op het rotsblok zitten en vond mijn cheroots in mijn broodzak. We staken er elk een op en rookten in dankbare stilte, maar Chubby moest die stilte zo nodig verstoren.

'Wel, we hebben ze het vuur goed na aan hun schenen gelegd – denk niet dat ze terug zullen komen voor nog een portie. Maar ze hebben nog altijd miss Sherry, kerel. Zolang ze haar hebben zijn ze aan de winnende hand.'

'Hoeveel waren het er, Chubby?'

'Tien.' Hij spuwde een stukje tabak uit en tuurde naar de gloeiende punt van zijn cheroot. 'Maar ik knalde er twee neer en ik geloof dat ik een derde aangeschoten heb.'

'Inderdaad,' stemde ik met hem in. 'Ik kwam er zeven op de heuvelrug tegen. Ik heb ook een aanval gedaan. Er zijn er niet meer dan vier over – en dan nog acht aan mijn kant. Laten we zeggen in totaal twaalf en dan nog de mannen die aan boord achtergebleven zijn – een stuk of zes, zeven. Dat betekent Chubby, dat we nog steeds een twintig machinepistolen tegen ons hebben.'

'Niet al te slecht, Harry.'

'Laten we er eens over nadenken, Chubby.'

'Laten we dat doen, Harry.'

Ik koos de nieuwste en minst misbruikte van de drie machinepistolen uit.

Ik had verder de beschikking over vijf volle magazijnen. Ik verborg de opzij gelegde wapens onder een plat stuk rots en laadde en controleerde de andere. We namen elk nog een slok water uit de fles en toen ging ik Chubby omzichtig voor langs de richel. Ik zorgde er daarbij wel voor dat ik niet tegen de achterliggende horizon afstak en richtte mijn schreden naar ons verlaten kamp.

Vanaf de plek waar vandaan ik de eerste keer de *Mandrake* had zien naderen, inspecteerden we het hele noordelijk deel van het eiland. Zoals we wel gedacht hadden, hadden Manny en Suleiman Dada al hun mannen van het eiland teruggetrokken. Zowel de Groenlandvaarder als de kleinere motorboot lagen langszij de snelboot. Er was aan boord van de snelboot veel verwarde en zinloze activiteit en, terwijl ik de jachtende gestalten gadesloeg, zag ik in gedachten de toneeltjes van afschuwelijke wraak en vergelding die zich nu in de grote kajuit zouden afspelen.

Suleiman Dada en zijn nieuwe protégé zouden zich zeker op een vreselijke manier wreken op hun reeds pijnlijk verslagen en gedemoraliseerde troepen. 'Ik wil naar beneden, naar het kamp, Chub-

by. Wil eens gaan kijken wat ze voor ons hebben achtergelaten,' zei ik ten slotte en overhandigde hem de verrekijker. 'Houd voor mij hier de wacht. Drie schoten snel achter elkaar als waarschuwing.'
'Afgesproken, Harry,' stemde hij in, maar toen ik overeind kwam brak er opnieuw een koortsachtige activiteit op het schip uit. Ik nam de kijker van Chubby over en zag Suleiman Dada uit de grote kajuit te voorschijn komen en met moeite de trap naar de brug opklimmen. In zijn witte uniform, bedekt met medailles die glinsterden in de zon en bijgestaan door een menigte helpers deed hij me denken aan een dikke witte termietenkoningin, die door krioelende werkmieren uit haar koninklijk verblijf wordt gedragen.

Uiteindelijk stond hij op de brug en ik zag door mijn kijker hoe hem een megafoon werd overhandigd. Hij richtte zijn blikken naar de kust, bracht de megafoon aan zijn mond en door de machtige lens van de kijker zag ik zijn lippen bewegen. Seconden later bereikte ons duidelijk, vele malen versterkt door de megafoon en meegedragen door de wind, wat hij te zeggen had.

'Harry Fletcher. Ik hoop dat je me kunt horen.' De zware gemoduleerde stem kreeg door de versterker een scherpere klank. 'Ik ben van plan vanavond een demonstratie te geven, die je zeker zal overtuigen van het belang met mij samen te werken. Zorg er alsjeblieft voor een positie in te nemen vanwaar je ons kunt gadeslaan. Je zult het ongetwijfeld bijzonder fascinerend vinden. Vanavond om negen uur op het achterdek. Het is een afspraak, Harry. Mis hem vooral niet.'

Hij overhandigde de megafoon aan een van zijn officieren en ging weer terug naar de grote kajuit.

'Ze zijn van plan vanavond iets met Sherry te doen,' mompelde Chubby en hij speelde troosteloos met het geweer op zijn knieën.

'Dat zullen we om negen uur weten,' antwoordde ik en keek hoe de officier met de megafoon vanaf het dek in de motorboot klom. Ze begonnen aan een langzame tocht rond het eiland, stopten na elke kilometer om de boodschap van Suleiman Dada te herhalen. Hij scheen er bijzonder verlangend naar te zijn dat ik de demonstratie zou gadeslaan.

'Kom, Chubby,' zei ik, terwijl ik een blik op mijn horloge wierp. 'We hebben nog uren de tijd. Ik ga nu naar het kamp. Let goed op.'

Het kamp was doorzocht en alle dingen van waarde waren meegenomen, uitrustingsstukken en voorraden waren kapot geslagen en lagen verspreid door de verschillende grotten. Maar toch hadden ze iets over het hoofd gezien. Ik vond vijf blikken met brandstof en verborg deze met verschillende andere uitrustingsstukken, die mogelijk later van waarde zouden kunnen zijn. Daarna kroop ik uiterst voorzichtig tussen de palmen en ontdekte bijzonder opgelucht dat ze de schuilpaats van de kist en de gouden kop van de tijger niet gevonden hadden en ook andere voorraden over het hoofd gezien hadden.

Met in de ene hand een twintig literblik met drinkwater en in de andere drie blikken corned beef en gemengde groenten klom ik weer terug naar de richel waar Chubby zat te wachten. We aten en dronken wat. Toen zei ik tegen Chubby: 'Probeer wat te slapen. Het wordt vrij zeker een lange en moeilijke nacht.'

Hij gromde wat en als een grote bruine beer rolde hij zich in het gras op.

Het duurde niet lang of hij snurkte zacht en regelmatig.

Langzaam en in gedachten verzonken rookte ik drie cheroots, maar pas toen de zon op het punt stond onder te gaan kreeg ik mijn eerste geniale inval. Het was zo helder, zo simpel en zo heerlijk geschikt voor het doel dat ik er onmiddellijk verdenking tegen koesterde en het idee opnieuw en uiterst zorgvuldig onder de loep nam.

De wind was gaan liggen en tegen de tijd dat ik ervan overtuigd was dat mijn idee goed was, was het aardedonker. Ik bleef glimlachend en licht met mijn hoofd knikkend zitten, terwijl ik over het geheel nadacht.

De snelboot was helder verlicht. Al haar patrijspoorten straalden licht uit en het achterdek baadde in de gloed van een paar schijnwerpers dat er nu uitzag als een leeg toneel.

Ik wekte Chubby, en we aten en dronken wat.

'Laten we naar het strand gaan,' zei ik. 'Vandaar hebben we een beter zicht op wat komen gaat.'

'Het zou me niets verwonderen wanneer het een valstrik was,' waarschuwde Chubby gemelijk.

'Dat geloof ik niet. Ze zijn allemaal aan boord en ze spelen dit spel, omdat ze weten alle troeven in handen te hebben. Ze hebben nog altijd Sherry aan boord. Ze hoeven domweg geen gebruik te maken van kunstjes.'

'Man, ik wil je wel vertellen dat, als ze dat meisje iets aandoen –' Hij zweeg en kwam overeind. 'Kom, laten we gaan.'

We liepen heel stil en voorzichtig tussen de palmen door, onze wapens schietklaar met de vinger aan de trekker. Maar de avond was stil en het palmbos verlaten.

We bleven tussen de palmbomen aan het begin van het strand staan. De snelboot lag niet meer dan tweehonderd meter van ons vandaan. Ik leunde met mijn schouder tegen de stam van een palm en richtte mijn verrekijker op de boot. Alles was zo duidelijk te onderscheiden en zo dichtbij dat ik de letters op het pakje sigaretten, waaruit een van de wachtposten een sigaret opstak, kon lezen.

We zaten wat betreft de voorstelling die Suleiman Dada had uitgedacht op de eerste rij. Ik voelde hoe een zekere bezorgdheid bezit van me nam. De wetenschap dat er iets afschuwelijks op komst was bezorgde me een rilling over mijn rug. Ik liet de kijker zakken en fluisterde zacht tegen Chubby: 'Wissel jouw wapen om voor het mijne.' Hij gaf mij de FN en nam zelf de AK 47.

Ik gaf om het dek van de snelboot onder schot te hebben, aan dit wapen de voorkeur vanwege de trefzekerheid van de FN. Uiteraard kon ik weinig of niets doen zolang Sherry niets overkwam, maar als ze haar ook maar iets deden dan kon ik er in ieder geval voor zorgen dat ze niet de enige was die het slachtoffer was.

Ik ging naast de palmbomen zitten, en stelde het vizier van de karabijn en nam nauwkeurig het hoofd van de dekwacht op de korrel. Ik wist dat ik hem een kogel door zijn slaap kon jagen vanaf de plek waar ik zat en toen ik voldoende tevreden was over de mogelijkheid die deze plek mij bood, legde ik het geweer over mijn knieën en maakte het me voor zover dat mogelijk was gemakkelijk, wachtend op de dingen die ongetwijfeld zouden komen.

De muskieten uit het moeras zoemden rond onze oren, maar Chubby en ik negeerden de beesten en bleven stil zitten. Ik verlangde verschrikkelijk naar een cheroot om mijn zenuwen wat te kalmeren, maar ik was wel gedwongen dit genot te missen.

De tijd ging uiterst langzaam voorbij en nieuwe angst kwam me treiteren en die angst scheen de wachttijd nog langer te maken. Maar eindelijk, enkele minuten voor het beloofde tijdstip, begon er beweging aan boord van de snelboot te komen en opnieuw werd Suleiman Dada door zijn mannen de trap op geholpen en nam hij zijn plaats op de brug in, vanwaar hij een goed uitzicht had op het achterdek. Hij transpireerde hevig en rond zijn armsgaten en langs zijn rug was zijn witte uniformjasje doornat. Ik vermoedde dat hij zijn eigen wachttijd had doorgebracht met een veelvuldig gebruik van de whiskyfles. Naar alle waarschijnlijkheid uit mijn eigen voorraad die ze uit de grot geroofd hadden.

Hij lachte en maakte grapjes met de mannen rondom hem. Zijn enorme maag schudde van het lachen en zijn mannen lachten slaafs mee. Het geluid bereikte over het water het strand.

Suleiman werd gevolgd door Manny Resnick en zijn blond vriendinnetje.

Manny zag er in zijn kostbare sportkleding zeer verzorgd uit. Hij bleef iets van de anderen af staan en de uitdrukking op zijn gezicht was gereserveerd en ongeïnteresseerd. Hij deed me denken aan een volwassene die een kinderpartijtje bijwoont en probeert een vervelende en tamelijk onplezierige plicht te overleven.

In tegenstelling met hem was Lorna Page bijzonder opgewonden. Haar ogen glansden als die van een meisje dat naar haar eerste afspraakje gaat. Ze maakte grapjes met Suleiman Dada en leunde vol verwachting over de railing van de brug over het nu nog verlaten dek. Door de machtige lenzen van de kijker kon ik de blos op haar wangen zien, die beslist niet werd veroorzaakt door rouge.

Ik had mijn aandacht zo volledig op haar geconcentreerd dat ik pas, toen ik hem rusteloos en vrij plotseling hoorde bewegen en zijn verschrikte gegrom hoorde, mijn kijker op het achterdek richtte.

Daar was Sherry. Ze stond tussen twee in uniform gestoken matrozen. Ze hielden haar armen vast en ze zag er tussen die grote zwarte kerels klein en broos uit.

Ze droeg nog steeds de kleren die ze die ochtend zo haastig had aangetrokken en haar haren zaten in de war. Haar ogen stonden hol en de uitdrukking op haar gezicht getuigde van een angstige spanning. Maar toen ik haar door de kijker wat zorgvuldiger opnam, zag ik dat wat ik had aangezien voor donkere kringen onder haar ogen in feite blauwe plekken waren. Een kille woede maakte zich van mij meester, toen ik besefte dat haar lippen gezwollen waren en bol stonden, alsof ze door bijen gestoken was. Haar ene wang was eveneens zwaar vervormd en gewond.

Ze hadden haar geslagen en niet alleen dat, maar ze hadden haar behoorlijk toegetakeld. En nu ik er naar zocht, kon ik de donkere opgedroogde bloedvlekken op haar blouse zien. Toen een van de bewakers haar ruw ronddraaide, zodat ze met haar gezicht naar het strand gekeerd stond, zag ik dat een van haar handen slecht verbonden was en dat bloed of een of ander desinfecterend goedje het verband gevlekt had.

Ze zag er vermoeid en slecht uit, bijna aan het einde van haar krachten. Mijn boosheid dreigde op een gegeven ogenblik mijn verstand de baas te worden. Ik wilde op dat moment niets liever dan letsel toebrengen aan hen, die Sherry deze behandeling hadden laten ondergaan. Ik was reeds begonnen mijn FN omhoog te brengen. Mijn handen beefden door de allesoverheersende macht van mijn haat, maar gelukkig slaagde ik erin mezelf te beheersen. Ik kneep mijn ogen stevig dicht en haalde diep adem in de hoop mezelf te kunnen kalmeren. De tijd zou ongetwijfeld komen – maar dat ogenblik was nog niet daar.

Toen ik mijn ogen weer opendeed en opnieuw mijn kijker op het schip richtte, had Suleiman Dada de megafoon aan zijn lippen gebracht.

'Goedenavond, Harry, mijn beste vriend. Ik ben ervan overtuigd dat je deze jongedame herkent.' Hij maakte een breed gebaar in haar richting en Sherry keek lusteloos omhoog naar de brug. 'Na haar grondig ondervraagd te hebben, een gang van zaken die haar jammer genoeg enig ongerief bezorgde, raakte ik er ten slotte van overtuigd dat ze niet weet waar het bezit waarin ik en mijn vrienden zo geïnteresseerd zijn, is. Ze heeft me verteld dat jij het verborgen hebt.' Hij zweeg en droogde zijn doornatte gezicht met een handdoek af, die hem door een van zijn mannen werd overhandigd, en ging daarna weer verder.

'Ze heeft voor mij niet langer enig belang – behalve mogelijk als een soort aanvaardbare uitwisseling.'

Hij maakte opnieuw een gebaar en Sherry werd de kajuit weer ingeduwd. Toen ik haar zag wegstrompelen, kreeg ik een kil en slijmerig gevoel in mijn maag. Ik vroeg me af of ik haar ooit weer terug zou zien – levend.

Op het verlaten achterdek traden nu vier van Suleimans mannen aan. Ieder had het bovenlichaam ontbloot en het licht van de zoeklichten golfde over hun gladde, donkere en gespierde lichamen.

Elk van hen droeg een notehouten handvat van een pikhouweel en zwijgend vormden ze zo op het achterdek de vier punten van een ster. De volgende man die op dit dek gebracht werd, werd door twee bewakers in het open midden van de ster gebracht. Zijn handen waren achter op zijn rug vastgebonden. Ze stonden aan weerskanten van de weerloze man en langzaam dwongen zij hem in de cirkel te lopen, zodat hij zich aan iedereen kon laten zien, terwijl nu Suleimans stem door de megafoon weergalmde.

'Ik vraag me af of je hem herkent?' Ik staarde naar de voorovergebogen gestalte in het uit zeildoek gemaakte gevangenispak, dat in vieze grauwe flarden om zijn magere lichaam hing. Zijn huid was wit en wasachtig en zijn donkere ogen lagen diep in hun kassen weggezonken. Hij had lang spichtig blond haar dat in vettige slierten rond zijn gezicht hing en zijn nog maar half uitgegroeide baard was spichtig en dun. Hij was zijn tanden kwijt, vermoedelijk als gevolg van een nonchalant toegebrachte slag.

'Herken je hem, Harry?' Suleiman lachte luidkeels door de megafoon. 'Een tijdelijk verblijf in de Zinballa-gevangenis kan op een man soms een wonderlijke uitwerking hebben, vind je niet – maar ja, de verplichte kleding daar is bij lange na niet zo elegant als de kleding van een inspecteur van politie.'

Toen pas herkende ik de ex-inspecteur Peter Daly – de man die ik vanaf het dek van *Wave Dancer* in het water van de buitengaatse lagune had gegooid, even voordat ik door het kanaal van Gunfire Rif binnen te varen aan Suleiman Dada ontsnapt was.

'Inspecteur Peter Daly,' bevestigde Suleiman grinnikend, 'is een man die me bijzonder teleurgesteld heeft. Ik houd niet van mannen die me teleurstellen, Harry. Dat kan ik moeilijk verwerken. Ik bracht hem mee voor het geval hij in het hele spel een passende plaats kon innemen. Een wijze voorzorgsmaatregel, want ik ga ervan uit dat een aanschouwelijke demonstratie veel meer overredingskracht heeft dan het louter gebruik van woorden.'

Opnieuw hield hij op met praten om zijn gezicht af te vegen en een grote slok te nemen uit een glas dat hem door een van zijn mannen werd aangeboden. Daly viel op zijn knieën en keek omhoog naar de man op de brug. De uitdrukking op zijn gezicht was er een van vernederend afgrijzen en uit zijn mond siepelde speeksel, terwijl hij om genade smeekte.

'Goed dan, als je klaar bent, Harry, kunnen we verder gaan,' klonk het brullend uit de megafoon. Een van de bewakers bracht een grote zwarte, uit stof gemaakte zak te voorschijn en trok die over Daly's hoofd. Met een lus bond hij deze stevig om Daly's nek vast. Ze sleurden hem ruw overeind. 'Het is een door ons uitgedachte kleine variatie op het bekende blindemanspelletje.'

Door de kijker zag ik hoe de voorkant van Peter Daly's broek kletsnat werd, toen als gevolg van de folterende angst zijn blaas zich onvrijwillig leegde. Het was duidelijk dat hij dit spelletje al eerder in de Zinballa-gevangenis had zien spelen.

'Harry, nu zou ik graag willen dat je je verbeelding laat werken. Doe net alsof je dit grienende, smerige creatuur niet ziet, maar in plaats daarvan je lieftallige vriendin.' Hij haalde moeilijk adem, maar toen de man die naast hem stond hem opnieuw de handdoek aanbood, gaf Suleiman hem met de rug van zijn hand koeltjes zo hard een klap in zijn gezicht dat de man ruggelings op de vloer van de brug terecht kwam en alsof er niets gebeurd was, ging Suleiman verder: 'Denk je even haar lieftallige lichaam in, haar verrukkelijke angst, wanneer ze daar zo in het duister staat en niet weet wat ze kan verwachten.'

De twee bewakers begonnen Daly nu tussen zich in om en om te draaien, zoals ook in het kinderspel. We hoorden nu duidelijk de gedempte kreten van angst die uit de zak opstegen.

Plotseling stapten de beide bewakers van hem weg en verlieten de kring van half naakte mannen met hun houten stelen. Een van hen plaatste het uiteinde van zijn wapen onderin Daly's rug en gaf hem zo een duw. Terwijl de stakker door de kring wankelde, stond de man aan de andere kant van de kring reeds te wachten om het uiteinde van zijn knuppel in Daly's buik te duwen.

En zo wankelde en struikelde hij heen en weer, steeds voortgedreven door de duw van de knuppels. Langzaam, heel langzaam verergerden zijn kwelgeesten de wreedheid van hun aanval, totdat ten slotte een van hen zijn knuppel optilde en het ding rondzwaaide als een bijl tegen een boomstam. De slag trof Daly hard tegen zijn ribben.

Het was het teken een einde aan de zaak te maken. Toen Peter Daly op het dek viel, drongen ze op hem toe en in een angstaanjagend ritme kwamen de knuppels omhoog en omlaag. Duidelijk kon men over de lagune, tot aan de plek waar we dit schouwspel met afgrijzen en vol walging waarnamen, de slagen horen.

De een na de ander werd moe van het karwei en ze stapten achteruit om even van hun grimmige taak uit te rusten. Peter Daly's in elkaar gezakte en gebroken lichaam lag midden op het dek.

'Misschien zal je commentaar zijn dat het ruw en primitief is, Harry, maar je zult toch niet kunnen ontkennen dat het bijzonder effectief is.'

Ik was gewoon ziek van de barbaarse wreedheid waarmee de mannen zich van hun taak gekweten hadden en Chubby naast me mompelde: 'Hij is een monster – zo iets heb ik nog nooit in mijn leven gezien of erover horen praten.'

'Je hebt tot morgenmiddag twaalf uur, Harry, om ongewapend en voor rede vatbaar naar me toe te komen. Dan praten we en zullen we het over bepaalde zaken eens moeten worden. En dan ruilen we van goederen en scheiden als vrienden.'

Hij hield op met praten en keek hoe een van zijn mannen een touw aan de enkel van Peter Daly vastbond. Ze hesen hem in de top van de mast van de snelboot, waar hij grotesk heen en weer slingerde. Heen en weer slingerde als de een of andere walglijke wimpel. Lorna Page keek omhoog, haar hoofd achterover geworpen, waardoor haar lange blonde haar tot aan haar middel reikte. Haar lippen hadden zich iets geopend. 'Indien je weigert voor rede vatbaar te zijn, Harry, dan zal ik direct na het middaguur rond het eiland varen, maar deze keer zal je vriendin op die plaats hangen!' Hij wees naar het lichaam waarvan het gemaskerde hoofd slechts enkele voeten boven het dek heen en weer zwaaide. 'Aan de mast! Denk er goed over na, Harry. Neem alle tijd. Denk vooral goed na.'

Plotseling werden de zoeklichten gedoofd en Suleiman Dada begon aan zijn moeizame tocht via de ladder terug naar de kajuit. Manny Resnick en Lorna Page volgden hem. Manny had zijn voorhoofd licht gefronst alsof hij over een zakelijke onderneming nadacht, maar ik kon zien dat Lorna zich bijzonder geamuseerd had.

'Ik geloof dat ik moet overgeven,' mompelde Chubby.

'Doe dat dan,' zei ik, 'want we hebben een hoop werk te doen.'

Ik kwam overeind en ging hem zonder verder een woord te zeggen voor het palmbos in. We groeven om de beurt terwijl de ander tussen de bomen de wacht hield. Ik durfde geen licht te gebruiken uit angst dat ik de aandacht van iemand op de snelboot zou trekken en beiden waren we bijna overdreven voorzichtig zoveel mogelijk de stilte te bewaren en te voorkomen dat het gerinkel van metaal tegen metaal uit het palmbos omhoogsteeg.

We haalden de nog overgebleven kisten dynamiet, de batterij en slaghoedjes te voorschijn; vervolgens de verroeste betaalkist en droegen alles naar een van tevoren zorgvuldig uitgekozen plek aan de voet van de steil aflopende piek. Ongeveer vijftig meter hoger op de helling was er een soort plooi in de grond, die zwaar overgroeid was met bessestruiken en helm.

We groeven een nieuw gat voor de kist en groeven zo diep totdat we water kregen. We pakten de kist weer goed in en begroeven hem daar. Chubby klom naar de verborgen plooi boven ons en trof daar zijn eigen maatregelen. Intussen laadde ik het machinepistool weer en wikkelde dit niet al te stevig in een van mijn oude hemden samen met de vijf reservemagazijnen. Ik begroef dit hele zaakje onder enkele centimeters zand, direct naast de stam van de dichtstbijzijnde palmboom, waar de regen van enkele dagen geleden een ondiepe nu droge greppel in de helling gegraven had.

Deze loopgraaf en de boom waren niet meer dan veertig passen van de plek waar de kist begraven lag en ik hoopte dat dit ver genoeg zou blijken te zijn. De loopgraaf was niet veel meer dan een halve meter diep en gaf een niet al te beste dekking.

Eerst na middernacht kwam de maan op en dat gaf ons voldoende licht om alles nauwkeurig te controleren. Chubby overtuigde zich ervan dat ik vanuit zijn schuilplaats op de helling goed zichtbaar was, wanneer ik naast de ondiepe goot stond. Daarna klom ik omhoog en controleerde dit nogmaals. We staken hierna ieder een cheroot op, waarbij we er wel voor zorgden het gloeiende puntje steeds achter onze gevouwen handen te verbergen. We bespraken nogmaals de beraamde plannen.

Ik was er in het bijzonder op uit dat er geen misverstand zou ontstaan over onze signalen en de juiste tijdstippen. Ik liet ze voor alle veiligheid twee maal door Chubby herhalen. Hij deed dit met een theatraal en lankmoedig geduld, maar uiteindelijk was ik tevreden. We doofden de peukjes cheroot uit en gooiden er wat zand overheen. Toen we de helling weer afliepen, hadden we allebei een palmtak in onze hand om alle sporen uit te wissen.

Het eerste deel van mijn plan was nu klaar. We liepen terug naar de plek waar de kop van de gouden tijger en de rest van het dynamiet verborgen lagen. We begroeven de tijger opnieuw en prepareerden toen een volle kist dynamietstaven. Het was een overmatige hoeveelheid explosief materiaal, voldoende voor het tienvoudige van dat waarvoor het bestemd was, maar ik ben nu eenmaal niet de man die zuinig is wanneer ik de middelen heb om me zelf terdege uit te leven.

Het was onmogelijk om de elektrische ontsteking en het geïsoleerde draad te gebruiken en ik moest heel mijn vertrouwen stellen in een van die op tijd afgestelde detonatoren. Ik heb een fikse afkeer van die temperamentvolle kleine apparaatjes. Ze werken volgens het principe dat zuur zich door een dunne draad vreet, waaraan de hamer vastzit die vervolgens op het slaghoedje valt. Wanneer het zuur de draad heeft doorgevreten ontploft het slaghoedje en de vertraging in de detonatie wordt geregeld door de kracht van het zuur en de dikte van de draad. Er is een aanzienlijke ruimte voor vergissing mogelijk in het gekozen tijdstip en eens veroorzaakte dit voor mij een bijna fatale moeilijkheid. Maar in dit geval bleef me weinig keus over. Ik koos een potlooddikke detonator met een vertragingsfactor van zes uur en maakte die gereed om het dynamiet tot ontploffing te brengen.

Tussen de vele benodigdheden, die door de plunderaars over het hoofd waren gezien, lag mijn zuurstofcilinder die ik onder water gebruikte. Maar dit ding is in gebruik bijna even gevaarlijk als een van die potlooddetonatoren.

In tegenstelling tot de aqualongen die samengeperste lucht bevatten, gebruikt de zuurstofcilinder uitsluitend zuurstof die gefiltreerd en gereinigd wordt van kooldioxide na elke ademhaling en dan weer teruggevoerd wordt naar de gebruiker.

Zuurstof die ingeademd wordt bij een druk van meer dan twee atmosfeer wordt dan even giftig als koolmonoxide. Met andere woorden, als je zuivere zuurstof inademt en je bent op een diepte van meer dan tien meter water, dood ze je. Je moet werkelijk goed bij de tijd zijn, wanneer je dit spul gebruikt. Maar het heeft een enorm voordeel. Het veroorzaakt geen luchtbellen die naar de oppervlakte opstijgen en zo een schildwacht alarmeren die dan bovendien precies je positie weet.

Chubby droeg de van tevoren klaargemaakte kist dynamiet en het geweer, toen we naar het strand terugliepen. Het was drie uur toen ik de zuurstofcilinder had omgedaan en uitgeprobeerd. Hierna droeg ik de kist dynamiet in het water en onderzocht het drijfvermogen. Er was een paar pond lood nodig om de opwaartse druk te neutraliseren, zodat ik hem in 't water gemakkelijker kon hanteren.

We hadden de rand van het water bereikt vanaf het strand rond de landpunt van de baai die van de voor anker liggende snelboot was afgekeerd. De landpunt en de bomen beschermden ons terwijl we aan het werk waren. Eindelijk was ik klaar.

Het was een lange, vermoeiende zwemtocht. Ik moest rond de landtong zwemmen en vandaar – een afstand van ongeveer een anderhalve kilometer – de baai binnenzwemmen. Bovendien moest ik de kist met dynamiet meeslepen. Hij bewoog moeilijk door het water en het duurde bijna een vol uur voordat ik de lichten van de snelboot boven het heldere water zag glinsteren.

Zoveel mogelijk tegen de bodem aangedrukt kroop ik langzaam verder. Ik was me er terdege van bewust dat het heldere licht van de maan mij duidelijk tegen de witte zandbodem van de lagune zou aftekenen, want het water was inderdaad zo helder als jonge jenever en slechts zeven en een halve meter diep.

Het was gewoon een opluchting langzaam in de schaduw, die door de romp van de snelboot over de bodem werd geworpen, verder te kruipen en te weten dat ik nu niet langer bang hoefde te zijn ontdekt te worden. Ik rustte enkele minuten en wikkelde toen de nylonlussen los, die ik aan mijn riem had vastgemaakt en bevestigde deze nu stevig aan de kist met dynamiet.

Ik controleerde de tijd op mijn polshorloge en de verlichte wijzers vertelden me dat het tien over vier was.

Ik brak de glazen ampul van de op tijd af te stellen potlooddetonator, gaf het zuur een kans om zijn langzaam wegvretende aanval op het draad te beginnen en ik bracht de detonator nu in de van tevoren klaargemaakte gleuf van de kist dynamiet. Over zes uur, met enkele minuten speling naar weerskanten zou de hele zaak de lucht ingaan met de explosieve kracht van een vliegtuigbom van tweehonderd pond.

Ik liet de bodem van de lagune achter me en steeg langzaam om-

.oog naar de romp van de snelboot. De bodem was smerig en zat vol slijmerig zeewier en tegen het hout zat een dikke laag schelpdieren en mosselen. Ik bewoog langzaam langs de kiel en zocht naar een ankerpunt, maar ik vond er geen en werd er ten slotte toe gedwongen de schacht van het roer te gebruiken. Ik bracht de kist in een goede positie en maakte hem vast met al het nylontouw waarover ik beschikken kon. Toen ik met mijn werk klaar was, was ik ervan overtuigd dat het zelfs aan de trekkracht van het water weerstand zou bieden ook al voer de snelboot op topsnelheid.

Eindelijk voldaan liet ik me opnieuw naar de bodem van de lagune zakken en begon langzaam en rustig aan mijn terugreis. Zonder de last van de kist met het dynamiet bereikte ik een aanmerkelijk grotere snelheid. Chubby stond op het strand te wachten.

'Voor elkaar?' vroeg hij kalm, terwijl hij me hielp me van de zuurstofuitrusting te verlossen.

'Zolang de potlooddetonator zijn werk behoorlijk doet.'

Ik was nu echter zo moe dat de wandeling terug door het palmbos een eeuwigheid scheen te duren en mijn voeten sleepten zich over de losse grond. Ik had de vorige nacht weinig of niet geslapen en sindsdien helemaal niet meer.

Deze keer waakte Chubby over mij, terwijl ik sliep. Even na zeven uur schudde hij me zacht wakker.

We gebruikten een koud ontbijt uit blik en ik besloot de maaltijd met een handvol geconcentreerde glucosetabletten uit de kist met noodrantsoenen en slikte ze door met behulp van een beker gechloord water.

Ik trok het aasmes uit de schede aan mijn riem en wierp het onderhands in de stam van de dichtstbijzijnde palmboom. Het mes, met de punt diep in de stam, trilde door de kracht van de schok.

'Opschepperij!' mompelde Chubby. Ik keek hem grinnikend aan en probeerde een zo ontspannen en rustig mogelijke indruk te maken.

'Luister, je weet wat de man zei – geen wapens,' en ik toonde hem mijn lege handen.

'Ben je klaar?' vroeg hij. We kwamen beiden overeind en keken elkaar wat ongemakkelijk aan. Chubby zou me van zijn leven niet het beste wensen, want dat was wel de ergste toverformule die je iemand kon toewensen.

'Zie je straks,' zei hij.

'Oké, Chubby.' Ik stak mijn hand uit. Hij nam die in de zijne en kneep hard. Toen draaide hij zich om, raapte de FN karabijn op en slenterde door het palmbos.

Ik volgde hem met mijn ogen, totdat ik hem niet meer zien kon. Niet één keer keek hij om. Ik draaide me om en liep nu ongewapend naar het strand.

Ik kwam tussen de bomen vandaan en stond nu aan de rand van het water en keek over de smalle strook water naar de snelboot. Het bengelende lijk had men uit de mast gehaald en dat was een ware opluchting. Secondenlang merkte niet een van de wachtposten me op en daarom hief ik allebei mijn armen omhoog en riep: 'Hallo.' Onmiddellijk volgde er nu een opgewonden activiteit. Aan boord van de snelboot werden allerlei bevelen gegeven. Manny Resnick en Lorna verschenen op het dek en leunden tegen de verschansing. Ze keken naar me, terwijl een zestal gewapende mannen in de Groenlandvaarder sprongen en naar het strand voeren.

Toen de boot de zandige bodem raakte, sprongen ze op het strand en omsingelden ze me, waarbij ze de lopen van hun AK 47's gretig tegen mijn rug en maag drukten. Ik hield mijn handen tot op schouderhoogte en deed mijn best een uitdrukking van volmaakte ongeïnteresseerdheid te handhaven, toen een onderofficier me grondig fouilleerde op wapens. Toen hij ten slotte voldaan was, zette hij zijn hand tussen mijn schouderbladen en gaf me een krachtige duw in de richting van de Groenlandvaarder. Een van de meer geestdriftige mannen uit het groepje zag dit als een verlof om met de kolf van zijn machinepistool mijn nieren te bewerken, maar gelukkig landde de slag ongeveer vijftien centimeter te hoog.

Ik haastte me naar de boot om elk verder martiaal optreden te voorkomen.

Aan boord drongen ze om me heen en drukten daarbij de lopen van hun geladen wapens op een pijnlijke manier tegen de verschillende delen van mijn lichaam. Manny Resnick keek naar me toen ik aan boord van de snelboot klom.

'Prettig je weer te zien, Harry,' zei hij met een glimlach, waarin geen enkele vrolijkheid lag.

'Het genoegen is geheel jouwerzijds, Manny,' beantwoordde ik de glimlach uit deze doodskop. Een nieuwe slag tussen mijn schouderbladen dreef me over het dek. Ik knarste op mijn tanden om mijn opkomende woede te beheersen en dacht aan Sherry North. Dat hielp.

Commandant Suleiman Dada lag breeduit op de sofa die belegd was met simpele, met zeildoek overtrokken kussens. Hij had zijn uniformjasje uitgetrokken en dit hing, zwaar door al het goudborduursel en de vele medailles, aan een haak in het waterdichte schot naast hem. Hij droeg alleen een mouwloos grijsachtig met zweet doortrokken hemd en zelfs op dit vroege uur in de ochtend hield hij een glas met een lichtbruine vloeistof in zijn hand.

'Aha, Harry Fletcher – of moet ik zeggen Harry Bruce?' vroeg hij me, terwijl hij mij met de glimlach van een overvette koolzwarte baby aankeek.

'Bepaal zelf je keus maar, Suleiman,' antwoordde ik, maar ik voelde er niets voor nu met hem een woordenspel te beginnen. Ik maakte mc geen illusies wat de gevaarlijke positie betrof, waarin Sherry en ik ons bevonden en mijn zenuwen waren dan ook tot het uiterste gespannen. Ik voelde hoe angst als een gekooid dier aan mijn ingewanden knaagde. 'Ik heb van mijn vrienden hier zoveel over je gehoord,' zei hij, terwijl hij naar Manny en de blondlokkige Lorna gebaarde, die me beiden naar de kajuit gevolgd waren. 'Beslist fascinerend, Harry. Ik had nooit kunnen dromen dat je iemand was met zulke uitgebreide talenten en zulke formidabele wapenfeiten.'

'Dank je, Suleiman, je bent een fidele vent, maar laten we ons niet in complimenten verdiepen. We hebben belangrijke zaken te doen – of niet soms?'

'Inderdaad, Harry, heel juist gezien.'

'Je hebt de tijgertroon naar boven gebracht, Harry, dat weten we,' mengde Manny zich in het gesprek, maar ik schudde mijn hoofd.

'Alleen een deel. De rest is verdwenen – maar we hebben wat er over was naar boven gehaald.'

'Goed, ik geloof je,' stemde Manny toe. 'Vertel ons nu maar precies wat je boven gebracht hebt.'

'In de allereerste plaats de kop van de tijger, ongeveer honderdvijftig kilo goud –' Suleiman en Manny keken elkaar eens aan.

'En dat is alles?' vroeg Manny. Mijn instinct vertelde me dat Sherry hun tijdens de klappen die ze kreeg alles verteld had wat ze wist. Ik kon haar daar moeilijk een verwijt over maken. Ik had dit wel verwacht.

'Dan is er nog een kist vol juwelen. De stenen die uit de troon gehaald zijn heeft men indertijd in een ijzeren betaalmeesterskist gelegd.'

'De diamant – de Grootmogol?' vroeg Manny.

'Die hebben we ook,' antwoordde ik. Ze mompelden wat, glimlachten en knikten elkaar toe. 'Maar ik ben de enige die weet waar die diamant ligt –' voegde ik er zacht aan toe en onmiddellijk waren ze weer tot het uiterste gespannen en kalm.

'Deze keer heb ik iets om mee te onderhandelen, Manny. Ben je geïnteresseerd?'

'We zijn geïnteresseerd, Harry, heel erg zelfs,' antwoordde Suleiman voor hem en ik was me bewust van de groeiende spanning tussen mijn twee vijanden nu zij de buit bijna in zicht hadden.

'Ik wil Sherry North,' zei ik.

'Sherry North?' Manny staarde me enkele seconden aan en liet toen een geamuseerd kuchje horen. 'Je bent nog een grotere idioot dan ik dacht, Harry.'

'Het meisje is voor ons verder totaal onbelangrijk.' Suleiman nam een slok en ik kon in de toenemende warmte in de kajuit zijn zweet ruiken.

'Je kunt haar krijgen.'

'Verder wil ik mijn Groenlandvaarder, brandstof, water en voldoende eten om van dit eiland weg te komen.'

'Redelijke vraag, Harry, bijzonder redelijk,' antwoordde Manny glimlachend, alsof hij van een heimelijk grapje genoot.

'En ik wil de kop van de tijger.' Zowel Manny als Suleiman lachten nu luidkeels.

'Harry, Harry!' berispte Suleiman me nog steeds lachend.

'Hebzuchtige Harry,' zei Manny, maar hij lachte niet meer.

'Jullie kunnen de diamant krijgen en ongeveer vijfentwintig kilo in gewicht aan edelstenen –' Ik probeerde mijn idee met alle overredingskracht die ik op kon brengen te verkopen. Het was voor een man in mijn positie een begrijpelijk voorstel. '– vergeleken daarmee betekent die kop niets. Die diamant alleen is al een miljoen waard – en die kop zou net zo'n beetje mijn kosten dekken.'

'Je bent een hardvochtig mens, Harry,' grinnikte Suleiman. 'Te hardvochtig.'

'Wat krijg ik dan van dit alles?' vroeg ik.

'Je leven en wees daar dankbaar voor,' antwoordde Manny zacht. Ik keek hem aan. Ik zag de kilte in zijn ogen. Ogen van een reptiel en ik wist zonder meer wat zijn bedoelingen waren, zodra ik hen naar de schat gebracht had.

'In hoeverre kan ik jullie vertrouwen?' Ik volgde echter precies de lijn van onderhandelingen die van me verwacht werd en Manny haalde onverschillig zijn schouders op.

'Harry, waarom zou je ons niet kunnen vertrouwen?' kwam Suleiman tussenbeide. 'Wat zouden we er in vredesnaam mee winnen jou en dat meisje te vermoorden?'

En wat zou je erdoor verliezen, dacht ik, maar ik knikte en zei: 'Goed. Er staat mij geen andere keus open.'

Ze ontspanden zich weer, glimlachten tegen elkaar en Suleiman hief zijn glas in een zwijgende groet omhoog.

'Een glas whisky, Harry?' vroeg hij.

'Een beetje te vroeg voor mij, Suleiman,' wees ik zijn aanbod af, 'maar ik zou het wel op prijs stellen als ik nu het meisje hier bij me zou kunnen hebben.'

Suleiman maakte tegen een van zijn mannen een gebaar dat hij haar moest gaan halen.

'Ik wil dat de Groenlandvaarder geladen met brandstof en water op het strand wordt achtergelaten,' ging ik koppig verder. Suleiman gaf de nodige bevelen.

'Het meisje gaat met me mee wanneer we aan land gaan en nadat ik je de kist en de kop heb laten zien, neem je die beide dingen mee en vertrekt.' Ik staarde van de een naar de ander. 'Je laat ons ongedeerd op het eiland achter. Is dat afgesproken?'

'Natuurlijk, Harry.' Suleiman spreidde ontwapenend zijn armen uit. 'We zijn het allemaal met je eens.' Ik was een ogenblik bang dat ze het ongeloof van mijn gezicht zouden aflezen en daarom draaide ik me met een zucht van opluchting naar Sherry, toen ze de kajuit werd binnengebracht.

Mijn opluchting verdween echter heel snel toen ik haar zag.

'Harry,' fluisterde ze tussen haar opgezwollen paarse lippen door. 'Je bent gekomen – mijn God, je bent gekomen.' Ze deed een wankele stap in mijn richting.

Haar wang was afschuwelijk blauw en gezwollen en uit de omvang van de zwelling meende ik op te kunnen maken dat het been van haar kaak mogelijk gebarsten was. De blauwe plekken onder haar ogen gaven haar een aanzien alsof ze aan tering leed. Aan de randen van haar neusvleugels zat een zwarte korst geronnen bloed. Ik wilde niet naar haar verwondingen kijken en daarom nam ik haar in mijn armen en hield haar dicht tegen me aan.

Ze zaten geamuseerd en belangstellend naar ons te kijken. Ik voelde hun ogen op ons gericht, maar weigerde naar hen te kijken en hun de moordende haat, die in mijn ogen stond te lezen, te laten zien.

'Kom,' zei ik, 'laten we er een eind aan maken.' Toen ik me ten slotte omdraaide en hen aankeek hoopte ik dat ik de uitdrukking op mijn gelaat zou kunnen beheersen.

'Jammer genoeg zal ik niet met jullie meegaan.' Suleiman deed geen enkele poging van de sofa op te staan. 'Dat in- en uitklimmen en dan nog hele afstanden in de zon lopen en door dat mulle zand zie ik niet bepaald als een onverdeeld genoegen. Ik zal dus hier afscheid van je nemen, Harry, en mijn vrienden –' weer gebaarde hij naar Manny en Lorna, '– zullen als mijn afgezanten met jullie meegaan. Uiteraard worden jullie ook nog vergezeld door een tiental van mijn mannen – stuk voor stuk gewapend en onder mijn directe bevelen.' Ik kreeg zo het idee dat die waarschuwing niet alleen voor mij bestemd was.

'Gegroet, Suleiman. Misschien ontmoeten we elkaar nog wel eens.'

'Dat betwijfel ik, Harry,' zei hij grinnikend. 'Maar mijn wensen voor een goede reis en mijn zegen vergezellen je.' Met een gebaar van een grote rozekleurige handpalm stuurde hij me weg, terwijl hij zijn andere hand ophief en de laatste paar centimeter whisky in het glas in één teug naar binnen goot.

Sherry zat in de motorboot dicht naast me. Ze leunde tegen me aan en haar lichaam scheen door alle pijn verschrompeld te zijn. Ik legde mijn arm rond haar schouders en ze fluisterde moe: 'Ze gaan ons vermoorden, Harry, dat weet je, is 't niet?'

Ik negeerde haar vraag en vroeg zacht: 'Je hand,' deze was nog steeds in het grove verband gewikkeld, 'wat is er gebeurd?'

Sherry keek naar het blonde meisje naast Manny Resnick en ik voelde hoe er even een rilling door haar heen ging.

'Dat heeft zij gedaan, Harry.' Lorna Page zat geanimeerd met

Manny Resnick te praten. Haar zorgvuldig gelakte coiffure weerstond elke poging van de zachte bries om de haren te verwaaien. Haar gezicht was onberispelijk met dure cosmetica opgemaakt. Haar lipstift was vochtig glanzend en haar oogleden zilverachtig groen met lange donkere wimpers rond haar katteogen.

'Ze hielden me vast – en zij trok mijn nagels uit.' Ze rilde opnieuw en Lorna Page lachte luchtig. Manny vouwde zijn handen rond een gouden Dunhill-aansteker, terwijl ze een sigaret opstak. 'Ze vroegen me steeds waar de schat lag – en telkens wanneer ik daar geen antwoord op kon geven, trok ze met een pincet een nagel uit. Elke nagel die los kwam, maakte een scheurend geluid.'

Sherry zweeg en hield haar gekwetste hand beschermend tegen haar lichaam. Ik voelde dat ze op het punt stond volledig in te storten en ik hield haar dicht tegen me aangedrukt en probeerde op die manier een deel van mijn kracht naar haar over te hevelen.

'Rustig, meisje, rustig nu,' fluisterde ik. Ze drukte zich nog dichter tegen me aan. Ik streek over haar haren en probeerde opnieuw mijn woede te beteugelen, voordat het mijn zinnen volkomen zou verduisteren.

De motorboot naderde het strand en liep aan de grond. We klommen uit de boot en stonden een ogenblik op het witte zand, terwijl de bewakers met hun wapens op ons gericht rond ons kwamen staan.

'Oké, Harry.' Manny gebaarde met zijn hand. 'Daar ligt je boot, klaar voor gebruik.' De Groenlandvaarder was eveneens op het strand getrokken. 'De tanks zijn gevuld en zodra je ons de spullen hebt laten zien kun je vertrekken.'

Hij praatte rustig maar het meisje naast hem keek ons met gloeiende roofzuchtige ogen aan – zoals een kat naar een kip kijkt. Ik vroeg me af wat ze voor ons had uitgedacht. Ik vermoedde dat Manny ons haar voor haar persoonlijk genoegen en zonder enige reserve iets had toegezegd – zodra hij met ons klaar was.

'Ik hoop niet dat je van plan bent een spelletje met ons te spelen, Harry. Ik hoop van harte dat je van plan bent verstandig te zijn – en niet onze tijd te verknoeien.'

Ik had heel goed opgemerkt dat Manny zichzelf tussen zijn eigen mannen veilig had gesteld. Vier, allen gewapend met revolvers. Een van hen was mijn oude kennis, die na onze eerste ontmoeting de Rover gereden had. Om het evenwicht te bewaren, waren er tien zwarte matrozen onder leiding van een onderofficier. Ik voelde nu al dat mijn tegenstanders verdeeld waren in twee steeds meer vijandig tegenover elkaar staande groepen. Manny verminderde het aantal matrozen in de groep nog verder door twee van hen te gelasten bij de motorboot te blijven. Toen keerde hij zich tot mij. 'Als je zover bent, Harry, kun je ons nu de weg wijzen.'

Ik moest Sherry helpen, hield haar stevig bij haar elleboog vast en leidde haar tussen de palmbomen door. Ze was zo zwak dat ze herhaaldelijk struikelde. Ook haar ademhaling was benauwd en onregelmatig nog voor we de grotten bereikt hadden.

Met de groep gewapende mannen vlak op de hielen liepen we langs de rand van de helling. Ik wierp heimelijk een blik op mijn horloge. Het was negen uur. Nog een vol uur voordat de kist met dynamiet onder de snelboot zou ontploffen. De gestelde tijdsduur lag nog steeds binnen de door mij gestelde limiet.

Ik voerde een kleine pantomime op om de juiste plek te lokaliseren waar de kist begraven lag en het kostte me moeite niet een blik langs de helling te werpen, waar de smalle gleuf in de grond overdekt was met plantengroei.

'Zeg hun dat ze hier moeten gaan graven,' zei ik tegen Manny en deed een stap achteruit. Vier matrozen gaven hun wapens aan een kameraad en maakten hun opvouwbare legerschoppen klaar die ze van de boot meegenomen hadden. De grond was zacht en pas omgegraven en ze schoten er dan ook met een bijna alarmerende snelheid doorheen. Binnen enkele minuten zouden ze de kist blootgelegd hebben.

'Het meisje is gewond,' zei ik tegen Manny. 'Ze moet gaan zitten.' Hij keek me even aan en ik zag als 't ware de radertjes in zijn hersenen bewegen. Hij wist dat Sherry niet ver zou kunnen rennen en ik vermoed dat hij deze kans met beide handen aangreep om nog enkele matrozen af te leiden. Hij sprak even met de onderofficier en ik bracht Sherry naar de palmbomen en zette haar met haar rug tegen de stam.

Ze zuchtte van opluchting en twee van de matrozen kwamen met hun machinepistolen in de aanslag naast ons staan.

Ik wierp een blik langs de helling, maar daar viel niets te zien dat de achterdocht zou kunnen opwekken, hoewel ik wist dat Chubby ons daar aandachtig en gespannen gadesloeg. Afgezien van onze twee bewakers had iedereen zich verder vol verwachting rond de vier mannen geschaard die nu al tot aan hun knieën in de vers gedolven kuil stonden.

Zelfs onze twee bewakers werden door nieuwsgierigheid verteerd. Hun aandacht richtte zich steeds weer op de groep en herhaaldelijk wierpen zij blikken naar de mannen die daar op ongeveer veertig meter afstand stonden te graven.

Ik hoorde heel duidelijk hoe een schop tegen het metaal van de kist stootte – en er volgde een schreeuw van opwinding. Ze drongen allen rond het uitgegraven gat en iedereen voerde het woord. Ze begonnen aan elkaar te trekken en met hun ellebogen te duwen om de kans te krijgen een blik in het gat te werpen. Onze twee bewakers keerden ons de rug toe en deden enkele stappen in de richting van het gat. Dat was meer dan ik had durven hopen.

Manny Resnick duwde ruw twee matrozen opzij en sprong naast de gravers in het gat. Ik hoorde hem schreeuwen: 'Zo is 't wel goed. Haal de touwen en laten we de kist uit het gat tillen. Voorzichtig, beschadig niets.'

Lorna Page had zich ook over het gat gebogen. Het was gewoon volmaakt.

Ik hief mijn rechterhand omhoog en streek langzaam langs mijn voorhoofd, het signaal dat ik met Chubby was overeengekomen. Toen ik mijn hand weer liet zakken, greep ik Sherry en rolde snel achterover in de ondiepe, door de regen uitgeholde greppel.

Ik verraste Sherry volkomen en in mijn verlangen zo snel mogelijk dekking te vinden, had ik haar nogal ruw aangepakt. Ze schreeuwde het uit, toen ik haar toch al zo pijnlijke verwondingen nog meer pijn deed. De beide bewakers draaiden zich bij het horen van haar kreet vliegensvlug om en ik wist dat ze het vuur zouden openen – en dat de ondiepe greppel als dekking onvoldoende was.

'Nu, Chubby, nu!' bad ik. Ik wierp me bovenop Sherry om haar te beschermen tegen het salvo uit de machinegeweren. Met mijn beide handen bedekte ik haar oren om haar trommelvliezen te beschermen.

Op dat ogenblik draaide Chubby de knop op de batterij om en de impuls schoot door het geïsoleerde draad dat we de vorige avond zo zorgvuldig verborgen hadden. In de betaalkist zat een halve kist dynamiet – de grootste hoeveelheid, die ik durfde te gebruiken zonder Sherry en mijzelf in de ontploffing te doden.

Ik kon me Chubby's duivels leedvermaak voorstellen toen de kist ontplofte. De explosie zocht zich een weg naar boven, uit zijn richting gebracht door de wanden van de gegraven kuil – maar ik had rond de staven dynamiet zand en half edelstenen gegroepeerd die bij de ontploffing dienst moesten doen als primitieve kartetsen en bovendien de ontploffing zelf moesten beteugelen, waardoor de uitwerking nog venijniger zou zijn.

Het groepje mannen rondom het gat werd hoog de lucht in geblazen en ze draaiden en wentelden als een stel krankzinnige acrobaten. Een kolom zand en stof schoot wel dertig meter hoog de lucht in.

De aarde onder ons trilde en sloeg tegen onze plat liggende lichamen en toen scheurde de schokgolf van de explosie over ons heen. De beide bewakers die op het punt hadden gestaan op ons te schieten werden tegen de grond geslagen en de kleren werden hen van het lijf gerukt.

Ik dacht een ogenblik dat mijn beide trommelvliezen gesprongen waren. Ik was volslagen doof, maar ik wist dat ik Sherry's oren had weten te redden. Doof en half verblind door het stof liet ik me van Sherry afrollen en schraapte koortsachtig in de zandige grond van de greppel. Mijn vingers raakten het machinepistool dat ik daar begraven had. Ik trok het ding uit het zand, verwijderde de beschermende lappen en lag in minder dan geen tijd op mijn knieën met het machinepistool in de aanslag.

De beide bewakers die het dichtst bij mij lagen waren nog in leven. Een van hen krabbelde overeind op zijn knieën en de ander zat volkomen verbijsterd overeind, terwijl het bloed van een kapotgesprongen trommelvlies langs zijn wang drupte.

Met twee korte vuurschoten die hen achterover in het zand deden tuimelen, doodde ik hen. Eerst daarna keek ik naar de in stukken gereten massa rond het gat.

Ik zag hier en daar krampachtig iets bewegen en hoorde het zachte gekreun en de murmelende geluiden. Wat bevend kwam ik uit de greppel te voorschijn – ik zag Chubby op de helling staan. Hij schreeuwde iets maar ik hoorde niets vanwege het weergalmende geraas in mijn oren.

Ik stond daar enigszins zwaaiend op mijn benen en staarde stom om me heen. Sherry was nu ook overeind gekomen en ze tikte me op de schouder en zei iets. Ik voelde me meer dan opgelucht, toen ik haar stem hoorde en het gegalm in mijn oren verminderde.

Weer keek ik naar het terrein van de explosie en ik zag een vreemd angstaanjagend schouwspel. Een half menselijke gestalte, ontdaan van alle kleren en een groot deel van de huid, een rauw bloedend iets met een arm half van de schouder losgescheurd en nu langs zijn zij aan een stuk vlees bengelde, kwam langzaam naast het gat omhoog als de een of andere afschuwelijke spookgestalte die uit het graf oprijst.

Ik stond daar enkele seconden onbeweeglijk voor het tot me doordrong dat dit Manny Resnick was. Het scheen onmogelijk dat hij deze slachting had kunnen overleven, maar wat nog erger was, was dat hij naar mij toe kwam lopen. Stap voor stap waggelde hij steeds dichter naar ons toe. Verstijfd bleef ik staan, niet in staat me te bewegen. Op dat ogenblik zag ik dat hij blind was. Het rondvliegende zand had zijn oogballen verzengd en de huid van zijn gezicht gestroopt.

'Grote God!' fluisterde Sherry naast me en dat verbrak de betovering. Ik bracht het machinepistool omhoog en de regen van kogels die zich in Manny's borst boorden vormde een daad van genade.

Ik was nog steeds half verbijsterd en keek om me heen naar het bloedbad dat we veroorzaakt hadden, toen Chubby ons bereikte. Hij pakte mijn arm en ik kon zijn stem horen, toen hij schreeuwde: 'Is alles in orde met je, Harry?' Ik knikte en hij vervolgde: 'De Groenlandvaarder! We moeten onze boot veilig stellen.'

Ik wendde me tot Sherry. 'Ga jij naar de grot. Wacht daar op me.' Ze draaide zich gehoorzaam om en liep weg.

'Laten we ons eerst wat dit betreft in veiligheid brengen,' mompelde ik tegen Chubby. We liepen naar de berg lichamen rond de verbrijzelde ijzeren kist. Ze waren allemaal dood of het zou niet lang meer duren. Lorna Page lag op haar rug. De ontploffing had al haar bovenkleding weggerukt en het slanke, witte lichaam was nu alleen nog maar gekleed in met kant afgezet ondergoed. Repen van haar groene broekpak hingen van haar polsen en bedekten haar opengereten en nog steeds bloedende benen.

Haar coiffure had zelfs de explosie weten te tarten en zat nog even elegant, ook al was het met fijn wit zand bestoven. De dood had een macaber spel met haar gespeeld, want een brok blauw lapis lazuli uit de kist met juwelen was door de kracht van de ontploffing diep in haar voorhoofd gedrongen. Het had zich in het been van haar schedel genesteld, zoals het oog van de tijger in de gouden troon.

Haar eigen ogen waren gesloten, terwijl het derde kostbare stenen oog beschuldigend naar mij staarde.

'Ze zijn allemaal dood,' gromde Chubby.

'Ja, ze zijn dood,' zei ik en maakte mijn ogen los van het verminkte meisje. Ik was verbaasd dat ik geen enkele triomf of voldoening voelde over haar dood, noch over de manier waarop die tot haar gekomen was. Wraak is niet zoet, maar volkomen smakeloos, dacht ik, toen ik Chubby die reeds op weg was naar het strand, achterna liep.

Dank zij het effect dat de ontploffing op mij had gehad, stond ik nog niet erg vast op mijn benen. Hoewel mijn oren zich praktisch volledig hadden hersteld, viel het mij moeilijk Chubby bij te houden. Voor zo'n grote kerel was hij bijzonder lichtvoetig.

Ik liep ongeveer tien passen achter hem, toen we tussen de bomen vandaan kwamen en aan de rand van het strand bleven staan.

De Groenlandvaarder lag nog op dezelfde plek waar ze haar achter hadden gelaten, maar de twee wachtposten die bij de boot op post gezet waren, moesten de explosie gehoord hebben en tot de conclusie zijn gekomen dat ze geen risico wensten te lopen.

Ze waren al halverwege de snelboot en toen een van hen Chubby en mij zag schoot hij prompt zijn machinepistool op ons leeg. De afstand ging de zuiverheid van het wapen echter verre te boven en we namen niet eens de moeite dekking te zoeken. Erger was dat het geratel van het machinepistool de aandacht had getrokken van de mannen aan boord van de snelboot. Ik zag hoe drie van hen naar voren renden om het snelvuurkanon op de voorplecht te bedienen.

'Er zijn moeilijkheden op komst,' mompelde ik.

Het eerste salvo was te hoog en te veraf en sloeg in de palmbomen achter ons. De granaatscherven boorden zich in de stammen.

Chubby en ik liepen snel terug naar de beschutting van de palmbomen en lagen nu plat op ons buik achter de zandige kruin van het strand.

'Wat doen we nu?' vroeg Chubby.

'We zitten vast,' antwoordde ik hem. De twee volgende salvo's van het snelvuurkanon explodeerden met nutteloos geweld boven de bomen en ver achter ons uit elkaar. Maar nu volgde er een stilte van enkele seconden. Ik zag dat ze het kanon draaiden en ergens anders op richtten. Het volgende schot veroorzaakte een fontein van water toen de granaat in het ondiepe water langs de Groenlandvaarder terecht kwam. Chubby liet een gebrul van woede horen, als een leeuwin wiens jongen bedreigd worden. 'Ze proberen de Groenlandvaarder uit te schakelen!' brulde hij, toen het volgende schot zich in het strand boorde en een wolk van zand deed opwaaien.

'Geef mij dat ding,' snauwde ik en pakte hem de FN af. Ik wierp hem de AK 47 en tilde de riem van de broodzak van Chubby's schouder. Zijn scherpschutterskunst stond in geen enkel opzicht gelijk aan het fijnere werk dat nu zo dringend noodzakelijk was.

'Blijf daar,' beval ik hem. Ik sprong overeind en holde, diep voorover gebukt, rond de bocht van de baai. Ik was de uitwerking van de ontploffing nu praktisch te boven en toen ik de landpunt, die in de baai uitstak, bij de voor anker liggende snelboot had bereikt, liet ik me plat op mijn buik in het zand vallen en stak de lange loop van de FN voor me uit.

De mannen achter het snelvuurkanon schoten nog steeds op de Groenlandvaarder en fonteinen zand en water schoten in snelle opeenvolging omhoog. De voorplaat van het kanon wees diagonaal in mijn richting en de ruggen en zijkanten van de bedieningsmanschappen waren duidelijk zichtbaar.

Ik stelde de FN in op een enkel schot en haalde een paar keer diep adem om na de lange ren door het mulle zand mijn aanleg te stabiliseren.

De richter behandelde de draairichting en de elevatie van het kanon en hij hield zijn voorhoofd stevig tegen het kussentje boven het vizier van het kanon gedrukt.

Ik zag hem duidelijk door mijn vizier en schoot een keer. De kogel sloeg hem van zijn zitplaats en slingerde hem zijwaarts over het kulas van het kanon. Nu de hendels om het kanon te richten niet langer bediend werden, ging de loop van het kanon langzaam omhoog. De twee laders keken stomverbaasd om zich heen en ik drukte nogmaals twee schoten af.

Hun verbazing veranderde onmiddellijk in paniek. Ze verlieten hun posten en renden langs het dek en doken een open luikgat binnen.

Ik richtte de FN nu op de open brug van de snelboot. Drie schoten tussen de daar verzamelde officieren en matrozen veroorzaakten een voor mij bevrediging schenkend gebrul en bewonderenswaardig snel was de brug leeg.

De motorboot van het strand kwam nu langszij de snelboot en ik verhaastte de spoed van de beide matrozen langs de touwladder en in het dekhuis met weer drie schoten. Ze verzuimden de boot vast te maken en het ding dreef van de boot vandaan.

Ik verwisselde het magazijn van de FN en schoot toen zorgvuldig en doelbewust een enkele kogel door elke patrijspoort in de aan mijn kant liggende zijkant van het schip. Ik kon duidelijk horen hoe elk schot het glas verbrijzelde. Dit scheen te veel van Suleiman Dada's zenuwen te vergen. Ik hoorde hoe de windas begon te draaien en even later liep de ankerketting over de voorplecht binnen, druipend en glinsterend van het zeewater en op hetzelfde moment dat het staartvormige anker boven water kwam, woelden de schroeven van de boot onder de achtersteven een draaikolk van schuim omhoog en wendde de boot de steven naar de opening van de lagune. Ik bleef haar onder vuur houden, toen ze langzaam langs mijn schuilplaats gleed, want ten slotte was het niet uitgesloten dat ze op het allerlaatste moment nog van gedachten veranderden. De brug was door een windscherm van smerig wit zeildoek afgeschermd en ik wist dat de roerganger daar, met zijn hoofd zover mogelijk omlaag, achter lag. Ik vuurde de ene kogel na de andere door het zeildoek in een poging zijn positie te raden. Dit had zo te zien weinig effect en dus wendde ik nu weer alle aandacht aan de patrijspoorten, in de hoop dat een gelukkig schot binnen in de boot ricocheerde.

De boot kreeg steeds meer vaart totdat ze waggelend, als een oude dame die de bus probeert te halen, over het water gleed. Ze ging nu rond de landtong die in de baai uitstak. Ik kwam overeind en borstelde het zand van mijn kleren. Opnieuw laadde ik de FN en liep op een draf door het palmbos. Tegen de tijd dat ik de noordelijke punt van het eiland bereikt had en hoog genoeg tegen de helling was opgekropen om over de diepe vaargeul te kijken, was ze al meer dan een kilometer van het eiland verwijderd en koerste recht op het verre vasteland van Afrika af. Een kleine witte gedaante die scherp afstak tegen de verschillende schakeringen groen van de zee en het hogere harde blauw van de hemel.

Ik nam de FN onder mijn arm en vond een zitplaats vanwaar ik de verdere gang van zaken duidelijk kon volgen. Mijn horloge vertelde me dat het zeven minuten over tien was en ik begon me af te vragen of de kist met dynamiet onder de achtersteven van de snelboot ten slotte door de trek van het water en het zog van de schroeven toch losgekomen was.

De snelboot gleed nu langs het onder water liggende buitenrif en voer de open zee dicht onder de kust binnen. De achter elkaar liggende riflagen bliezen als 't ware wit schuim op, zodra een nieuwe golf hen bereikte, alsof daar onder de oppervlakte een monster verborgen lag.

De kleine witte vlek, de boot, scheen in deze wildernis van zee en lucht etherisch en onwerkelijk en het zou niet lang meer duren of de boot zou één geheel vormen met de witgekopte golven van de open zee.

Toen de ontploffing ten slotte kwam, was dit zonder enige passie. De hevigheid, het geweld van de explosie werd gedempt door de afstand en het geluid gekleurd door de wind. Plotseling steeg een fontein van water omhoog, die de kleine witte boot geheel omhulde. Het leek wel op een veer van een struisvogel, die zacht in de wind heen en weer waaierde, zich ten slotte omboog toen het zijn grootste hoogte bereikt had, waarna het zijn vorm verloor en over het woelige oppervlak streek.

Het geluid bereikte me eerst vele seconden later, een enkele weinig krijgshaftige slag die mijn nog steeds pijnlijke trommelvliezen bereikte. Ik dacht dat ik de klap van de explosie als een zachte windstoot tegen mijn gezicht voelde.

Toen het gordijn van waterdruppels door de wind was verwaaid, was de vaargeul leeg. Er viel geen spoor meer van de kleine boot te bekennen en nergens zag ik iets dat er op leek of ze nog door de door de wind aangewakkerde golven dreef. Ik wist dat met het tij de grote boosaardig uitziende Albacore-haaien landinwaarts kwamen om zich te voeden. Ze zouden door de kleur van het bloed en de losgereten stukken vlees in het water snel aangetrokken worden en ik betwijfelde sterk of er iemand aan boord, die de ontploffing had overleefd, lang aan de aandacht van deze op een enkel doel gerichte en vraatzuchtige moordenaars zou kunnen ontsnappen. De haaien die commandant Suleiman Dada zouden vinden, zouden zich echt tegoed kunnen doen, tenzij ze in hem een gelijkgestemde ziel zouden herkennen en hem als zodanig een gunst zouden verlenen. Het was een grimmig grapje van mijn kant en eerlijk gezegd gaf het me weinig voldoening. Ik kwam overeind en liep op mijn gemak terug naar de grot.

Ik ontdekte dat ze mijn medicijnkistje hadden opengebroken en de inhoud verstrooid hadden tijdens de plundering van de vorige dag, maar ik vond toch meer dan voldoende ingrediënten terug om Sherry's verminkte vingers te reinigen en opnieuw te verbinden. Drie nagels waren uitgetrokken en ik was bang dat de nagelwortels tijdens het proces vernietigd waren en dat ze nooit meer zouden aangroeien. Maar toen Sherry wat dat betreft haar eigen angstige voorgevoelens te berde bracht, sprak ik die krachtig tegen. Nadat ik haar wonden verzorgd had, dwong ik haar enkele codeïnetabletten in te nemen, zodat ze minder last van de pijn zou hebben en maakte daarna achter in het donkere deel van de grot een bed voor haar klaar.

'Neem de nodige rust,' zei ik en knielde naast haar neer. Ik kuste haar vol liefde en zei: 'Probeer wat te slapen. Ik kom je halen wanneer we klaar zijn om te vertrekken.'

Chubby was al druk bezig al datgene te doen om ons vertrek te bespoedigen. Hij had de Groenlandvaarder aan een nauwkeurige inspectie onderworpen – en afgezien van enkele gaten door granaatscherven in de romp – verkeerde ze in prima staat.

We vulden de gaten op met stopverf die we in de gereedschapskist vonden en lieten haar op het strand liggen.

Het gat waarin de kist begraven had gelegen, diende nu als gemeenschappelijk graf voor de dode mannen en de vrouw, die er half overheen lag. We legden ze als sardientjes naast elkaar en bedekten ze met het mulle zand. We haalden de gouden tijgerkop uit zijn graf. Het glinsterende oog zat nog steeds in het brede voorhoofd. Wankelend onder het gewicht droegen we hem naar onze boot. De plastic zakjes met saffieren en smaragden stopte ik in mijn broodzak en legde die naast de tijgerkop.

Daarna gingen we terug naar de grotten en brachten alle onbeschadigde voorraden en uitrustingsstukken in veiligheid – de blikken water en benzine, de flessen met samengeperste lucht en de compressor. Het was al ver in de middag voor we alles in de boot gebracht hadden en ik was eerlijk gezegd doodmoe. Ik legde de FN karabijn boven op de stapel en deed een stapje achteruit.

'Alles klaar, Chubby?' vroeg ik, terwijl ik onze cheroot aanstak en we onze eerste rust namen. 'Ik denk dat we nu wel kunnen vertrekken.'

Chubby nam een lange haal en blies een lange streep blauwe rook uit voor hij in het zand spuwde. 'Ik wil alleen nog even naar boven om Angelo te halen,' mompelde hij en toen ik hem aankeek ging hij verder: 'Ik ben niet van plan die jongen daar achter te laten. Het is daar gruwelijk eenzaam. Hij zou bij zijn eigen volk in een christelijk graf willen liggen.'

En toen ik dus naar de grot terugliep om Sherry te halen, koos Chubby een rol zeildock uit en verdween in de toenemende duisternis.

Ik wekte Sherry en overtuigde me dat ze zich in een van mijn truien warm aangekleed had. Ik gaf haar nog twee codeïnetabletten en bracht haar toen naar het strand. Het was nu pikdonker. Ik hield de toorts in mijn ene hand en met de andere hielp ik Sherry. We bereikten het strand en plotsklaps bleef ik staan. Er was iets niet in orde. Ik voelde 't. Ik liet het licht van de toorts over de geladen boot glijden.

Toen realiseerde ik me wat het was en ik kreeg even een misselijk makend gevoel in mijn maag.

De FN karabijn lag niet meer op de plek waar ik hem in de boot had achtergelaten.

'Sherry,' fluisterde ik dringend, 'ga liggen en blijf liggen, totdat ik je vertel dat je kunt opstaan.'

Ze liet zich snel op het zand zakken naast de romp van de boot en ik keek koortsachtig om me heen of ik een wapen kon vinden. Ik dacht een ogenblik aan de speer, maar die lag onder de benzineblikken en mijn aasmes stond nog steeds in de stam van een palmboom in het bosje. Ik had tot nu toe het mes totaal vergeten. Een moersleutel uit de gereedschapskist – maar verder had die gedachte geen tijd te ontwikkelen.

'Kom, Harry, ik heb je karabijn.' De zware schorre stem sprak vanuit het duister direct achter me. 'Draai je niet om en doe evenmin iets stoms.'

Het kon niet anders of hij had, nadat hij het geweer gepakt had, ergens in het palmbos liggen wachten. En nu had hij zijn kans schoon gezien en was tot vlak achter me geslopen. Ik bevror.

'Zonder je om te draaien – gooi die toorts achter je. Over je schouder.'

Ik deed wat hij vroeg en ik hoorde het zand onder zijn voeten knerpen toen hij zich bukte om het ding op te rapen.

'Goed, draai je nu langzaam om.' Terwijl ik dit deed, liet hij het licht van de toorts in mijn ogen schijnen waardoor hij me totaal verblindde. Niettemin kon ik vaag de enorme gestalte van de man achter de lichtstraal onderscheiden.

'Prettig zwemtochtje gehad, Suleiman?' Ik zag dat hij alleen maar een korte witte onderbroek droeg en zijn enorme dikke buik en dikke vormeloze benen glansden nat in het weerkaatste licht van de toorts.

'Ik begin langzamerhand allergisch te worden voor je grapjes, Harry,' zei hij met de diepe, prachtig gemoduleerde stem en ik herinnerde me te laat dat een overvette man licht en sterk wordt in het ondersteunende zoute zeewater. Maar zelfs met het wisselen van het tij als belangrijke hulp had Suleiman Dada niettemin een formidabel wapenfeit volbracht, niet alleen door die explosie te overleven, maar door bovendien een afstand van drie kilometer door woelig water zwemmend af te leggen. Ik betwijfelde sterk of een van zijn mannen het er even goed had afgebracht.

'Ik geloof dat ik je het best eerst in je buik kan schieten,' zei hij en ik zag dat hij de lade van de karabijn over zijn linkerelleboog gelegd had. Met dezelfde hand hield hij de lichtstraal op mijn gezicht gericht. 'Ze hebben me verteld dat de buik de meest pijnlijke plaats is om een kogel op te vangen.'

Beiden zwegen we enkele ogenblikken. Suleiman Dada haalde al die tijd diep astmatisch adem en ik piekerde me suf of ik niet een manier kon vinden om hem lang genoeg af te leiden, zodat ik een kans kreeg om de loop van de FN te grijpen. 'Ik veronderstel niet dat je er iets voor voelt om op je knieën te vallen en om genade te smeken?' vroeg hij.

'Laat je nakijken, Suleiman,' antwoordde ik.

'Nee, ik dacht wel dat je dat niet zou willen. Jammer eigenlijk. Ik zou er echt van genoten hebben. Maar wat dat meisje betreft, Harry, je zou wat haar betreft toch wel iets van je trots kunnen laten varen –'

Allebei hoorden we Chubby. Hij wist dat er geen mogelijkheid was om onopgemerkt het open strand over te steken, zelfs niet in het donker. Hij had geprobeerd Suleiman tegen de grond te rennen, maar ik was ervan overtuigd dat hij zelf wist dat hij dat nooit voor elkaar zou kunnen brengen. Wat hij in feite deed was de verwarring stichten, die ik zo broodnodig had.

Hij kwam snel uit de duisternis opdoemen en rende daarbij zo stil mogelijk. Alleen het geknars van het verraderlijke zand onder zijn voeten verraadde hem. Zelfs toen Suleiman Dada de karabijn op hem richtte verslapte hij zijn aanval geen moment.

Ik hoorde de knal van het schot en zag de lange vuurstraal uit de loop schieten, maar zelfs daarvoor was ik al halverwege de afstand die me van deze enorme mensengedaante scheidde. Uit het hoekje van mijn oog zag ik Chubby vallen en op datzelfde ogenblik begon Suleiman zich om te draaien en de karabijn op mij te richten.

Ik schoot rakelings langs de loop van de FN en botste met mijn schouder op volle kracht tegen zijn borst. Het zou onder normale omstandigheden de ribben van elke man hebben gekraakt, zoals bij het slachtoffer van een autobotsing. Maar in plaats daarvan kwam ik tot de ontdekking dat de kracht van de botsing volkomen geabsorbeerd werd door de zware vleeslaag rond zijn body. Het had er veel van weg, alsof ik tegen een met veren gevulde matras was gebotst. En hoewel hij enkele passen achteruit wankelde en het geweer liet vallen, bleef Suleiman Dada op die twee dikke op boomstammen gelijkende benen staan. Nog voor ik mijn evenwicht had kunnen herstellen, hield hij me met zijn geweldige armen omklemd als in een bankschroef.

Hij tilde me van de grond en drukte me tegen zijn omvangrijke borst. Mijn beide armen hield hij zo gevangen en bovendien had hij me wel zo ver opgetild dat ik mijn benen niet kon steunen om weerstand te kunnen bieden aan zijn gewicht en onmenselijke kracht.

Een gevoel van absoluut ongeloof kwam over me, toen ik de kracht van de man voelde. Niet een wrede beestachtige kracht, maar iets dat zo massief en zo machtig was dat er geen einde aan scheen te komen, bijna zo iets als de voortstuwende en dan weer zuigende kracht van de zee. Ik probeerde mijn knieën en mijn ellebogen te gebruiken, ik schopte en sloeg om mijn houvast te doorbreken, maar de slagen waren niet hard genoeg en schenen op de man totaal geen indruk te maken. In plaats daarvan begon de omknellende greep van zijn armen toe te nemen en dit met de langzame ritmische kracht van een python. Ik realiseerde me onmiddellijk dat deze man heel goed in staat was mij letterlijk dood te drukken en een panisch gevoel van angst trok door me heen. Ik wrong en worstelde me als een razende in zijn armen, maar het was volkomen vruchteloos. Maar toen hij zijn onmetelijke kracht steeds meer op mij richtte begon zijn ademhaling moeilijker te worden. Hij boog zich wat naar voren, zodat zijn grote brede schouders zich als 't ware over me heen kromden en mijn rug achterover gebogen werd. Ik voelde dat het niet lang kon duren of hij brak mijn ruggegraat.

Ik bracht mijn hoofd zover mogelijk achterover en opende mijn mond. Ik sloot mijn tanden om de brede platte neus. In mijn totale wanhoop beet ik zo hard ik kon en ik voelde duidelijk hoe mijn tanden door het vlees en het kraakbeen van zijn neus gingen. Mijn mond vulde zich onmiddellijk met het warme zoutachtig smakende bloed. Als een hond die opgehitst wordt tegen een stier kwelde ik zijn neus.

De man stootte een gebrul uit en hij verminderde de druk van zijn allesvernietigende greep rond mijn lichaam in een poging zijn gezicht van mijn tanden te bevrijden. Zodra ik voelde dat mijn armen vrij waren, kronkelde ik me krampachtig en mijn voeten kregen houvast op het compacte natte zand. Nu kon ik mijn heup naar hem toedraaien voor een heupworp. Hij had het zo druk met zijn poging zijn neus tussen mijn tanden vandaan te krijgen dat hij de worp niet kon tegenhouden. Toen hij achterover sloeg, kwamen mijn tanden los, echter niet zonder een stuk lillend vlees uit zijn neus los te scheuren.

Ik spuwde de afgrijselijke mondvol vlees uit, maar het warme bloed stroomde langs mijn kin. Maar ik weerstond de verleiding een ogenblik mijn strijd te staken en het weg te vegen.

Suleiman Dada lag nu als een grote verminkte zwarte kikker op zijn rug, maar hij zou niet lang hulpeloos blijven. Ik moest hem nu meteen mores leren en er was vermoedelijk maar één plek waar hij mogelijk kwetsbaar was.

Ik sprong hoog boven hem uit en liet me met mijn knieën op zijn keel vallen. Daarbij dreef ik met mijn volle gewicht een knie tegen zijn strottehoofd in de hoop dit te verbrijzelen.

Maar hij was zo snel als een slang. Hij bracht beide armen omhoog om zijn keel te beschermen en me op te vangen toen ik omlaag kwam. Opnieuw zat ik in die dikke zwarte armen gevangen. We rolden over het strand, de borsten tegen elkaar aangedrukt en kwamen ten slotte terecht in het warme ondiepe water van de lagune.

Zijn gewicht was zo veel groter dan het mijne dat ik volkomen werd uitgeschakeld. Hij lag nu over me heen en het bloed uit zijn gekwetste neus stroomde over me heen. Hij brulde nog steeds van woede en hij drukte me in het weinige water en probeerde mijn hoofd onder de oppervlakte te duwen. Zijn hele gewicht rustte nu op mijn borst en longen. Ik begon te verdrinken. Mijn longen voelden aan alsof ze in brand stonden. Ik voelde hoe alle kracht uit me wegvloeide en mijn bewustzijn zou nu elk ogenblik plaats maken voor een volledige duisternis. Het schot dat nu afging klonk gedempt en dof. Het drong eerst niet goed tot me door wat het was, totdat ik voelde hoe Suleiman Dada schokte en toen scheen te verstijven. Ik voelde hoe alle kracht uit hem vloeide, hoe zijn gewicht van me afgleed.

Kuchend en snakkend naar adem kwam ik half overeind. Het water stroomde uit mijn haren en in mijn ogen. Bij het licht van de op het zand gevallen toorts zag ik Sherry North geknield op het zand liggen, direct aan de rand van het water. Ze had het geweer nog steeds in haar verbonden handen en op haar bleke gezicht stond angst te lezen. Naast me dreef Suleiman Dada met zijn gezicht omlaag in het ondiepe water. Zijn halfnaakte lichaam glinsterde donker als het lichaam van een aan het strand gespoelde schildpad. Langzaam kwam ik overeind. Het water droop uit mijn kleren. Sherry keek me met een paar ogen vol afschuw over wat ze gedaan had aan.

'Oh, mijn God,' fluisterde ze. 'Ik heb hem vermoord. Oh, mijn God!'

'Meisjelief,' bracht ik hijgend uit. 'Dat was het beste dat je ooit van je leven gedaan hebt.' Ik liep wankelend langs haar heen naar de plek waar Chubby lag.

Hij probeerde zich overeind te worstelen.

'Houd je gemak, Chubby,' snauwde ik en raapte de toorts op. Er zat fris bloed op zijn hemd. Ik maakte de knoopjes los en trok het rond zijn bruine, brede borst opzij.

De kogel had hem links getroffen, maar het was ongetwijfeld een longschot geweest. Ik zag hoe bij iedere ademhaling schuimbellen van bloed uit het donkere gat omhoog kwamen. Ik heb in mijn leven meer dan genoeg kogelwonden gezien om er iets van af te weten en ik wist dat dit heel ernstig was.

Hij keek naar mijn gezicht. 'Wat denk je er van?' gromde hij. 'Het is niet pijnlijk.'

'Verrukkelijk,' antwoordde ik grimmig. 'Iedere keer dat je een biertje drinkt loopt het meteen weer uit dat gat weg.' Hij grinnikte wat zuur en ik hielp hem in een zittende houding overeind. Het gat, waar de kogel het lichaam weer verlaten had, was schoon en gaaf. De FN was geladen geweest met compacte kogels en het gat was net een tikje groter dan het gat waar de kogel het lichaam was binnengedrongen. Evenmin was de kogel tegen been plat uitgezet. Ik vond in de medicijnkist verbandmiddelen die onder anderen in het leger gebruikt worden en verbond de wonden voor ik hem in de boot hielp. Sherry had een van de matrassen klaargelegd en we dekten hem met een paar dekens toe.

'Vergeet Angelo niet,' fluisterde hij. Ik vond de langwerpige zeildoeken bundel waar Chubby hem had laten vallen. Ik droeg Angelo naar de boot en legde hem in de voorsteven.

Ik schoof de Groenlandvaarder in zee, totdat ik er zelf tot aan mijn middel instond. Toen klauterde ik over de rand en startte de motoren. Mijn enige zorg was nu te zorgen dat Chubby zo snel mogelijk alle medische aandacht kreeg, maar het zou tot aan de eilanden van St. Mary een lange koude tocht worden.

Sherry zat naast Chubby op de planken van het dek en deed haar uiterste best het hem zo gemakkelijk mogelijk te maken. Ik stond op de achterplecht tussen de beide motoren en stuurde de boot door de diepe vaargeul tussen het rif door, voor ik in zuidelijke richting en onder een hemel vol met koud aandoende sterren naar het zuiden koerste. Met mijn lading, een gewonde, een stervende en een dode.

We waren ongeveer vijf uur onderweg toen Sherry naast de met dekens bedekte gestalte op de bodem van de boot overeind kwam en naar mij toekwam.

'Chubby wil met je praten,' zei ze kalm. Impulsief boog ze zich wat naar voren en raakte met de koude vingers van haar goede hand mijn wang aan. 'Ik geloof dat hij stervende is, Harry.' Ik hoorde de wanhoop die in haar stem lag.

Ik gaf het roer aan haar over. 'Zie je die twee heldere sterren?' vroeg ik, terwijl ik naar de twee achterste sterren van het zuiderkruis wees. 'Stuur recht op hen af.' Ik liep naar de plek waar Chubby lag.

Een tijd lang scheen hij me niet te herkennen. Ik knielde naast hem neer en luisterde naar het zachte onvaste geluid van zijn ademhaling. Ten slotte drong het tot hem door wie ik was. Ik zag hoe het licht van de sterren in zijn ogen viel. Hij keek me aan en ik leunde nog wat meer naar hem toe, zodat onze gezichten slechts enkele centimeters van elkaar verwijderd waren.

'We hebben samen heel wat beste vissen gevangen, Harry,' fluisterde hij.

'We gaan er nog heel wat meer vangen,' antwoordde ik. 'Met wat we nu aan boord hebben, kunnen we een echt goede boot kopen. En het volgend seizoen gaan jij en ik weer op diepzeevissen jagen – dat is zo zeker als twee maal twee vier is.'

Lange tijd zwegen we, totdat ik voelde hoe hij naar mijn hand tastte. Ik nam zijn hand in de mijne en drukte stevig. Ik kon het eelt en de oude lijngroeven voelen, die het hanteren van de zware vissen hadden veroorzaakt.

'Harry.' Zijn stem was zo zwak dat ik hem maar net boven het geluid van de motoren uit kon horen, toen ik mijn oor op zijn mond legde.

'Harry, ik ga je nu iets vertellen dat ik je nog nooit eerder verteld heb. Ik houd van je, man,' fluisterde hij. 'Ik houd meer van je dan van mijn eigen broer.'

'Ik houd ook van jou, Chubby,' antwoordde ik en gedurende korte tijd werd zijn greep om mijn hand weer krachtig. Maar toen verslapte die weer. Ik bleef naast hem zitten, terwijl die grote vereelte hand langzaam in mijn handen koud werd. Het eerste ochtendgloren verlichtte de hemel boven de donkere en tobbende zee.

Tijdens de drie volgende weken verlieten Sherry en ik zelden of nooit de veilige schuilplaats op Turtle Bay. We gingen samen en stonden samen onbeholpen naast elkaar op het kerkhof, toen we onze vrienden begroeven en een keer reed ik alleen naar het fort en bracht daar twee uur met president Godfrey Biddle en inspecteur Wally Andrews door. Maar voor de rest van de tijd waren we alleen, terwijl de wonden genazen.

Onze lichamen genazen sneller dan onze geest. Op een ochtend, toen ik Sherry's hand opnieuw verzorgde, zag ik de op parels gelijkende witte kiemen in het genezende vlees van haar vingertoppen en ik besefte dat dit de nagelwortels waren die weer waren begonnen te groeien. Ze zou opnieuw nagels hebben om die lange smalle handen te sieren. Ik was daar meer dan dankbaar voor.

Het waren geen gelukkige, blijde dagen. De herinneringen aan al wat er gebeurd was, lagen nog te vers in ons geheugen en de dagen waren donker en somber door de droefheid die we voelden door het verscheiden van Chubby en Angelo en beiden wisten we bovendien dat de crisis in onze verhouding aanstaande was. Ik raadde welke folterende beslissing haar nu wachtte en ik vergaf haar van harte haar soms opvliegende slechte buien en de lange gemelijke stilte. Ook haar plotseling verdwijnen uit het houten huis, wanneer ze soms urenlang langs het verlaten strand liep, of als een eenzame gereserveerde gedaante op het voorgebergte van de baai zat. Eindelijk wist ik dat ze nu sterk genoeg was om dat wat nu voor ons lag het hoofd te bieden. Op een avond bracht ik het onderwerp ter sprake, en dit voor het eerst sinds onze terugkomst op St. Mary, wat er met de schat gebeuren moest.

Deze lag nu begraven onder de fundering van het houten huis. Sherry luisterde zwijgend, terwijl we samen op de veranda zaten, whisky dronken en naar het geluid van de avondlijke branding op het strand luisterden.

'Ik wil dat je verder gaat met alle voorbereidingen voor de aankomst van de lijkkist. Huur in Zürich een auto en rijd vandaar naar Basel. Ik heb een kamer voor je besproken in het Red Ox Hotel. Ik heb speciaal dat hotel uitgekozen omdat ze een ondergrondse garage hebben en ik de hoofdportier daar goed ken. Hij heet Max.' Ik legde haar mijn plannen uit. 'Hij zorgt voor een lijkwagen die bij het vliegtuig klaar zal staan. Jij speelt de rol van de diep bedroefde weduwe en brengt de kist naar Basel. We regelen de omruiling in de garage en jij spreekt met mijn bankier af dat hij voor een gepantserde auto zorgt, die vandaar de kop van de tijger naar zijn eigen huis brengt.'

'Je hebt het wel allemaal netjes uitgekiend, is 't niet?'

'Dat hoop ik.' Ik schonk opnieuw een glas whisky in. 'Mijn bank is Falle et Fils en de man naar wie je vragen moet heet M. Callon. Wanneer je hem ontmoet, geef je hem mijn naam en het nummer van mijn bankrekening is 1066 – hetzelfde als het jaar van de slag bij Hastings. Je moet met M. Callon afspreken dat hij voor een privé-kamer zorgt waar we kopers kunnen uitnodigen om de koop te bekijken –' Ik legde haar verder alles tot in de kleinste bijzonderheden uit en ze luisterde aandachtig.

Zo nu en dan stelde ze een vraag, maar voor het grootste deel van de tijd deed ze er het zwijgen toe. Ten slotte haalde ik een vliegtuigbiljet te voorschijn en een dun stapeltje reischeques, die haar kosten gedurende haar verblijf zouden dekken.

'Heb je het vliegtuig al besproken?' Ze keek me zeer verschrikt aan en toen ik bevestigend knikte, sloeg ze de bladzijden van het vliegtuigbiljet om.

'Wanneer vertrek ik?'

'Morgen, met het vliegtuig van twaalf uur.'

'En wanneer kom jij me achterna?'

'Met hetzelfde vliegtuig dat de lijkkist vervoert, drie dagen later – op vrijdag. Ik land in Zürich met het BOAC vliegtuig van half twee. Dat geeft je voldoende tijd om alles te regelen en me daarna af te halen.'

Die nacht was even teder en liefdevol als altijd, maar desondanks voelde ik dat Sherry in een melancholische stemming was – zoals dat bij een vertrek en een afscheid 't geval is.

Bij het aanbreken van de dag kwamen de dolfijnen ons bij de ingang van de baai al tegemoet en we speelden de halve ochtend met hen. Daarna zwommen we langzaam naar het strand terug.

Ik reed haar in de oude bestelauto naar het vliegveld. Ze zei tijdens de rit praktisch geen woord en toen, plotseling, probeerde ze me iets te zeggen, maar ze praatte verward en ik kon er geen touw aan vastknopen. Wat mat eindigde ze ten slotte: '– indien er ooit iets met ons gebeurt, ach, ik bedoel dat niets ten slotte eeuwig duurt, is 't wel –'

'Ga verder,' zei ik.

'Nee, het is niets. Alleen dat we moeten proberen elkaar te vergeven – indien er iets gebeurt.' Dat was alles dat ze wilde zeggen en bij de sluitboom van het vliegveld gaf ze me een vluchtige kus, klemde heel even haar beide armen om mijn hals en draaide zich toen om. Snel liep ze naar het wachtende vliegtuig. Ze keek niet één keer om en evenmin zwaaide ze toen ze de vliegtuigtrap opliep.

Ik keek hoe het vliegtuig snel hoogte won en de vaargeul overstak en koers zette naar het vasteland. Daarna reed ik langzaam naar Turtle Bay terug.

Zonder haar was het erg eenzaam en toen ik die avond alleen in het brede bed onder het muskietengaas lag, wist ik dat het risico dat ik op 't punt stond te nemen noodzakelijk was. Hoogst gevaarlijk, maar niettemin noodzakelijk. Ik wist dat ik haar hier terug moest zien te krijgen. Zonder haar zou alles hier smakeloos zijn, als pap zonder zout. Ik moest er op gokken dat de aantrekkingskracht die ik op haar uitoefende sterker was dan alle andere krachten die haar beheersten. Ik moest haar zelf een keuze laten maken, maar ik moest wel proberen haar met elke list waarover ik de beschikking had te beïnvloeden.

De volgende ochtend reed ik naar St. Mary en, nadat Fred Coker en ik voldoende hadden geargumenteerd, elkaar geraadpleegd en geld en beloften over en weer waren uitgewisseld, opende hij de dubbele deuren van zijn pakhuis en reed ik de bestelauto naast de lijkwagen. We laadden een van zijn beste lijkkisten, teakhout met verguld zilveren handvaten en van binnen met rood fluweel afgezet, achterin de bestelauto. Ik dekte het geheel met zeildoek toe en reed terug naar Turtle Bay. Toen ik de lijkkist had geladen en de deksel had vastgeschroefd, woog hij ongeveer tweehonderdvijftig kilo.

Toen het donker was geworden, reed ik terug naar de stad. Het was bijna sluitingstijd, voor zover het de waard van de Lord Nelson betrof, voor ik al mijn regelingen had getroffen. Ik had nog net voldoende tijd over voor een whisky en reed toen weer terug naar Turtle Bay en pakte daar mijn oude gehavende plunjezak.

De volgende dag, om precies twaalf uur en vierentwintig uur vroeger dan ik met Sherry had afgesproken, stapte ik in het vliegtuig dat me naar het vasteland zou brengen en nog diezelfde avond pakte ik het BOAC vliegtuig dat me vanuit Nairobi verder zou brengen.

Er was natuurlijk op het vliegveld in Zürich niemand om me welkom te heten, want ik was een dag te vroeg. Ik liep snel door de douane en de immigratie en liep vandaar naar een van de grote aankomsthallen.

Ik controleerde eerst mijn bagage voordat ik de laatste onderdelen van mijn plan regelde. Ik vond een vliegtuig dat mij de volgende dag om 13.20 uur weer terug kon vliegen en dat kwam meer dan goed met mijn eigen tijdrekening uit. Ik reserveerde een plaats en liep toen op mijn gemak naar de inlichtingenbalie en wachtte daar tot het aantrekkelijke blonde kleine meisje van Swissair het niet te druk meer had, want ik was van plan haar in een lang gesprek te betrekken. In het begin was ze niet te vermurwen, maar ik lonkte wat tegen haar en liet dit vergezeld gaan van een glimlachje en ten slotte raakte ze hierdoor zo geïntrigeerd dat ze vol verwachting giechelde.

'U weet zeker dat u morgen dienst hebt?' vroeg ik bezorgd.

'Ja, monsieur, maakt u zich niet bezorgd, ik ben er.'

We scheidden als vrienden. Ik haalde mijn plunjezak op en nam een taxi naar Holiday Inn even verder op langs de weg naar de stad. Hetzelfde hotel waar ik zwaar transpirerend en nu lang geleden de komst van de Hollandse politie had afgewacht. Ik bestelde iets te drinken, nam een bad en maakte het me toen voor de tv gemakkelijk. Het maakte bepaalde herinneringen wakker.

De volgende ochtend, kort voor twaalf uur, had ik plaats genomen in het café van de luchthaven en deed net of ik in de Frankfurter Allgemeine Zeitung zat te lezen, maar hield over de rand van de krant de aankomsthal goed in de gaten. Ik had mijn bagage en vliegtuigbiljet al afgegeven. Het enige dat me te doen stond, was nu naar de uiteindelijke vertrekhal te lopen. Ik droeg een nieuw pak dat ik die ochtend gekocht had. De stijl en de kleur – muisgrijs – waren wel zo bizar dat niemand die mij kende zou willen geloven dat ik er zelfs dood in gezien zou willen worden. In de eerste plaats was het twee maten te groot en ik had het hele zaakje met hotelhanddoeken opgevuld waardoor mijn gestalte totaal veranderd was. Ik had ook persoonlijk mijn haar geknipt, kort en piekerig en er toen wat talkpoeder ingewreven waardoor ik wel vijftien jaar ouder leek. Toen ik naar mijn beeltenis in de spiegel van het herentoilet keek en dit door een goudgerande bril, herkende ik mezelf niet meer.

Om zeven minuten over een kwam Sherry via de hoofdingang het gebouw van de luchthaven binnen. Ze droeg een mantelpak van grijze wol, een tot aan haar enkels reikende zwart leren mantel en een kleine bijpassende leren hoed met een smalle zakelijk uitziende rand. Haar ogen gingen verborgen achter een donkere zonnebril, maar de uitdrukking op haar gezicht was strak en vastberaden terwijl ze door de menigte toeristen liep.

Ik kreeg een misselijk gevoel in mijn maag, toen ik zag dat al mijn verdenkingen en angsten bevestigd werden en de krant in mijn handen beefde. Een pas achter en opzij van haar liep de kleine keurig geklede man, die ze aan mij als oom Dan had voorgesteld. Hij droeg een uit wollen stof gemaakte pet en zijn overjas hing over zijn arm. Meer dan ooit ademde hij een atmosfeer van opmerkzaamheid uit, de waakzaamheid van de jager en de zelfverzekerde loop, terwijl hij het meisje volgde.

Hij had vier van zijn mensen bij zich. Ze liepen rustig en onopvallend achter hem aan. Eenvoudig en stemmig geklede mannen met waakzame gezichten.

'Oh, jij verdomde meid,' fluisterde ik in mezelf, maar tegelijkertijd vroeg ik me af waarom ik me zo bitter zou voelen. Ik had dit nu lang genoeg geweten.

Het groepje, het meisje en de vijf mannen, bleef midden in de grote hal staan en ik keek toe, terwijl oom Dan zijn bevelen gaf. Hij was duidelijk een professional. Dat kon je zien aan de manier waarop hij zijn mannen plaatste. Elke uitgang werd bezet.

Sherry North stond rustig te luisteren. Er lag geen enkele uitdrukking op haar gezicht en haar ogen gingen schuil achter haar donkere bril. Een keer richtte oom Dan het woord tot haar en ze knikte abrupt. Toen de vier krachtfiguren hun plaats hadden ingenomen, bleven Sherry en oom Dan de ingang in de gaten houden, waardoor de aankomende passagiers de hal zouden binnenkomen.

'Smeer 'm nu, Harry,' drong dat waarschuwende stemmetje. 'Speel geen rare spelletjes. Dit is weer opnieuw het wolvegebroed. Ren, Harry, smeer 'm.'

Op dat moment werd door de luidsprekerinstallatie de vlucht afgeroepen, waarvoor ik de vorige dag een plaats gereserveerd had. Ik stond in mijn goedkope flodderige pak van het tafeltje op en schuifelde naar de inlichtingenbalie. De kleine blonde stewardess herkende me eerst niet, toen viel haar mond open en ze sperde haar ogen wijd open. Ze bedekte met haar hand haar mond en in haar ogen spankelde het leedvermaak van de samenzweerder.

'De achterste cel,' fluisterde ze, 'het dichtst bij de vertrekdeuren.'
Ik knipoogde en schuifelde weg. Eenmaal in de telefooncel nam ik de haak van het toestel en deed alsof ik in gesprek was, maar ik verbrak de verbinding door mijn vinger op de haak te leggen en hield via de glazen deur de hal in de gaten.

Ik hoorde mijn medewerkster in het kwaad melden: 'Miss Sherry North, wil miss North zich melden bij de inlichtingenbalie.'
Door de glazen deur zag ik hoe Sherry naar de balie liep en daar met de stewardess praatte. Het meisje wees naar de cel naast de mijne. Sherry draaide zich om en liep regelrecht op me af. Door de rij cellen was ze onzichtbaar voor oom Dan en de vier mannen.

De leren mantel golfde gracieus rond haar lange benen en haar haren waren glanzend zwart en veerden bij iedere stap van haar schouders omhoog. Ik zag dat ze zwart leren handschoenen droeg om haar gekwetste vingers te verbergen en ik meende dat ze er nog nooit zo aantrekkelijk had uitgezien als op dit ogenblik van mijn verraad.

Ze ging de cel naast de mijne binnen en nam de haak van het toestel. Snel legde ik in mijn cel de haak weer neer en stapte de cel uit. Toen ik de deur van haar cel opendeed keek ze ongeduldig geërgerd om.

'Oké, jij stom stuk diender – geef me één goeie reden waarom ik je de hersens niet zou inslaan,' zei ik.

'Jij!' De uitdrukking op haar gezicht verschrompelde en haar hand vloog naar haar mond. We keken elkaar aan.

'Wat is er met de echte Sherry North gebeurd?' vroeg ik. Die vraag scheen haar te kalmeren.

'Ze werd vermoord. We vonden haar lichaam – bijna onherkenbaar – in een steengroeve even buiten Ascot.'

'Manny Resnick zei me dat hij haar vermoord had –' zei ik. 'Ik geloofde hem niet. Hij lachte me ook uit toen ik aan boord kwam om met hem en Suleiman Dada een handeltje te sluiten, voor jouw leven. Ik noemde je Sherry North en hij lachte me uit en noemde me een idioot.'

Ze bleef zwijgen, niet in staat me in de ogen te kijken. Ik praatte verder en bevestigde wat ik al die tijd vermoed had.

'Nadat Sherry North vermoord was, besloten ze haar identiteit niet bekend te maken – maar de villa in de gaten te houden. In de hoop dat de moordenaars zouden terugkeren om een onderzoek in te stellen naar de nieuwe aankomst – of dat mogelijk een andere onnozele idioot er in zou trappen en hun de weg zou wijzen. Ze kozen jou, omdat jij een geoefende politieduikster bent. Dat klopt, is 't niet?'

Ze knikte maar keek me nog steeds niet aan.

'Ze hadden er beter aan gedaan zich er eerst van te overtuigen dat je ook iets van de schelpkunde afwist. Dan zou je vast en zeker dat stuk vuurkoraal niet hebben beetgepakt. En dat zou mij een hoop moeilijkheden bespaard hebben.'

Ze was nu over de eerste schok van mijn plotselinge verschijning gekomen. Het was nu het ogenblik oom Dan en de vier mannen door middel van een fluitsignaal te waarschuwen, indien ze dit tenminste van plan was.

Maar ze deed niets, zei niets. Haar gezicht had ze gedeeltelijk afgewend en haar ene zichtbare wang kleurde dieprood onder de goudbruine teint.

'Die eerste nacht, toen je telefoneerde omdat je dacht dat ik sliep. Je deelde toen je chef mee dat een halfgare idioot binnen was komen wandelen. Ze zeiden je het spelletje mee te spelen. En – meisjelief – je bespeelde me inderdaad en hoe.'

Eindelijk keek ze me aan, een paar donkere, blauwe, tartende ogen. Woorden schenen zich achter haar gesloten lippen te verzamelen, maar ze liet ze niet ontsnappen en ik ging verder met mijn gesprek.

'Daarom maakte je ook gebruik van de achteringang van Jimmy's winkel. Om te zorgen dat de buren die Sherry North kenden, je niet zouden zien. Daarom ook kwamen die twee krachtpatsers van Manny om je vingers boven de glasvlam te roosteren. Ze wilden er achter zien te komen wie je was – omdat je zo zeker als twee maal twee vier is, Sherry North niet was. Ze hadden haar immers vermoord.'

Ik wilde dat zij nu wat zou zeggen. Haar zwijgen stelde mijn zenuwen te veel op de proef.

'Welke rang heeft oom Dan – inspecteur?'

'Hoofdinspecteur,' antwoordde ze.

'Ik had hem al van een etiket voorzien, toen ik hem de eerste keer zag.'

'Als je dat dan allemaal wist, waarom ben je er dan mee doorgegaan?' vroeg ze.

'In het begin was ik achterdochtig – maar tegen de tijd dat ik volkomen zeker was, was ik hopeloos verliefd op je geworden.'

Ze zette zich schrap, alsof ik haar een klap in het gezicht gegeven had en meedogenloos ging ik verder:

'Door de verschillende dingen die we samen deden, dacht ik dat je me wel mocht. Volgens mijn code, verkoop je iemand waar je van houdt niet zo maar.'

'Ik ben een vrouwelijke politiefunctionaris,' blafte ze me toe. 'En jij bent een moordenaar.'

'Ik heb nog nooit een man gedood, die niet eerst zijn best had gedaan mij om zeep te helpen,' blafte ik terug, 'op dezelfde manier als waarop jij Suleiman Dada neerschoot.'

Dat bracht haar uit haar evenwicht. Ze stamelde wat en keek om zich heen, alsof ze in een val gelopen was.

'Jij bent een dief,' zette ze haar aanval voort.

'Ja,' gaf ik toe. 'Dat was eens inderdaad zo – maar dat is lang geleden en sindsdien heb ik mijn uiterste best gedaan niet weer in dezelfde fout te vervallen. Met een beetje hulp zou ik het gered hebben.'

'De troon –' ging ze verder, 'je hebt de troon gestolen.'

'Nee, juffrouw,' antwoordde ik grijnzend.

'Wat zit er dan in die lijkkist?'

'Driehonderdvijftig kilo zand uit Turtle Bay. Wanneer je het ziet, denk dan aan de goeie ogenblikken die we samen hebben gehad.'

'De troon – waar is die dan?'

'Bij zijn rechtmatige eigenaar, de vertegenwoordiger van het volk van St. Mary, president Godfrey Biddle.'

'Je gaf hem die troon?' Ze staarde me ongelovig aan. Maar dat ongeloof verdween langzaam maar zeker, toen er een bepaald licht bij haar opging. 'Waarom, Harry, waarom?'

'Zoals ik al zei, ik doe mijn uiterste best eerlijk te blijven.' Weer keken we elkaar hardvochtig aan en plotseling zag ik dat haar donkerblauwe ogen vol tranen schoten.

'En je kwam hier naar toe – terwijl je wist wat ik te doen had?' vroeg ze met gesmoorde stem.

'Ik wilde dat je een keuze zou doen,' zei ik. Ze liet haar tranen als dauwdroppels aan haar zware wimpers hangen. Doelbewust ging ik verder: 'Ik ben van plan dadelijk uit deze cel te verdwijnen en door die deur naar buiten te gaan. Indien niemand een fluitsignaal geeft ben ik met het volgende vliegtuig vertrokken en overmorgen zal ik dan weer door het rif zwemmen en naar de dolfijnen uitkijken.'

'Ze zullen achter je aankomen, Harry,' zei ze, maar ik schudde het hoofd. 'President Biddle heeft kortgeleden zijn uitleveringsovereenkomst veranderd. Niemand zal ooit in staat zijn mij op St. Mary ook maar met één vinger aan te raken. Ik heb daarvoor zijn woord en dat is goed genoeg.'

Ik keerde me om en opende de deur van de telefooncel. 'Ik zal me daar op Turtle Bay wel allerellendigst alleen voelen.'

Ik keerde haar mijn rug toe en wandelde langzaam en doelbewust naar de vertrekuitgang, juist toen ze mijn vlucht voor de tweede keer afriepen.

Toen ik me in een stoel van de Swissair Caravelle genesteld had en mijn veiligheidsriem had omgedaan, vroeg ik me af hoelang het zou duren, totdat ze voldoende moed verzameld had om me naar St. Mary achterna te komen. Ik dacht er over na dat ik haar nog heel wat te vertellen had. Ik moest haar vertellen dat ik een overeenkomst had gesloten om de rest van de gouden troon uit Gunfire Break omhoog te brengen terwille van het volk van St. Mary. Als tegenprestatie had president Godfrey Biddle op zich genomen voor mij een nieuwe diepzee visboot te kopen uit de opbrengst – net zo'n boot als *Wave Dancer* – als teken van dankbaarheid van het volk van St. Mary.

Ik zou daardoor in staat zijn mijn vrouw alles te geven, waaraan ze gewend was en dan was er nog altijd de kist met Georgian verguld tafelservies. Die lag voor moeilijke dagen achter mijn huis in Turtle Bay begraven. Ik was niet in die mate verbeterd. Maar in ieder geval hoefde ik geen nachtelijke tochten meer te maken.

Toen de Caravelle opsteeg, drong het eensklaps tot me door dat ik niet eens haar echte naam kende.

Dat zou dan het eerste zijn dat ik haar zou vragen, wanneer ik haar op het vliegveld van St. Mary zou ontmoeten – de parel van de Indische Oceaan.

Wilbur Smith

Wilbur Smith werd in 1934 geboren in Rhodesië (het huidige Zambia).

Hij stamt af van vroege kolonisten en zijn grootmoeder was de eerste blanke vrouw die in het gebied van de kopermijnen van Zambia woonde. Zijn vader was veeboer en zakenman. Hij ging naar kostschool en naar de Universiteit van Rhodesië waar hij zijn kandidaatsexamen in de Handelswetenschappen deed en zijn loopbaan als schrijver begon bij de Universiteitskrant. Hij is getrouwd met Danielle (roepnaam Dee) – zijn derde huwelijk – over wie hij zegt: 'Dee fungeert eigenlijk als mijn assistente. Ze komt dikwijls op de proppen met waardevolle aantekeningen waar ik een week voor nodig had gehad. Ze heeft absoluut een grote invloed in mijn leven. Ze schept een stabiele omgeving waarin ik kan werken. Die had ik niet voordat ik haar ontmoette en het maakt wel degelijk een groot verschil uit voor mijn schrijverij. Elke dag leest zij wat ik geschreven heb en levert commentaar'.

Smith werkt altijd aan twee of drie boeken tegelijk. Hij heeft een ideeënsysteem met daarin een half dozijn ruwe plannen voor toekomstige boeken en hij is altijd op zoek naar aanvullingen.

Voordat hij aan een nieuw boek begint, is er veel voorbereiding aan vooraf gegaan, wat meestal reizen en lezen met zich brengt en vooral veel denkwerk. Het eigenlijke schrijfwerk vindt plaats in zijn studeerkamer, thuis in Kaapstad. Hij begint gewoonlijk in februari en werkt dan gestadig zes maanden lang door, zes uur per dag, in normaal handschrift. Hij stuurt het boek aan het eind van de zomer naar zijn Engelse uitgever en werkt er in de herfst samen met hen aan. Zijn nieuwe boeken worden meestal in mei gepubliceerd.

Zijn betrokkenheid bij Afrika is intens en hij en Danielle besteden veel tijd aan het bestuderen van vogels en dieren in de wildernis van hun land. Wilbur zegt: 'Toen ik jonger en dommer was, hield ik gewoon van jagen. Het feit dat ik op dertienjarige leeftijd mijn eerste leeuw doodde, is voor mij geen aangename herinnering. Toen wist ik niet beter. Ik heb al twintig jaar geen schot afgevuurd en ik ben hartstochtelijk betrokken bij het behoud van het weinige dat nog over is van het dierenleven in de wildernis van Afrika'. Hij geniet echter van het vissen op tonijn in de Zuid-Atlantische Oceaan, of van het beklimmen van een berg om een afgelegen rivier met forellen te bereiken. Het echtpaar Smith houdt van reizen en ze proberen op zijn minst één lange reis per jaar te maken naar een nieuw en opwindend plekje.

Enkele titels:

HET GOUD VAN NATAL

Zuid-Afrika, eind vorige eeuw. Het land is in de ban van het goud.
Het kostbare goed, schaars en gewild, brengt talloze gelukzoekers
op de been.
Sean en Garry Courtney, tweelingbroers, groeien op in Natal, op
de enorme boerderij van hun ouders. Sean, aangetrokken door de
verhalen over het goud, sluit zich aan bij een groep goudzoekers.
Tegen wil en dank stort hij zich in een wereld van gevaar en avontuur, waar overvallen, berovingen en zelfs moord de orde van de
dag zijn.

ALS EEN ADELAAR IN DE LUCHT

David Morgan, vlieger bij de luchtmacht, maakt tijdens een ver-
kenningsvlucht boven het Midden-Oosten een ernstige taxatiefout:
hij opent het vuur op een vijandelijke MiG-straaljager.
David brengt het er levend van af, maar zijn gezicht is na een grimmig vuurgevecht ernstig verminkt. Met zijn kersverse echtgenote,
de Israëlische Debra, vertrekt David naar Zuid-Afrika, waar hij in
alle rust hoopt te herstellen. Maar het avontuur blijft hem achtervolgen...

EEN LUIPAARD JAAGT 'S NACHTS

Craig Mellow, een in New York wonende bestsellerauteur, de laatste nazaat van de familie Ballantyne, wordt door de Wereldbank op een geheime missie naar Zuidelijk Afrika gestuurd. Zijn dekmantel is het schrijven van een boek over Zimbabwe, het vroegere Rhodesië, waarbij hij wordt geholpen door de aantrekkelijke fotografe Sally-Anne. Zijn werkelijke opdracht is echter informatie te verzamelen over de Russische invloeden in het roerige land. Tijdens de uitvoering van het inlichtingenwerk raken Craig en Sally-Anne betrokken bij bloedige stammenoorlogen en moeten zij de strijd aanbinden tegen nietsontziende ivoorjagers en de levensgevaarlijke maniak die iedere vooruitgang in Zimbabwe de nek wil omdraaien. Een luipaard jaagt 's nachts is een machtige, spannende roman waarin Wilbur Smith eens te meer blijk geeft van zijn tomeloze liefde voor het Afrikaanse land en zijn bewoners.

'...Wilbur Smith is een meester in het verwoorden van spannende actie... hij houdt het midden tussen Alistair MacLean en Nicholas Monsarrat...'

The Sunday Times

DE KRACHT VAN HET ZWAARD

De kracht van het zwaard voert van de uitgestrekte woestijnen van Namibië naar het kloppende hart van nazi-Duitsland, van de tumultueuze jaren van de grote depressie naar de oorlog in Oost-Afrika.
Het is het verhaal van twee halfbroers, Manfred de la Rey en Shasa Courtney, beiden zoons van pionier Thiry de Courtney. De jongens, die vanaf hun prilste jeugd elkaars gezworen vijanden zijn, zetten hun strijd ook wanneer ze ouder worden onverminderd voort. Het mondt uit in een vete die verder voert dan ze beseffen: een gevecht om het leiderschap van Namibië – de strijd om de kracht van het zwaard.

DE BAND VAN HET BLOED

In deze magistrale roman over Zuid-Afrika, het land en zijn bewoners, komt de al jaren smeulende strijd tussen Manfred de la Rey en Shasa Courtney tot een zeer onverwachte ontknoping.
Beide mannen zitten nu in de regering van de door rassenonlusten geteisterde natie. Er wordt een wrede, bloederige strijd uitgevochten. Een strijd die ook diep in de privé-levens van de mannen zal ingrijpen...